A
Davide e
Isabella,

insieme dal liceo...
una eternità!

Selvaggia Lucarelli

Che ci importa del mondo

Rizzoli

ISBN 978-88-17-07359-2

Prima edizione: aprile 2014
Seconda edizione: aprile 2014
Terza edizione: maggio 2014
Quarta edizione: maggio 2014
Quinta edizione: luglio 2014
Sesta edizione: luglio 2014
Settima edizione: ottobre 2014

Finito di stampare nel mese di ottobre 2014
presso Grafica Veneta - via Malcanton, 2 - Trebaseleghe (PD)

Printed in Italy

Che ci importa del mondo

A Leon.
Al bambino che è,
all'uomo che sarà.
E ai sentimentali,
perché fanno girare il mondo.

Oserò
Turbare l'universo?
In un attimo solo c'è tempo
Per decisioni e revisioni che un attimo solo invertirà.

T.S. Eliot, *Il canto d'amore di J. Alfred Prufrock*

Prologo

Succede che quando non si ama da un po', l'amore diventa una cosa che guardi da lontano, col piglio borioso di quello che ne sa, mentre gli altri nuotano, a fatica, nell'acquetta tiepida delle illusioni. Quelli annaspano, agitano le braccia, buttano giù qualche sorso qua e là, e tu li scruti dallo scoglio più alto. Perché le fregature te le ricordi tutte. Te le sei perfino appuntate, diligentemente, sull'agendina degli intoppi ricorrenti, degli incidenti di percorso, dei finali noti. Sai che l'amore per certi versi fa schifo. Che sa essere il più raffinato dei sentimentali e il più rozzo dei cafoni. Che può fare di te il più fesso dei babbei e il più spietato dei menefreghisti. Mi ricordo tutto. E ogni tanto, quando l'amore mi manca, vado a rileggermi la lista delle cose che non mi mancano, provando per un attimo un sollievo profondo e rigenerante. Eccola, la lista.

- L'amore non mi manca perché ha un'insopportabile faccia tosta. Troppo spesso si chiedono all'altro cose che non si è capaci di restituire. Il mondo pullula di gelosi fedifraghi. Di egoisti in cerca di balie. Di gente che chiede a te sincerità e all'altra di non mandare messaggi sul telefonino dopo le otto di sera. Perché l'amore non è un sentimento egoista. È opportunista, che è diverso.

- L'amore non mi manca perché se c'è il momento del «per sempre», ci sarà anche quello del «m'ero sbagliato». Le storie si esauriscono, tutte. Quelle che durano per sempre mancano di coraggio. Appartengono a chi si siede al tavolo delle trattative, sfiancato dalla guerra, e finisce per trovarsi a metà strada come un viandante stanco.
- L'amore non mi manca perché le persone più interessanti sono quelle curiose. E se si ha la fortuna di trovare una persona curiosa, non si può immaginare che esaurisca la sua curiosità con te. Un giorno il suo sguardo si fermerà altrove. E tu la odierai per la stessa ragione per cui la amavi.
- E, infatti, l'amore non mi manca perché le persone che amiamo di più, spesso sono quelle i cui pregi somigliano pericolosamente ai loro difetti. Gli introversi che diventano burberi, i semplici che diventano prevedibili, i leggeri che diventano superficiali. E la fatica perversa di amare, detestando, è una lotta da cui si esce ammaccati. Sempre.
- Non mi manca perché l'amore ha le sue ragioni che la ragione dovrebbe portare in tribunale ai fini di processarle, una a una, per crimini contro l'umanità sensibile. Non c'è giustizia. Non c'è garanzia. Non ci sono risarcimenti certi. Non è necessariamente vero che dopo una delusione la ruota giri o che morto un papa se ne faccia un altro. Spesso la ruota gira al contrario e dopo averti messo sotto una volta, lo fa anche in retromarcia. Il papa non muore mai. Va a fare l'Angelus affacciato a un'altra finestra, che è un'altra cosa. L'amore non è un'assicurazione, non c'è indennizzo certo. Al massimo è rassicurazione, dispotica e transitoria.
- Non mi manca perché pensiamo che ci sia una specie di codice etico che vieta di fotocopiare l'amore e invece alla

fine l'abbiamo fatto, lo facciamo tutti. Ricicliamo frasi, poesie, canzoni, luoghi. L'amara verità è che non siamo solo rinunciabili. Siamo anche ripetibili.

- Non mi manca perché c'è una crudeltà, nell'amore, che non c'è in nessun altro sentimento. Per un mese, un anno, decenni, non puoi vivere un'ora senza sapere cosa stia facendo l'altro, poi arriva una persona di cui non sai nulla, e delle sorti di chi hai amato con quella morbosa intensità te ne frega meno che del tuo piegaciglia.
- C'è una malinconica ipocrisia in quelli che si affannano a dire «non è vero che l'amore finisce, cambia, diventa un'altra cosa». Anche il prosciutto dopo un mese nel frigo cambia, diventa un'altra cosa. Diventa muffa. E quando aggiungono «bisogna lottare, sacrificarsi, alimentare l'amore», stanno solo dicendo, con desolata tenerezza, che bisogna farsi andare bene la muffa.
- Non mi mancano le piccole e le grandi sciatterie dell'amore. Le frasi meschine urlate in un momento di rabbia, in cui lo sai che qualche verità cattiva t'è scappata e poi ti sbrighi a dire che non la pensavi. Quelle sere in cui ci si addormenta nello stesso letto, dopo una discussione o una confessione, e ci si sente cupi e infelici in quella intimità forzata. Non mi manca la quotidianità rassegnata, fatta di uomini che aspettano le mogli fuori dai camerini con lo sguardo spento dal tedio o di donne che raccolgono sconsolate la sua camicia da terra. Non mi mancano i telefoni muti. Il sesso annoiato. Le dimenticanze.
- Non mi manca l'amore, quando tutto si complica senza una ragione evidente. Quando una storia smette di filare liscia, quando non ci si capisce più e non sai perché. Come quando cuffie, collane o asticelle degli occhiali lasciati sul fondo di una borsa si annodano tra di loro, costruendo

giri, intrecci, grovigli di un'ingegnosità sorprendente e tu ti domandi come sia possibile che un anellino di due centimetri si sia infilato in un ciondolo di sei. Non mi manca l'amore quando non lo capisci più.

Nonostante la fredda lista, la mia lucidità e la consapevolezza piena che l'amore ingiallisce e chiede il conto ed è disseminato di corde tese lungo il cammino, nonostante me ne stia sullo scoglio più alto a guardare gli altri che annaspano, mi manca l'amore. Anche solo per rivivere l'attimo, quel solo attimo, quando ti innamori, quello in cui capisci tutto, prima di non capire più nulla.

1
Spazi che non mi appartengono

«Dimmi che quel foglietto svolazzante non è una multa.»

Osservo la mia macchina dall'altro lato della strada, mentre il semaforo pedonale avvampa all'improvviso, e prima che io diventi il terzo passeggero non richiesto di uno scooter verde pisello, Ivana mi tira per un braccio con la veemenza di un marito che rivede la moglie dopo sei anni di astinenza al fronte.

«Viola, è un pezzo di carta sotto il tergicristallo, cosa vuoi che sia, il numero di cellulare di Ryan Gosling?»

«Dai non fare la cretina, c'era un tizio che quando sono arrivata mi guardava, mi avrà lasciato il numero di telefono.»

«Ti guardava perché con i tre metri scarsi di una Smart sei riuscita a bloccare un passo carrabile, ad attentare alla vita del parcheggiatore abusivo e a impedire al tizio con la Panda di uscire dal parcheggio se non sollevato dal raggio fotonico di una nave madre aliena.»

«Menti. Mi guardava perché sono la regina del parcheggio creativo. Guarda con quale indiscusso talento sono riuscita a infilare la mia macchina in quello spazio così ridotto. In fatto di compressione della materia sono seconda solo ai buchi neri, è ora che questa città iniqua riconosca il mio genio.»

«Milano non è una città iniqua. È una città giusta, in cui l'educazione civica non è un tutorial su Real Time. Piuttosto, sarebbe ora che cominciassi a parcheggiare decentemente Viola. E dirò di più. Da qui mi pare di vedere che occupi pure parte del posto riservato agli invalidi.»

«No dico, hai visto i miei tacchi? Se non è invalidità il tacco quattordici con plateau allora definiscimi il concetto di invalidità.»

«Smettila.»

«E poi ho la cellulite e la cellulite è una malattia, lo dice la pubblicità, quindi sono clinicamente invalida.»

«Viola. È una multa.»

«Non una malattia gravissima, d'accordo, e infatti ho occupato solo mezzo metro, mica tutto il posto.»

«Ribadisco. È una multa. L'ennesima. Amica, ci sono delle regole nella vita e bisogna che tu ti decida a rispettarne qualcuna, oltre a "mai carboidrati dopo le otto di sera".»

«Ma io i carboidrati dopo le otto di sera li mangio. In definitiva quando qui sono le otto di sera, a New York sono le due del pomeriggio, quindi tecnicamente sto mangiando un piatto di pasta a Central Park.»

«Non fa una piega.»

«Ad ogni modo, secondo me è il volantino del centro massaggi cinese all'angolo.»

«Ah ah, quale? Quello che per venti euro dovrebbe favorire la circolazione e invece grazie a quella raffinata tecnica pranoterapica denominata "*happy end*" fa infartare sei vecchietti al giorno?»

«Cosa diavolo è l'*happy end*?»

«Il nuovo menu bimbi da McDonald's.»

«E ora che c'entra il McDonald's?»

La sagoma dell'omino incorniciata dal semaforo si illumina di verde. Faccio in tempo a pensare che l'omino ha la stessa posizione di tutti gli uomini che ho incontrato negli ultimi due anni, ovvero quella di un tizio che scappa a gambe levate, che Ivana mi incalza col suo sarcasmo da competizione olimpica.

«Ma davvero non sai cos'è l'*happy end* nei centri massaggi?»

«Certo che lo so. L'*happy end* è che la massaggiatrice cinese molla il marito sposato contro la sua volontà causa matrimonio combinato nella Cina rurale, si innamora del vecchietto e vivono per sempre felici con i quattrocento euro di pensione di lui.»

«Se ti sentissero dire queste cose quelli che ti vedono in tv a litigare con sociologi e politici nelle vesti di paladina del cinismo sentimentale, diventeresti credibile quanto Putin vestito da cacciatore di grizzly.»

«Che c'entra. Essere sentimentali e allo stesso tempo lucidi non significa essere un bluff.»

«No, ti do atto: significa essere bipolari.»

Siamo quasi sul marciapiede opposto. La macchina e il numero di cellulare di Ryan Gosling sono sempre più vicini.

«E comunque non mi hai detto cos'è l'*happy end*.»

«Significa che la gentile signorina orientale conclude il massaggio infilandoti una mano nelle mutande tutto compLeso.»

«E nelle mutande non cerca la erre perduta, presumo. Che brutto mondo... Il Comune di Milano avrà da me i fondi per riasfaltare viale Certosa.»

«È già tanto che non ti abbiano portato via la macchina.»

«Quasi mi conveniva. Duecentoquaranta euro di multa.»

«Ah però! E cosa ti contesta il vigile?»

«Contesta? Ivana, quest'uomo mi fa più recriminazioni del mio ex. Mi accusa di tutto, dal divieto di sosta alla mancanza di disco orario all'occupazione di posto invalidi. Manca solo l'abigeato e l'utilizzo di smalto fluo fuori stagione.»

«Ecco magari quello sì, fattelo dire. È novembre. Lo smalto arancio a novembre lo portano le spogliarelliste e quelle che ti fanno un giro di tarocchi sulle tv private.»

«È quello di Kiko. Ce l'ho su da agosto e per toglierlo ci vuole l'acqua ragia.»

«Ho capito ma non è che puoi continuare a ripassarlo ogni volta che si scheggia. Ormai sei come i terreni carsici. Per conoscere la tua età basta isolare gli strati che hai su un'unghia.»

«Dai stasera lo levo, promesso. E comunque questa volta si è consumata un'ingiustizia. La multa non me la meritavo.»

«Viola, quante ne hai prese questo mese?»

«Per multe e fallimenti sentimentali non esistono pallottolieri nella mia vita, lo sai.»

«Lo so. Vabbe', ti voglio bene lo stesso. Un bene immotivato, come quello per i figli scemi, il padre assente, il gatto che piscia sul divano, ma un gran bene.»

«No ma grazie eh.»

«Prego. Fammi sapere come va la serata col tipo.»

«Ti scrivo su WhatsApp quando torno a casa.»

«E pagala!»

«La serata col tipo? Certo, la pagherò con il solito devastante senso di fallimento nei giorni a seguire, come sempre.»

«Intendevo la multa.»

Saluto Ivana davanti alla sua agenzia il cui nome è il consueto, assurdo groviglio di lettere memorizzabili come la trama di *Inception*. Mi sono chiesta spesso la ragione per cui le agenzie di pubblicità si chiamano quasi tutte con acronimi criptici e alla fine la mia conclusione è che i pubblicitari hanno un ego così smisurato che pure se sono quindici soci, nessuno vuole rinunciare a mettere le sue iniziali sull'insegna sul palazzo. Non per niente, l'agenzia in cui lavora Ivana, si chiama LMTGA che sta per «Ludovico Morabito Tommaso

Gori Advertising». Ludovico e Tommaso sono due soci. Ludovico, dei due, è l'essere umano fatto di carne, vene, sangue e acqua. Tommaso è quello fatto di egoismo, egotismo, egocentrismo, egoriferitismo e palate di pirotecnica spocchia. Tutto quello che inizia col prefisso ego è roba sua. Il suo ego gli cammina a fianco come l'amico immaginario dei bambini. A Milano le donne li conoscono entrambi molto bene. Uno dei due, Ludovico, perché a quarantatré anni è ancora single e a Milano la lista degli scapoli d'oro dai trentacinque in su viene affissa al Comune come le pubblicazioni matrimoniali. È un servizio di pubblica utilità pensato per le donne, come il Telefono rosa, visto che qui tra stilisti, designer, architetti, autori tv, truccatori, parrucchieri e consulenti di immagine, gli eterosessuali single sono diffusi quanto gli elefanti indiani a Rapallo. Tommaso, invece, è noto nell'ambiente del lavoro per il suo narcisismo misto a scorrettezza di rara fattura. Non c'è un'idea, uno slogan, un jingle partorito dall'ultimo degli stagisti balbuzienti in un qualche scantinato della LMTGA a cui non venga appiccicato il nome «Tommaso Gori» tra i credits. Il vampiro si è voluto attribuire perfino la paternità dello slogan per Freeflora: «Lei è nervosa? Se una donna ha le sue cose, prova con le rose!», idea di un copy misogino licenziato in tronco quando l'imbecillità dello spot diventò un caso nazionale. Ricordo che all'epoca si definì schifato perfino il ministro delle Pari Opportunità. Inutile sottolineare che la vicenda mi provocò spasmi di piacere multipli.

Ivana, per sua fortuna, non fa la copy, ma lavora in un ramo dell'agenzia che si occupa di comunicazione del prodotto e ufficio stampa. In pratica, fa uscire notizie sui prodotti all'interno di articoli o servizi tv, dando pretesti ai giornalisti per citare quella pasta o quella crema corpo. O ancor meglio: dando pasta o creme corpo ai giornalisti perché trovino un pretesto per citare quella pasta e quella crema corpo. «Convinco i giornalisti a fare marchette. Un giorno mi arresteranno per induzione alla prostituzione» dice spesso lei. Ovviamente io le faccio notare che i giornalisti li trova già in reggicalze sul marciapiede, non c'è bisogno di indurli.

Il problema è che la linea imposta dal suo amato capo è al limite della spregiudicatezza. Tommaso non si accontenta di vedere il «suo» dentifricio alle sedici erbe citato in un redazionale di qualche settimanale femminile sui prodotti eco-friendly. Lui esige che i tg nazionali trascurino il meeting tra Obama e Hollande per occuparsi di quello tra la menta piperita e le nostre gengive. E rendere casi mediatici un dentifricio o una calza venti denari richiede a Ivana sforzi di fantasia davvero sovrumani. Credo che il picco lo abbia toccato quando, per trasformare in notizia la lacca per capelli Vapox, riuscì a far battere un'Ansa in cui si raccontava che Jennifer Aniston aveva sventato un tentativo di stupro spruzzando la lacca Vapox negli occhi del maniaco. L'uomo era stato identificato dalla polizia la mattina dopo, grazie all'inconfondibile odore di lavanda che la lacca Vapox lascia addosso anche a dodici ore dall'utilizzo. La Aniston non smentì, anche perché la bufala non varcò il confine con la Francia. In compenso, in Italia fu la terza notizia di un tg nazionale. La nota conduttrice Giusy Speranza dedicò sei puntate pomeridiane del suo irrinunciabile salotto tv *Le amiche del tè* all'incredibile vicenda. A una partecipai anche io. Non mi venne nulla di meglio da dire che: «Se le lacche sono armi, credo che sulla mensola del bagno di Ivana Trump ci sia il potenziale bellico della Corea del Nord». Ad ogni modo, per Ivana fu un trionfo professionale senza precedenti, tant'è che quella sera Tommaso Gori la invitò a cena. Poche ore dopo ebbe una promozione dal suo capo: da responsabile ufficio stampa a tempo indeterminato a sua irresponsabile amante a tempo determinato da lui e dalle sue fregole. Provai a spiegarle che intraprendere una relazione con un uomo sposato con due figli piccoli che per giunta è il tuo capo mi pareva un'invenzione solo un po' meno geniale di quella del motore a scoppio, ma era troppo tardi. Ivana era già invaghita persa dell'ennesimo uomo borioso, dispotico e affidabile come una cerniera di Zara. In pratica l'uomo di cui si innamorerebbe la metà delle donne. Solo che se a vent'anni innamorarsi del maledetto ci sta, innamorarsene a trenta vuole dire che la maledetta sei tu. Una maledetta cretina. Ovviamente, Ivana è anche fermamente convinta che Tommaso lascerà la moglie per lei. Peccato che Tommaso non sia anche un maestro di tennis perché grazie alla terna uomo sposato/capoufficio/matrimonio stanco le avrebbero dato una laurea ad honorem in cliché.

Mentre apro lo sportello della macchina covando ritorsioni feroci nei confronti del vigile, una ragazza sui trent'anni mi corre incontro con un entusiasmo commovente.

«Scusiii, ma lei è Viola Agen?»

È un effetto della popolarità a cui non mi abituerò mai. La gente, quando sei noto, ti chiede se tu sei tu, come nei polizieschi. Ho sempre paura che prima o poi a un mio «Sì» qualcuno tiri fuori il tesserino da poliziotto e dica: «È in arresto. Da questo momento qualsiasi parola pronunci potrà essere utilizzata contro di lei». «Sì sono io. O meglio. Quella che vedi in tv al netto di trucco e delle luci di studio. Tipo io senza Photoshop, ecco.»

La ragazza è carina, ma se è vero che il diavolo veste Prada, del look di questa tizia credo si occupi l'anticristo. Ha una cofana di capelli ricci in testa, una magliettina a righe orizzontali con un corvo sanguinante stampato nel mezzo che sembra una divisa da gondoliere emo e quei pantaloni in lycra larghi, con l'elastico alle caviglie e il cavallo basso, che vanno bene se devi suonare i bonghi o fare acrobazie coi birilli al semaforo, ma indossarli per una banale passeggiata a Milano, città in cui anche il capocantiere dei lavori in tangenziale ha frequentato una scuola di moda, è un gesto futurista. Ai piedi ha dei sabot etnici per cui mi domando se sia sbucata fuori dal sottopassaggio della metropolitana o dalla lampada di Aladino.

«Non ci posso credere! Tu sei il mio mito! Io... Io... Io ti giuro vorrei troppo essere come te. Quando ti vedo in tv zittire tutti quei maschi sboroni, credo di amarti!»

«Grazie, ma la maggior parte del merito è loro.»

«Come si chiama quel politico ciccione che l'altro giorno ti ha chiamato sciampista? Mamma mia come lo hai ridimensionato.»

«Govoni, sì. Quello della Lega. Ma quello lo zittirebbe pure Leone il cane fifone.»

«Ti giuro, quando ha fatto la battuta sulle tue tette e tu gli hai risposto... come gli hai risposto?»

«Govoni, le mie tette pesano più delle sue idee politiche, se ne faccia una ragione.»

«Ah ah giusto. Mi hai fatto morire! Ti prego continua così. Vorrei avere la tua sicurezza con gli uomini e invece mi faccio maltrattare ogni volta. Comunque io sono Marta.»

Marta è solo una delle tante donne in questo Paese assolutamente convinta che quella che va in tv con la mia faccia mi somigli. Che ci sia una qualche aderenza tra la spavalda paladina del neo-femminismo che gira per salotti tv in veste di tuttologa battagliera e incazzosa arruffafemmine e la tizia che braccano per strada domandandole se lei sia lei. La risposta è no. In tv ci va quella che vorrei essere, a passeggio per strada quella che sconsiglio alle donne di diventare. Sono una collezionista di multe e fallimenti sentimentali con il vizio di occupare spazi che non mi appartengono. In televisione e nelle strisce gialle. L'importante è che l'umanità non se ne accorga, perché grazie a questo equivoco mantengo un figlio di otto anni.

Orlando e i vestiti stretti

«Mamma.»

«Dimmi, Orlando.»

«Ma tu continui a crescere come me?»

«No amore, magari. Mi sono fermata da un bel po'.»

«E allora perché stasera i vestiti ti stanno così piccoli?»

«Piccoli?»

«Sì, piccoli, come a me quando mi hai detto che la maglietta di Godzilla non mi stava più perché ero cresciuto troppo e io mi sono messo a piangere.»

«Be', non è la stessa cosa. Diciamo che a noi donne ogni tanto piace mettere dei vestiti stretti di proposito, perché pensiamo che ci stiano bene.»

«Sì, ma tu esageri mamma.»

«Orlando, ti ho già spiegato vero che sono io il genitore e tu il figlio e che non siamo in uno di quei film di Walt Disney in cui i piccoli diventano grandi e si scambiano i ruoli coi grandi, vero?»

«Sì, mamma.»

«Quindi come io accetto che a te piacciano degli orrendi film giapponesi in bianco e nero in cui un Godzilla in gommapiuma è imbufalito che nemmeno me durante la ceretta brasiliana, tu fatti andar bene i miei vestiti, ok?»

«Va bene, mamma.»

«Bravo.»

Mi è nato un figlio bigotto. Io non ho un figlio di otto anni. Ho un teologo del quaccherismo che mi gira per casa. Che poi da dove arrivi questo precoce moralismo è mistero fitto. Escludo uno scambio in culla, perché quando è nato aveva dei capelli neri così sparati in testa che dopo il primo vagito, sospettavo che l'ostetrica gli avesse sussurrato nell'orecchio: «Tua madre è Paris Hilton». Impossibile che qualcuno abbia fatto confusione.

La genetica è davvero strabiliante. Io, sul tema uomini, vado in tv a suggerire alle donne di cercare sì, il porto sicuro, ma uno per ogni golfo e insenatura, dal Tirreno all'Adriatico. Il padre è un improbabile talent scout di calciatori con tutta una rete di amicizie discutibili e ogni volta che va in Sudamerica in cerca del nuovo Pelé, se ne torna con una nuova strappona. Mi pare quindi evidente che il gene del quacchero, nei nostri rispettivi ceppi genetici, non fosse dominante. Infine, escludo anche che il padre, Fabio, non sia il vero padre. Nei nostri quattro anni di matrimonio gli sono stata fedele quanto Cher al nero corvino. È uno dei tanti casi in cui la madre è certa e il padre certissimo. Soprattutto di non aver voglia di fare il padre, ma questa è un'altra faccenda. Mi pare dunque evidente che la genetica non sia un'opinione. È un'opinionista tv: inutile, sopravvalutata e chiamata a dire la sua pure quando non ha spiegazioni intelligenti da dare. E che lo spermatozoo che ha fatto mangiare la polvere al branco di podisti che lo inseguivano quel giorno di quasi nove anni fa, fosse raccomandato da qualche vescovo calvinista. Gli avrà dato un telepass mentre gli altri erano al casello contanti, il monsignore.

«Mamma, ma tu ci vai d'accordo con questo amico della cena?»

«E ora che c'entra?»

«Lo voglio sapere.»

«Non lo conosco molto, Orlando. Spero di sì.»

«Tu però anche se non ci vai d'accordo non ti arrabbiare lo stesso.»

«Perché?»

«Perché ho paura che se ti arrabbi ti si strappano i vestiti stretti come a Hulk.»

E niente. Orlando o mi diventa gay o sarà il nuovo papa.

2

L'agonia arriva dopo l'antipasto

Faccio le raccomandazioni di rito a Sara, la babysitter («*Godzilla* americano del '98 sì, quello giapponese del '54 no che si eccita. Se vede *Godzilla vs Biollante* si sveglia nel cuore della notte urlando: "Raggi fotonici!", e ad ogni modo alle dieci mettilo a letto»), faccio le raccomandazioni di rito a Orlando («Nessuna osservazione da bacchettone sulla minigonna della babysitter e, per favore, non mortificarla se non si ricorda in quale dei ventuno *Godzilla* d'epoca della tua collezione in videocassette e dvd il mostro Biollante viene ridotto da lucertolone psicopatico a un ammasso di particelle luminescenti») e scappo alla mia cena.

Ci vado con la mia macchina, parcheggiata come sempre nella viuzza privata sul retro del mio palazzo, i cui terrazzi sono dei bizzarri cubi in vetro specchiato. Gli studenti di architettura vengono a fotografare il palazzo per inserire le foto nelle tesi come esempio di architettura moderna e quelli di psicologia vengono a fotografare il palazzo per inserire le foto nelle tesi come esempio di alcolismo all'ultimo stadio. Giro la chiave e, mentre inserisco la marcia dando una grattata alla frizione da far drizzare i peli a un orso bianco, noto il solito foglietto sotto il tergicristallo. Io sono l'unica a cui le spazzole si usurano non per pioggia, ma a furia di tener ferme le multe. Il guaio poi è quando i due fenomeni si manifestano contemporaneamente. La pioggia e la multa, intendo. D'inverno mi ritrovo questi mappazzoni di carta maciullata sul vetro che ricordano i resti di scontrini che estraggo dalla tasca dei jeans appena usciti dalla lavatrice e mi domando, per dieci minuti, chi abbia sputato della mollica masticata nei pantaloni. Non di rado, poi, non prendo la macchina per giorni, per cui dopo la pioggia fa in tempo pure a spuntare il sole che secca il bolo di carta e lo appiccica al vetro con quella aderenza sovrumana che possiedono solo le fidanzate ventenni dei milionari e le etichette sul fondo dei bicchieri nuovi, che non le stacchi neanche se i bicchieri li prendi a bastonate come fossero pignatte. C'è gente che, al settimo giro di lavastoviglie per rimuovere il prezzo dal fondo del bicchiere, si arrende e beve dalla vaschetta del pesce rosso. Io ho venduto la mia vecchia Polo perché, dopo aver speso ottocentosettantré euro all'autolavaggio, sul parabrezza mi era rimasta la scritta «da pagare entro sessanta giorni». E voi capirete che andare in giro di notte con uno slogan che invitava a pagarmi non faceva bene alla mia reputazione.

In ogni caso, questa sera il cielo è sereno e il foglietto non è stato masticato dalla pioggia, per cui scopro che non si tratta di una multa. È un messaggio scritto a penna da un inquilino del palazzo sul retro delle istruzioni di uno spremiagrumi elettrico, particolare, quest'ultimo, che mi fa sospettare non si tratti di una lettera d'amore. O almeno, me lo fa sperare, visto che l'unico precedente di bigliettino d'amore sul tergicristallo recitava così: «Sei più bella da viva che in tv». Lo apro con una certa curiosità: «Gentile signora, non so se se n'è accorta, ma ha parcheggiato davanti all'uscita delle biciclette. La prossima volta chiamo il carroattrezzi».

Non si firma, il vigliacco. Del resto, il vicino di casa che trova la sua ragione di vita nello sfracassare le balle a chi gli abita intorno è un grande classico. È nella nuova legislazione urbanistica: un edificio dai due piani in su senza un rompicoglioni dentro non è neppure considerato a norma.

Se dovessi stilare una classifica delle persone più pericolose in cui ci si possa imbattere al mondo, al primo posto piazzerei senza esitazione quelle che non hanno nulla da fare. Sono le più pericolose. Con la gente che ha una vita piena, anche quando si hanno contrasti e divergenze, si gioca ad armi pari. Si discute, ci si confronta, ci si manda a quel paese e poi finisce lì. Non so quante volte sono stata tentata di buttarmi nella rissa e poi avevo il figlio da andare a prendere a scuola o la tv che mi impegnava o una bolletta da pagare o una lavatrice da fare e mi sono detta «Lo faccio dopo», solo che passato il momento m'è passata pure la voglia. Con le persone che non hanno niente da fare si perde sempre, perché mentre per gli altri la vita va avanti con le sue urgenze e priorità, quelle se ne stanno immobili e infognate nei loro livori e continuano a farti la loro guerra personale per giorni, mesi, anni, finché non sono così attorcigliate su loro stesse da non ricordare più neppure perché ce l'hanno con te. Ignorano il fatto che tu sei solo una proiezione della loro infelicità e che basterebbe che si trovassero un lavoro, un hobby, una missione a cui dedicare tempo ed energie, per farsi passare la voglia di stare perennemente incarognite col mondo. E pensare che di tempo per riflettere e realizzare, ne avrebbero. Uh, se ne avrebbero.

Il mio vicino per esempio deve averne parecchio. Credo che arriverò in ritardo all'appuntamento. Trovo una penna nel cruscotto e dietro a un foglio di quelli prestampati per la constatazione amichevole, scrivo il seguente messaggio:

«Gentile signore,

in futuro vedrò di stare più attenta. Intanto, nell'inviarle i miei più affettuosi saluti, la invito a buttare lo spremiagrumi elettrico e a tornare alle sane, vecchie abitudini fatte di sudore, fatica e applicazione, che voi maschi sembrate aver dimenticato in diversi contesti casalinghi, in particolare in un contesto specifico, di cui forse non ha memoria da tempo. Cordiali saluti. Viola Agen».

Lascio il biglietto sopra la maniglia del garage per le biciclette e vado via. Io avevo torto, ma gli anonimi non hanno mai ragione. Specie se sono uomini. Specie se sono quei vicini di casa. E gli uomini per me da due anni hanno tutti torto. Ovviamente arrivo anche con venti minuti di ritardo all'appuntamento con l'uomo della cena. In realtà il poveretto s'era offerto di venirmi a prendere, ma al primo appuntamento evito sempre questa galanteria. Non voglio che maschi senza un futuro certo sappiano dove abito e, soprattutto, non voglio sapere come guidano. Il primo accorgimento è un fatto di prudenza. Sono pur sempre un personaggio pubblico e una madre single, per cui attiro stalker di varia natura. Di solito sono innocui e chiedono foto dei miei piedi, ma potrebbe sempre capitare quello che i miei piedi aspira ad averli in un barattolo in salotto sotto formalina. Il fatto di non voler sapere come guida un uomo alla prima uscita nasce invece dalla paura di scoprire che è arrogante, che suona il clacson se il maggiolone davanti a lui allo scattare del verde non ha il tempo di accelerazione da zero a cento dello Shuttle o, peggio, che ha una guida poco virile. Mettetemi accanto un uomo che prima di immettersi sulla statale resta inchiodato lì tre quarti d'ora con te che gli fai: «Da questa parte puoi andare eh, quella luce lì in lontananza è il Pirellone, non il camion assassino di *Duel*» e a me si polverizza ogni slancio erotico-sentimentale. E poi c'è un ultimo particolare non trascurabile: se ti viene a prendere con la sua macchina, a meno che un osso di pollo non ti si conficchi nella trachea durante la cena e ti porti via un'ambulanza con un lenzuolo sopra, con la sua macchina ti riaccompagnerà anche a casa. Ora, se durante la serata non ha fatto altro che guardarti rapito perfino mentre tentavi di staccare con la lingua il cracker masticato e attaccato alla gengiva a mo' di ventosa, è chiaro che in macchina tenterà di baciarti. Di norma, lo farà anche se ha trovato più sexy il cameriere pakistano di te. È un uomo e gli uomini fanno selezione alla porta muniti di tellinaro, non è una novità. Quindi, se non ho voglia di baciarlo perché non mi piace o perché ho intenzione di tirarmela come la pasta sfoglia e sono automunita, eviterò l'imbarazzo. Di solito, al primo appuntamento evito anche le cene, ma la verità è che ormai un invito a cena fuori è un evento da segnare sul calendario come il primo giorno del mestruo. (E spesso per una sfiga ancestrale le due cose coincidono pure, ma questa è un'altra triste faccenda.)

Un po' accade perché la popolarità è una fregatura. Gli uomini interessanti non ci provano più perché ritenendosi interessanti desiderano distinguersi da tutti gli altri che invece, secondo loro, ci provano in massa. Gli uomini non interessanti non ci provano perché sono convinti che tutti gli uomini interessanti ci provino e quindi loro non hanno speranza. Ne consegue che per mesi, a causa dell'equivoco, ci provi solo il filippino delle pulizie perché non vede la tv italiana e mi capiti sempre più di frequente di andare a teatro o a cena soltanto con donne o amici gay simpaticissimi che a loro volta mi presentano amici gay simpaticissimi finendo in una spirale drammatica, in cui se entro qualche anno non c'è una svolta fortunata finirò zitella a leggere *I Ching* in un tinello con la carta da parati beige.

La mancanza di inviti è anche un po' colpa «del percepito». Alle donne popolari succede quello che capita col caldo. Ci sono caldi veri, quelli che indica la temperatura, e quelli percepiti, che sono il caldo che ti senti addosso. Gli uomini non vedono quella vera. Non conoscono la mia temperatura. Conoscono il personaggio pubblico, per cui mi percepiscono come un'insaziabile mangiauomini, una femmina bella ma arcigna e una gran rompicoglioni. E invece sbagliano di grosso: sono solo rompicoglioni. Morale: se la fanno sotto. Morale: io sono sempre più arrabbiata. Morale: c'è una geisha che chiede di uscire dalla donnina arrabbiata e batte i pugni sulla parete di legno di cui è fatta la donnina che la contiene, in questa infinita matrioska di contraddizioni che sono diventata da quando due anni fa il mio ex mi ha infilzato il cuore come un kebab. Da quando non mi piace più nessuno e se mi piace finisce per scappare perché ormai psicanalizzo anche i «Ciao» nel devastante tentativo di capire ogni risvolto della personalità di chi mi incrocia per strada e prevenire nuovi lutti. Funzionare funziona. Funziona così bene che non prevengo solo i lutti: prevengo pure le relazioni.

L'uomo della cena, a proposito, ha un nome. Si chiama Juan ed è un artista concettuale. Milano pullula di artisti concettuali e di un sacco di altre fumose figure professionali tipiche di città fighette in cui la creatività non è più business che vocazione. Pullula soprattutto di figli di papà che hanno soldi a sufficienza per corrompere uffici stampa, critici e giornalisti in modo che spaccino per capolavori qualsiasi ciofeca partorita dal loro genio annoiato. Una città popolata da designer, deejay, stilisti, wedding planner, visual artist, personal shopper, organizzatori di eventi, sound designer e cazzate assortite. Il novanta per cento dei quali irrimediabilmente omosessuali. Ricchi, snob e gay, un mix di antipatia micidiale. Comunque, Juan non solo parrebbe etero, ma parrebbe anche poco condizionato dalla mia popolarità, visto che è spagnolo con mamma italiana, ha vissuto a Bilbao fino a un mese fa e del circo televisivo italiano sa ben poco. L'ho conosciuto alle *Amiche del tè*, dove gli autori del salotto tv pomeridiano mi chiedono solo di avere un appassionante e fertile scambio di vedute con gli altri ospiti portando avanti l'elaborata teoria «Dici solo cazzate». Escatologia pura. Juan era l'ospite attorno al quale si sviluppava la discussione. Durante il Salone del Mobile a Milano aveva esposto una sua opera con chiari intenti provocatori nel padiglione «Arredamento per case da coppia». L'opera era la seguente: un tizio seduto sul divano con una birra in mano, una tv accesa su una partita di calcio e i suoi piedi appoggiati, anziché sul consueto tavolinetto basso, su un'avvenente bruna a novanta gradi per terra, intenta a lucidare il pavimento con uno straccio. Mobile-scultura realizzato con materiali di scarto. Titolo dell'installazione: *La donna è un mobile*. Durante la diretta, gli avevo dato del cretino senza convinzione e la scarsa convinzione era un misero effetto dell'innegabile avvenenza dell'artista concettuale. Lui mi aveva dato della femminista repressa con ancor meno convinzione, credo per ragioni altrettanto poco concettuali. Durante la prima pausa pubblicitaria ci eravamo presentati. Ripresa la diretta mi ero giocata la frase a effetto. «Senta Juan, sarà anche vero che le donne sono mobili, ma ho conosciuto parecchi uomini immobili in momenti in cui un po' di movimento avrebbe, diciamo, aiutato.» Il pubblico aveva riso, lui mi aveva guardato con aria di sufficienza, come a dire: «Questa te l'eri preparata a casa». In effetti me l'ero preparata a casa. Il sarcasmo becero con retrogusto da cinepanettone femminista, che tanto piace in tv, mica si improvvisa.

Durante la seconda pausa pubblicitaria aveva scrutato a lungo le mie décolleté in cavallino beige e nero con un plateau vertiginoso e delle borchie sul tallone, e aveva sentenziato con aria compunta e professionale: «Non sono scarpe, sono installazioni». Non poteva essersela preparata a casa.

Alla terza pausa pubblicitaria ci eravamo guardati e basta. Gli sguardi erano di quelli ebeti che offuscano la realtà circostante e deformano i volti di tutti gli esseri viventi nei paraggi. Per intenderci, gli altri ospiti, il pubblico, la conduttrice avevano tutti indistintamente le facce mosse impresse sulle polaroid di quelli che stanno per schiattare in *Final Destination*. La psicologa con la voce nasale alla mia sinistra mi aveva chiesto se pareva anche a me che l'aria condizionata in studio fosse troppo alta e io avevo risposto qualcosa tipo: «Le sette e un quarto».

Alla quarta pausa pubblicitaria Juan si era alzato dalla sedia e mi aveva chiesto il numero di telefono. Così, senza preamboli. L'ardita manovra non era sfuggita alla conduttrice, Giusy Speranza, un'abile megera sulla cinquantina specializzata in melensaggini e pipponi demagogici capaci di infinocchiare il suo pubblico di casalinghe e lobotomizzati, che coltiva l'astuta abitudine di farsi dare dagli autori i numeri degli ospiti di sesso maschile più appetibili per richiamarli il giorno dopo con la pietosa scusa dei ringraziamenti. Qualcuno ci casca, qualcuno sparisce per sempre dalla tv del pomeriggio.

Juan doveva piacerle parecchio perché, ripresa la diretta, la megera non mi aveva più dato la parola. Un paio di volte avevo provato a inserirmi nella conversazione. «Agen, lasci finire di parlare la signorina Gaia!» Lasci finire di parlare la signorina Gaia? E da quando nei salotti moderati da Giusy Speranza vige la regola del lasciar parlare gli altri ospiti? Ci istruiscono per interrompere anche il Dalai Lama dandogli dell'imbecille e «che andasse-a-lavorare-in-miniera-prima-di-parlare!», e improvvisamente la Speranza mi voleva composta e silenziosa mentre Gaia Fabi, una diventata famosa per essersi ripassata tutta la primavera del Genoa, compreso il primo anello distinti nord della tifoseria rossoblu, replicava alla psicologa che parlava di uxoricidio: «Non capisco cosa c'entra Luxoricidio, che Luxor e l'Egitto avranno i loro problemi ma anche in Italia non siamo messi bene».

Tutto questo per dire che detesto profondamente Giusy Speranza. Che in un mondo giusto Giusy Speranza monterebbe iPhone in una fabbrica cinese e invece occupa il cinquanta per cento del palinsesto televisivo e ha uno stipendio annuo con cui potrebbe rimettere a nuovo il sistema fognario di Calcutta. Che se non fosse perché con i soldi con cui mi pagano per contraddire qualsiasi teoria – dal modulo 4-4-2 al luteranesimo – e litigare con politici misogini, preti misogini, stilisti misogini, critici misogini, playboy misogini, gay misogini e motivatori aziendali misogini che ti motivano a prenderli a schiaffi, ci pago l'affitto e la mensa a mio figlio, io il pomeriggio rimarrei a casa a infornare ciambelloni, altro che tv.

Fatto sta che Juan quella sera stessa mi ha mandato un sms: «Nel mio frigo c'è lo stesso vuoto siderale che abita nella testa di Giusy Speranza. Vieni a cena fuori con me domani? J.».

«Mi era parso di capire che le donne le volessi come tavolo, non a tavola. V.»

«Infatti è un picnic notturno. Arrivato sul prato sotto la quercia ti chiederò di metterti nella posizione della capra che bruca e appoggerò birra, piedi e panino al jamón sulle tue nobili terga. J.»

«Ok, ti aspetterò con la seggiolina pieghevole sotto l'ascella domani alle ventuno nel posto che mi dirai. V.»

Figo. Diretto. Ironico. Ora si tratta solo di capire dove sia la magagna. Il ristorante è il Bomaki, un sushi-brasiliano poco distante dall'Arco della Pace, il cui ingresso è incorniciato sobriamente da due giganteschi banani di plastica addobbati con delle premature lucine natalizie. Tra parentesi, Milano è la capitale del sushi. C'è un sushi in ogni angolo della città, è una specie di ossessione. Per giunta suicida, visto che la specialità meneghina sarebbe il risotto e i milanesi si sono lasciati colonizzare da chi cucina il riso meglio di loro. Juan è seduto a un tavolo orfano, in fondo alla sala, con un calice di prosecco vuoto abbandonato alla sua destra e un menu di quelli rigidi, ancora dritto sul tavolo, segno che per ora s'è preoccupato solo di cosa si berrà.

Mi guarda, e il vociare nella sala si abbassa improvvisamente di qualche tono. Tra gli effetti che detesto di più della popolarità c'è questo stupore che toglie la parola quando la gente mi vede varcare la soglia di un qualsiasi luogo pubblico, seguito, dopo sei secondi netti, da un vociare due toni più alto di prima perché, a quel punto, anche chi fino a quel momento dormiva con la faccia nella tartare di manzo ha un commento da fare: «Me l'aspettavo più alta», «In tv sembra più grassa», «Va in giro con un vestito di Zara», «Che scarpe s'è messa», «Troppo trucco», «Troppe tette», «Troppi zigomi», «Saranno finti», «Quelli sono shatush o le sono finiti i capelli nel brodo?».

Juan si alza, mi dà due baci gelidi. O meglio, appoggia le sue guance sulle mie. Roba che sei legittimato a baciare così una donna solo se sei un vescovo o hai un herpes simplex. Silenzio in sala. Juan avverte un'imbarazzante attenzione su di noi e regala una smorfia di fastidio a quelli che ci fissano. Sei secondi netti e i decibel toccano i picchi di un after hour. «Ma chi è lui? Il nuovo fidanzato? Un amico? Un amante? Un manager? Un politico? Il fratello? Uno spacciatore colombiano? Un campione di rock acrobatico? Un rettiliano?»

«Scusa il ritardo ma ho avuto un diverbio epistolare con un coinquilino» mi giustifico.

«Allora non sei conflittuale solo in tv per contratto...» ironizza Juan.

Miseria ladra, mi hanno dato una sedia troppo bassa. Le sedie basse al ristorante uccidono la femminilità. Su una sedia bassa davanti a un uomo mi sento una foto tagliata male, un bambino sul seggiolone, una nana al check-in.

«Quale contratto, sono conflittuale per vocazione! Juan, non conoscevo questo ristor...»

«Anche ritardataria, per vocazione?»

Ha interrotto il mio primo tentativo di convenevoli atti a rompere il ghiaccio, per infilare la conversazione nel cestello del ghiaccio.

«È un rimprovero?»

«Sai com'è, ho fatto in tempo a finire due prosecchi mentre ti aspettavo. Fortuna che c'è il tuo vestito a recuperare la situazione.»

Ho molta voglia di rispondergli che invece la sua polo kaki da giocatore di golf âgé con l'escort ucraina che lo aspetta nella spa fa precipitare ulteriormente la situazione, ma calo la ghigliottina sulla mia lingua. Ma poi non s'è mai visto un artista con una polo. È tipo immaginare Donatella Versace pallida. Afferro il menu per spostare l'attenzione sul cibo e decido che ordinerò più o meno tutto quello che prevede la presenza dell'ingrediente «mandorle». Juan sembra più orientato sul piccante, ma la verità è che il sushi nella variante brasiliana ha destabilizzato entrambi.

«Non ero così disorientata davanti a un foglio di carta prestampato dalla versione di greco all'esame di maturità.»

«In effetti la cipolla rossa con le uova di pesce volante non l'avevo mai sentita.»

«E perché, il tonno scottato con alghe e melanzane bianche in salsa di papaya servito su foglia di banano?»

«E il branzino con ribes e prezzemolo?»
«Ma tanto questa roba qui mica ce l'hanno veramente.»
Juan mi fissa con aria interrogativa. A essere proprio onesta Juan non ha un'aria particolarmente arguta quando rimane interdetto. Fa la faccia dei bambini di sei mesi quando fai apparire la fiamma dall'accendino.
«Ho elaborato una mia teoria. Nei sushi normali tutti ordiniamo sempre le solite otto cose: sushi, sashimi misto, tartare, california roll, spicy tuna, temaki, uramaki, ebiten. Cestino di cioccolato, gelato di riso o tris di cioccolato alla fine. Basta. Tu prova a chiedere una cosa a caso scritta sul menu di un sushi che non faccia parte di questa lista e scommetto che ti diranno che è terminata.»
«E invece?»
«Invece non è terminata. Non esiste. Kanpyo roll, cucumber, pork kalbi sono nomi scritti a caso o forse sono nomi di Pokemon. Li mettono per riempire il menu ma tanto sanno che non li ordinerà nessuno.»
«Se non ricordo male, una delle ultime volte in cui sono andato a un sushi a Bilbao ho ordinato un dragon roll e me l'hanno portato. E non è nella tua lista.»
«Be' sì, dai, ero ironica. Cioè, fino a un certo punto. Diciamo che la storia dei Pokemon era un po' un'iperbole.»
«Certo, certo. Mi diverte questo tuo essere un po' barocca, Viola.»
Un po' barocca. Non ho capito se mi sta dando del giullare, della stravagante tipo poetessa sciroccata di paese o più semplicemente dell'imbecille. Ma dov'è finita l'ironia che mi pareva d'aver intravisto in quest'uomo in polo kaki? Ha un ghostwriter per gli sms? Io sono qui che tento di essere piacevole e spiritosa, nonostante mi abbiano dato la sedia del camper di Barbie, e lui continua a smorzare ogni entusiasmo

con un'antipatia disarmante. Anelo l'arrivo del cameriere come l'Italia l'arrivo degli Alleati durante la Seconda guerra mondiale. Mentre Juan è passato a studiare la carta dei vini e io compio gesti senza senso tipo spianare la tovaglia col palmo della mano come le vecchie, arriva un messaggio WhatsApp sul mio iPhone. Tra parentesi: chi ha inventato il suono dell'avvenuta ricezione dei messaggi di WhatsApp deve essere il solito nerd che è stato mollato dalla fidanzata via WhatsApp, perché altrimenti non si capisce la ragione per cui debba essere quello di uno che prende a testate la campana del duomo.

Il mittente è una chat di gruppo, che è stata ribattezzata «Gruppo Testuggine» per ragioni mitologiche che spiegherò più avanti. Il Gruppo Testuggine è composto dalle mie amiche Ivana, Anna e Ilaria più, ovviamente, la sottoscritta. Tutte over trentacinque, tutte single tranne Anna che ha un fidanzato discutibile, tutte convinte che l'amore sia un'utopia almeno quanto il marxismo e l'abbattimento della classe borghese. Nello specifico, scrive Ivana: «Come procede la cena? È ancora Erectus?». Soffoco un accenno di sorriso sapendo a cosa allude, ma è già tardi.

«Cos'è che ti fa sorridere?» mi fa Juan.

«Oh, niente, la babysitter mi ha scritto un messaggio. Dice che mio figlio s'è addormentato. Allora, che vino beviamo? Italiano o spagnolo?» rispondo con la famosa tecnica denominata «buttarla in caciara».

«Quanti anni ha tuo figlio?»

«Otto. Si chiama Orlando.»

«Mai capito questo gusto per i nomi strampalati. Il marchio dell'originalità si conquista nella vita, non all'anagrafe.»

Sto pensando se una capocciata molto forte, ora, in piena fronte, con conseguente svenimento, fa troppo *American*

Pie. E penso che il messaggio di Ivana, «È ancora Erectus?», sia di una pertinenza commovente. Nulla di equivoco o cameratesco. L'Erectus si riferisce a un codice partorito da Ilaria, il leader ideologico del Gruppo Testuggine. Ilaria ha ideato una tesi secondo la quale bisogna approfittare della lucidità che ancora si conserva al primo appuntamento, quando l'attività cerebrale femminile non è già drogata da irrecuperabili invaghimenti, per stabilire se l'uomo che si ha davanti sia un maschio evoluto o un ceffo involuto. Funziona così: lui non lo sa, ma alla prima uscita ha la possibilità di sparare al massimo cinque minchiate estrapolate dalle macro aree banalità/volgarità/qualunquismo/melensaggine/machismo/arroganza. Alla prima che dice, da Homo sapiens qual è sul nastro di partenza, viene retrocesso a Neanderthal. Alla seconda è Erectus. Alla terza già gattona di tanto in tanto: è Ominide. Alla quarta è Australopithecus. Alla quinta è Gorilla. Quando l'uomo che hai davanti arriva all'ultimo grado dell'involuzione, devi cancellare ogni condizionamento estetico e rammentare che sei seduta davanti a un gorilla. Senza eccezioni: neanche il bicipite di Gerard Butler regala jolly. Se hai questa lucidità, eviterai di uscirci ancora e di innamorarti di un primate. Della serie: la prima brutta impressione è quella che conta.

Guardo Juan, ripercorro con la mente il nostro scarno dialogo fino a quel momento. «Sei ritardataria-sei barocca-l'originalità non si guadagna all'anagrafe.» Gli abbono il ritardataria perché «Dovevo insultare il mio vicino di casa» non era una scusa folgorante, ma la linea della schiena dell'Homo di fronte a me è già più curva. Digito velocemente: «Il Sapiens è già Erectus. E non ci hanno ancora portato il vino» e infilo il telefono nella pochette.

Nel frattempo io e l'Erectus abbandoniamo l'idea del vino e ripieghiamo su due birre brasiliane. Dopo qualche convenevole, un paio di complimenti stiracchiati sulla mia bocca e il mio tono di voce e una breve divagazione sulla politica italiana, il cameriere ci porta il nostro sushi su foglia di banano (il mio seppellito da scaglie di mandorle come richiesto). È lì che Juan vira il discorso sulle nostre professioni.

«Scusa la franchezza della domanda, ma precisamente che figura professionale è quella dell'opinionista? Tra cosa si colloca?»

«Tra il giornalismo e la rissa da bar. Più o meno» gli rispondo con un'onestà che spiazza anche me.

«Entusiasmante, direi. E come si diventa opinionisti, di grazia? Ti danno un tesserino? C'è un esame da superare?» mi incalza ridacchiando. Mentre avverto il sapore dolce delle mandorle riesco a pensare a una sola cosa: OMINIDE. Non c'è ancora un grado di confidenza tale da consentirti questo sarcasmo, per cui non sei simpatico, sei un cafone. Ed è evidente che faccio un lavoro del cazzo e sono troppo intelligente per non saperlo da me, quindi sei pregato di glissare elegantemente sull'utilità sociale della mia professione anche perché tra un po' passerò a indagare sulla tua, che non mi risulta svolgersi in una sala operatoria in Somalia. Opto per una risposta elegantemente autobiografica: «Sono diventata opinionista perché tre anni fa ho aperto un blog. Uno di quei blog banali in cui una donna sentimentalmente infelice comincia a disintegrare sistematicamente l'universo maschile. Le donne hanno iniziato ad amarmi, gli uomini a temermi. Ho una buona penna ma anche un aspetto discreto, quindi è stato più facile avere un posto in tv che sulle colonne di qualche giornale. Vengo pagata per insultare uomini che insulterei anche gratis e mi resta un sacco di tempo da dedicare all'unico uomo che m'ha vista nuda più di due volte e ancora non s'è stancato di me: mio figlio. Potrebbe andarmi peggio».

Juan pare colpito dal flusso di coscienza.

«E fino a tre anni fa cosa facevi?»

«La ghostwriter.»

«La ghostwriter?» ripete l'Erectus, stupito come se gli avessi risposto: «La scippatrice di pensioni alle vecchie».

E a questo punto, come sempre accade quando il discorso scivola sul mio lavoro passato, divento criptica.

«Sì, diciamo che ho collaborato per anni con una casa editrice che, pur riconoscendo il mio talento, mi ha sempre ritenuta troppo appariscente e troppo poco somigliante, esteticamente, al mio registro letterario. Quindi mi ha fatto scrivere, malpagata, decine di libri che poi firmavano altri. Più famosi, più noiosi. Più credibili di me.»

Juan accenna un sorriso, mentre un pezzo di sushi troppo grosso gli scivola dalle bacchette. «Be', tira fuori qualche nome! A questo punto muoio dalla curiosità. Chi sono queste finte scrittrici?»

«Non posso. Ci pagano per rimanere fantasmi. I ghostwriter sono come le donne che affittano gli uteri. Si fanno retribuire per il tempo di gestazione poi, una volta sfornato il pargolo, se lo prende colei (o colui) a cui era destinato. Partoriamo bambini di altri. E non siamo autorizzati a svelare i nomi dei genitori adottivi.»

«Capisco. Non insisterò, ma ho in mente almeno un paio di romanzi di femministe rampanti che potrebbero aver galleggiato nel tuo liquido amniotico.»

Incredibile. Saranno almeno venti minuti che non dice nulla di insopportabile. Forse è solo partito male e uscirà dal ristorante con la schiena dritta, l'homo Juan. Vorrei dedicarmi con foga al mio sushi, quindi finisco il mesto romanzo della mia vita. «È per quello che ho aperto un blog. Per provare a vedere se la mia scrittura poteva permettersi di andare in giro con la mia faccia. E con le mie tette.»

«E?»

«E aveva ragione la casa editrice, altrimenti oggi mi dedicherei a libri miei, anziché ai salotti tv di Giusy Speranza. Dopo il successo del blog, mi hanno cercato tutte le tv, tutte le emittenti di tutte le combinazioni numeriche possibili in un telecomando. Nessun giornale, nessuna rivista, nessuna casa editrice. Pensa che neppure la mia mi ha più fatto scrivere libri da ghostwriter. È come se improvvisamente si fossero accorti che ho le tette e con le tette al massimo si va a Sanremo, mica al premio Strega.»

«Interessante ma un po' vittimistico, no?» replica Juan mandando giù mezza bottiglia di birra come se avesse finito ora la Parigi-Dakar.

«Vittimistico?»

«Sì, voglio dire, potresti adottare un look più castigato, da scrittrice impegnata. Chi ti impedisce, che so, di infilarti un lupetto nero con una spilla vintage, di legarti i capelli in uno chignon e di metterti un paio di sandali bassi?»

AUSTRALOPITHECUS. Senza appello e cassazione.

«Certo, e perché no, anche di infilarmi due sassi in tasca e di calarmi nel Po, come Virginia Woolf.»

La risposta mi è uscita di getto, come un rigurgito acido. L'Australopithecus incassa il gancio, ma sembra ansioso di prenderne un altro: «Non intendevo dire che così non vai bene, solo che non puoi aspettarti di essere accolta nei salotti letterari più esclusivi del Paese vestita così».

«A parte che i salotti letterari sono morti da un pezzo come i costumi interi sgambati e i circhi con gli animali, vestita così come, scusa?»

«Così... così, con... con... questi vestiti stretti.»

Non ci posso credere. Parla come mio figlio di otto anni. Che per giunta aveva previsto tutto, dagli abiti stretti al fatto che mi sarei incazzata come Hulk.

«Il punto è che non accetto che la mia credibilità debba passare attraverso un lupetto nero, come se un vestito stretto impedisse l'afflusso di sangue al cervello. Un uomo è libero di vestirsi da allegro minchione e passare comunque per fine intellettuale. Ai pregiudizi ci si ribella, non ci si rassegna, Juan. E mi stupisco che questi discorsi arrivino da te, un artista concettuale, uno che se non sbaglio dovrebbe mettere il pensiero, non la forma, al centro del suo lavoro.»

Con un tempismo struggente arriva il cameriere a chiederci se abbiamo bisogno di qualcosa. Sono tentata di rispondergli: «Sì, di un lanciafiamme», ma Juan è più veloce di me. «Un cucumber roll.» L'ha detto apposta, lo so. Vuole fare l'anticonformista che non ordina le solite otto cose. Vuole dimostrarmi che il cucumber roll esiste e non è il nome di un Pokemon. Dopo quattro secondi lunghi quanto il Neozoico, il cameriere mulatto col sopracciglio ad ala di gabbiano e due spalle che raccontano un'intensa attività sotto al bilanciere pronuncia un secco, memorabile, fragoroso «No». Per poi aggiungere: «Stasera non è più disponibile. Sono finiti i cetrioli in cucina».

Strappo un pezzo di tovaglia di carta, prendo la penna, scrivo «Buono valido per una notte di sesso tantrico con me da utilizzare entro Capodanno» e lo consegno al cameriere. D'accordo, scherzo, non lo faccio. Lo penso e basta. Però è bello quando le teorie nate per cazzeggiare conquistano il loro attimo di fondatezza in questo mondo. Come quando fai il cretino al buio per impaurire qualcuno, si sente un tonfo forte in cucina e finisce che te la fai sotto sul serio.

«Allora uno spicy tuna, grazie» ordina Juan senza mai guardarmi.

Io dissimulo la tronfiaggine, non mi pare il caso di infierire ulteriormente sull'australopiteco. Anzi, a quel punto lo tolgo dall'imbarazzo. «Archiviamo le chiacchiere sui miei vestiti, che ne dici? Dimmi di te, Juan. Perché hai lasciato la Spagna per trasferirti a Milano?»

«Ho studiato qui quando ero ragazzo, ho frequentato l'Accademia di Belle Arti in Brera. Avevo voglia di tornare nella città che mi ha formato artisticamente, e poi negli ultimi anni ho avuto delle frizioni con il direttore del Guggenheim di Bilbao.»

«Vedi che sei conflittuale anche tu allora...» gli faccio notare con un sorriso prudente.

«Non sono io che sono conflittuale, ma lui che è uno stronzo borioso.»

Quindi siamo in tanti a proiettare sugli altri i nostri difetti. Bene.

«Nell'ultimo anno la situazione si è fatta insostenibile» va avanti Juan. «Non ha digerito una mia installazione su Paseo de Abandoibarra, per cui, nonostante ci siano due opere mie esposte al Guggenheim e abbia sempre avuto voce in capitolo sulle scelte artistiche nel museo della mia città, sono stato completamente tagliato fuori.»

«Scusa, e in cosa consisteva questa installazione?»

«L'ho impiccato alla catenella di un water.»

«Chi?»

«Il direttore del Guggenheim. Luis Trueba.»

«Cioè, tu hai preso un fantoccio con le sue sembianze e l'hai impiccato a un cesso su una passeggiata di Bilbao?»

«Esattamente. Cioè, quello che tu chiami fantoccio era una scultura in metacrilato, rame e acrilico che mi è costata sei mesi di lavoro, ma il succo è questo.»

«Accidenti Juan, hai la mia stima. Neanche Cattelan sotto crack avrebbe osato tanto.»

«Ecco appunto. La mia era una provocazione nei confronti di quei mercenari paraculi come Cattelan, che passano la vita a impalare animali, sgozzare preti, assassinare papi, appendere agli alberi bambini, amputare le tette alle donne, mozzare le dita a Hitler per ottenere la trovata che faccia più effetto. Provocazioni finte, più acriliche delle sculture con cui vengono realizzate, per alimentare un po' di finto sdegno di animalisti e cattolici e sfigati integralisti da quattro soldi che mettono in piedi polemiche sciatte da salottini tv, tg e rivistucole d'arte col risultato di regalare a Cattelan o a frigidine lesbo-represse come la Beecroft il loro momento di celebrità e un'impennata delle quotazioni delle loro belle foto e quadri e sculture di merda.»

Lo vomita così, tutto d'un fiato.

«E il direttore Luis Trueba che c'entrava allora? Perché pure tu con questo vizio di impiccare gente?»

«Io ho abbattuto le barriere dell'ipocrisia e provocato non il potere astratto, la Chiesa, l'infanzia, la Storia, ma il direttore del museo d'arte contemporanea della mia città. Ho dimostrato cos'è il coraggio della provocazione.»

«Sì, ho capito. È come se domani io me la prendessi con Giusy Speranza. Solo che io non impiccherei il suo fantoccio. Io impiccherei Giusy Speranza. Temo che la mia performance sarebbe più funerea che concettuale.»

La mia ironia non sortisce l'effetto sperato. Juan posa la forchetta sul piatto in cui ha spolverato anche l'ultimo chicco di riso e sentenzia con pacata bastardaggine: «Senza offesa Viola, ma la critica al tuo sistema televisivo non potrebbe mai avere alcuna forza espressiva. Voi opinionisti siete già fantocci di cartapesta, impossibile trasformarvi in altro. Perfino quell'insopportabile culosecco della Beecroft con le sue orge lesbo per voyeuristi bon ton spacciate per arte avrebbe difficoltà a toglervi i vestiti di dosso. Nel vostro caso il re è già nudo. E anche i suoi cortigiani!».

E ride della sua battuta come i cabarettisti di quart'ordine quando il pubblico fatica a scaldarsi.

Bene. Sono ufficialmente a tavola con un gorilla. I gradi dell'involuzione sono esauriti, ma temo che se il cameriere non si sbrigherà a portarci il conto, il primate concettuale finirà a breve per galleggiare nel brodo primordiale. Ora s'è messo a parlare dell'installazione che sta progettando per l'Expo, ma io ho smesso ufficialmente di ascoltarlo. Mi sembra addirittura di vedergli il bozzo occipitale più marcato. Non dovrebbe essere qui, quest'uomo, se ne dovrebbe stare su un ramo a grattarsi il mento e a spulciare la schiena di un gorilla femmina. Continuo a fingere un'attenzione che ho smesso di dedicargli da almeno un quarto d'ora e con l'ausilio delle dita sotto al tavolo comincio a fare il calcolo delle ore da pagare alla babysitter.

«Perciò capisci, la Biennale di Venezia ha un impatto mediatico che...»

Sono uscita alle nove quindi considerato che sono le undici e ventisette...

«E poi l'arte visual non lascia spazio a...»

Sono due ore e tra tre minuti scatta la mezz'ora.

«E i compromessi nell'arte impoveriscono l'ispirazione...»

Quindi nove euro per due più quattro euro e cinquanta fanno ventiquattro, no, dunque...

«Nel mio studio ho fatto murare le finestre perché gli stimoli esterni inquinano la ricerca emozionale...»

Fa ventidue e cinquanta. Considerato però che tra il conto e i saluti se ne va un'altra mezz'ora e impiego quindici minuti a tornare a casa, prevedo il rientro a mezzanotte e quindici, e sono tre ore e un quarto che devo pure arrotondare a mezzanotte e trenta boia d'un mondo, perciò fanno...

«Sai, nel '95 ho esposto una vasca a forma di Africa con un

piccione dentro che galleggiava nel suo sangue intitolata *Sangue di piccione* per raccontare i morti nelle miniere, un vero capolavoro di impatto visivo o emozionale, che se fosse finito sul mercato sarebbe stato valutato almeno...»

«Trentuno euro e cinquanta!» dico ad alta voce. Pronuncio la cifra senza trasporto, senza un sentimento, con lo sguardo completamente assente.

«È una battuta?» mi fa Juan tra il piccato e l'interdetto.

Non posso smascherare il mio passatempo, non posso dirgli con onestà che c'è chi conta le pecore per dormire e chi le ore da pagare alla babysitter per non dormire. Non posso dirgli che la sua retrocessione a gorilla mi ha catapultata in una sorta di trance onirica. Non posso spiegargli una cosa semplice. E cioè che a vent'anni esci con uno che non ti piace e al massimo ti annoi un po'. Avvicinarsi ai quaranta – cominciare a invecchiare insomma – vuol dire considerare le due ore scarse di cena con un uomo che non ti piace la più grande perdita di tempo della tua esistenza dopo le quattro ore di laser per le smagliature. Tanto ormai hai gli strumenti necessari per capire dopo cinque minuti netti che non è il tuo tipo ed è in quel preciso momento, quello della consapevolezza, che per me inizia l'agonia. Che per me quell'ora e mezza di chiacchiere vacue che mi separano dal momento dei saluti, si trasforma negli ultimi novanta preziosissimi minuti che mi restano da vivere nel mondo. Come se dopo la crème brûlée, la grande mietitrice irrompesse nel ristorante con l'abito di scena stile Halloween, mi nettasse gli angoli della bocca col tovagliolo, stringesse con gentilezza la mano al signore che mi ha intrattenuta durante la cena e mi traghettasse all'inferno. Girone: anime scoglionate da anni di cene con uomini dall'eloquio ipnotico come il cestello della lavatrice che gira. No, non lo posso spiegare a Juan. E in realtà non spiego un bel niente, grazie al sempre provvidenziale cameriere che ci porta il conto.

Ho voglia di tornare a casa, perché la casa non è mai un luogo felice come quando rientri da un appuntamento che ti ha irrimediabilmente scoglionata. Ho voglia del mio divano marrone e di vedere mezz'ora di replica di qualche talk politico che mi sono persa. Ho voglia di aprire il frigo e bere dalla bottiglia e di struccarmi alla buona. Ho voglia di un pigiama spaiato. E soprattutto ho voglia di vedere le guance rotonde di mio figlio e la sua bocca semiaperta a pesce rosso, mentre il suo mondo inquieto di bambino compone puzzle, in sogni felici o spaventosi, che forse domattina mi racconterà a colazione.

«Buonanotte Juan, grazie per la cena.»

Buonanotte gorilla. Non faccio in tempo a rientrare in macchina che blocco il suo numero di telefono su WhatsApp per non ricevere mai più suoi messaggi che prevedano una risposta rapida. Se mi chiederà spiegazioni mi giustificherò con un argomento che gli risulterà definitivo e familiare: «Non era un gesto cretino e senza senso. Era una provocazione». Sono un'artista concettuale dello sfanculamento, se voglio.

Orlando, Dio e Lady Gaga

«Mamma.»

«Orlando, come mai sei a letto ancora sveglio?»

«Ti aspettavo.»

«E perché?»

«Perché ti volevo fare una domanda.»

«Dimmi.»

«No non fa niente.»
«Dai!»
«No, che poi tu quando ti faccio domande che non vuoi rispondere dici che devi rispondere a una mail.»
«Sei scorretto, te l'ho detto solo l'altro giorno.»
«Me lo dici sempre.»
«L'altro giorno.»
«Sì, quando ti ho chiesto che vuol dire quella pubblicità che dice che il trenta per cento degli italiani soffre di eiaculazione precoce.»
«Orlando, puoi evitare di ripeterlo a pappagallo? E soprattutto, puoi evitare di dirlo a scuola domani che poi mi citofonano gli assistenti sociali?»
«Chi sono gli assistenti sociali?»
«Niente, scherzavo.»
«Chi sono?»
«Orlando dai, devo mandare una emai... devo fare una cosa.»
«Mi dici almeno cos'è l'eiaculazione precoce? A scuola non dico niente, te lo prometto mamma.»
«Ma non puoi chiedere a tuo padre?»
«Gliel'ho chiesto, mi ha detto che devo chiedere a te.»
Caspita, la stessa risposta che ha dato al mio avvocato quando gli ha chiesto di pagare almeno la mensa scolastica.
«È... è... quando un uomo ha il problema di farsi la pipì addosso mentre dorme.»
«Come i piccoli?»
«Esatto.»
Lo so, gli provocherò un trauma. Sto fornendo false informazioni alla sua educazione sessuale. Un giorno si presenterà a casa della sua prima fidanzatina per consumare la sua prima volta quando i genitori di lei saranno al lago e anziché il profilattico metterà il pannolone.

«Ora Orlando, mi dici perché mi hai aspettato alzato?»
«Ti volevo chiedere se l'amico che ci sei andata a cena è davvero un amico.»
La scuola steineriana sconsiglia di rispondere «No, è una sonora testa di cazzo!» a un bambino di otto anni, vero?
«Certo che è davvero un amico, cosa dovrebbe essere?»
«Non è un fidanzato?»
«Se la mamma va a cena fuori con un uomo, mica vuol dire che è il suo fidanzato.»
«Però stasera la babysitter non ha voluto vedere *Godzilla* e ha messo un film da grandi e c'era un signore che ha chiesto a una ragazza se andava a cena con lui e lei ha risposto: "Non posso sono fidanzata", perciò vuol dire che se vai a cena non è amicizia altrimenti lei poteva dire di sì.»
E va bene. Doveva arrivare il giorno in cui avrebbe capito cosa vuol dire: «Esco a cena con un amico». Ora l'importante è che non capisca cosa voglia dire: «Un amico mi ha invitato a bere un caffè da lui».
«Be' Orlando, succede che due amici vadano a cena fuori e si piacciano, alle volte. Ma non è detto. A me per esempio questo amico non piaceva.»
«Quindi non ti fidanzi?»
L'inguaribile ottimismo dei bambini.
«Ma no.»
«E nemmeno ti sposi, vero?»
Che film gli ha fatto vedere la babysitter? Moccia?
«No Orlando, non mi sposo. Non mi sposerò più dopo tuo papà, te l'ho detto.»
Figuriamoci se ridico sì a uno che mi chiede di amarlo nella ricchezza e nella povertà, senza specificarmi che la povertà è quella d'animo, sua.
«Non ti sposi come i preti?»

«Bravo, come i preti!»
«E perché i preti non si sposano, mamma?»
«Perché sono sposati con Dio.»
«Allora Dio è gay?»
Mentre aspetto che un fulmine squarci il soffitto e gli appaia il 666 sulla fronte, cerco di chiarire la questione.
«Nooooo, non è gay. Dio non ha sesso.»
«Come le meduse?»
Non ne esco più. Per mio figlio Dio è una medusa gay. Neanche in *SpongeBob* c'è un personaggio tanto surreale. Chiamo Padre Amorth.
«No amore, quello è l'ermafroditismo, è una cosa che succede ad alcuni invertebrati come ti hanno insegnato a scienze. Non c'entra con Dio. Mettiamola così: Dio ama tutti, donne e uomini allo stesso modo.»
«Come Lady Gaga?»
«Orlando, devo andare a scrivere una mail, buonanotte.»

3
Rughe verticali

La sveglia alle sette in punto per portare mio figlio a scuola è una delle poche cose che pesano come un macigno nella mia esistenza di madre spaiata. E non perché sia presto. Svegliarmi tardi non mi è mai piaciuto, mi ha sempre dato la spiacevole sensazione di perdermi qualcosa del mondo. O di venire tagliata fuori da fatti e decisioni epocali. Già mi vedo aprire gli occhi la mattina alle undici, accendere il cellulare e trovare messaggi così: «Ti ho citofonato due volte stamattina, ma tu dormivi. Ryan Gosling», «Obama ha dichiarato guerra alla Russia. Voleva un tuo parere, ma tu dormivi». Quello che mi pesa è doverlo fare sempre. In salute e in malattia. Con la febbre alta o l'umore basso. Senza alibi o un compagno che chiuda la cartella a Orlando mentre mi scioglie un'aspirina nel bicchiere. Ok, mi correggo. Che chiuda la cartella a Orlando e mi chieda cinquantasei volte dove diavolo sia la scatola delle aspirine mentre lo sento trafficare nell'armadietto, finché non mi alzo io trascinandomi sul pavimento nella modalità «sbarco in Normandia» e trovo le aspirine senza neppure aprire l'occhio destro. E ancora di più mi pesa dovermi svegliare presto senza potermi concedere il lusso della decompressione lenta. Quando accompagno mio figlio a scuola gli devo quel briciolo di lucidità che mi consenta di infilargli il grembiule anziché la parannanza per i dolci, cosa che dopo una nottata insonne non è un'eventualità improbabile. Ecco. Questa è una di quelle mattine in cui mio figlio rischia seriamente di presentarsi in classe vestito da concorrente di *MasterChef*.

La serata con Juan mi ha lasciato un retrogusto amaro che ha inquinato il mio sonno. Il bello è che tutto ciò non ha nulla a che fare con Juan. A questo sto pensando mentre accendo distrattamente la tv in cerca di un suono che mi aiuti a svegliarmi e grido dalla cucina il solito, molesto: «Orlandoooooo, alzati che è pronta la colazione!». Juan non c'entra perché dopo un matrimonio fallito, un amore deflagrato e una serie infinita di cene come quella con lo spagnolo tracotante, la sensazione di stamattina non è più un banale fare i conti con un'uscita andata male. È tirare le somme. È vedere il tavolo di quel maledetto sushi-brasiliano allungarsi fino all'altro lato della sala e ritrovarmi seduti lì tutti gli uomini inutili a cui negli ultimi due anni ho concesso una cena, un bicchiere di vino, una telefonata di quelle che durano ore o perfino una notte più o meno svogliata. È guardarli uno a uno, e realizzare che, sommando le ore perse con quella galleria di omuncoli, viene fuori uno spazio temporale che avrei potuto investire in maniera più utile, magari imparando il cinese, facendo un trompe-l'oeil sul soffitto del bagno o dedicandomi all'epilazione definitiva dell'area baffi. È avere l'ennesima panoramica della mia storia sentimentale e domandarmi se c'è ancora un uomo capace di sorprendermi, di esserci, di amarmi. Anche per sei mesi, mica fino all'ultimo dei miei giorni.

Juan non è solo Juan. È l'ennesima croce su una salma tumulata in tutta fretta nel cimitero di sfigati che è il mio curriculum amoroso.

La vocetta assonnata di Orlando interrompe l'autoanalisi mattutina.

«Mamma, ma mi devo lavare anche stamattina?»
«No Orlando, oggi è festa nazionale dell'ascella pezzata.»
«Che vuol dire?»
«Vuol dire che se non vai a lavarti subito, Petra ti toglie il saluto.»
«Ma mammmmaaaaa ho sonno. E poi te l'ho già detto che Petra non mi piace.»
Ovviamente Petra gli piace moltissimo. La negazione nasce dal fatto che l'idillio amoroso ha giusto una piccola crepa: a Petra piace un altro. Per la precisione, il migliore amico di Orlando, Ettore, dramma che provoca struggimenti amorosi e conflitti emotivi di rara portata. Nessuno, a otto anni, dovrebbe essere costretto a scegliere tra l'amore e l'amicizia. Ma Orlando è mio figlio ed evidentemente, in fatto di cuore, ho il karma infettivo, come la varicella.
Mentre Orlando si lava la faccia con quella solerzia tipica di ogni bambino, ovvero mettendo l'unghia dell'indice destro sotto l'acqua del rubinetto e passandola sul sopracciglio sinistro, io mi accingo come di consueto a rimpinguare il mio personale medagliere di campionessa olimpica in quella disciplina denominata multitasking. Disciplina nella quale, come saprete, non esiste una figura maschile che abbia mai conquistato neanche un bronzo. Forse Warren Beatty, che è riuscito a recitare e a trombarsi la protagonista in ogni suo singolo film in contemporanea, ma per il resto, provate a inserire nel giavellotto l'obbligo per l'atleta maschio di rispondere a una qualsiasi domanda della moglie mentre esegue il lancio. Vedrete che il giavellotto finisce sugli spalti. Fatelo con un'atleta donna e quella non solo lancerà il giavellotto nella direzione giusta, ma mentre risponde alla domanda del marito fisserà pure la babysitter per le otto e si passerà fondotinta e copriocchiaie.

La preparazione della colazione, a casa mia, prevede una serie di passaggi immutabili da anni e all'insegna del multitasking spinto. Il primo è l'apertura frigorifero seguita da consueto interrogativo: perché ci sono tre bottigliette di latte aperte? Segue rapida valutazione su quale sia quella aperta per ultima e quale stazioni in frigo dalla breccia di Porta Pia con tanto di test olfattivo, nella speranza che almeno una emani l'olezzo della carcassa di gatto sul ciglio dell'autostrada per escludere un'alternativa. Individuata la bottiglietta che sa di gatto morto, la mollo accanto al lavandino afferrando una delle due papabili per la colazione.

«Mammaaaaaa che pantaloni mi metto?»

«Quelli blu!»

«Non ci sono pantaloni blu!»

«Quelli verdi.»

«Non ci sono pantaloni verdi!»

«Ma sì che ci sono i pant...»

Nel frattempo, chiudendo il frigo con una mano e tenendo le bottigliette di latte nell'altra, una delle due mi precipita su un piede causando una deflagrazione bianco-latte da venti megatoni, il cui raggio d'effetto della zona interessata va dalla cappa della cucina al mio pigiama nero.

«Mammaaaa!»

Mi passo la spugnetta dei piatti sul pigiama. «Orlando, mettiti quelli rosa con gli Swarovski sulla tasca dietro!»

«Ma mamma quelli sono tuoi!»

«Ah già.»

Poso la bottiglietta di latte che si è salvata accanto al lavandino e raggiungo Orlando che è fermo in mutande davanti all'armadio aperto, osservandone il contenuto con l'aria interrogativa di chi se ne sta di fronte alla porta dell'universo bella spalancata. Afferro i pantaloni di una tuta.

«Mamma, ma quelli sono bucati!»

«Eh, certo che sono bucati, quante volte ti ho detto che non devi buttarti per terra in palestra, eh?»

«Ma mamma li hai bucati tu l'altra sera col ferro da stiro.»

«No Orlando, quel piccolo, trascurabile incidente è successo con altri pantaloni, non erano questi.»

«Ti dico di sì. Li stavi stirando e ha telefonato papà e tu ti sei messa a parlare al cellulare e io ho visto il fumo che esce dalla bocca di Godzilla il Re dei mostri e ho gridato: "Mammmaaaa!", e tu hai detto quella parolaccia che finisce per 'zzo e hai spento il fuoco con la mia Bibbia illustrata e hai detto pure: "È la prima volta che la religione mi serve a qualcosa!".»

«Va bene, ok Orlando, la ricostruzione è abbastanza fedele, ma i pantaloni non erano questi di Winnie Pooh.»

«Sì invece, perché quando gli hai visto il muso tutto bruciato hai detto: "Meglio, tanto quest'orso ha sempre avuto una gran faccia da pirla".»

Sì, in effetti credo di aver dato del pirla a Winnie Pooh, ma doveva essere una proiezione: stavo ancora pensando al mio ex marito e alla sua solita telefonata da gentiluomo. Mi arrendo all'evidenza e gli infilo una tuta beige mentre torno di corsa in cucina. Sono le otto. Alle otto e quindici dobbiamo uscire di casa. Passo una pezzetta sul pavimento per asciugare la pozza di latte, vado per afferrare quella che è ormai l'unica bottiglietta di latte bevibile, ma realizzo di averla posizionata accanto a quella che sa di gatto morto, quindi non so più quale sia quella portatrice di cagarella fulminante. Le riannuso. Dopo anni di mattinate così ho il fiuto di un cane antidroga.

«Mammaaaa che scarpe mi metto?»

«Le prime che troviiii!»

Infilo nel microonde la sua tazza di latte con Godzilla che sorride dalla bocca di un vulcano e cerco una merendina di quelle sconsigliate da tutti i dietologi d'Europa. I tovaglioli di carta sono finiti. Strappo un pezzo di Scottex e lo piazzo sulla tovaglietta Ikea.

Mi precipito in camera e, vista la fretta, decido di lasciarmi i pantaloni del pigiama che tanto sono di un tessuto ciniglia nero spacciabile per tuta comoda. Tento un abbinamento creativo con un maglione rosso ciliegia. Vestita di rossonero con l'aggravante ciniglia, sembro il pupazzo mascotte del Milan. Vorrà dire che non scenderò dalla macchina. Mi accosto un attimo in doppia fila davanti all'ingresso della scuola, faccio scendere Orlando di corsa e poi al massimo mi fermo in un bar malfamato per un caffè veloce.

Il microonde mi martella l'orecchio col suo *bip* urticante, torno in cucina per spegnerlo e mi si para davanti la seguente scena: mio figlio, beato e serafico, gioca col suo Godzilla di plastica modello Bandai edizione limitata arrivato dal Giappone dopo un'asta su eBay che neanche quella di Sotheby's per *L'urlo* di Munch è stata così agguerrita. È vestito di tutto punto con la sua tuta beige abbinata candidamente a un paio di mocassini neri lucidi su calzino bianco con tassello del calcagno in bella vista sul collo del piede.

«Orlando. Da quale piega spazio-temporale hai tirato fuori quelle scarpe, io ora da te vorrei sapere?»

«Mamma, perché parli come il maestro Yoda?»

«Forse perché ti vesti come uno del bar di *Guerre stellari*, ecco perché.»

«Ma che hanno queste scarpe di brutto?»

«Hanno che sono le scarpe di una recita di due anni fa in cui dovevi fare il maggiordomo e col mocassino messo sotto alla tuta beige sembri un violinista slavo al semaforo o un nonno in pasticceria la domenica mattina a comprare le pastarelle, fai tu.»

«Ah, sono di due anni fa, ecco perché mi stanno strette.»
«Vatti a mettere un paio di scarpe da ginnastica, forza, e girati le calze che le hai messe storte.»
«Sì, mamma.»
«E sbrigati che sono le otto e dodici, è tardi!»
«Tu lo dici sempre che è tardi mamma!»
Ha ragione. È sempre tardi nella mia vita. Sempre. È tutto un incastro, un tassello, un ritaglio e appuntamenti che si infilano tra un appuntamento e l'altro cercando di non dimenticare, non rimandare, non tralasciare altri appuntamenti. Il parrucchiere infilato nei quaranta minuti tra il commercialista e l'uscita di scuola di Orlando, che se per caso la tizia prima di me ha il capello più crespo del solito e mi sta al lavaggio cinque minuti in più, fa saltare una tabella di marcia studiata al dettaglio. Gli impegni in tv resi possibili da mamme di altri bambini che portano Orlando a casa dopo la scuola e le mie corse dagli studi televisivi dimenticando spesso il microfono attaccato al vestito per andare a riprenderlo in orario. Ma soprattutto, la mia ostinazione a non affidarmi a tate fisse perché non voglio estranei in casa e tantomeno smorfie estranee sul viso di Orlando, smorfie che somiglino a quelle di una filippina anziché a quelle di sua mamma quando ha fame, quando ha sonno, quando è arrabbiata.
«Dai Orlando, finisci il latte, veloce!»
Mi alzo per chiudergli lo zaino quando mi squilla il cellulare. È il mio ex marito, Fabio, che nella rubrica è memorizzato col nome «Ommm», perché ogni volta che chiama io devo tenere a mente un mantra zen per non mandarlo poco spiritualmente a quel paese. Ma soprattutto perché non voglio che Orlando percepisca alcuna tensione tra di noi e immagini invece che suo padre si manifesti tre volte l'anno perché è impegnato a salvare il mondo. I bambini hanno il diritto di

credere che i loro genitori siano dei supereroi. Abbiamo tutto il resto della loro vita da adulti per deluderli.

«Ciao Fabio, dimmi!»

«Cos'è, vai di fretta?»

Le premesse affabilità&cortesia sono ottime.

«No, ci mancherebbe, è che sai, tu sei in Brasile e non so che ora sia lì, ma qui sono le otto e un quarto – e sedici per la precisione – e stiamo andando a scuola.»

«Qui sono le quattro di notte e voglio parlare con mio figlio.»

Ommmmmm.

«Ah, capisco. Hai fatto tardi con dirigente e allenatore, immagino.»

«Sì, sono con Pablo, Miguel e i fratelli Mendoza.»

«Cos'è, il cartello di Medellín?»

«Spiritosa. Ho delle clausole da discutere su un giocatore colombiano che porto in Italia il mese prossimo, e quindi? Cosa te ne frega?»

Sto per aggiungere: «Spero almeno che le clausole di cui avete discusso fossero tutte maggiorenni», quando incrocio gli occhi di Orlando. Gli brillano. Il papà lontano è il suo supereroe. Non è lì con lui a portarlo a scuola perché c'è una bambina in pericolo sul tetto di un palazzo in fiamme. Perché sta sgominando una banda di rapinatori in Texas. Perché sta uccidendo a mani nude un alligatore killer che terrorizza la città di Miami.

Ommmmm.

«Comprendo benissimo, Fabio. Arriveremo un po' in ritardo a scuola ma non fa nulla, ti passo Orlando.»

«Ecco, brava, e quando ti chiedo di parlare con mio figlio passamelo senza fare tante storie, vedi di non fare la stronza con me.»

Sento che il mantra non basta più. Ho urgente bisogno di una visualizzazione a cui aggrapparmi. Una spiaggia, sì. Io su una spiaggia bagnata da un mare cristallino. Lontano. Mauritius. No, più lontano. Papua Nuova Guinea. Ho un micro bikini fucsia e dal sole alto nel cielo terso partono dei raggi caldissimi che mi sparano l'ultima versione di Photoshop sulle chiappe. C'è Ryan Gosling vestito di lino bianco che corre incontro a me direttamente dal mare aperto, camminando sulle acque, tra spruzzi di schiuma e pesci volanti che incorniciano la scena. Giunge sulla riva, ma quando sta per baciarmi un vuccumprà con delle borse sottobraccio gli chiede se vuole qualcosa. Incredibile, sono tutte Birkin originali Hermès! Ryan esclama: «Le prendiamo tutte». Estrae dal portafogli uno zircone da sei etti, lo porge al vuccumprà e finalmente mi bacia per tre giorni e tre notti di fila finché le testuggini non ci nidificano sui polpacci.

«Ciao Fabio. Non ti stancare troppo, mi raccomando!»

«Mi prendi per il cul...»

Passo il telefono a Orlando senza sentire il resto della frase, che immagino con una certa facilità.

«Ciao papà! Sì, anche tu mi manchi! Anche io ti voglio bene!»

Ringrazio mentalmente Ryan e, mentre Orlando parla col suo supereroe sciagurato, gli infilo lo zaino di Godzilla sulle spalle.

«Davvero ci sei per il mio compleanno? Che bello, papà. Sì, papà. Però il mio compleanno è il quindici non il diciotto. Ahhh, intendevi dire che stai fino al diciotto. Va bene, papà. Anche io, papà. Non vedo l'ora di vederti. Ciao papà.»

È davvero difficile interpretare il ruolo del genitore dotato di buonsenso, quando sei l'unico ad aver accettato quella parte nella grande recita della separazione.

Arrivati davanti a scuola, scopro che questa mattina la quinta elementare è in partenza per la gita Scuola Natura, per cui un pullman rosso fiammante staziona di fronte all'ingresso principale, causando un ingorgo di proporzioni bibliche e un caos assordante di clacson. Cerco disperatamente un posto in seconda fila. In terza fila. In quarta fila. Sul tetto dell'edicola. Sul ramo più basso del cipresso all'angolo. Nulla. In un attimo realizzo il dramma: dovrò parcheggiare nella via dietro la scuola. E questo vuol dire una cosa sola: scendere dalla macchina vestita come il pupazzo mascotte del Milan.

Improvviso un parcheggio creativo, mi infilo un paio di occhiali, prendo Orlando per mano e mi do allo slalom spericolato tra quel fiume umano, in quella moderna torre di Babele che è l'ingresso di una qualunque scuola milanese nel Ventunesimo secolo: tate di ogni razza e nazionalità che chiamano i bambini in settantaquattro lingue diverse, bambini che ti speronano con zaini dei Ninja da sei tonnellate, cani al guinzaglio, nonni disorientati, padri al cellulare e soprattutto la categoria più temibile in cui è facile imbattersi nei pressi dell'ingresso di una scuola di primo mattino: le madri isteriche.

«Mi fa passare per cortesia che vado di fretta?» Fisso la signora bionda fresca di mèche dietro di me che mi ha posto la domanda con voce stridula e le rispondo angelica: «Perché, pensa che io invece ora tirerò fuori il tappetino e mi metterò a fare yoga?».

Torno a darle le spalle, attendendo che il muro umano si apra come le acque nel Mar Rosso, e un attimo dopo sento di nuovo la sua inconfondibile voce: «Ludovica, passa che questa tizia qui oggi ha deciso di farmi arrivare tardi in showroom!».

Questa tizia qui. Mi ha chiamata «questa tizia qui». Sto per voltarmi per spiegarle che questa tizia qui ora si pianta lì e inizia un bivacco in tenda che si protrarrà fino a Natale, quando mi sento strattonare violentemente all'altezza della coscia destra. La piccola Ludovica, pettinata con mollettina e riga da una parte come le gemelline di *Shining*, mi ha appena piantato una ballerina di Hello Kitty sul mignolo e tenta di farsi largo a colpi di zaino. Purtroppo non ho il codice penale con me e non posso valutare con precisione l'entità della pena in caso di omicidio di minore né se la somiglianza del minore con le gemelle di *Shining* costituisca attenuante, per cui mi limito ad afferrare il Mini Pony che le pende dallo zaino e a trascinarla delicatamente all'indietro. La madre mi guarda con un odio primitivo, afferra Ludovica per un braccio, ma nello spostarla con fare isterico la fa sbilanciare per via dell'enorme zaino rosa e Ludovica finisce col sedere in una piccola pozzanghera in cui un bambino sì e l'altro pure hanno già messo un piede.

La bionda sclerotica tira un urlo feroce e Orlando, che fino a quel momento non si era accorto di nulla, si volta di scatto. Osserva la bambina in piedi, piagnucolante, col grembiule fradicio sul sedere ed esclama ad alta voce: «Mamma, poverina, quella bambina soffre di eiaculazione precoce!».

Non so quante teste si siano girate in quel preciso istante, ma erano molte. Troppe. E soprattutto, nel marasma di espressioni basite o scandalizzate, distinguo nitida quella di rimprovero della maestra Gabriella. Ora desidero solo una cosa: un escavatore. Voglio essere inghiottita dalle viscere della terra e riaffiorare in superficie soltanto quando questa gente sarà così vecchia da non ricordare.

«Complimenti per l'educazione» fa la madre psicotica. «E per il pigiama, ovviamente!» aggiunge fissando schifata la mia mise improbabile prima di aprirsi un varco nel muro umano. Mi arriva all'orecchio anche un dolorosissimo: «In effetti in tv è sempre così elegante...», pronunciato con un accento straniero. È la tata venezuelana di Ettore che mi scruta pure lei con una certa aria di compatimento. Mi guardo in giro per cercare conforto e noto altri sospetti pigiami, ma prendo atto del fatto che sono tutti camuffati più dignitosamente del mio.

Saluto Orlando implorandolo di non scomodare più il termine «eiaculazione precoce» in pubblico per ragioni che gli spiegherò a casa e mi precipito verso la macchina, cercando di passare il più inosservata possibile.

«Viola!»

Nell'attimo in cui mi sento chiamare intravedo da lontano il vigile che fissa con sincero interesse la targa della mia macchina manco fosse il culo di Eva Mendes. Mi volto mezza affannata e mi trovo davanti un tizio sui quarant'anni, con un sorriso di quelli che a certi uomini fa venire due rughe verticali sulle guance – quel tipo di rughe che agli uomini regalano intensità e alle donne dieci anni di più – e due occhi chiarissimi. Non so cosa voglia da me, ma è un uomo spaventosamente bello. E io sono vestita schifosamente male. Lo sapevo che non dovevo dar retta a chi dice che l'amore arriva quando non lo cerchi. Se non lo cerchi te ne giri vestita di merda, come stamattina, e poi succede che se lo incontri quello ti scambia per una gattara e tira dritto.

«Perdona l'agguato, non ci conosciamo ma, ecco, hai presente Simone?»

«Simone?» Non so chi sia questo Simone ma se è un link tra me e quest'uomo, entro mezzogiorno lo includo nell'asse ereditario.

«Sono Valerio, il papà di Simone. Simone è in terza D, non è in classe con tuo figlio, ma mi parla spesso di Orlando, giocano insieme a ricreazione.»

«Ah, strano, Orlando non me ne ha mai parlato, comunque piacere. Viola.»

«Sì, da come ho urlato il tuo nome per strada avrai intuito che un po' ti conosco. Potere del tubo catodico...»

«Capisco, anche se stamattina, conciata così, associarmi a quella che va in tv è una roba da solutori esperti. Io invece non ti ho mai visto fuori da scuola prima di oggi, strano.»

Non è strano. È esoterismo puro. Uno così per strada lo noti pure facendo un giro panoramico della città in elicottero.

«In effetti vengo molto di rado, perché a prendere Simone ci pensa quasi sempre la mia ex moglie. Io a quest'ora di solito sono in redazione, faccio il giornalista.»

Fa il giornalista. Quindi vuole che gli conceda un'intervista. O che gli spifferi qualche indiscrezione su Giusy Speranza. Oppure freme per conoscere la mia opinione sul maschio alfa. Sul lato B. Sul fattore C. Sulla zona T. Sui raggi gamma. Non lo sò. Io ho un'opinione su qualsiasi lettera dell'alfabeto per deformazione professionale, ma se me la chiede questo Valerio posso trovarne una anche per ogni singola vocale e consonante di quello cirillico corsivo. Prevedo lunghe chat col Gruppo Testuggine questa notte. Oggetto: «Valerio».

«In realtà ti ho rincorsa perché volevo dirti che ho sentito cosa ha detto tuo figlio a Ludovica, che tra l'altro è in classe con mio figlio e be', insomma, ho notato che non tutti l'hanno presa benissimo, ma a me ha fatto molto ridere.»

«Ah. La faccenda dell'eiaculazione precoce. Be', sai, in tv continua a passare quello spot che ne parla e gli ho detto che...»

«Che è quando uno si fa la pipì addosso, sì, avevo immaginato.»

«Sì, ma non credo sia stata un'idea fulminante.»

«No, ma fare quella battuta alla figlia della madre più insopportabile della scuola Mascagni lo è stata. I miei complimenti a Orlando.»

«Grazie, ma non ne sono convintissima. Ora mamme e maestre penseranno che quando vado in tv lo lasci con l'iPad aperto su YouPorn.»

«Ah ah, non penso. Io invece ti ho vista due volte davanti a scuola e mi hai sempre dato l'impressione di essere una madre premurosa. Si vede da come lo segui con lo sguardo finché non entra nel portone.»

Questo a casa mia non si chiama rompere il ghiaccio. Si chiama sciogliere la calotta polare artica. Si chiama restituire dignità e amor proprio a una madre affannata e vestita da mascotte del Milan. Si chiama lasciarmi con un'espressione ebete sulla faccia, che si ridimensiona non appena rammento che pochi minuti fa un vigile stava scrutando con piglio scientifico le gentili terga della mia Smart.

«Che ne dici di un caffè veloce nel bar qui all'angolo?» mi chiede Valerio col sorriso di chi sa di avere quel sorriso.

Se l'inventore del caffè avesse immaginato di quante accezioni e sottotesti erotici o sentimentali si sarebbe caricata la parola «caffè» in questo secolo, sarebbe morto felice. E soprattutto avrebbe inventato almeno sei battutacce da caserma sul tema «Sapete perché il caffè si ricava da un gruppo di piante denominato Angiosperme?».

Ma la questione sorprendente è che c'è un secondo uomo dopo Juan che prende l'iniziativa nel giro di due giorni. Sono commossa. Il vigile sta parlando al cellulare, quindi la situazione mi pare sotto controllo. E comunque anche se stesse cospargendo di vernice color pece il parabrezza, non mi schioderei dalle rughe verticali di Valerio.

Il bar all'angolo è un sinistro postribolo a metà tra il pub irlandese e la sala giochi. In fondo a una lunga fila di panche e tavoli di legno ci sono almeno tre slot e due macchine del videopoker attorno alle quali se ne stanno assiepati personaggi loschi e vecchietti insospettabili. È uno di quei bar che ti ricordano che Milano non è solo la Milano da bere. È anche la Milano in cui la gente si beve casa e stipendio al videopoker.

«Lo so, l'atmosfera non è quella del bistrot parigino ma purtroppo è il massimo che possa offrire l'isolato» mi sussurra Valerio sedendosi su una panca.

La sala è piuttosto buia, per cui la mia scelta di tenere gli occhiali da sole deve sembrargli bizzarra. O forse ha capito perfettamente che sono uscita di casa con l'occhio cisposo ed evidenti tracce di un mascara tolto pigramente la sera prima. Odio struccarmi. Il male di vivere che mi assale mentre mi passo il dischetto sul viso è pari solo a quello che mi coglie quando raggiungo la consapevolezza di dovermi togliere lo smalto. E poi diciamolo. A vent'anni la faccia ti ritorna a posto dopo cinque minuti dal risveglio. Compiuti i trentacinque, perché i tuoi occhi siano un po' meno gonfi di quelli di Rocky dopo l'incontro con Ivan Drago ci vogliono almeno due ore.

«E quindi mi dicevi che tuo figlio parla spesso di Orlando» dico subito dopo aver ordinato un caffè.

«Sì, pare che abbiano un appuntamento fisso in un angolo del cortile, durante l'intervallo... Sai, Simone non lega facilmente con gli altri bambini, la mia è stata una separazione burrascosa e lui ne ha sofferto molto.»

«Come mai burrascosa, se posso permettermi?»

«La mia ex moglie non ha accettato la mia decisione e per anni mi ha fatto una guerra inutile a colpi di avvocati ed escamotage vari per farmi vedere il bambino il meno possibile. Ora le cose vanno un po' meglio ma non è facile recuperare un rapporto con un figlio a cui per troppo tempo è stato detto che il padre è un bastardo.»

«No, certo, immagino. Anch'io dico che il mio ex marito è un bastardo. Ma alle mie amiche. E poi io sono la parte che ha deciso di separarsi, è un po' diverso.»

Sento che ci stiamo inoltrando su un sentiero scivoloso. L'argomento ex e disgrazie amorose non è mai un incipit raccomandabile per qualsiasi conoscenza con spiragli amorosi.

Almeno non per me. Io per esempio, se uno mi parla per più di cinque minuti di un'ex moglie o fidanzata, faccio partire l'arpa dell'iPhone schiacciando tasti a caso sotto il tavolo e invento appuntamenti improrogabili di lì a cinque minuti. Temo gli strascichi. I fantasmi di amori irrisolti. Voglio uomini col cuore sgombro e le braccia spalancate. Forse perché so cosa vuol dire vivere con l'anima opaca per un amore col finale mozzato e non voglio averci a che fare. Ho ancora i miei punti di sutura da rimuovere, non posso occuparmi delle ferite altrui.

Mentre Valerio addenta la sua brioche integrale al miele, il tizio di mezza età che se ne stava seduto con fare sobrio accanto a noi si alza all'improvviso in piedi con un'espressione raggiante. Una ragazza giovane, decisamente in carne e agghindata come se fossero le nove di sera, lo abbraccia senza neppure salutarlo e gli srotola in bocca una lingua di sei metri e mezzo. Io e Valerio ci guardiamo imbarazzati. È palese che non si tratta di una coppia ufficiale.

L'ho sempre pensato, perché a Milano è una situazione in cui ci si imbatte spesso. Gli amanti che si incontrano al bar di mattina presto sono una cosa insopportabile. Tu sei lì, mezza rintronata dal sonno e loro cinguettano e limonano tra risatine e allusioni sessuali degne della peggiore commedia sentimentale. Sto per condividere il mio pensiero con Valerio, quando il tizio infoiato domanda all'amante cicciotta con sguardo da volpone: «Cosa vuoi a parte quello che so? Una brioche?». Tutta questa tensione sessuale davanti a un caffè macchiato non si regge. Dovrebbero fare dei bar riservati esclusivamente agli amanti clandestini. Bisognerebbe ghettizzarli. Tenerli lontani da gente che vorrebbe viversi le sue frustrazioni sentimentali e sessuali senza il doloroso spettacolo dell'appagamento altrui. Valerio tenta di trattenere una risata, io guardo il tizio dirigersi verso il bancone del bar con un'aria di disappunto che fa molto zitella incarognita.

Cerco di riprendere il discorso da dove lo avevamo lasciato. «Senti, che ne dici di abbandonare l'argomento ex mogli/ex mariti?»

«Ti ha dato fastidio parlarne?»

«Oh no, è che quando percepisco che lo strascico di una separazione è più lungo di quello che aveva la sposa all'altare, tendo a irrigidirmi. Sai, io mi sento leggera e vorrei respirare la stessa leggerezza quando ho a che fare con una persona nuova» gli dico mentendo. O meglio, non mentendo sul mio matrimonio che è effettivamente sepolto e archiviato nel file «azioni imbarazzanti compiute lucidamente e consapevolmente ergo imperdonabili», ma mentendo sulla mia presunta leggerezza e, soprattutto, omettendo il fatto che un ex fidanzato ingombrante e portatore insano di strascichi ce l'ho io. Con un'aggravante che lo rende meno facile all'oblio: è il candidato sindaco di questa città. E non è un pensiero casuale. La sua faccia ha appena infestato lo schermo quarantadue pollici fissato sul muro sopra l'angolo delle birre alla spina. Del resto, la posizione non può essere accidentale: per regalare due anni di vita a un uomo così, o si è alcolizzate o si è più semplicemente me. Credo che l'inattesa apparizione catodica di Giorgio Mazzoletti, candidato sindaco di Milano, abbia fatto calare sul mio volto una foschia opaca e malinconica che neppure sul lago il giorno dei morti. Lo suppongo perché Valerio ora mi osserva con aria preoccupata: «Ehi Viola, tutto bene?».

«Sì sì, scusami, mi ha distratta la tv.»

Valerio si volta di scatto per capire cosa abbia catalizzato la mia attenzione. «Ah, ci sono i due candidati sindaci a *È già mattino*. Avevo sentito che dovevano fare finalmente il tanto atteso faccia a faccia, ma al tg ieri sera hanno detto che Mazzoletti s'è tirato indietro all'ultimo perché sa di essere in vantaggio nei sondaggi e non vuole rischiare di perdere consensi proprio ora.»

Sto pensando che anche a me il brillante Mazzoletti ha negato l'ultimo confronto faccia a faccia, preferendo un laconico sms. Del resto, anche nella nostra relazione aveva già vinto in partenza. E non glielo dicevano i sondaggi. Glielo dicevano i suoi fidi collaboratori e la sua famiglia snob e benestante. Finché interpretavo il ruolo della silente scribacchina che partoriva libri di altri, ero forse degna di affiancarlo nella scalata politica, ma quando sono diventata l'ospite di punta dei salotti della Speranza mi sono trasformata in un orpello scomodo e naïf. Troppo ingombrante, troppo in vista, troppo appariscente per accompagnarlo sottobraccio sulla strada delle sue ambizioni. E secondo lui, con un lavoro talmente effimero da rischiare di offuscare la sua credibilità, la sua sobrietà, la sua figura politica così low profile tra posizioni ultracattoliche e comizi all'insegna del conservatorismo più estremo. Perciò, quando si è concretizzata la sua scalata in politica e poi l'idea della sua futura candidatura a sindaco dopo un passato da imprenditore nella società immobiliare di famiglia grazie alla quale è uno degli uomini più ricchi di Milano, mi ha mollata. Non avremmo più potuto nasconderci, come mi aveva sempre chiesto di fare. Saremmo dovuti uscire allo scoperto, o comunque, prima o poi ci avrebbero beccati. E Giorgio Mazzoletti non mi ci vedeva accanto a lui al raduno dell'Opus Dei o alle cene con le cariatidi del suo partito. Non mi vedeva in prima fila ai suoi comizi, col rischio che le telecamere indugiassero troppo a lungo sul mio primo piano anziché sul suo o su quello, magari, di una fidanzata più anonima e castigata. Non mi vedeva accanto a lui perché avevo, ho, un figlio di troppo che a malapena si è degnato di conoscere.

E in questa via crucis di privazioni, semiclandestinità e mortificazioni che sono stati i miei due anni con Giorgio, il bello è che io mi vedevo accanto a lui ovunque. Lo amavo con l'ostinazione del mulo sul tornante più ripido, con la stupidità di una risata a un funerale, con la disgraziata cecità di chi scambia le briciole sulla tovaglia per lapislazzuli. È la tragedia dell'amore pieno e rotondo di certe donne, quando si incastra nell'aridità concava di certi uomini. Pensi che sia l'incastro perfetto e invece stai solo riempiendo un vuoto, senza neppure più avere lo spazio per muoverti.

«Comunque io preferisco Mazzoletti a quel Vasco Martini. È una persona tutta d'un pezzo, l'altro fa troppo il giullare, la politica è una cosa seria» commenta Valerio cercando di riprendere uno straccio di conversazione.

«Sì, Mazzoletti è una persona seria» annuisco senza più la capacità di risollevare il mio stato emotivo. L'ultimo ricordo della mia colazione con Valerio è un numero di telefono appuntato su un tovagliolo di carta. Poi lo saluto, senza neppure aspettare che paghi la colazione, e mi precipito verso la macchina. Che non c'è più. In compenso c'è ancora il vigile qualche metro più in là. Non ho la solita furia che mi sostiene di fronte agli inciampi funesti della quotidianità.

«Scusi, ma mi ha fatto portare via la macchina dal carroattrezzi?»

«Signora, l'aveva parcheggiata nell'area carico e scarico della farmacia, non se ne è accorta?»

Quello che resta della mia anima battagliera contesta con voce flebile: «E quante Ziguli dovranno mai scaricare in 'sta farmacia?», e salgo sul primo tram. Un tram sulla cui fiancata campeggia un faccione incorniciato dalla scritta blu a caratteri cubitali: «Mazzoletti. Uno di voi». Sì, «uno di voi bastardi egoisti», penso mentre vado a recuperare la macchina e magari un po' di buonumore.

Orlando e la barchetta

«Mamma, mi aiuti a fare i compiti?»

«Sì Orlando, però aspetta un attimo che sto rispondendo a un messaggio sul cellulare.»

Il Gruppo Testuggine questo pomeriggio è in fase di organizzazione per l'evento di stasera. Ivana è il nuovo ufficio stampa della sofisticatissima e costosissima linea corpo anticellulite Beauty&Star e alle venti c'è la festa di lancio. Le amiche non possono non sostenerla nella dura battaglia contro il male del secolo: la cellulite.

«Ho da fare le divisioni in colonna.»

«Ah vabbe', sono facil... le divisioni in che?»

«In colonna. A due cifre.»

Merda. Io sto alla matematica come Angela Merkel ai leggings in pelle. Della matematica a scuola ho un preciso ricordo. La mia insegnante si chiamava Clementina Freddi e io l'avevo ribattezzata Freddy Krueger. Me la sognavo la notte: io alla lavagna davanti a un'equazione di tredici righe e lei che mi picchiava selvaggiamente con una frusta di cuoio a forma di parentesi graffa. Ricordo poi i giorni dei compiti in classe di matematica come i più angoscianti di un'intera esistenza, con un mal di stomaco come se fossi stata lì lì per partorire Alien. Ricordo anche che dopo aver consegnato i compiti ci consultavamo freneticamente: a te che soluzione è uscita nel problema? A me che il contadino ha 27 mele in ogni cassetta. A me 26. Anche a me 26! A me 28 per cassetta. Poi arrivavo io: «A me è uscito che ha 22 cassette e le mele le ha usate la moglie per la macedonia». Ecco, il mio talento per la matematica è sempre stato cristallino. E confesso che ancora oggi, quando alla cassa trovo quello che mi fa: «Se mi dà venti centesimi le do dieci di resto!», io temo sempre che sulle mie pupille appaiano numeri a caso e gli occhi comincino a roteare tentando combinazioni numeriche, addizioni, sottrazioni e moltiplicazioni per tre e quattordici nel vano tentativo di avere prove scientifiche del fatto che l'uomo seduto alla cassa non mi stia derubando.

«Allora mamma, vieni ad aiutarmi?»

«Sì, aspetta un attimo che sto rispondendo a Ilaria...»

In realtà ho appena aperto Safari dall'iPhone e digitato su Google: «Come fare le divisioni a due cifre in colonna». Trovato. Assumo un tono molto autorevole e vado a leggere sperando che Orlando non se ne accorga.

«Allora, dicevamo. Dunque Orlando, come prima cosa devi verificare se il dividendo è costituito da una entità numerica più grande del divisore.»

«Eh?»

«Ho detto che devi verificare se l'entità del divisore è... se l'entità è divisibile... se il dividendo è un'entità paranormale...»

«Paranormale? Mamma ma che stai dicendo, la trama di *Poltergeist*?»

«No aspetta, mi sono confusa un attimo ma la so.»

Mi piazzo dietro alle sue spalle così non vede che leggo.

«Devi verificare se il dividendo è più grande del divisore. Tu sai qual è il dividendo e quale il divisore, no?»

«Sì, lo so. E 96 è più grande di 34 quindi va bene.»

«Appunto, lo sapevo.»

«Certo che lo sapevi, tu sei una mamma, le mamme sanno tutto.»

«E come no!» Ricomincio a leggere. «Quindi. A questo punto va calcolato quante volte la prima cifra del divisore sta nella prima cifra del dividendo, ma per vedere se la prima cifra del risultato è giusta, dobbiamo chiedere un parere alla seconda cifra del divisore.»

«Devo chiedere un parere a un numero? Mamma ma mi devo mettere a parlare col quaderno?»

«Ma no, che hai capito? Ecco, infatti: che hai capito?»

«Niente mamma. Parli come *Io, robot*, non si capisce niente di quello che dici.»

«Ma come sarebbe a dire, invece era chiarissimo. In pratica devi chiedere al dividendo, cioè, alla prima cifra del divisore, cioè, alla cifra se ci sta. Ecco, devi chiederle se ci sta!»

«E se lei ci sta?»

«La porti a cena fuori.»

«Eh?! A cena fuori?»

«Scherzavo, era una battuta. Allora. Aspetta un attimo che devo rispondere un secondo a Ivana.»

Un tutor su YouTube. Mi serve subito un tutor su YouTube altrimenti qui la stima di mio figlio nei miei confronti precipita dal quinto piano. Ci sono video-tutorial su qualsiasi cosa, su come fare un nodo alla cravatta o rimuovere le macchie di ketchup dalla tovaglia, ti pare che non ci sarà un tutorial su come si fanno le divisioni a due cifre?

«Mamma ma non puoi rispondere dopo a Ivana? Non lo sai che le madri non devono fare altre cose quando fanno i compiti con i figli?»

Ecco il piccolo quacchero. Ed ecco il video-tutorial «Come fare le divisioni a due cifre: impara col piccolo Marco!».

Prendo al volo le cuffie dell'iPhone, me ne infilo una che mimetizzo sotto i capelli e mi piazzo serissima di fronte a mio figlio. Do anche il classico colpetto di tosse per far capire che il momento è solenne e mi accingo a ripetere quello che mi suggerisce il tutor, che per la cronaca è un mite signore coi capelli bianchi alla lavagna assieme a Marco il bambino paffuto. Schiaccio PLAY furtivamente.

«Eccoci Orlando. Ora ti spiego meglio. Allora.»

Parte l'audio e io ripeto: «Marco, adesso impariamo a fare le divisioni a due cif...»

«Marco?»

«Marco? Ho detto Marco?»

«Sì mamma, mi hai chiamato Marco.»

Schiaccio STOP.

«Ma no, ho detto m-a-s-c-h-i-o!»

«Maschio? E perché mi parli come nei film dei cowboy?»

Forse perché preferirei essere un cavallo scosso durante l'assalto alla diligenza piuttosto che essere qui dopo trent'anni a fare divisioni a due cifre, avrei la tentazione di rispondere.

«Va bene, senti Orlando, allora facciamo così. Io ora mi devo preparare per uscire. Tra poco arriva la babysitter che in matematica è bravissima e ti fa finire lei le divisioni, tanto italiano l'abbiamo finito. Hai altro da fare?»

«Una cosa per un lavoro di disegno.»

«Cosa?»

«Devo fare una barchetta di carta e colorarla col mio colore preferito.»

«Perfetto! Strappa un foglio dal quaderno e falla.»

«Ma io non la so fare, mamma!»

«Ma come? Non ve l'hanno insegnato?»

«No! Tu non la sai fare?»

«Be', insomma, non è che mi ricordi benissimo...»

Strappo un foglio di carta e comincio a piegarlo a caso confidando nella fortuna del principiante.

«Ma mamma, quello sembra un tacchino, non una barca!»

Ha ragione. Gli unici fogli di carta che sono in grado di piegare in sedici micro parti in un nanosecondo sono le multe dei vigili quando qualcuno mi accompagna alla macchina e voglio far sparire le prove della mia scarsa educazione civica. Mi arrendo. Arriva un momento in cui i figli devono sapere che anche l'infallibilità delle mamme ha le sue colonne d'Ercole.

«Ascolta Orlando, adesso la mamma sai che fa? Lei si va a truccare, altrimenti fa tardi, ma ti dà l'iPad che tanto lo sai usare, tu vai su YouTube e scrivi: "Come fare una barchetta". Vedrai che un bel tutorial ti spiegherà passo dopo passo come si costruisce una bella barchetta di carta.»

«Bella idea mamma!»

Gli do l'iPad e mi metto a trafficare con ombretti e matite. Non sento alcuna voce implorante aiuto da almeno cinque minuti e me ne rallegro.

«Mammaaaa!» Come non detto. Afferro il piumino bianco della cipria e arriva puntuale il mayday.

«Mammaaaa! Qui si stanno aprendo cose strane!»

«Ma come si stanno aprendo cose strane? Non vedi qualcuno che fa delle barche con la carta?»

«Noooo, vedo delle cose brutte!»

Mi incipirio a tutta velocità.

«Ma come delle cose brutte? Cosa?»

«Delle signore mezze spogliate!»

«Eh?»

Mollo il piumino sul bordo del lavandino e irrompo in salotto alla velocità della luce.

«Ma hai scritto: "Come fare una barchetta" come ti avevo detto?»

Orlando non fa neppure in tempo a rispondermi che gli strappo l'iPad dalle mani. Sulla pagina aperta di YouTube c'è effettivamente una sfilza di video con signorine scollacciate, una delle quali in minigonna e molto presa da una conversazione con un tizio affacciato al finestrino della sua station wagon. Guardo cosa ha digitato Orlando per ottenere questa selezione. Non c'è scritto: «Come fare una barchetta». C'è scritto: «Come fare una marchetta». Un refuso che fa la differenza. Brucerò tra le fiamme dell'inferno, anzi, per la legge del contrappasso, tra quelle di un falò sulla tangenziale.

«Mamma cosa avevo sbagliato?»

«Oh, no niente amore, avevi scritto un'altra parola anziché barchetta.»

«Quale?»

«Orlando ora arriva la babysitter e poi io... io... devo scrivere una mail!»

4

Il quadro storto

Gruppo Testuggine (Ilaria): «Viola, pensi di arrivare in questo quarto di secolo o dico a Ivana che per il lancio delle creme non fai in tempo, ma per quello dell'auto volante nel 2025 sarai puntualissima?».

Viola: «Ho avuto qualche problema con i compiti di Orlando, ma sono in taxi».

Gruppo Testuggine (Anna): «Che ti sei messa?».

Viola: «Un vestito nero di Zara di quelli che ne hai altri cento uguali ma quando vai da Zara ce n'è sempre uno nuovo da comprare».

Ilaria: «Ma come un vestito di Zara! Non ti puoi vestire Zara agli eventi! Lo sai che ti fanno la foto con la crema in mano e poi esce sui giornali!».

Viola: «E quindi?».

Ilaria: «E quindi, non ti suona male qualcosa nella didascalia "La-bella-opinionista-Viola-Agen-trentotto-anni-indossa-un-abito-Zara"?».

Viola: «Sì, "trentotto anni" suona malissimo. Maledetti. Che poi mi spiegate perché noi famosi dobbiamo subire la gogna pubblica dell'età sotto ogni misera foto?».

Anna: «Credo che per il lettore sia consolante sapere che invecchiate anche voi. Io quando Claudia Schiffer ha compiuto quarant'anni ho brindato con una Cristal Magnum dell'81».

Viola: «Io non invecchio. Acquisisco consapevolezza».

Ilaria: «Sì, la consapevolezza che il tuo culo cala ogni anno di mezzo centimetro finché camminando non farà le scintille sul marciapiede».

Viola: «Ilaria, tu fai terrorismo psicologico come tutte le estetiste del pianeta».

Ilaria: «Per la cronaca, mi è appena passata davanti Vanessa Bosco e ha un vestito Cavalli strepitoso. È immorale che quella sciacquetta indossi un abito da tremila euro e il tuo sedere se ne stia fasciato in un acrilico Zara da trentanove euro e novanta».

Viola: «Ventinove e novanta, per la precisione. Lo sai come la penso. Non ho voglia di frequentare le corti ruffiane degli stilisti, l'ambiente della moda mi irrita. Ma poi, voi due siete a una festa insieme e chattate con me che sono su un taxi?».

Anna: «Io sono in bagno a darmi una sistemata».

Ilaria: «Io sono nell'area tartine. Sto valutando le scelte alimentari delle soubrette per capire chi è magra perché si nutre di bacche e radici e chi è magra perché ha il metabolismo di un velociraptor. Una questione professionale».

Viola: «Ma professionale di che?».

Ilaria: «Professionale perché la prossima volta che viene a farsi fare un massaggio una di quelle stronze che è magra senza sacrifici, glielo faccio pagare il venticinque per cento in più».

Viola: «Una in bagno e un'altra a spiare cosa trangugiano gli ospiti. Oh, non vedo l'ora di arrivare. Questa festa deve essere un vero sballo!».

Anna: «Aspetta di vedere Ivana per darci delle disperate. Tommaso s'è presentato col suo accessorio invisibile...».

Viola: «Il cervello?».

Ilaria: «La moglie!».

Chiedo al tassista di accelerare.

Viola: «Ah ecco perché Ivana non interviene nella discussione. Il defibrillatore interferisce col campo telefonico. Vabbe' ragazze, sono quasi arrivata. Ci vediamo tra poco».

Il tassista barbuto non ha mai smesso di osservarmi dallo specchietto retrovisore a ogni sosta al semaforo. Quando all'orizzonte comincia a intravedersi la sagoma del palazzo illuminato a festa in cui le mie amiche mi aspettano, prende coraggio: «Ma lei è Viola Heineken?».

Sorrido. «No, quella è la birra!»

«Ah mi scusi, Viola Häkkinen...»

«No, quello mi sa che aveva a che fare con le gare automobilistiche... Agen, Viola Agen.»

«Agen certo, mi scusi ma sa, non vedo molto la televisione però le belle donne le riconosco ancora. E poi mia moglie stravede per lei, dice sempre che è una tosta! Come li mette in riga Viola Yemen gli uomini non ci riesce nessuno, dice!»

«Agen, Viola Agen. Un'altra che c'è cascata.»

«Come dice?»

«No, dicevo grazie, me la saluti.»

Mentre il tassista continua ad affibbiarmi un cognome diverso a ogni semaforo con un progressivo abbandono anche di un'assonanza accettabile (era partito con Heineken e ora siamo a Bianchetti), ricevo un messaggio su WhatsApp di Valerio-rughe-verticali: «Scusa ma non potrò raggiungerti alla festa, hanno catturato proprio ora un importante boss della 'ndrangheta... devo scrivere il pezzo per domani e andrò via tardissimo dalla redazione. Ti bacio».

Da quella famosa colazione al bar interrotta dall'apparizione del quasi sindaco Giorgio sul megaschermo, è il terzo appuntamento che salta per impegni improrogabili. In realtà, da quella colazione, non ci siamo neanche mai sentiti al telefono, visto che lui continua a preferire WhatsApp e io non chiamerei per prima neppure se con quella telefonata potessi salvare il mondo dall'impatto con un asteroide. In compenso, Valerio la mattina è spesso davanti a scuola per accompagnare il figlio, per cui il futuro della nostra frequentazione è ormai affidato all'obbligo dell'istruzione scolastica. Che, di per sé, non è una solida garanzia: potrebbe bastare una scarlattina fulminante a uno dei nostri figli con lunga convalescenza a casa, per far sì che l'attuale uomo della mia vita dimentichi per sempre il mio viso. Il rituale mattutino è sempre lo stesso: un «Ehi ciao!» pronunciato da me con aria di finta sorpresa, un «Hai tempo per un caffè?» pronunciato da lui con aria di finta casualità, un «Sì, certo!» pronunciato da me con aria da vera ebete. Ovviamente ho smesso di presentarmi vestita da mascotte di una qualsiasi squadra di serie A, ma alle otto e mezzo del mattino sono già vestita e truccata come se non uscissi per accompagnare mio figlio a scuola, ma Jared Leto alla notte degli Oscar. E piano piano, caffè dopo caffè, il fascino sfuggente di Valerio e delle sue epiche rughe verticali mi ha irretita e frastornata in maniera drammaticamente preoccupante. Il motivo per cui sia felice di vedermi se l'incontro è affidato al finto caso e sia riluttante all'idea di vedermi se l'incontro è affidato a un preciso e preventivo accordo è mistero fitto, ad ogni modo, il succo è che anche oggi mi sta dando formalmente un due di picche. Il succo è che mi auguro che quando il giudice della Cassazione leggerà le motivazioni con cui condannerà quel boss al 41 bis dica per omicidio, traffico di droga, riciclaggio, estorsione, sequestro di persona e sul finale aggiunga: «E per aver ostacolato in maniera invasiva e prepotente la frequentazione con scopi libidinosi tra la nota opinionista Viola Agen e il fascinosissimo giornalista di mafia Valerio-rughe-verticali». Sono già in piena sindrome abbandonica. Magari è una scusa. Ora vado su Google e vedo se qualche sito riporta la notizia dell'arresto.

Il tassista ignora le mie priorità del momento e mi incalza: «Com'è che ha detto in tv a quel playboy che faceva il figo con la Speranza dicendo che lui aveva avuto più di ottocento donne?».

«Che uno che gira con le sopracciglia spinzettate secondo me ha avuto ottocento donne di cui settecento sotto al reggiseno portano i boxer» rispondo distrattamente.

«Ah ah, forte! Quello ha fatto una faccia! Ha ragione mia moglie, lei gli uomini li demolisce proprio.»

«Uh se li demolisco!» commento mentre scrivo «boss + arresto» su Google.

Valerio avrà pensato che non è il caso di vedermi in un contesto mondano, lui fa un lavoro serio, non va alle feste, si occupa di malavita mica di tartine e girovita. Ma no, che pessimismo, non è mica Giorgio, mica deve diventare sindaco, sarà di sicuro una persona più elastica. Oddio, magari ha un'altra e non me lo dice. Magari più di una. Forse è bigamo. Forse ha realizzato che la mattina del nostro primo incontro indossavo un pigiama e non una tuta e giustamente non vuole una storia con una gattara. Forse non mi vuole e basta, non mi vuole come non si vogliono la piega liscia, il parquet in cucina, le travi a vista, i cerchi in lega.

«Lei li vorrebbe i cerchi in lega?» chiedo al tassista.

«Eh?» mi fa lui interdetto.

«È per una cosa mia, non si preoccupi: lei li vorrebbe i cerchi in lega sul suo taxi?»

«Sono belli ma starei sempre col pensiero che scendo a comprare le sigarette e non ce li ritrovo!»

Ah. Quindi forse il problema non è che non mi vuole. Forse teme la competizione con gli altri uomini, ha paura che alla fine qualcuno mi porti via da lui. Ok, sto ufficialmente vaneggiando. Ho appena promosso a stella polare della mia situazione sentimentale la risposta di un tassista a una domanda sull'opportunità o meno di acquistare dei cerchi in lega. Com'era? La devo smettere di psicanalizzare il ciao, quindi basta elucubrazioni onanistiche sul retropensiero di Valerio. Non c'è alcun retropensiero. Hanno arrestato un boss. Non ci sono più i bunker di una volta, la verità è questa.

Il tassametro mette fine all'agonia delirante in cui sono sprofondata con i suoi quindici euro e sessanta di corsa.

«Oh no, non mi serve la ricevuta, grazie!»

«No, non è una ricevuta. Le volevo chiedere se mi fa un autografo per mia moglie.»

«Certo! Come si chiama?»

«Agata.»

«Allora, vediamo se va bene... Ad Agata, una donna tosta che ama le donne toste... Con che cognome vuole che mi firmi? Quello da birraia o vado su un più rassicurante Brambilla?» dico scherzando.

«Ah ah, no no, si firmi col suo che poi mia moglie non mi crede se le dico che l'ho portata in taxi. Scriva pure Viola Bagel.»

«Quindi andiamo sul cognome da ristoratrice, ottimo.»

Mi firmo Viola Bagel pensando che potrebbe essere un ottimo nome d'arte qualora decidessi di abbandonare la tv per aprire una panineria, e scendo dal taxi salutando affettuosamente il tassista barbuto. Ora, a parte il due di picche di Valerio, c'è solo un altro lieve problema.

Io odio gli eventi. Le feste. I party. I vernissage. Le inaugurazioni. Le sfilate. Le discoteche. I locali. Odio essere trattata meglio della massa quando arrivo in un posto. Odio scendere dal taxi, trovarmi una lunga fila davanti e vedere il tizio all'ingresso che si sbraccia e urla: «Lasciatela passare!», come se una cubista fosse caduta di testa dalla sua postazione e io fossi il barelliere. Odio la fila che si allarga, gli sguardi della gente divisi tra quelli che significano: «Non ci posso credere, Viola Agen ci passa accanto, che emozione!» e «Non ci posso credere, Viola Agen ci passa davanti, che stronza!». Odio i sorrisi eccessivi delle pr quando scorgono la mia sagoma all'ingresso e i loro: «Che bello vederti!», «Non sai che piacere averti qui!», «È fantastico che tu sia venuta!», le stesse pr che quando ero una sconosciuta scribacchina mi rimbalzavano perché non avevo la borsa giusta. Loro ovviamente non se lo ricordano, ma io sì. Intendiamoci, traumi che si superano, ma che sono la perfetta sintesi dell'ipocrisia in cui nuoto da quando la popolarità ha bussato alla mia porta, senza che io per la verità le abbia mai dato l'indirizzo di casa. Odio le pr che non siano Ivana e le organizzatrici di eventi. Tutte. Odio i loro inviti furbastri, il loro sguisciare ruffiano da un ospite all'altro per tutta la sera, la loro presuntuosa convinzione che la popolarità renda tutti così scemi da credere che quella commovente affabilità sia genuina e disinteressata, frutto di una profonda stima nei tuoi confronti anziché di un profumato cachet dell'azienda che ha sponsorizzato l'evento. Odio le loro liste all'ingresso e le gerarchie paracule che quelle liste nascondono.

Tempo fa, una ragazza che per molti anni aveva fatto la pr per una nota marca di gioielli prima di licenziarsi e aprire un sushi take away (sono evoluzioni lavorative possibili solo a Milano) mi raccontò che la sua capa, appena assunta, le aveva inviato una mail con un allegato denominato «Quanto contano». Il file era una delirante classifica composta da trecento nominativi di personaggi della tv, della moda, della musica, dello sport e della politica, messi in ordine di importanza e di rilievo mediatico. La classifica era stilata personalmente dalla capa (l'ex moglie magrissima e rifattissima di un noto chirurgo estetico di quelli che evidentemente amano portarsi il lavoro a casa) e aggiornata con cadenza settimanale in base agli eventi e ai cali/picchi di popolarità di ciascun personaggio.

Tra gli oneri professionali della ragazza c'era l'obbligo di leggere ogni mattina almeno dodici siti di gossip e di acquistare tutte le riviste del settore, per documentarsi su eventuali screzi e rivalità tra vip. Quando era il momento di diramare gli inviti per un evento seguito dall'agenzia, in riunione si buttava giù una lista di nomi. A quel punto la ragazza veniva interpellata dalla capa sulla spinosa questione: «In base ai tuoi ultimi aggiornamenti professionali, nella nostra lista ci sono persone che desiderano non incontrarsi o che, peggio, potrebbero declinare l'invito se scoprissero che è prevista la presenza di un altro?». Gli «aggiornamenti professionali», per la cronaca, nascevano dalla lettura di «Scopri il vip» e «Celebrity Wow». Le regole erano semplici: se in effetti nella lista figuravano i nomi di due soubrette che la settimana prima s'erano strappate le extension nel salotto di Giusy Speranza, si depennava la soubrette piazzata nel punto più basso della classifica. Se a dividerle c'erano meno di cinque punti in classifica, il criterio era ancora più semplice: si invitava la più magra.

Dalla ragazza seppi che nella classifica «Quanto contano» la Speranza era fissa al quinto posto dopo il presidente della Repubblica, due calciatori e la fidanzata di un calciatore, con un exploit nel periodo natalizio che la fece schizzare in seconda posizione per ben due settimane.

Impossibile dimenticare l'episodio che le regalò tanta gloria, anche perché io quel giorno ero tra gli opinionisti delle *Amiche del tè*. L'ospite principale della puntata era una ragazza di vent'anni che raccontò di aver subìto una violenza ai tempi del liceo e di non aver mai voluto svelare il nome del colpevole. Quest'ultimo, secondo la sua versione dei fatti, all'epoca era un suo compagno di classe. La tizia, a dire il vero, non era parsa lucidissima fin dall'inizio della trasmissione e nella sua ricostruzione dell'episodio s'erano già notate alcune incongruenze che naturalmente la conduttrice aveva sapientemente ignorato. A un certo punto la Speranza, con l'occhio finto umido e la bocca ripiegata in dentro a salvadanaio che le viene quando finge di ignorare cosa sta per succedere e invece ha preparato l'imboscata da giorni, la invitò a rivelare l'identità dello stupratore per liberarsi di un peso.

La tizia, dopo una finta esitazione funzionale al lancio della pubblicità, all'ennesima esortazione della Speranza si alzò in piedi e con un teatrale indice puntato verso un angolo ben preciso dello studio, gridò: «È stato lui!». Il lui in questione era un figurante vestito da Babbo Natale che rischiò il linciaggio del pubblico, finché non riuscì a strapparsi barba e baffi e a esclamare sconcertato: «Ma io ho sessantaquattro anni, come facevo a fare il liceo con la signorina? E poi ho la terza media!». A quel punto, la figurante travestita da Befana, che per la cronaca era anche la moglie del Babbo Natale finto stupratore, si scagliò contro la ventenne mitomane prendendola a scopettate. (Io nel frattempo avevo trovato riparo dietro un microfonista.) Nella foga, la Befana colpì per sbaglio in testa un deputato di Forza Nuova che era lì per raccontare la sua moderata proposta di legge per i reati di stupro – castrazione chimica e impiccagione per i testicoli in pubblica piazza – e a quello volò via un toupet color coda di marmotta, che finì sulla telecamera dedicata esclusivamente ai primi piani della Speranza. Telecamera tarata sulle luci del palco della finale del Super Bowl al fine di spianarle ogni singola ruga e conferirle quell'aspetto da Immacolata Concezione che la fa sentire giovane e angelica.

Il momento fu epico. Tutti i tg e i programmi satirici rimandarono in onda la scena per giorni. La commissione di vigilanza minacciò di far chiudere il programma per non aver verificato l'attendibilità e probabilmente anche l'equilibrio mentale dell'ospite, ma la puntata fece il cinquantasei per cento di share. Neanche la finale della Champions League aveva fatto tanto. Il finto Babbo Natale e la moglie Befana divennero testimonial di un noto panettone, il politico di Forza Nuova ricevette una fornitura di toupet di colori più probabili dalla nota ditta di parrucche Mettitelo in testa e io litigai furiosamente con Giorgio, all'epoca ancora il mio fidanzato, che mi rimproverò, testuale, «di farlo vergognare all'idea di avere una fidanzata che alimenta questo ignobile circo televisivo». In realtà non aveva tutti i torti, solo che la fame non rende liberi di dire no. E io, prima di fare tv, vivevo nel terrore costante di non riuscire a garantire un'esistenza dignitosa a Orlando. Il lavoro di ghostwriter era malpagato. Fabio mi ha sempre dato un assegno con cui non riuscirei neppure a tirare su un pinscher, figuriamoci un bambino. Piuttosto che gonfiare i portafogli agli avvocati, ho sempre preferito lavorare e pensare a Orlando con le mie risorse. Quella tv e il ruolo in cui mi sono ritrovata mi fanno schifo, ma finora non ho avuto altra scelta.

Fatto sta che il momento televisivo più trash dell'anno fece scalare alla Speranza la speciale classifica «Quanto contano» dell'agenzia di pr più famosa di Milano. Per curiosità, domandai in quale zona si collocasse la sottoscritta e scoprii che all'epoca galleggiavo nel limbo di quelli intorno alla duecentesima posizione, tra ex concorrenti di reality e playmate sudamericane. Suppongo di essere ancora lì e suppongo pure che questa sia la ragione per la quale molti inviti (per fortuna) non mi vengono recapitati: nei salotti della Speranza ho litigato col novanta per cento delle soubrette, il novantacinque per cento dei calciatori, il novantotto per cento dei politici trogloditi che invita e, in generale, con tutti gli uomini che sono passati di lì. Come se non bastasse, non sono neppure particolarmente magra. Nella maggior parte dei casi, perciò, sono senz'altro io quella da depennare. E se non mi depennano loro, mi depenno io, visto che evito accuratamente quasi tutti gli eventi mondani, a eccezione di quelli a cui Ivana mi chiede di partecipare. Odio la realtà alterata dalla popolarità, ho un problema con i privilegi e non mi piacciono gli uomini frequentatori seriali di feste, quindi, per quel che mi riguarda, gli eventi non sono neanche il contesto giusto in cui sperare di incontrare un uomo interessante.

E poi ora c'è Valerio-rughe-verticali che a una settimana dal nostro primo incontro fuori da scuola, tra un due di picche e un altro, mi seppellisce di messaggini mielosi su WhatsApp, per cui la fauna maschile mi interessa poco. Sono un caso clinico. Non sono monogama soltanto nel fidanzamento e nel matrimonio. Sono monogama perfino nel flirt. Non riesco a spalmare il gattamortismo su più di un'ipotesi di sesso maschile contemporaneamente, tendo a indirizzarlo su un uomo solo, anche quando sono scarsamente convinta. Questo fa di me una donna priva di piano B quando qualcosa va storto. Dovrei tenere a mente una delle massime zen di Ilaria, che tra una pulizia viso e un bagno di vapore nel suo centro estetico, partorisce verità assolute (non a caso è il leader ideologico del Gruppo Testuggine): «Quando la vita sentimentale non ti sorride, siediti e rammenta: gli uomini sono come i peli. Quando ne tiri via uno, ce n'è già un altro sotto pronto a spuntare». Una specie di Oscar Wilde della ceretta, insomma.

Faccio il mio ingresso svogliato nell'enorme sala in cui si lancia l'ennesima linea di creme corpo. Cerco disperatamente Ivana con lo sguardo. Non la vedo. Sarà alle prese con giornalisti e fotografi e soubrette nelle zone alte della classifica «Quanto contano». Cerco Ilaria nell'area tartine ma vedo solo la consueta mandria di giornalisti che si rimpinzano per risparmiare i soldi della cena. Anna sarà ancora in bagno a truccarsi. Ultimamente è entrata nel pericoloso tunnel chirurgia estetica e trucco burlesque, per cui le sue sedute nella toilette «per darsi una sistemata» possono durare il tempo di una rotazione terrestre.

«Violaaaaaa! Che piacere vederti!» È Alessia, una collega pr di Ivana che mi è simpatica quanto il rigurgito di un neonato sulla camicia di seta.

«Ciao Alessia, anche per me è un piacere vederti, ti trovo bene. Che bella festa!» Sono riuscita a dire tre banalità in meno di sette secondi, neppure una canzone di Céline Dion arriva a tanto.

«E che bello il tuo outfit!» aggiunge mentendo spudoratamente. Lo vedo dal suo sorriso tirato che mente. Forse ha riconosciuto il vestito Zara e sta pensando che sono una pezzente. Io la ricambio con amore. Le sto dando mentalmente della pezzente perché ha utilizzato la parola outfit. E perché porta a tracolla una borsa di Chanel che le sarà costata tre mesi di stipendio. Questa mania molto milanese di troppe ragazze con stipendi normalissimi di indebitarsi arrivando a vendere i francobolli del bisnonno pur di possedere la borsa griffata è una cosa insopportabile. È il moderno rito di iniziazione che conferisce uno status alle donne rampanti nelle società sceme: i masai si infilano ossa di elefante nel buco delle orecchie, le sciacquette milanesi borse firmate sottobraccio. Così si credono adulte, inserite, accettate nei giri che contano.

«Bella borsa!» le dico per gratificare la sua vanità.

«Oh, grazie, anche... anche...» Punta lo sguardo sulla mia borsa e fa uno sforzo sovrumano per ultimare la frase d'ordinanza: «Anche la tua!».

La mia è una banalissima borsa nera con le frange di pelle finta quanto uno zigomo di Madonna. Una di quelle borse da nove euro e novanta di H&M che per quindici giorni sono perfette, poi alla quinta uscita cominciano a spellarsi come i cobra durante la muta. «La borsa è come la cellulite. Gli uomini manco la vedono, le donne te la vedono pure sotto al cappotto.» È la massima zen di Ilaria sull'argomento. Non me ne frega niente delle borse. Per me le borse sono una sorta di buco nero sul cui fondo è possibile trovare di tutto, dalle lettere della banca ad avanzi di rossetti fuori produzione da dodici anni a resti umani di commesse che mi hanno chiesto nel giorno del mestruo: «Come posso aiutarla?». Se mi capita di fare tardi la sera prima, ci sono mattine in cui non ho il tempo per travasare il contenuto della pochette nella borsa da giorno, perciò infilo direttamente la pochette paiettata nella borsa grande e tanti saluti. Sono arrivata perfino al passaggio successivo: siccome non ho avuto il tempo di togliere la pochette dalla borsa da giorno ed è di nuovo sera, infilo la borsa da giorno con dentro la pochette da sera in una borsa da sera più capiente, per cui posso uscire anche con tre borse alla volta una dentro l'altra.

Sto pensando che se un qualsiasi membro del Gruppo Testuggine non si paleserà di qui a due minuti, mi toglierò la vita ingurgitando l'intero contenuto del flacone da 200 ml della speciale crema pancia e fianchi Beauty&Star. Crema che Alessia mi ha appena piazzato in mano. «Facciamo una bella foto col prodotto che ovviamente abbiamo il piacere di regalarti, ti dispiace? È anche un lieve anestetico perché è un mix di valeriana e agrimonia, ti piacerà. Mi raccomando, poi lavati bene le mani che ha un "effetto freddo" potentissimo...»

Non capisco perché mi stia dando questi dettagli, come se avessi intenzione di iniziare a spalmarmi di lì a cinque minuti.

In un attimo arrivano dieci fotografi. Riconosco anche l'unico paparazzo che riuscì a fotografare me e Giorgio durante un weekend in montagna poco prima che ci lasciassimo. Il mio agente di allora venne a sapere che giravano delle nostre foto scattate a Ortisei, io lo riferii a Giorgio sapendo quanto ci tenesse a non far trapelare nulla della nostra storia e lui smosse amici di famiglia, amici politici, i servizi segreti, la Cia e il Kgb per scoprire chi custodisse lo scoop. Mi sentii mortificata per l'ennesima volta, ma alla fine arrivammo a conoscere il nome del fotografo. Lo incontrammo in un bar di periferia come fosse uno spacciatore arrivato lì per mostrarci una partita di ovuli appena giunti dalla Colombia. E in effetti il paparazzo custodiva un fascicolo a dir poco scottante: sei foto pure sfocate (quel giorno sulle Dolomiti era in corso la tempesta perfetta), in cui Giorgio mi teneva per mano mentre guardavamo una vetrina di slitte d'epoca. Roba grossa. Certo, erano le prove dell'esistenza di un fidanzato nella mia vita, ma era un fidanzato (ancora) più o meno sconosciuto e io non ero Giusy Speranza. Dopo una trattativa durata dieci minuti, Giorgio concluse l'antipatica faccenda pagando quel misero servizio una cifra folle, completamente fuori mercato, pur di impedire che lo comprasse qualche sito o rivista. Il fotografo ci consegnò il prezioso dischetto e la storia finì lì. Ovviamente, nella sua testa, Giorgio s'era comprato la rispettabilità. La verginità sentimentale che gli avrebbe garantito l'assenza di ombre nella sua scalata politica. Ricordo che quella sera, dopo aver fatto l'amore senza trasporto, non riuscii a trattenermi: «Non so quanto valga la mia presenza nella tua vita, ma oggi hai dato un prezzo alla mia assenza. Ed è molto alto». Lui non rispose. Io quella sera mi addormentai riuscendo perfino a sorridere: in quelle foto avevo un cappello verde con un pompon peloso arancio veramente inguardabile. In fondo, anche la mia reputazione era salva.

Il fotografo mi ha appena sorriso con uno sguardo di complicità, io sorrido agli altri fotografi con uno sguardo ebete. Provate voi a fingervi raggianti con un flacone di crema scioglipancia in mano. Che poi ti credo che con quella crema ti va via la pancia. Costa centosettanta euro, per comprarla devi risparmiare sulla cena per una settimana almeno. Appare Ivana all'orizzonte. È schifosamente bella, come sempre. Ivana è una di quelle donne che riescono a star bene in abiti con cui una donna qualsiasi sarebbe un cesso fotonico. Tipo che a lei stanno bene anche i fuseaux grigi e i fuseaux grigi notoriamente non mentono. Se hai un foruncolo sulla chiappa, in trasparenza, si vede. E poi ha i capelli dei miei sogni, maledetta. Io mi ritrovo con le doppie punte pure sulle extension e lei ha questa chioma liscia, lucida, lunga fino al sedere. Per carità, non che mi lamenti, ma come dice Ilaria: «I capelli sono come i figli. Se nascono disgraziati, qualsiasi cosa tu faccia, prenderanno sempre una brutta piega».

«Viola, sei arrivata da tanto?» mi chiede Ivana meno raggiante del solito.

«No, ma mi sono già tolta l'incombenza più pesante: sorridere ai fotografi con la crema scioglipancia in mano» le rispondo con divertita rassegnazione.

«Ascolta, ti devo dire una cosa. Allontaniamoci un attimo da qui.»

«La so già» replico mentre mi trascina dietro a un cartonato con una tizia di sedici anni circa che pubblicizza l'anticellulite. Che tra parentesi, dico io, a sedici anni è facile non avere la cellulite. Non hai ancora tenuto abbastanza a lungo il tuo culo parcheggiato su un divano in stato catatonico aspettando che lui ti chiami. Non ti sei ancora abbuffata con un numero sufficiente di bombe alla crema sperando che lui ti ricerchi dopo che t'ha mollato. Non sei stata ancora abbastanza in piedi sul tacco dodici sperando che lui ti noti. Non hai ancora un numero sufficiente di giorni di ritenzione idrica in curriculum, perché se è vero che abbiamo le nostre cose cinque giorni al mese che fanno sessanta giorni l'anno, vuol dire che per i trentacinque anni circa del nostro periodo fertile viviamo duemilacento giorni con le mestruazioni e pure con le cosce piene di liquidi, e quindi scusa se a trentotto anni non solo ho più cellulite di te, ma sarei pure un po' imbufalita. Per cui, Ciccia, ripassa qui tra vent'anni con quel micro bikini e vediamo se sembri ancora la Sirenetta o somigli di più al Re Tritone.

Ivana è più rigida del cartonato. «Cosa sai?»

«So che Tommaso è qui con sua moglie, me l'ha comunicato il Gruppo Testuggine mentre arrivavo, ma tu devi aver abbandonato il telefono nella borsa.»

«Capisci? Ha avuto la faccia di portarsi dietro la moglie a una festa dell'agenzia sapendo che c'ero io, dopo che fino alle due di stanotte mi ha giurato che la lascia!»

«Ah sì? Intanto potrebbe cominciare col lasciare il suo pisello sul comodino, nel bicchiere del liquido per dentiere quando non sta con te, visto che siete amanti da un anno e mezzo e quattro mesi fa ha avuto una figlia. La seconda, per giunta, vero?»

«È successo per sbaglio!»

«Per sbaglio?! Io a questi uomini con i piselli che hanno una vita propria e agiscono senza consultare la pianta a cui stanno attaccati non ho mai creduto un granché, sai. Tommaso ha il pisello che soffre di sonnambulismo? Lui dorme beato e nel frattempo il suo coso gli tromba la moglie?»

«No, ma te l'ho detto mille volte, la moglie dipende totalmente da lui, gli sta addosso, vive per la famiglia, dice che senza Tommaso non potrebbe vivere... È la classica donna senza un'identità sua che fa leva sui sensi di colpa.»

«E quindi lui nella vita impollina per pietismo? Gli bastano due ciglia umide per convincersi a riprodursi? Cos'è, ora se alla vecchia laggiù entra un moscerino nell'occhio, lui va lì e se la tromba contro al muro?»

È sorprendente quanto io sia lucida quando si tratta di giudicare le storie di altri e quanto sia completamente rintronata quando si tratta di analizzare cosa stia capitando a me. Detesto vedere Ivana piangere per quel laido doppiogiochista di Tommaso Gori, detesto l'idea di dover dire banalità tipo «Ti meriti di meglio» o «Sai quanti ne trovi meglio di quel cretino» a una donna le cui lacrime vogliono dire solo «Non voglio di meglio, voglio lui» e «Non troverò mai uno come lui». Detesto il dolore immeritato che le donne regalano a certi uomini inutili. Siamo veramente delle sceme: lasciamo che le lacrime ci righino le guance, quando dovremmo rigargli la fiancata della macchina con una chiave inglese.

«Ascolta Ivana, tu ora la smetti di piangere, ok?»

«La fai facile, Viola. Dammi un motivo per non piangere.»

«Hai su un mascara Guerlain da quarantacinque euro.»

Riesco a ottenere un sorriso stiracchiato. Che insomma, è già qualcosa. Io quando mi ha mollato Giorgio sono tornata a sorridere trecentoquarantadue giorni dopo, alla notizia che Johnny Depp era tornato su piazza. Per poi rifidanzarsi subito perché come dice Ilaria: «Gli uomini migliori sono come i pori ostruiti. Si liberano a fatica».

«Ma poi si può sapere com'è 'sta moglie?»

Ivana si ringalluzzisce all'improvviso.

«Ora te la faccio vedere, così capisci perché piango!»

La mia amica triste attraversa la sala come una furia, ancheggiando in quella maniera teatrale che solo noi donne stizzite sappiamo replicare, quando siamo possedute dalla famigerata «botta d'orgoglio». La seguo con la crema scioglipancia in mano, finché non si blocca davanti al tavolo dello champagne.

«Eccola!» Mi indica un gruppetto di quattro donne che chiacchierano divertite in una zona abbastanza isolata della sala, come avessero cercato una bolla di normalità in cui rifugiarsi. Tommaso è seduto su un divanetto poco distante da loro, apparentemente molto preso da una conversazione con una babbiona carica di gioielli che Ivana mi spiega essere la moglie dell'ideatore e proprietario del marchio Beauty&Star.

«La moglie di Tommaso è quella con il golfino prugna.»

Osservo la donna che per un anno e mezzo è stata l'oggetto di numerose conversazioni tra me e Ivana, sotto forma di interrogativi, dubbi amletici, feroci invettive, violenti anatemi e pianti inconsolabili. La donna che fino a oggi, incredibilmente, non aveva mai avuto un volto e soprattutto un corpo su cui infierire in quella maniera assolutamente meschina e gratuita di cui solo le donne al centro di una competizione sono capaci. Le rivolgo lo sguardo carico d'odio che si riserva a uno stupratore pedofilo. Scruto la bambina bionda che tiene in braccio, scruto i suoi fianchi generosi e sparo la cattiveria dell'anno: «Sicuro che i dottori non si siano dimenticati di tirar fuori il secondo gemello?». Tra parentesi, io durante la gravidanza sono ingrassata la bellezza di ventotto chili, per cui ho poco da fare la spiritosa.

A Ivana non sembra vero. La mia stilettata l'ha fomentata a livelli clamorosi. «Ti rendi conto che sta con quel bidone? Che c'ha fatto due figlie? Ma come si fa?»

Io rincaro la dose: «Sarà la solita donna rintronata che passa le giornate a fare torte di mele e a scegliere la carta da parati per la cameretta delle bambine e non si accorge di niente. Il marito guadagna bene, la sera torna a casa col mazzolino di margherite comprato al semaforo e lei è felice. Non è che non si fa troppe domande. Non ne ha».

Siamo le biografe ufficiali di una donna mai vista prima. Non le concediamo neanche la dignità di chiamarla per nome, sebbene il nome sia l'unica cosa di lei che conosciamo: Carola. Se solo sapesse, la povera Carola, quante volte è stata in fin di vita a sua insaputa insieme ai suoi parenti stretti negli ultimi diciotto mesi. «Ora non posso darle dispiaceri, ha una strana aritmia», «Ora non è il caso, la madre è ricoverata all'ospedale», «Ora non la posso lasciare, Carola ha il diabete gestazionale», «Ora non è il momento giusto, la bimba più grande ha la varicella», «Ora non posso dirglielo, ha la depressione post parto». Abbiamo davanti una donna che nell'ultimo anno è sopravvissuta a qualsiasi tipo di epidemia, catastrofe climatica e attentato terroristico, e se la ride bella placida nel suo golfino prugna. Ivana sta per scaricarle addosso un'altra raffica di maldicenze con la sottoscritta accanto pronta a ricaricare le cartucce, quando Carola si volta verso di noi. Ci nota, si gira, poi si volta di nuovo e bisbiglia qualcosa alle sue amiche. Il piccolo gineceo ci sta indiscutibilmente osservando. È un attimo. Il quartetto avanza deciso nella nostra direzione. Già mi vedo i titoli sui giornali di domani: «Viola Agen coinvolta in una rissa tra donne. Sul pavimento trovati i resti di un golfino prugna in una pozza di sangue». Ivana mi stringe il braccio con una forza bruta e riesce a pronunciare solo le seguenti frasi, rigorosamente a denti stretti, per evitare di rendere comprensibile il labiale: «Dici che lui finalmente le ha detto qualcosa? Dici che ha visto una mia foto sul suo cellulare e mi ha riconosciuta? Dic...».

Carola non le fa neppure finire la lista delle supposizioni. «Scusa, non è mia abitudine avvicinare personaggi televisivi, ma per te faccio un'eccezione. Piacere, Carola» mi dice con un sorriso spiazzante la moglie dell'uomo che se la fa con la mia migliore amica che mi sta accanto. Una situazione di lievissimo disagio. Come se non bastasse, Carola porge la mano anche a Ivana con il secondo sorriso spiazzante in dieci secondi: «Piacere Carola, perdona l'invadenza, giuro che ti lascio subito alla tua amica!».

Ivana le dà la mano con la faccia precisa di chi quella mano la sta infilando nell'elica del tagliaerba. A turno, si presentano anche le altre tre amiche, anche loro con tre rispettivi sorrisi spiazzanti.

«La tv non mi piace e non ho neanche il tempo di vederla, mi dedico giorno e notte al mio ristorante, ma quelle poche volte che la guardo e ci sei tu, non posso fare a meno di pensare che sei davvero in gamba» precisa Carola.

Quindi non inforna torte di mele. Ha un ristorante.

«Ah, grazie!» commento io.

Non so che dire. Cerco conforto nello sguardo della nemica della mia fan ristoratrice. Il silenzio di Ivana non è un semplice silenzio tombale. È il silenzio di tutti i cimiteri di guerra del mondo.

Carola è inarrestabile: «Tu hai questa capacità di risultare sempre così... così appassionata e convincente nell'essere solidale con le donne e senza mai scadere nel vetero-femminismo che io detesto profondamente».

Ha ragione da vendere. Sono così solidale che avevo giustappunto finito or ora di darle della chiattona intrombabile per un moto di solidarietà nei confronti dell'amante di suo marito. Ma senza alcuna ombra di vetero-femminismo, sia chiaro. Spero che dica al più presto qualcosa di sgradevole o inopportuno perché stare tra due fuochi non mi è mai piaciuto e temo che presto mi trasformerò in torcia umana.

«E poi sai, hai questo dono di smascherare gli uomini nella loro incapacità di prendere le decisioni che contano e nella loro capacità invece di delegare a noi donne la grande fatica di tenere tutto insieme, finendo per perderci dei pezzi. E i pezzi non sono mai il tempo, le energie per loro. Sono il tempo, le energie per noi stesse. Per le donne questo si chiama sacrificio, per gli uomini il concetto massimo di sacrificio è: "Vabbe', domenica andiamo a pranzo da tua madre come vuoi tu, non vado allo stadio".»

Ascolto Carola incantata dal fervore con cui mi parla e sto per rispondere che sì, è proprio così, che anch'io tento di tenere insieme mille pezzi, ed è vero, non ho un marito, però i pezzi alle volte sono anche i pezzi di un amore perso e cercano un posto nelle nostre vite pure quelli e che lei, Carola, è palesemente, incontrovertibilmente una di noi, quando mi ricordo che Carola non è una splendida donna, simpatica e brillante, no. È il nemico pubblico numero uno. È una chiattona che non merita amore in quanto chiattona. È un misero golfino prugna. Me lo ricordo perché il silenzio di Ivana non è il silenzio di tutti i cimiteri di guerra del mondo. È il silenzio dello spazio siderale oltre l'ultima galassia conosciuta.

«Grazie Carola, sei gentiliss... sei gentile. Condivido totalmen... condivido il tuo discorso e mi fa piacere avere il sostegno di donne così intell... di donne. Ecco, mi fa piacere avere il sostegno delle donne.» Dopo questi dieci minuti di equilibrismi posso andare al circo Orfei a fare il numero della passeggiata sulla corda a sei metri da terra.

«Oh, non credere. Ti sostengono pure gli uomini un po' più evoluti. Mio marito Tommaso ogni volta che ti vede in tv smette di parlare e fa apprezzamenti che ti risparmio... tanto lo sa che non mi arrabbio, anzi, glielo dico sempre: se mi molli per Viola Agen, io ti concedo di frequentare le tue figlie quanto vuoi se tu mi concedi di frequentare la tua nuova fidanzata quanto voglio io!» Le sue amiche ridono, lei ride, scappa una risata anche a me. Cerco la complicità di Ivana. No, ok. È una maledetta cicciona. È una maledetta cicciona. È una maledetta cicciona. È una maledetta cicciona.

La povera Ivana ha appena scoperto che la moglie dell'uomo che ama è una donna adorabile e non la perfida arpia che ci faceva comodo immaginare, e che l'uomo che ama si farebbe volentieri un giro di giostra con la sua migliore amica. Non posso biasimarla per quell'espressione da manticora incazzata. Penso che non potrebbe andarle peggio e probabilmente lo pensa anche lei, quando Carola fa quello che neppure la fantasia più dark di Tim Burton avrebbe mai potuto partorire. «Anzi guarda, te lo presento, voglio vedere la faccia che fa! Tommasooo!»

Tommaso, che fino a quel momento non s'era accorto di quell'imprevedibile capannello femminile formato dalla donna che abita la sua casa, quella che abita i suoi alberghi a ore e quella che abita la sua fantasia, si alza in piedi e con la babbiona ingioiellata sottobraccio ci raggiunge senza tradire alcun imbarazzo. È lì che la situazione mi diventa improvvisamente chiara. Tommaso Gori è un uomo che sa mentire molto bene. Ivana in compenso è una donna che sa dissimulare malissimo.

«Tommaso, guarda un po' chi ti presento, la tua passione... Viola Agen...»

«Carola, così però mi fai passare per un tredicenne! Piacere, Tommaso!»

Ci conosciamo benissimo, pezzo di cretino. Sono quella che ti ha passato Ivana al telefono quando singhiozzava così tanto da non riuscire a risponderti. Sono quella che ti ha aperto la porta di casa quando la mia amica era da me, disperata, la sera in cui le hai detto che tua moglie aspettava quella bambina bionda che ora gioca con la catenella del ciuccio. E il fatto che tu dia per scontato di poter contare sulla mia complicità ti rende un essere ancora più spregevole, perché io ti conosco benissimo, ti conosco meglio di tua moglie, e se non fosse che il mio credo religioso mi impedisce di arrecare dolore a donne felici nella loro inconsapevolezza, ora ti sputtanerei senza pietà, non senza prima averti svuotato il tubo di scioglipancia su quel capello leccato da sbandieratore di palio.

«Oh, con Ivana ci conosciamo, lei lavora nella mia agenzia...» dice Tommaso con totale indifferenza, per poi aggiungere pacato: «Invece Viola, io vorrei presentarti colei che insieme al marito ha fondato la Beauty&Star, la signora Giovanna Sozzi». L'allegra babbiona mi porge una mano nodosa e rinsecchita che pare quella di Gollum. Se le sue creme di bellezza funzionano così, lo scioglipancia lo uso per oliare gli infissi delle portefinestre.

«Che piacere averla qui stasera! La seguo sempre in tv alle *Amiche del tè*. Vedo che l'hanno già omaggiata di un nostro prodotto, ma prima che vada via le regaleremo un kit con tutta la linea naturalmente. Mi raccomando Tommaso... trattiamo bene la signorina Agen che a lei le donne danno retta, se dice che con le mie creme si dimagrisce, a me ingrassa il fatturato ah ah ah.»

La grassa risata della signora Sozzi riesce a rendere ancora più grottesco il momento.

«Grazie signora Sozzi, non vedo l'ora di provare le vostre creme. E complimenti per tutto.»

Complimenti per tutto? Per cosa? Per la battuta da cafona arricchita? Per lo zircone montato su un anellone kitsch a forma di leopardo? Per il suo agghiacciante décolleté che ha più linee, righe, solchi di una pista da pattinaggio sul ghiaccio? Per la sua cotonatura più alta di almeno due piani della torta nuziale di Elton John? Per il sandalo gioiello da cui spuntano dita sparse tenute faticosamente insieme da una catastrofica calza a rete color carne? Per la patetica confidenza con cui si rivolge a Tommaso Gori e gli cinge quel braccio nella modalità babbiona ingrifata del tutto incurante dell'esistenza della moglie e, soprattutto, del senso del ridicolo? Non lo so perché m'è uscito quel «complimenti per tutto». So solo che se il mio destino è invecchiare così, stasera mi ficco nella vasca da bagno e ci faccio cadere il phon acceso dentro.

«Le posso fare una domanda? Com'è Giusy Speranza dal vivo? Quanto la stimo, l'ho invitata mille volte alle mie feste ma non riesco proprio ad averla!»

Certo che non riesci ad averla. Giusy Speranza non vivacchia mica nel sottobosco dei morti di fama che accorrono a qualsiasi festa di qualunque marchio e prodotto purché se ne possano tornare a casa con l'orologino di plastica, il nuovo cellulare che fa foto con sei bilioni di pixel, con la collanina da sorpresa di uovo di Pasqua in omaggio. Quelli che se gli garantisci un buono per mezza giornata in una spa vengono pure al battesimo di tuo nipote a Napoli. Giusy Speranza è la testimonial da due milioni di euro l'anno di una crema da scaffale da supermercato che naturalmente non metterebbe nemmeno sui gomiti, figuriamoci se gliene frega qualcosa di sorridere gratis per la concorrenza. Figuriamoci cosa gliene frega di un tubo omaggio da 200 ml di crema scioglipancia quando ha due massaggiatrici in camerino che la panza gliela sciolgono maneggiandola come la pasta per la pizza, un catering fisso di cucina macrobiotica e l'insegnante di yoga perché lei vuole stare in armonia col cosmo. Peccato che mezza popolazione del cosmo la prenderebbe volentieri a schiaffoni dall'alba al tramonto per stare in armonia con la propria coscienza.

«Dal vivo Giusy Speranza è come la vede in tv.»

È la mia risposta standard quando mi chiedono di lei. Che poi è una risposta onesta. Se hai gli strumenti critici per capire che quella che sorride in tv è un'amabile stronza, la risposta è corretta: dal vivo è un'amabile stronza.

«Allora deve essere favolosa!» Appunto. Se hai gli strumenti critici. Questa non ha gli strumenti critici neanche per capire la differenza tra un tronista e un premio Nobel, figuriamoci se può avere una seconda lettura sulla tv di Giusy Speranza.

A sorpresa, Ivana esce dal mutismo ostinato in cui s'era rifugiata e butta lì una battuta con messaggio trasversale annesso di tutto rispetto: «La Speranza è una di quelle persone dotate di un unico grande talento: quello di dissimulare la sua pochezza e di intortare gli ingenui che le credono».

Tommaso coda di paglia la fulmina con lo sguardo ma recupera con quella prontezza che solo gli individui magistralmente descritti da Ivana possiedono: «Be', i personaggi che dividono sono sempre i più interessanti!».

Non fa in tempo a finire la frase che interviene Carola con la lucidità che ho già imparato ad amare: «Oh, dividere lei divide, non c'è che dire, amore. Io e le mie amiche per esempio siamo divise tra chi la vorrebbe vedere in una miniera di bauxite e chi a dormire in un cartone alla Stazione Centrale!».

Questa donna è definitivamente degna della mia stima. Il problema è che si è rivolta a Tommaso pronunciando la parola «amore», particolare che sancisce inesorabilmente una certezza: Tommaso e Carola non sono lì lì per divorziare. Forse neanche per litigare su cosa mangeranno a cena. So quello che sta pensando Ivana perché so quello che penserei io se fossi al posto suo. Penserei ad alzare i tacchi e a mollare l'allegro gruppetto con quel briciolo di dignità che mi è rimasta. Credo stia per farlo e io sarei felice di seguirla per tirarmi fuori da quella palude di ingenuità, menzogne e cafonaggine, ma qualunque iniziativa viene congelata dall'ennesimo personaggio che si aggiunge al gruppo.

«Ivana, bella gnocca, ti ho trovata finalmente!» Un uomo sulla sessantina ridicolmente abbronzato abbraccia la mia amica da dietro, strattonandola con vigore, come fossero in grande intimità. «Ah, ma sei in ottima compagnia! E per ottima compagnia ovviamente intendo Viola Agen, non certo mia moglie ah ah ah!»

L'unica che ride alla sua irresistibile battuta oltre che per quel «bella gnocca» rivolto a Ivana con una volgarità fastidiosa è proprio la moglie del buzzurro lampadato. «Oh, signor Sozzi, non la vedevo da un po', che fine aveva fatto?» chiede Ivana liberandosi con leggiadria dalla sua presa.

«Ehhh, sai com'è, gli imprenditori vanno a ruba tra le showgirl! A proposito, brava Ivana, avete organizzato proprio una bella festa. C'era quella Ioana Fernandez che non mi mollava più. Gran gnocca tra l'altro. C'ha un culo che parla. Anzi, che canta in un coro gospel ah ah ah!» Mi chiedo dove sia il ciak del cinepanettone in cui mi sento catapultata.

«Tesoro, contieniti che altrimenti la signorina Agen penserà che sei un cafone!» commenta la babbiona inspiegabilmente divertita dal deprimente siparietto messo in piedi dal marito. Mi becco il baciamano umidiccio del signor Sozzi e finalmente trovo un appiglio comico anche io: la sua tinta. Cosa spinga un uomo a farsi spennellare i capelli da una specie di vernice color trumò dell'Ottocento è mistero fitto. Carola mi lancia un'occhiata complice, come a dire: «Il prossimo che si unirà alla combriccola chi sarà, Mangiafuoco?». Il cafone arricchito va avanti per dieci minuti buoni ad apostrofare tutte le creature di sesso femminile che gli passano davanti, cameriere comprese, con la goliardica complicità della moglie babbiona che non smette un attimo di sottolinearne l'umorismo irresistibile o di giustificarne i toni eccessivi con un affetto sgangherato ma quasi materno.

«Mi raccomando Viola, un weekend ci venga a trovare con Ivana nella nostra villa a Forte dei Marmi. Abbiamo una piscina riscaldata bellissima, non dimentichi il costume. Anzi, mi faccia la cortesia, se lo dimentichi ah ah ah!» È l'ultima battuta truce che concedo al Sozzi, prima di comunicare all'allegra comitiva che devo tornare a casa da mio figlio. La sua signora mi chiede di salutarle quel genio della Speranza. «E perdoni le confidenze che si è preso mio marito ma guardi, stiamo insieme da quarant'anni e le posso garantire che è tutta scena!» Ivana si offre di accompagnarmi all'uscita, ma prima di scappare entrambe da quel luogo di incontri funesti cerchiamo le altre due componenti del Gruppo Testuggine. Ilaria e Anna si stanno facendo degli autoscatti col telefonino con un piatto di frutta esotica in mano, segno che anche la loro serata non ha preso una direzione esaltante.

«Ma dove eravate finite?» ci fa Anna palesemente contrariata.

«Ragazze, scusateci, siamo finite in una specie di girone dantesco. Vi racconteremo meglio nel weekend delle Langhe, ok?» rispondo io per tagliare corto.

Ilaria non molla l'osso. «Sì ma Ivana, dicci almeno qualcosa sulla moglie di Tommaso, vi siete presentate?»

«Eccome se ci siamo presentate, se è per questo c'è mancato poco che Viola si offrisse di farle da madrina al battesimo della figlia!»

«Scusa Ivana, cosa dovevo fare, sfanculare una tizia che era ostinatamente gentile per dimostrarti solidarietà?» replico risentita.

Ilaria fortunatamente percepisce il clima di tensione e cambia argomento. «Viola, ma tu non ci dovevi presentare Valerio stasera?»

«Sì, ma non ha potuto raggiungermi, qualcuno s'è messo di traverso.»

«L'ex moglie?»

«No, la 'ndrangheta.»

«Oddio, sta con la figlia di un boss?»

«Ma no, colpa di una notizia importante.»

«Ha messo incinta la figlia di un boss?»

«Ilaria, calmiamoci. Non è una fiction con la Arcuri. Pare che abbiano arrestato un boss e nel giornale in cui scrive lui si occupa di queste vicende...» Vengo nuovamente assalita dai dubbi sulla veridicità della storia. «Anzi, avete mica sentito se è uscita la notizia di una retata in Calabria o qualcosa del genere?»

«Amica, con tutto rispetto, ma qui stasera al massimo si conversava di quello che accade nell'interno cosce dopo i quaranta, non in Aspromonte dopo le otto di sera.»

Come sempre, il pragmatismo di Ilaria non lascia spazio a repliche.

Salgo sul taxi per tornare a casa con un vago senso di sconforto. Valerio mi ha mandato l'ennesimo messaggino su WhatsApp in cui dice che ha molta voglia di vedermi, il mio ex marito mi ha mandato due sms in cui dice che ha molta voglia di vedermi sotto un camion articolato e il tassista con il gagliardetto «Forza Bari» sul cruscotto sta ascoltando un notiziario alla radio in cui il candidato sindaco Vasco Martini afferma di non essere preoccupato per i cinque punti di distacco da Giorgio Mazzoletti, in testa, di cui parlano gli ultimi sondaggi. «Ben venga un po' di distanza tra noi, Mazzoletti è il tipo di persona con cui preferisco non trovarmi gomito a gomito. E poi mi fido quasi di più dei consulenti finanziari che dei sondaggisti... e ho detto tutto!»

Sorrido. Penso che Vasco Martini abbia una bella voce e che sia troppo ironico per avere anche solo una vaga speranza di vincere. Milano premia il rigore, non la leggerezza. Penso che tra un mese circa il mio ex sarà il sindaco di questa città e che avevo già un numero sufficiente di ragioni per detestarlo perché dovessero aggiungersi pure la mancanza di piste ciclabili e le domeniche a piedi. Penso che Giorgio Mazzoletti non sarà più solo il mittente del barbaro omicidio della mia vita sentimentale. Sarà anche il mittente delle mie multe. Che per tutti sarà il primo cittadino, invece per me sarà l'ultimo cittadino che avrò voglia di incontrare. Penso che non sarà solo un fantasma nei luoghi che mi ricordano noi, ma che ora, in quei luoghi, deciderà pure se metterci le aiuole. Penso che non è bastato sorbirmi le balle che mi raccontava da fidanzato. Ora mi toccheranno pure quelle da politico. Penso a che razza di sindaco potrà mai essere uno che non ha mai voluto mezza responsabilità, ora che avrà sulle spalle la responsabilità di una città intera.

E poi a un tratto ripenso a una cosa che Giorgio mi diceva sempre – che bastava guardarci per capire che non c'entravamo nulla l'uno con l'altra – e alla serata appena trascorsa. Ho dei flash. La tinta mogano di Sozzi, la pazienza incomprensibile con cui la moglie un po' sciroccata gli reggeva il gioco, la grazia limpida di Carola e l'ambiguità di Tommaso. E penso che Giorgio, al solito, non aveva capito niente. Di noi due, degli altri, dell'amore. Non basta guardare un bel niente. Le coppie sono un mistero. Gli equilibri sui quali si reggono sono una rappresentazione imperscrutabile e non c'è spettatore che possa comprendere a fondo cosa tenga unite due persone. Di sicuro, non c'è un collante universale. Carola non sta con Tommaso perché si accontenta dell'elemosina, e non mi pare il tipo di donna che si becca un paio di corna a patto di tenere in piedi la recita. Carola, forse, si fida semplicemente di lui. E probabilmente non ha il tempo per coltivare sospetti. Ha la sua vita, le sue amiche, il suo ristorante. Le menzogne di Tommaso sono solo un problema di Tommaso. Che forse è un buon padre e perfino un buon marito, al netto del cesto di corna che riserva alla moglie. E Carola lo lascerà il giorno in cui scoprirà la verità o in cui smetterà di amarlo, ma fino a quel momento si sarà presa il meglio da un matrimonio in cui il non detto non ha mai interferito. Tra Sozzi e la moglie, al contrario, sembra che il non detto non esista. Per noi che stasera li guardavamo basiti e spesso imbarazzati, quello, più che amore, pareva complicità tra due commilitoni in libera uscita. Eppure, quello sghembo cameratismo sentimentale funziona da quarant'anni.

Ed è questo che Giorgio non ha capito mai. Il fatto che da fuori io e lui non funzionassimo non voleva dire nulla. Nelle coppie c'è una verità che esiste solo dentro le mura di chi le abita.

In ogni casa c'è un quadro appeso che gli abitanti vedono dritto e che gli ospiti vedono lievemente storto ed è così alla fine che funziona la vita di chi divide un tetto: vedere il dritto che è storto.

Orlando va in gita

«Mamma.»

«Orlando cosa ci fai in piedi? Torna a letto, forza.»

«Non riesco a dormire.»

«Cos'hai?»

«Non lo so, mi sento strano, ho come un mal di stomaco.»

«Devi andare in bagno?»

«No.»

«Allora si vede che sei un po' emozionato per la gita di domani.»

«Sì, mamma. Forse è quello perché ogni volta che chiudo gli occhi immagino che mi addormento e non suona la sveglia e perdo il pullman.»

«Ma no, amore, lo sai che non può succedere che non suoni la sveglia.»

«Mamma, è già successo due volte.»

«Forse una, tanto tempo fa.»

«No mamma, è successo quella volta che avevi la trasmissione di sera e hai fatto tardi, e la mattina eri stanca e quando è suonata la sveglia dell'iPhone hai detto: "Che sia maledetta l'arpa e quegli str... degli egiziani che l'hanno inventata!".»

«Io questa cosa non me la ricordo.»

«Io sì perché il giorno dopo a scuola abbiamo studiato gli egiziani e la maestra ci ha chiesto se conoscevamo la maledizione di Tutankhamon e io ho detto che è quella di far svegliare la gente che ha sonno col rumore dell'arpa e la maestra ha chiesto di incontrarti.»

«Ah già. Ma è stata l'unica volta.»

«No.»

Ma non dicono che i bambini hanno la straordinaria capacità di rimuovere e che possiedono una memoria a breve termine? Allora perché io ho un bambino che ha la memoria centrale di un computer della Cia?

«È successo un'altra volta? Sicuro?»

«Certo mamma. Quella volta che la sveglia non è suonata e io avevo la recita di Pasqua.»

«Ah, vero. Però alla fine non è successo niente di irreparabile, siamo riusciti a fare tutto.»

«Insomma.»

«Insomma?»

Quando mio figlio mi guarda con aria di rimprovero retroattivo, riesco a provare un senso di colpa ancestrale. Sono tentata di chiedergli scusa per tutto, per quella volta in cui un cane gli leccò il ciuccio al concerto di un pianista nel giardino di Villa Reale e non c'era modo di sterilizzarlo e lui piangeva e io pur di farlo smettere glielo infilai in bocca e il giorno dopo ebbe la febbre e io pensai al cimurro, per quella volta in cui l'acqua del bagnetto era troppo calda e uscì dalla vaschetta che pareva un pomodoro pachino, per quella volta in cui mi ero dimenticata le candeline della torta al suo compleanno e allora ho infilato cinque bastoncini di incenso nella panna e tre bambini sono rimasti intossicati. E non so per quanti altri episodi per i quali il senso di colpa continua a tenermi compagnia perfino dopo anni.

«Mamma, quella mattina avevo la recita di Pasqua e la sveglia non è suonata e tu ti sei svegliata di botto che erano già le otto e un quarto.»

«Sì, ora che me lo dici sì, ma ricordo perfettamente che poi siamo arrivati in tempo e la recita è venuta benissimo.»

«Mica tanto mamma.»

«Come mica tanto?»

«Io dovevo fare Gesù che resuscita, però la tunica non si era asciugata e non avevi tempo di asciugarla col phon come fai sempre coi miei grembiuli e allora tu mi hai mandato con la tuta e io ho pianto perché mi vergognavo di fare Gesù che resuscita in tuta e tu mi hai detto: "È stato in un sarcofago per tre giorni, questo povero Gesù avrà anche avuto voglia di farsi una bella corsetta appena s'è tirato su, no?"»

«Ah ecco, sì, ora mi viene in mente. Comunque fu un successone. E poi quella che faceva Maria aveva le Nike, me lo ricordo benissimo. Ad ogni modo Orlando, i vestiti per la gita di domattina sono tutti belli asciutti, stai tranquillo.»

«E la sveglia?»

«La sveglia la puntiamo ora insieme, così sei più tranquillo, ok?»

«Ok, mamma.»
«Guarda: orologio/sveglia/sette/ok.»
«Non puoi mettere anche il secondo avviso?»
«Va bene. Orologio/sveglia/sette e dieci/ok.»
«Ora lo puoi mettere in carica mamma, che se si scarica la sveglia non suona?»
«D'accordo. Ecco qui.»
«E non puoi mett...»
«Senti Orlando, devo avvisare anche il terzo battaglione bersaglieri di venirci a fare una suonatina con la fanfara domattina o dici che ora possiamo stare sereni e andare a letto?»
«Va bene, mamma. Però ti posso dire un'altra cosa?»
«Dimmi.»
«Ma noi domani ritorniamo col pullman che è già notte?»
«Eh sì, Orlando, andate a Torino, tornate alle sette di sera.»
«Quindi stiamo via un giorno intero senza parlare al telefono con la mamma e il papà?»
«Eh già.»
«E io sul pullman mi posso sedere vicino a Petra?»
«Non lo so, se lei vuole sì. Ma non hai detto che non ti piace?»
«Infatti non ho detto che mi piace, dicevo per dire... E poi a lei piace Ettore.»
«'Sta sciacquetta. Non vedo l'ora che si attacchi al citofono a quattordici anni per chiedere di te che nel frattempo starai con la prima della classe nonché Miss teenager e io le risponderò di passare più tardi che sono impegnata a ricamarvi le iniziali sul corredo.»
«Mamma ma che stai dicendo?»
E niente. Non tollero l'idea che una donna possa non accorgersi di quanto meraviglioso sia mio figlio. Pure se quella donna ha otto anni e gioca coi Mini Pony.

«Nulla Orlando, stavo scherzando. Dai, prendi il pupazzo di Godzilla e mettiti a letto, che io, io... devo mandare una mail.»

Orlando mi abbraccia più forte del solito, come se si sentisse pronto per partire alla scoperta di un nuovo continente. Dopo un po' vado nella sua cameretta a controllare se si è addormentato. È ancora agitato.

La vigilia delle gite scolastiche resta una delle emozioni più pure e abbaglianti della vita di un bambino. Li scruti mentre faticano a prendere sonno e si rigirano nel letto. Conosci il nome del folletto che li tiene svegli. Si chiama indipendenza. La stanno annusando. Senti la corda srotolarsi veloce sul dito. L'aquilone corre a prendere il vento. Ciao piccolo mio. Divertiti domani.

5
Digitazione in corso

Alla fine il boss Schiavuzzo l'avevano catturato davvero. Nulla di spettacolare. Un nipote era andato a trovarlo nel suo covo il giorno del suo compleanno e aveva scattato delle foto mentre il nonno latitante scartava un walkie-talkie giallo limone. Foto che poi il nipote aveva caricato sul suo profilo facebook. La stupidità però non s'era fermata lì: il pirla si era pure geolocalizzato. A Roccaforte, quattrocento abitanti. Ci mancava solo che inviasse un poke al capo della Digos. I corpi speciali della Polizia di Stato avevano trovato Schiavuzzo che guardava *X Factor* nel bar del paese. Quella mattina m'ero pure andata a cercare il pezzo di Valerio per leggere cosa avesse scritto sulla vicenda, ma aprendo il giornale ero rimasta perplessa. Sulla cattura c'erano ben sei colonne e un piccolo box a fondo pagina con una scarna biografia del boss. Le sei colonne erano firmate da Giuseppe Labbate, noto giornalista di mafia da anni sotto scorta. Il box era firmato con le iniziali V.P., che presumibilmente stavano per Valerio Palmisani. Cioè, quest'uomo aveva trascorso una notte in redazione rinunciando alla possibilità di vedermi, per scrivere che Donato Schiavuzzo era nato a Gioia Tauro il 12 marzo 1954 da padre postino e madre casalinga ed era latitante dal 2004? Nel mio periodo da ghostwriter ho scritto autobiografie farlocche di noti allenatori di calcio perfino sul cruscotto della macchina mentre aspettavo Orlando fuori dalla scuola, per cui posso dire con una certa esperienza che quelle cinque righe di copia e incolla da Wikipedia il signor Valerio-rughe-verticali avrebbe potuto inviarle al giornale anche mentre copulavamo selvaggiamente su un divano letto. Ad ogni modo, nei giorni successivi, avevo evitato di fare domande, anche perché io e Valerio non eravamo ancora riusciti a vederci davvero. Orlando aveva preso la temutissima influenza che quest'anno era particolarmente virulenta, col risultato che lui s'era fatto due giorni di febbre a trentasette a letto e io sei a trentanove nel salotto di Giusy Speranza. E trovarsi in un salotto della Speranza con tutti i sensi alterati dalla febbre è qualcosa di molto più vicino alla premorte che alla tv. Come se non bastasse, erano venuti a trovarmi i miei genitori da Vasto. Avevano avuto la pessima idea di partecipare a una puntata delle *Amiche del tè* confusi tra la platea ma, al quarto invito dello scaldapubblico ad alzarsi in piedi e urlare «Vergognaaaaa» a uno psicologo infantile reo di aver confutato una tesi della Speranza, avevano abbandonato lo studio inorriditi. Eppure, nonostante la tv, i genitori e la febbre gialla, il tempo per un pranzo con Valerio l'avrei trovato.

Peccato che Valerio continui a inviarmi messaggini su WhatsApp a tutte le ore del giorno e della notte con annesse banali richieste di foto ammiccanti, ma c'è sempre una scusa per rimandare il momento in cui per dirci qualcosa non dovremo premere il tasto «Invio». E io comincio a essere lievemente scoglionata, anche perché su questo argomento ho un punto fermo, quando si ha voglia di vedere qualcuno esistono solo tre validi impedimenti per rimandare: a) il rapimento da parte di ribelli ceceni; b) il travaglio, ma solo nella fase dilatazione completa della cervice, perché se mi piaci ti vedo finché non mi si sono rotte le acque; c) la morte, ma solo se documentata da un certificato medico, perché francamente ho visto troppi uomini fare testamento per una tosse catarrosa.

L'amore è una cosa scema, per quanto è elementare. Abbiamo voglia di vederci-ci vediamo. Tutto quello che sta in mezzo è fuffa. E molta della fuffa è alimentata da cellulari, facebook, Twitter, sms, mms e tutti quegli alibi di cui si servono gli uomini di oggi per rimandare fino allo sfinimento il momento in cui, se Dio vuole, la lingua la utilizzeranno per inumidire noi donne e non lo straccetto per pulire lo schermo del cellulare. Gli uomini veri hanno la spina dorsale per chiederti di uscire a cena. Gli uomini fuffa hanno la spina dell'iPhone attaccata per mandarti un messaggio su WhatsApp.

Sono sfinita dal valzer di ammiccamenti virtuali in cui mi hanno trascinato i maschi in quest'ultimo anno. S-f-i-n-i-t-a. C'è stato il tizio che mi mandava via WhatsApp aforismi sull'amore, frasi sull'amore, poesie sull'amore, senza ovviamente mai chiedermi di uscire. Dopo venti giorni così, all'ennesimo messaggio in cui delegava a Dante Alighieri il compito di corteggiarmi («Amor, ch'a nullo amato amar perdona» mi scrisse), gli risposi delicatamente: «Se Beatrice fosse campata oggi non sarebbe morta di parto. Sarebbe morta aspettando che Dante le chiedesse di limonare sulle rive dell'Arno, anziché frantumarle le balle su WhatsApp». Non si fece mai più sentire.

Poi c'è stato quello che mi scriveva sempre una banalità qualunque per attaccare discorso, tipo «Visto che freddo che fa?» e qualsiasi cosa rispondessi, cercava di virare il dialogo sul sesso. Io replicavo: «Mah, non ho messo neanche il cappotto, oggi la temperatura a Milano s'è alzata di quattro gradi». E lui: «A immaginarti senza cappotto mica s'è alzata solo la temperatura...». Una roba di una mestizia ciclopica. Al decimo messaggio così, gli ho risposto: «Ascoltami, ti do una notizia sconvolgente: anche "Che ne dici di venire a casa mia a bere una cosa stasera?" è un messaggio che allude al sesso, con la differenza che poi però si fa sul serio. Peccato che ormai mi sia passata la voglia. Saluti». Non si fece mai più sentire.

Poi ci fu quello che mi mandava i video musicali presi da YouTube. Solo quelli. Io gli scrivevo: «Ehi, tutto ok?» e lui mi mandava il link di *Beautiful Day* degli U2. Io gli inviavo una foto e lui mi mandava il link di *You're Beautiful* di James Blunt. Gli scrivevo: «Ho la febbre, prendo la Tachipirina» e lui mi linkava *Bad Medicine* di Bon Jovi. Un incubo. Tanto più che io con l'inglese sono ferma a «*The pen is on the table*». Il peggio era quando mi mandava link non di risposta a mie domande, ma spontanei, per cui in teoria contenenti messaggi che andavano compresi nel testo. Al settimo pomeriggio trascorso tentando di decriptare un testo dei Depeche Mode con dei diavoli che mangiavano semi che venivano seminati – roba che a quel punto non capivo più se mi stesse corteggiando o mi stesse dicendo la sua sugli ogm – per la prima volta gli risposi ricambiando pure io con un bel video: *Fuck You* di Lily Allen. Lui al contrario degli altri casi citati si fece vivo. Mi rispose: «Ma io non sono omofobo». In effetti nella canzone la Allen ce l'aveva con gli omofobi, solo che io chiaramente non ero stata in grado di tradurre nulla a parte il titolo che mi pareva d'effetto, per cui replicai: «No, sei solo stronzo!» e non si fece più sentire nemmeno lui.

Impossibile poi non ricordare il tipo che mi mandava messaggi a cui io rispondevo formulando a mia volta una domanda e la risposta arrivava due giorni dopo o alle tre di notte o addirittura non arrivava proprio perché cambiava argomento di netto o, peggio ancora, io gli chiedevo «Come stai?» il lunedì a pranzo e lui rispondeva «Benino» il sabato a cena, come se quella domanda avesse ancora un senso nel mondo. Sono quegli individui che abitano a duecento metri da casa tua ma sono sincronizzati col fuso orario di Tokyo. Sfinita, gli inviai il seguente messaggio: «Esistono stick di plastica denominati test di gravidanza in grado di rispondere in tre minuti alla domanda "Sono incinta di quel tizio sì o no?" e tu, brutto pirla, che secondo le teorie di Darwin dovresti essere un tantino più evoluto di uno stick da farmacia, non sei capace di rispondere in otto ore lavorative alla semplice domanda di una donna: "Che fai stasera?"». Non si fece più sentire. O forse si sta prendendo del tempo per rispondere.

Ma il caso più eclatante, che ha segnato per sempre il mio rapporto con la tecnologia (oltre che la mia psiche), fu quello che vide protagonista tale Fabrizio. Fabrizio era un mio ex compagno di liceo di quelli molto schivi, molto dark, molto fighi. All'epoca non mi filava nemmeno di striscio, anche perché c'era una buona metà delle studentesse che al suo passaggio sbavava come un labrador dimenticato in macchina il 15 agosto. Finito il liceo, non ci siamo più visti né cercati finché non ho cominciato ad andare in tv. A quel punto, il Fabrizio che mi schifava al liceo decise che illuminata dai faretti televisivi anziché dai neon dell'Istituto Guglielmotti ero indiscutibilmente la donna della sua vita. Mi contattò su facebook e io, lusingata da quell'amore tardivo, gli diedi il mio numero di telefono con il candido ottimismo del «Mi chiamerà». Fabrizio, naturalmente, si guardò bene dal telefonarmi, ma si adeguò con fervore alla moda del momento: scrivermi su quella maledetta chat di WhatsApp con una vivace alternanza di sms e mms. Ora, non so cosa mi passò per la testa, ma riposi in quest'uomo che non vedevo da vent'anni una fiducia tanto entusiasta quanto immotivata che mi portò, nel giro di pochi messaggi, a intraprendere un flirtaggio virtual-erotico mai praticato fino a quel momento. Non solo il sesso tecnologico mi ha sempre mortalmente annoiata, ma ho anche avuto la prudenza di evitarlo per via della mia notorietà: basta incrociare un cretino vendicativo o in cerca di fama, per ritrovarmi una mia foto in mutande su internet. Con Fabrizio, però, mi venne spontaneo giocare un po'. Forse le fantasie dei diciott'anni mi erano rimaste lì e trovavano finalmente il loro sfogo. E poi, insomma, me lo ricordavo in gamba e sicuro di sé, quindi lo ritenevo una persona teoricamente affidabile. Fatto sta che entrammo nel deprimente tunnel del «Che ti farei», «Come sei vestita?», «Mi hai pensato sotto la doccia?» e amenità varie, che mi tenevano compagnia durante tutta la giornata. In realtà meditavo di chiarirgli presto che non sarei andata avanti col petting virtuale fino alla menopausa, quando accadde l'inenarrabile.

Inenarrabile che ovviamente, da sei mesi a questa parte, è diventato oggetto di infinite narrazioni con le amiche. Era un pomeriggio di maggio e mi trovavo a scuola di Orlando per il colloquio di fine anno con le maestre. Avevo lasciato il telefono sulla cattedra, con lo schermo in bella vista, in modalità vibrazione. La maestra Gabriella, che non ha mai nascosto il suo scetticismo sui miei metodi educativi, stava spiegando la sua tesi secondo la quale Orlando è troppo saggio e un po' troppo «moralista» per la sua età.

«Avevo appena finito di raccontare la cacciata dall'Eden, lui ha alzato la mano e ha detto che la storia di Adamo ed Eva non andrebbe raccontata ai bambini.»

«Perché?»

«Perché secondo lui è l'opposto dell'insegnamento dei grandi e confonde le idee agli studenti. Dice che se è vero che bisogna mangiare la frutta, amare gli animali e trattare bene le femmine, allora perché il serpente è cattivo, la femmina deve partorire con dolore e la mela bisogna lasciarla lì se alla mensa lo obblighiamo a mangiarla?»

Replicai che non era bigotto, provava ad applicare alla vita il suo senso di giustizia.

La maestra andò avanti: «Non è normale che difenda il suo amico che ruba dicendo: "Per questa volta facciamo finta che l'ha preso in prestito a Marco a sua insaputa", o che inviti Valentina a tirarsi su la gonna se si siede scomposta "che io le tue mutande di Barbie non le voglio vedere"».

Cominciai a innervosirmi. Spiegai che Orlando è sì un po' censore e un po' bacchettone ma è anche molto bambino, gli piacciono Godzilla e i film splatter.

«Questo atteggiamento deve essere una reazione a qualcosa...» sottolineava la maestra con una certa malevolenza.

Ribattei piccata che mi pareva psicologia da bar e che Orlando era sempre stato così, che nell'ultima letterina a Babbo Natale aveva scritto: «Vorrei il vulcano di Godzilla, i fumetti di Godzilla, il dvd *Godzilla vs King Ghidorah* e più cose giuste e meno cose volgari nel mondo», e che di sicuro queste cose né si insegnano né nascono da turbe latenti o da cattivi esempi in famiglia ma gli escono così. «C'ho un figlio beghino, che ci posso fare, ma vi prego di non avere pregiudizi solo perché sono una mamma single che lavora in tv e forse anche un po' piacente, perché faccio una vita normalissima e...» quando la cattedra vibrò. Le maestre abbassarono lo sguardo, io abbassai lo sguardo. Ci sono momenti nell'esistenza di tutti noi, in cui ci passa la vita davanti. Capita sulle strisce pedonali quando una macchina sta per falciarti e ti sposti all'ultimo secondo. Capita quando tuo marito ti dice che ti lascia per una ballerina cubana. Capita quando accade quello che è accaduto a me. I due miliardi di pixel del pisello di Fabrizio erano lì, nitidi e sgargianti, sullo schermo del mio iPhone.

Alle ore sedici del pomeriggio c'era un uomo nel mondo che aveva bisogno di rassicurazioni sul suo pisello e quelle rassicurazioni le stava chiedendo a me, oltre che incidentalmente a una precaria di ventidue anni e a un'insegnante di ruolo di cinquantadue che probabilmente nella vita aveva visto più aironi cenerini che membri maschili.

La foto per giunta era di quelle sconsolanti, da magone e costernazione senza fine: un membro semieretto che sbucava da un paio di jeans scoloriti con un docciaschiuma al ginseng appoggiato sul bordo della vasca sullo sfondo. C'era pure la luce del flash riflessa sullo specchio costellato di sputacchi, uno schifo totale. Le due fissarono il mio telefono per tre secondi. Vidi la pupilla della maestra Gabriella dilatarsi come quella del gatto illuminato dai fari di un tir nella notte. Vidi la precaria avvampare e voltarsi di scatto verso il termosifone come se il calorifero fosse Ryan Gosling appena uscito dalla doccia. Non riuscii a fiatare. In compenso la mia mano sinistra, guidata da quella forza sovrumana denominata «salvadignità», si abbatté con violenza sul display del telefono per occultare quell'obbrobrio con un movimento ampio e di rincorsa dall'alto, tipo quello per seccare le mosche, senza tener conto di un particolare non trascurabile. Nell'anulare sinistro quella mattina avevo infilato una patacca di anello in vetro di Murano a forma di piramide, che nell'impatto col display provocò una deflagrazione di una violenza inaudita. Le schegge schizzarono in ogni angolo della stanza, infilzando, nell'ordine: il disegno di uno spaventapasseri di tale Benedetta G. sulla parete sinistra. La borsa di plastica rosa della precaria appoggiata sul primo banco. Ma soprattutto, la lente dell'occhiale destro della maestra Gabriella, che si crepò in maniera scenografica.

Provai a sdrammatizzare farfugliando: «Allora è vero che con certe cose si corre il rischio di rimanere ciechi», ma il mio senso dell'umorismo se ne finì in punizione alla lavagna assieme alla sottoscritta, che andò avanti per giorni a scrivere mentalmente col gessetto della vergogna: «Mai più sesso virtuale mai più sesso virtuale mai più sesso virtuale mai più sesso virtuale».

Dopo quello spiacevole episodio, si verificarono due cose: le maestre si convinsero in via definitiva che accadesse qualcosa di mostruoso dentro le mura di casa mia e che l'eccessiva saggezza di Orlando fosse una reazione ai miei criminosi metodi educativi. Il mio rapporto virtual-pecoreccio con Fabrizio si interruppe bruscamente. Quando ricomprai un telefono tre ore dopo e lo accesi, mi apparve subito il suo messaggio: «Allora? Piaciuta la foto? Sto immaginando la tua mano su di lui...». Gli risposi: «La mia mano oggi s'è posata su di lui con una grazia tale da disintegrartelo in mille pezzi, ti conviene lasciar perdere». Non si fece più sentire.

Non riesco a non pensare a questo, nel camerino accanto all'immenso studio delle *Amiche del tè*, mentre una sarta gentile e silenziosa mi sistema l'orlo della gonna. Cosa sta succedendo agli uomini? Perché Valerio non mi TELEFONA? Cosa abbiamo fatto di male noi donne per meritarci un tale supplizio?

Perché uomini adulti, con posizioni lavorative invidiabili, capaci di affrontare conference call col direttore finanziario di sei società petrolifere e di licenziare vis-à-vis padri di famiglia dopo trent'anni di onorata carriera, anziché citofonarci per portarci a mangiare un sushi, ci mandano un messaggino con scritto: «Ciao bellezza, come va?».

Cose che quando avevo vent'anni erano la prassi oggi sono un estenuante traguardo (quando ci si arriva, al traguardo) dopo uno smaronamento infinito di emoticon. Avrei voglia di affittare un aereo e di scriverlo su uno striscione che sventoli nei cieli di Milano per mesi: «Uomini, ricominciate ad alzare il telefono!». Basta costringerci a tre quarti d'ora di «Come va?», «Bene», «Tu?», «Bene ma piove», «Anche qui», rischiando di farci tamponare da un camion articolato per correggere un accento, quando basterebbe una telefonata di quaranta secondi per comunicare orario in cui ci venite a prendere e nome del ristorante. Risparmiateci emoticon e faccine alla fine di ogni frase che, a parte essere un'abitudine virile quanto il ricamo su tovaglia, ci costringono a sforzi di interpretazione disumani. Abbiate rispetto per il nostro tempo. Abbiate rispetto per la nostra sensibilità. Che ne sapete voi di quello che ci si smuove dentro ogni volta che vediamo quel «digitazione in corso»? Ve lo dico io: quel «digitazione in corso» crea un universo di aspettative puntualmente, clamorosamente disatteso. Ci sono delle digitazioni in corso che durano venti minuti con continui ripensamenti e in quel tentennamento (digitazione in corso-on line-digitazione in corso-on line) non c'è donna che non si autoconvinca di essere sul punto di ricevere una proposta di matrimonio con sette figli, una casetta al mare con cane e coniglietti nani inclusi. Il tutto, finché non arriva il messaggio: «Stasera ti va un kebab?». Ficcatevelo in testa.

Il maschio che fa, non whatsappa, l'uomo concreto, pragmatico, dominante non sta lì a chattare come un bimbominkia, ma ha ancora quelle abitudini ormai estinte tra la fauna maschile denominate «telefonata», «appuntamento», «cena fuori». Chiedeteci il numero civico, non il numero di telefono, Dio santo.

La sarta ha finito di sistemarmi l'orlo, tra pochi minuti sarò in diretta. Mi spiace per gli ospiti maschili che saranno costretti a beccarsi le mie invettive, perché oggi sono caricata a pallettoni. La Speranza non avrà neppure bisogno di guardarmi con l'occhio semichiuso a indicarmi: «Vai giù più pesante!». Vibra il telefono. È Valerio che mi manda un emoticon. Sì sì, oggi massacro tutti. Che vuole dire questo emoticon? Sono proprio furiosa, non sanno cosa li aspetta. Oddio, questo emoticon non mi piace per niente.

Viola: «Ehi Gruppo Testuggine, c'è qualcuno on line? È un'urgenza assoluta».

Nulla. Ah sì, oggi non risparmio nessuno, sono nera. E se questo emoticon volesse dire che non ha intenzione di vedermi?

Gruppo Testuggine (Ilaria): «Eccomi».

Gruppo Testuggine (Anna): «Presente!».

Gruppo Testuggine (Ivana): «Vai!».

Viola: «Ragazze, Valerio mi ha mandato un emoticon che non avevo mai visto, è tipo una faccina che sorride ma con l'occhio perplesso e poi ci sono due goccioline vicino alla fronte e una mano aperta più una lampadina a destra. Che vuol dire secondo voi?».

L'hostess di studio bussa alla porta del mio camerino. «Signorina Agen! Sta per cominciare la diretta!» Zitta cretina, qui si sta decodificando un geroglifico di rara importanza.

Ilaria: «Ma la mano è aperta di profilo o frontale?».

Viola: «Frontale».

Anna: «Allora è uno stop. Ti sta dicendo fermiamoci qui».

Viola: «Ma se neanche abbiamo iniziato!».

Ivana: «No, ti sta dando il cinque, è una cosa cameratesca».

Ilaria: «Scusa ma è uno che va allo stadio?».

Viola: «Boh, mi sembra di sì».

Ilaria: «E allora è un saluto romano, è fascista!».

Viola: «Adesso quelli che vanno allo stadio sono fascisti? Ilaria, ma tu quando c'era la lezione di storia facevi le cerette a quella di geografia?».

Anna: «No ma poi gli emoticon col saluto fascista? Ti pare?».

La tizia ricomincia a bussare alla porta. «Signorina Agen, dobbiamo metterle il microfono!» Zitta cretina che qui si sta decriptando la stele di Rosetta del nuovo millennio: l'emoticon.

Ivana: «Io mi soffermerei sulle due goccioline. Secondo me vogliono dire che...».

Ilaria: «C'ha un problema di ipersudorazione. Mandalo nel mio centro estetico che ho un antitraspirante nuovo ai sali del Mar Morto...».

Viola: «Ma secondo te mi manda un emoticon che suda?».

Anna: «Ma no infatti secondo me quelle sono lacrime, lo stai facendo patire in qualche modo».

Ivana: «Forse da lui piove!».

Anna: «Ma certo! Piove sul nostro amore! È un film di Bergman».

Ilaria: «Sta facendo il gioco in cui mimi i film, devi indovinare!».

Viola: «Ragazze ma che state dicendo? Ora secondo voi Valerio sta giocando ai mimi? E quando ci vediamo cosa si fa? Il gioco della bottiglia?».

La hostess si sta innervosendo. «Signorina Violaaaa, sono tutti in studio, abbiamo ancora un minuto e venti di pubblicità e siamo in onda!» Zitta maledetta, qui si sta svelando l'algoritmo dell'universo e tu mi parli di tv.

Ivana: «Comunque stiamo trascurando l'elemento fondamentale: la lampadina. Per me la chiave è tutta lì».

Viola: «Eh, ho capito, ma che vuol dire? Ha un'idea su di me?».

Anna: «Ma è accesa o spenta?».

Viola: «Accesa».

Ilaria: «Ma è normale o a basso consumo?».

Viola: «Ilaria ma che minchia di domanda è questa?».

Ilaria: «Magari è una metafora, tu sei la lampadina 150 watt e quindi ti ritiene una donna ad alto consumo, magari questo è uno squattrinato».

Anna: «Se ti stesse dicendo che gli piace farlo con la luce accesa?».

Ivana: «Forse ha la mano aperta perché sta svitando la lampadina e suda come un maiale perché la lampadina fa calore».

Ilaria: «Amica, non si tira indietro se c'è da fare lavori domestici, quell'emoticon è chiaro».

«Signorina Violaaaaaaaa, è partita la sigla! Trenta secondi e siamo in onda!» urla disperata l'hostess.

Viola: «Ragazze, devo chiudere, siete state preziosissime. Valerio è un mimo fascista morto di fame appassionato del fai da te. Ne terrò conto. Grazie».

Quelle care vecchie telefonate di una volta, che nostalgia.

6

L'acca di troppo

L'argomento della puntata di oggi delle *Amiche del tè* è «Gallina vecchia fa buon brodo?». Una roba di concetto insomma. Del resto, negli ultimi sette giorni, nel salotto della Speranza ho dato il mio prezioso contributo nell'affrontare tanti argomenti che stanno a cuore al Paese: a) L'uomo deve puzzare? b) Figli contesi: e se si affidassero al genitore col miglior quadro astrologico? c) Stanno diventando tutti gay? d) Olga Marchini: la mia seconda vita senza le extension. e) Gli animali da compagnia sono forse spie di carenze affettive: meglio un uomo oggi o una gattina domani?

La hostess che mi precede spalanca velocemente la porta antincendio che conduce dietro le quinte della trasmissione, seguita da me e dal microfonista che mi sta appiccicato nel goffo tentativo di mimetizzare i fili sotto al vestito. La sigla delle *Amiche del tè* rimbomba nello studio: «Se nel Paeseeee la crisi avanzaaaa, chi ti conforta è Giusyyyy Speranzaaaa. Sei triste e soloooo e manovalanzaaaa, non stare affrantooo, c'è la Speranzaaaa... Accendi la tv... che al centro ci sei tu... Non esser *choosy*, scegli la Giusyyyy!». Una delle ragioni per cui tento sempre di varcare la soglia dello studio il più tardi possibile è proprio questo: risparmiarmi l'ascolto del terrificante motivetto che mi predispone al salotto come il ciclo mestruale predispone a incontri diplomatici.

Scorgo da lontano la sedia vuota che mi aspetta. Cerco di individuare il boia incappucciato con l'interruttore in mano tra gli ospiti, ma rammento improvvisamente che non si tratta di un'esecuzione su sedia elettrica. È solo un talk show e tra mezz'ora sarà tutto finito. Gli autori mi piombano addosso come furie. «Allora, hai capito chi difendi tu?»

«Difendo lei, no?»

«Brava, così siete due dalla parte di lei e due dalla parte di lui che tanto è una specie di decerebrato metrosexual, ti verrà facile.»

Sto per controbattere che se è solo decerebrato oggi il livello degli ospiti è decisamente superiore alla media, quando sento alle mie spalle la voce inconfondibile di Gaia Fabi, la showgirl con cui qualsiasi calciatore medio racconta di aver sperimentato più posizioni che con Mourinho. «Teso', mi metti il microfono un po' più di lato che altrimenti mi copre il solco tra le due tette e pare che ho due palline attaccate come il guscio delle arachidi?»

«Teso'» è il suo assistente palesemente gay, invitato a compiere un'operazione che la stessa Gaia Fabi potrebbe svolgere col mignolo sinistro. Il novanta per cento delle donne di spettacolo ha una corte di assistenti gay dediti all'adulazione più sfrenata. I manager e i politici hanno gli yes-man, le conduttrici e le showgirl hanno gli yes-gay. Ma Teso' è anche l'abbreviazione classica utilizzata dalla showgirl tipo per chiamare il suo femmineo factotum. Non è chiaro se l'abbreviazione «Teso'» stia per «Tesoro» o «Te-So-rbisci 'sta stronza, povero te», ma propendo più per la seconda. Il poveretto mette a terra i due chihuahua con tutine rosa, identiche, tempestate di Swarovski che le stava amorevolmente tenendo in braccio assieme alla sua borsa Prada, a una valigetta del trucco e a un golfino di cachemire casomai l'aria condizionata in studio fosse troppo alta, e le sposta il microfono lontano dall'incavo delle sue tette da duemilacinquecento euro a pezzo. «Grazie Teso'. Come sto?»

L'assistente rimane un attimo in silenzio, poi le dice senza guardarla negli occhi: «Be', direi... bene!».

La riposta mi lascia interdetta. L'assistente gay di una showgirl che non cinguetta con enfasi: «Adorooooooooo, amore sei diviiiiina!», ma balbetta solo: «Bene», senza neppure sollevare gli avambracci e piegare indietro i palmi delle mani. E soprattutto: senza allungare neanche una vocale. Se non ti escono le vocali lunghe da acuto finale di operetta e non sei preda di immotivati entusiasmi, non sei un assistente gay doc, è la prima cosa che ti spiega il casellante di Milano nord mentre paghi il pedaggio per entrare in città. L'ultima immagine che mi rimane impressa nell'iride prima di entrare in studio è Teso' che si china con fatica a causa dei suoi pantaloni skinny taglia 36 per riprendere in braccio i chihuahua, mentre uno dei due scappa verso un cameraman e Gaia Fabi si raccomanda con lui: «Teso', mi raccomando i cani!».

La Speranza oggi è particolarmente su di giri. Ha perfino tirato indietro i suoi famosi capelli rossi, sacrificando la solita frangetta bombata richiestissima in tutti i negozi da parrucchiera del Centrosud. E quando la Speranza si tira indietro la frangia, i casi sono due: o è prevista una puntata più gallinaio del solito e lascia scoperto il viso per aggrottare la fronte nella modalità «finto sdegno» a favore di telecamera, o c'è un ospite che le piace e si vuole dare un'aria più fatale. Osservo il parterre con attenzione e con somma sorpresa escludo che la Speranza possa essere attratta da qualche elemento maschile. Ci siamo io e Gaia Fabi schierate da una parte e Pierangelo Boero, un politico di Alleanza moderata con la sua giacca blu corredata di tre strati di forfora a spallina, dall'altra. Seduto accanto a lui, con la postura rigida di chi è al suo battesimo in tv, c'è un famoso attore di cinema eccezionalmente mescolato tra noi circensi catodici per promuovere il suo primo film da regista. Mi domando sotto quali minacce l'attore Elio Tomasoni sia stato costretto dalla casa di produzione a venire alle *Amiche del tè*, perché se non ricordo male ha più volte dichiarato che la tv è la morte sociale. O magari, molto più banalmente, il suo film d'essai va talmente male al botteghino che la Speranza gli fa un po' meno schifo. In base alla mia esperienza di salotti, politici e attori sono quelli che cambiano idea più spesso. O meglio. Hanno le idee prêt-à-porter: standard, dozzinali e completamente diverse a ogni cambio di stagione. Al centro dello studio siedono, uno di fronte all'altra, un ragazzotto giovanissimo, la cui abbronzatura da centro estetico è mescolata a un fondotinta color terra di Siena, e la cinquantenne Virna Cosimato, una vecchia gloria della musica anni '80, che dopo anni di oblio mediatico è tornata di recente alla ribalta per la sua storia con Lucas, il ragazzotto color guerriero di terracotta di anni venticinque più giovane di lei. Mi basta osservare Lucas una seconda volta per arrivare a una conclusione lievemente distante da quella dell'autore che me lo aveva descritto: non so se è decerebrato, ma quello è metrosexual nel senso che adesca giovani omosessuali in metro.

Tra parentesi, l'estate scorsa ero in vacanza con le mie amiche e avevo visto su qualche rivista le foto di Virna e Lucas al mare. Lui era coperto solo da uno slippino bianco il quale lasciava intendere con facilità che venticinque non era solo il numero degli anni che li separavano, e lei gli sorrideva felice accanto, fasciata in un pareo floreale con luci e colori talmente ritoccati per farla sembrare più giovane, che quella cosa azzurra sullo sfondo, più che mare pareva disinfettante da wc. Ricordo che mentre le mie amiche commentavano: «Brava!

Venticinque anni in meno! Ha fatto bene!!!», io avevo provato un vago senso di tristezza.

Le mie riflessioni sull'improbabile coppia si infrangono sullo scoglio della diretta, che è appena iniziata.

«Eh sì, non siate *choosy*, che c'è la Giusy! E la Giusy come sempre, cari amici, vi augura buon pomeriggio!»

Giusy Speranza ha quel vezzo di parlare di sé in terza persona come tutti i mitomani, con l'aggravante di porre anche l'articolo davanti al suo nome, vezzo che spiega fino a che punto autoalimenti il culto della propria persona: la Giusy e il Cristo del Mantegna sono nella sua testa gli unici nomi di persona degni di essere preceduti da articolo determinativo.

«Prima di cominciare volevo salutare il piccolo Giovanni che ci ha scritto una letterina bella bella bella e oggi comincia la chemioterapia, gli mando un bacio grosso grosso grosso! Amici ospiti, volete unirvi anche voi ai saluti della Giusy a Giovanni?»

Io fingo di sistemarmi una scarpa troppo stretta. Odio lo sciacallaggio mediatico a spese dei bambini e l'attore deve pensarla più o meno come me, visto che è una statua di sale. Pierangelo Boero pronuncia la prima sillaba di quello che con ogni probabilità sarà il consueto pistolotto retorico a cui ci ha abituati in trent'anni di campagne elettorali, ma Gaia Fabi entra a gamba tesa: «Saluto il piccolo Giovanni con tanto affetto, la chemioterapia è una malattia terribile, ma lui ce la farà!».

Il pubblico ridacchia. La Speranza si illumina di immenso (godimento). Sa che questa gaffe diventerà oggetto di infinito dileggio e parodie su tv e social network per settimane, garantendo visibilità al suo programma. Ritira prontamente il sorrisetto che le è appena scappato e aggrotta la fronte sgombra da frangetta rossa: «Gaia, a dire il vero la chemioterapia è la cura! È come se dicessi che qualcuno s'è ammalato di sciroppo... ma ti perdoniamo perché sappiamo che le tue intenzioni erano belle belle belle!».

Gaia si ammutolisce un attimo, poi annuisce e replica sfoderando un sorriso beato: «Oddio mi scuso, allora piccolo Giovanni, mi raccomando eh, fai il bravo e bevi tutto il cucchiaio di chemioterapia che ti dà il dottore oggi!».

Vorrei che irrompesse in studio uno sciame di calabroni killer ora. Vorrei Ryan Gosling qui, vicino a me, che mi asciuga la fronte con una pezzetta calda. Vorrei tornare a scrivere nel silenzio di una stanza e non mettere mai più piede in televisione. Il volto della Speranza è trasfigurato dalla gioia. O dalle luci di studio, non so, comunque gongola come raramente l'ho vista gongolare. Dopo un attimo di finto imbarazzo, fa cenno al pubblico di smettere di ridacchiare, non mancando di aggrottare la fronte per la seconda volta.

«Ma andiamo avanti e passiamo all'argomento del giorno: "Gallina vecchia fa buon brodo?". E a discuterne qui con noi oggi c'è la coppia più chiacchierata del momento: Virna Cosimato, cinquantun anni, e il suo fidanzato Lucas Conti, venticinque! Lui un mese fa l'ha tradita con una ballerina di burlesque, ma Virna lo ha perdonato!»

Accidenti, questo passaggio me l'ero perso. Dov'ero quando accadeva tutto ciò? Ma soprattutto: chi ci crede? Il guerriero di terracotta al massimo la può tradire con un giocatore di rugby, non certo con Dita von Teese. Sarà il solito, misero escamotage per creare il finto scandalo e guadagnarsi mezza copertina. Lo scaldapubblico chiama un fragoroso applauso, manco la Speranza avesse appena proposto l'abolizione delle tasse.

Virna Cosimato prende subito la parola: «Mi scusi, signora Speranza, ma la correggo. Non ho perdonato Lucas, diciamo che è un periodo di prova...».

«È così Lucas?» chiede la conduttrice al guerriero di terracotta.

«Sì, in effetti è così, Virna ha deciso che questo rapporto è troppo importante, troppo bello, troppo appagante per arrendersi al primo ostacolo e quindi sono in un periodo di prova.»

Me l'ha servita su un piatto d'argento.

«Immagino che tu abbia preso questo periodo di prova con grande serietà, Lucas. Con quante c'hai provato da ieri a oggi per esempio?» gli chiedo compiendo l'immane sforzo di credere alla sua eterosessualità. Il pubblico ride. Scatta il primo applauso della trasmissione e la Speranza mi guarda con aria di approvazione. Quando la Speranza mi fissa compiaciuta, mi viene la tentazione di ritrattare tutto e dare ragione all'altro.

Gaia Fabi oggi è decisissima ad apportare linfa al dibattito: «Invece secondo me Lucas ha capito quanto Virna è importante per lui e non vuole buttare via questa storia come neve al sole!» cinguetta.

Se qualcuno potesse impressionare su pellicola lo sguardo che le rivolge la Speranza non appena la soubrette ha terminato la frase, si potrebbe girare il sequel dell'*Esorcismo di Emily Rose* lasciando per un'ora e mezzo quel fermo immagine. Gaia Fabi non ha capito dalla parte di chi deve stare. Non ha ancora capito che fare gli opinionisti non vuol dire esprimere la propria opinione, ma esprimere l'opinione opposta a quella di chi ti si siede davanti, pure se ciò significa rinnegare parenti, fede calcistica e credo religioso. Non ha capito che io e lei oggi dobbiamo accanirci sul ragazzotto col fondotinta e ridurlo a fondotinta compatto entro la pubblicità, non difenderlo. Il deputato di Alleanza moderata Pierangelo Boero non si lascia sfuggire l'occasione per mettere a segno il primo punto. «Signorina Fabi, ha ragione, ma la neve al sole al massimo si scioglie, non credo si butti, a meno che non si metta lei a riempire i secchi d'acqua gelida, cosa alquanto improbabile vista la sua proverbiale avversione al lavoro duro!» Standing ovation del pubblico. Oggi sarà durissima portarsi a casa il risultato con questa rintronata in squadra. Devo inventarmi qualcosa subito. Devo difendere questa idiota di Gaia Fabi dal sacrosanto attacco del Boero. Mi concentro. Penso che perfino Priebke aveva un avvocato difensore e mi sento più motivata.

«Abbia pazienza onorevole, ma se non ricordo male quando è scoppiato lo scandalo delle assenze in Parlamento, lei è risultato essere il deputato col maggior numero di defezioni in aula e col maggior numero di presenze al circolo del tennis Naviglio Pavese, per cui non mi sembra la persona più indicata per infiocchettarci il sermoncino sul lavoro duro.» Il giubilo del pubblico rasenta la ola. Una spruzzata di sana demagogia sui vizi dei politici e si torna in vantaggio. Mi sento Marco Tardelli nell'82.

Purtroppo nell'azione interviene nuovamente la Fabi. «Hai capito, quindi il signore non andava mai in aula? E poi dice che quella ignorante sono io! Io almeno in aula ci andavo, mai saltata una lezione a scuola, ah bello!»

Giuro che se qualcuno mi presentasse ora un modulo di iscrizione per l'esercito dei legionari con partenza tra cinque minuti per il Burkina Faso, andrei. Gaia Fabi non è scema. Di più. È un'esplosione di scemenza. Di più. È il big bang dell'idiozia. Di più. È la scintilla che ha permesso l'espansione dell'universo di imbecilli che popolano il mondo, con una densità particolarmente rappresentativa in questo studio oggi.

Mi domando come gli uomini, compresi fior di calciatori sposati, possano accoppiarsi con donne così, come sia possibile che l'ormone maschile non abbia la necessità di trovare almeno un neurone femminile solingo quando si è in orizzontale. E mi viene in mente Giorgio. L'onorevole ha ripreso la parola e intuisco che sta offendendo la Fabi avvalendosi di metafore ispirate al mondo dei mammiferi ruminanti, ma la mia mente è già da un'altra parte. Come sempre. Giorgio mi tradì. Non seppi mai con chi né trovai mai la pistola fumante, ma accadde di peggio: trovai una pistola con la canna tiepida. Ero tornata da una settimana al mare con Orlando mentre Giorgio era rimasto in città per lavoro. La sera dormii a casa sua e la mattina, nella doccia, trovai un balsamo. Com'è noto, per gli uomini la parola balsamo è sconosciuta almeno quanto «shatush», «preliminari», «gommage», «ascolto». E infatti un balsamo non mio in casa di Giorgio non si era mai visto. Ricordo che per un attimo mi si annebbiò la vista e non era vapore. Finii di fare la doccia, mi diedi una tamponata ai capelli, mi spalmai un po' di copriocchiaie, perché l'ultima immagine che un uomo deve avere di te prima della fine deve essere quella di una gnocca indimenticabile, e decisi che avrei fatto una scenata dignitosa. Dopo due minuti ero in camera, in piedi sul letto, che urlavo come un capretto sgozzato brandendo un balsamo all'olio di argan in mano. Giorgio si giustificò dicendo che qualche giorno prima era venuta la sorella da Bologna a trovarlo e si era fermata una notte a casa sua. Replicai che la sorella aveva i capelli più lisci di quelli di Gwyneth Paltrow dopo una passata di piastra in ceramica, e quello era un balsamo specifico per ricci indomabili. Gli mostrai l'etichetta. La strappai. Gliela lanciai. Poi lanciai anche il flacone di balsamo che durante il volo si aprì e finì su quel cesso di ritratto di donna di Modigliani che stava sulla parete ed esclamai: «Magari serve anche a lei, un'altra famosa riccia!». La versione finale fu: «Magari al supermercato non aveva trovato altro».

Io ovviamente non gli credetti e trascorsi giorni a fare l'inventario delle donne ricce che gli ronzavano intorno, comprese la donna delle pulizie dominicana di anni cinquantotto e quelle che lo diventavano causa umidità. Per un mese, ogni volta che Giorgio era distratto, estrapolai qualche nome femminile a caso dalla sua rubrica telefonica e lo digitai su Google Immagini. Lo cercai su facebook. Se usciva fuori la foto di una donna riccia sotto i sessant'anni, meditavo di pedinarla e strapparle un capello mentre era in fila a una cassa per farlo analizzare al Ris di Parma. Ancora oggi, quando mi presentano una donna riccia, i primi dieci secondi non posso non guardarla senza pensare: «Baldracca che ha fatto la doccia a casa del mio fidanzato mentre ero al mare a insegnare a mio figlio a nuotare».

I tradimenti in cui le prove sono labili e incerte sono i peggiori. Vorresti mandarlo a quel paese, ma hai quel due per cento di dubbio che potresti mandarlo a quel paese senza una ragione. E si sa, nel dubbio l'imputato è innocente. Solo che così si fanno mille processi e la Cassazione non arriva mai, per cui alla fine te ne giri con queste corna sospese, sapendo che la notte t'addormenti accanto a un assassino che l'ha fatta franca. Come al solito il ricordo di Giorgio s'era aperto un varco pretestuoso in un momento qualunque della mia giornata, senza che alla fine c'entrasse molto con quello che stava accadendo, a parte il fatto che, all'epoca, l'unica donna riccia di cui finii per sospettare fortemente fu una collega di Gaia Fabi. Collega nel senso che era scema quanto lei.

«Viola, cosa pensi di quello che ha appena detto Virna?» Non ho la più pallida idea di cosa abbia appena detto Virna Cosimato ma in effetti, ora che la guardo bene, è riccia anche lei, solo che ha la stessa identica permanente che sfoggiava sulla copertina del suo primo 45 giri *Strusciati straziami sfini-*

scimi secoli fa. La Speranza mi fissa con un'espressione contrariata e per giunta io ora sto guardando con odio feroce una ragazza riccia tra il pubblico come se avessi improvvisamente riconosciuto la mia torturatrice quand'ero prigioniera di guerra. Decido di improvvisare. «Scusate ma ero rapita dal petto perfettamente depilato che intravedo dal collo a V della t-shirt del nostro Lucas. Un altro uomo forse incapace di accorgersi di una donna meravigliosa in mezzo a una sala, ma capacissimo di accorgersi di un pelo in ricrescita su un polpaccio.»

Lucas è piccatissimo. «Perché, se uno si depila vuol dire che non è un maschio?» Eh, le code di paglia.

«No, vuol dire che ormai l'unica cosa su cui voi uomini vi accanite con foga selvaggia sono i peli!»

«Guarda che Virna con me in quei frangenti non si è mai lamentata...»

«Sarà, ma hai l'aria di dare meno tregua alle sopracciglia in bagno che a una donna in camera da letto.»

Virna si inserisce all'improvviso nella discussione e prova a difendere il suo toy boy finto etero: «Oh insomma, il sesso non c'entra neanche, la verità è che questo ragazzo mi ha rubato il cuore!».

«No Virna, la verità è che questo ragazzo le ha rubato il Silk-épil!»

Gaia Fabi si alza in piedi e comincia a battere le mani come una scimmietta a batterie, il pubblico segue il suo esempio e segno il secondo gol praticamente a porta vuota. Mi sento Pelé nei mondiali del '58.

Dalla faccia della Speranza però intuisco che qualcosa non va. Continua a voltarsi nervosamente verso i suoi autori che gesticolano e scrivono suggerimenti a caso sulla lavagnetta. Dalla faccia dell'attore Elio Tomasoni deduco invece che stia per vomitare. Non ha ancora proferito parola e, mentre parlo, lo vedo spesso consultare il suo smartphone con aria snob e annoiata. La Speranza fa un gesto inequivocabile a Boero. Per intenderci: quello che gli organizzatori di gare clandestine fanno ai pitbull quando è il momento di attaccare alla giugulare. Boero, dopo anni di salotti tra politici e giornalisti, è programmato per uccidere e non si fa istigare una seconda volta. «Signorina Viola, lei è qui a insegnare agli uomini come fare gli uomini? Non sarà certo un pelo in più o uno in meno a fare di un fidanzato un uomo vero. E poi, suvvia, il nostro Lucas ha avuto un lieve sbandamento, ma ora mi sembra che abbia le idee chiare. Come dice il proverbio? Solo gli uomini stupidi non cambiano mai idea!» Gaia Fabi prova a replicare ma la gelo con uno «Stai zitta per favore!» che mi sgorga dal cuore. Questo è un assist che nemmeno Andrea Pirlo nei suoi giorni migliori. «Certo Boero. Un lieve sbandamento. Più precisamente il lieve sbandamento di un paio di chiappe sculettanti di una ballerina di qualche decennio più giovane di Virna Cosimato, se non erro.»

«Quindi secondo lei, creatura evidentemente infallibile, un uomo non può cambiare idea e tornare sui suoi passi?»

«Oh certo, può cambiare idea, non quarantacinque posizioni del Kamasutra con un'altra e tornare strisciando quando ha esaurito le fregole.»

«Be', mi sembra che anche lei cambi idea con una certa leggerezza, visto che dalle cronache risulta divorziata e per una sua decisione.»

Boero ha appena segnato un autogol che deciderà definitivamente le sorti della partita. Odio quelli che tirano in ballo la mia vita privata, odio l'idea che Orlando accenda la tv per sbaglio e senta sua madre discutere del motivo che ha allontanato lei e suo padre. Suo papà è il supereroe e otto anni è l'età dei fumetti, chi sono io per dirgli che sotto la tuta da Superman c'è solo un pirla immaturo e arrogante dotato di un unico superpotere che è quello di rompere le balle senza sosta alla sua ex moglie? Mi concentro intensamente sul mio ex marito, guardo per un attimo la ragazza riccia tra il pubblico, penso a Giorgio e al balsamo, alla doccia, al divorzio con Ommm, alla fine della storia con Giorgio. Accumulo la forza distruttiva di un uragano forza dodici e controbatto: «Boero, non si preoccupi per me. Si preoccupi per la sua persona piuttosto. Capisco bene le sue motivazioni nel difendere un ragazzotto che, per non dire come stanno le cose, dichiara di aver cambiato idea. La sua storia politica è un susseguirsi appassionantissimo di idee che cambiano col cambiare dei governi. Lei è più trasformista di Lady Gaga».

Boero muta espressione. Ricorre al piano B a cui ricorre il novanta per cento degli uomini in difficoltà durante un contraddittorio con me. Il piano B denominato «strafottenza sessista»: «Per favore signorina Agen, continui a mostrarci la sua generosa scollatura su cui invece non ho mai cambiato idea e si limiti a conversare di uomini e donne, che di politica si occupano le persone serie».

Lo vedo cercare con lo sguardo l'approvazione del pubblico maschile, che gliela concede solo in parte e piuttosto timidamente. La battuta era troppo grezza perfino per lo scaldapubblico e le sue pecore.

Povero Boero. Non sa in che razza di malfamato vicolo s'è appena cacciato. A quest'uomo sfugge un particolare: ho scritto quattro libri sulla politica italiana dal 1970 a oggi firmati dal grande giornalista televisivo Bernardo Rocca, due dei quali sono stati primi in classifica a Natale polverizzando Grisham benché nessuno li abbia mai letti (neanche Bernardo Rocca), per cui so bene che dall'anno della sua nascita (1955), Boero ha cambiato più casacche che mutande. Ovviamente non posso dirlo, non lo sa nemmeno Bernardo Rocca che ho scritto i suoi libri. Ai tempi la mia casa editrice preferì raccontargli che aveva dato a un ghostwriter senior (e ovviamente uomo) il compito di scrivere i suoi pallosi volumetti di storia politica, per cui quando dovevo chiedergli qualcosa, c'era un tizio che lo chiamava al posto mio. Una cosa patetica e neppure un caso isolato nella mia deprimente carriera di ghostwriter. Ho sempre vissuto in un mondo in cui tutti mi chiedevano di non apparire. Datori di lavoro, fidanzati. E forse non è un caso che sia finita in tv. Volevo esserci. Volevo la luce del sole. E invece sono finita sotto i faretti della Speranza.

«Boero, oggi voglio stupirla. Queste non sono tette. Sono un gigantesco archivio storico in cui conservo con zelo tutte le sue idee dal 1981, anno del suo ingresso in politica. O forse sarebbe meglio dire, dai suoi scioperi della fame per esprimere solidarietà agli operai, alle cene ostriche e champagne con gli amministratori delegati delle aziende in cui quegli stessi operai lavoravano.»

Boero ridacchia nervosamente, voltandosi verso l'attore nella speranza che gli dia manforte, ma Elio Tomasoni sta consultando il cellulare per sottolineare la sua estraneità al diverbio, o forse alla tv.

«Signorina Agen, ribadisco. È vero che con quella scollatura può dire ciò che le pare, ma lei non sa di cosa parla. Torni a discutere del toy boy e della sua fidanzata âgé. Immagino che anche la gentile conduttrice voglia riportare la discussione sull'argomento del giorno...» Alla Speranza non frega un bel niente di rimanere in tema se il fuori tema promette insulti.

«I miei ascoltatori lo sanno, la Speranza non ama mettere le briglie agli ospiti, per cui se Viola desidera aggiungere qualcosa può farlo liberamente.» Appunto. Boero è visibilmente irritato.

«Ma certamente, sono qui che fremo per sapere quali altri terribili accuse contenga l'abbondante archivio della signorina, sebbene ogni volta che la guardo non possa fare a meno di pensare che sarebbe più affascinante alle prese con una lotta nel fango anziché con questa ridicola macchina del fango.»

Cerca l'approvazione con lo sguardo come i cabarettisti mediocri. Qualche uomo alla sua altezza applaude divertito, ma più di una signora tra il pubblico urla: «*Buuuu*». Vola perfino un sonoro: «Cretino!», a cui il Boero risponde risentito: «Cos'è, non si può più fare una battuta a una bella donna? Condannatemi, anzi, merito il carcere duro perché mi cade l'occhio sul décolleté di Viola Agen!».

A questo punto si tratta solo di sferrare il colpo di grazia. «Ma no, onorevole, ci mancherebbe. Quale carcere duro. Applichiamo l'indulto, a cui lei s'è dichiarato di recente favorevole dopo averlo criticato aspramente due anni fa quando sosteneva il precedente governo, anche se ai suoi esordi in politica voleva il carcere duro per chi fumava spinelli e nel 2005 propose di indire un referendum per l'amnistia, lo stesso anno in cui sotto elezioni, per cavalcare l'onda emotiva, commentando a caldo il rapimento della piccola Giulia, dichiarò: "Per certa gente ci vorrebbe la pena di morte!".»

Lo dico tutto d'un fiato, con una saccenza chirurgica che stordisce Boero e fomenta le folle. Mi sento Paolo Rossi al terzo gol contro il Brasile. Perfino Elio Tomasoni alza un sopracciglio e accenna un mezzo sorriso nella mia direzione, anche se sembrerebbe più un sorriso sarcastico che divertito. La Speranza lancia tronfia la pubblicità e finalmente posso prendere fiato. Noto che Boero si dirige verso la sua guardia del corpo con fare decisamente agitato. Gli autori si precipitano verso di lui e li vedo sparire tutti insieme dietro le quinte. Gaia Fabi è preda di un raptus isterico: Teso' le ha appena comunicato che non trova uno dei due cani/sorcio. Una ragazzina del pubblico mi chiede di fare una foto insieme. Il padre, ovvero colui che dovrebbe immortalarci, trema per l'emozione. Sbaglia il tasto e anziché scattare la foto fa partire *Baby One More Time* di Britney Spears. La ragazzina si scusa, cazzia il padre con una crudeltà da generale delle SS, traffica due minuti col telefono e glielo rimette in mano. Il padre pigia il tasto due-tre-quattro volte ma non succede nulla. La ragazzina gli urla: «Tienilo spinto!» mentre io rimango immobile col sorriso d'ordinanza come fossi stata colpita da ictus fulminante. È in quel momento che l'occhio mi cade su Giusy Speranza. Sta salutando da lontano un uomo di spalle, circondato da un codazzo di giornalisti e fotografi. Dal modo in cui gli va incontro, realizzo che sul perché della frangetta tirata indietro non sbagliavo. Non so chi sia il tizio con i pantaloni neri e la camicia bianca stropicciata sulla schiena e con i polsini tirati su, ma deve piacerle parecchio. La prova regina è la sua andatura: diciamo che a ogni colpo d'anca della Speranza in studio, si forma un tornado in Alabama. La ragazzina torna a cazziare il padre. «Non è scattato il flash pa', rifalla porco Giuda!» Io nel frattempo continuo a rimanere abbracciata a una quindicenne con un sorriso beota stampato in faccia per evitare di trovarmi taggata su facebook in foto in cui sembro un cesso a pedali, senza smettere di guardare nella direzione della conduttrice. L'uomo finalmente scopre il suo profilo destro. Lo riconosco: è Vasco Martini, lo sfidante di Giorgio nella corsa a sindaco di Milano. Ha un sorriso affabile ma pare lievemente rigido e in imbarazzo. La Speranza in compenso è più leziosa e svenevole di una tredicenne alla prima cotta. Tra l'altro, oggi indossa un tailleur rosso fuoco che abbinato al rosso dei suoi capelli la fa sembrare più la fiamma olimpica che una conduttrice, ma del resto la sobrietà non è mai stata né il suo cavallo di battaglia né il suo ronzino da compagnia.

Non avevo mai visto Vasco Martini dal vivo. Forse non l'avevo neppure mai guardato per più di qualche secondo in tv, dal momento che su tutto quello che è in qualche modo collegato al mio ex fidanzato cala una patina di risentimento gratuito o di ostinata disaffezione. È alto, almeno un metro e novanta, ed è perfino più magro della Speranza, che come noto mangia a ogni passaggio di cometa ed esclusivamente alimenti non animali – cereali germogliati e cose cadute dall'albero inclusi alveari, pigne e nidi di rondine. Non ho idea di come si regolino con gli escrementi di uccelli quelli che mangiano solo cose che cadono dagli alberi. Lei è così: non vuole che si uccidano gli animali. Soltanto gli ospiti nei suoi salotti. «Ah pa', ce la fai a scattare prima che mi laureo?» Il padre della quindicenne è nel pallone. Ora ha cominciato a scuotere il cellulare, che si ostina a far partire il pezzo della Spears. «Pa', è un telefono, non un mojito!» Vasco Martini è anche molto biondo, di quel biondo tendente al rossiccio che hanno certi uomini nordici e, da quel poco che riesco a intuire da questa distanza, non si fa la barba da qualche giorno. Lo trovo un po' troppo dandy e dinoccolato per poter convincere la Milano bene, ma ha dalla sua parte una taglia 46 massimo e, a Milano, più basso è il tuo indice di massa corporea e più alto è l'indice di gradimento in società. La quindicenne sta controllando lo scatto sul telefonino. «Ah pa', ma hai fotografato il cameraman co' un chihuahua dietro di noi!» Mentre il padre prova a farfugliare delle scuse, gli assistenti di studio ci chiedono di tornare velocemente al nostro posto. L'attore sta parlando al telefono con la faccia torva, il ragazzotto e Virna firmano autografi a signore del pubblico vestite come al matrimonio del nipote, mentre la Fabi è letteralmente fuori di sé. «Cioè, ma ti rendi conto? Ti giuro, guarda, ho un diavolo per *cappello*.»

«Che ti succede?» le chiedo io con un interesse pari a quello per la fisica quantistica.

«Guarda, sono incavolata nera, è successa una cosa terribile!»

«Cos'hai, ti fanno allergia le ciglia finte?»

«Ma va', è che questo lo pago per controllarmi i miei due chihuahua Wonder e Bra e ora Bra non si trova!»

Sto per replicare che pure io, se mi chiamassero così, salirei sul primo cargo battente bandiera libanese, ma non faccio in tempo.

«Bentornati alle *Amiche del tèèèè* con la vostra Giusy Speranza! Oggi una puntata bella bella bella, piena di polemiche e colpi di scena. Pensate che l'onorevole Boero si è addirittura rifiutato di tornare in onda dopo il vivace scambio di opinioni con Viola Agen. I miei autori stanno provando a convincerlo ma pare proprio che non ne voglia sapere! Viola, tu questi uomini me li demolisci proprio, eh?»

Come no. Avreste dovuto vedermi quando m'ha lasciato Giorgio. Ho girato per un mese di seguito in Ugg e tuta, alternando il mollettone di plastica con l'elastico giallo con cui avevo legato le istruzioni degli elettrodomestici di casa. «Eh be', che dire. La tv gli piaceva ma avrà cambiato idea pure in questo caso!» infierisco io.

Istintivamente, mentre il pubblico accenna un applauso svogliato, cerco con lo sguardo Vasco Martini per capire se è ancora lì, ai bordi della pedana di studio. Distinguo la sua sagoma snella accanto a quella più in carne dell'hostess che poco prima mi aveva bussato istericamente in camerino. C'è e sta ascoltando con quella che parrebbe masochistica attenzione. Ormai è chiaro che è l'ospite successivo e che la Speranza lo sottoporrà a una delle sue patetiche interviste in cui la nonna di Vasco Martini, in collegamento dalla sua casa in Abruzzo, tirerà fuori le foto della prima comunione e la sua fidanzatina del liceo dirà che si capiva che avrebbe fatto strada da come le schiaffava la lingua in bocca. E se c'è lo stampellone Vasco Martini, Giorgio non è qui perché non vuole confronti televisivi con l'avversario, penso con un certo sollievo.

«E ora torniamo ai nostri Virna e Lucas, magari chiedendo un'opinione sull'amore e la differenza d'età al nostro Elio Tomasoni, un attore davvero bravo bravo bravo del cinema italiano che oggi ci ha fatto l'onore di essere qui nel salotto della Speranza!» Tomasoni fissa la Speranza come se davanti a lui non ci fosse la più popolare e potente conduttrice del panorama televisivo italiano, ma una blatta nel lavandino.

«Io a dire il vero sono qui per parlare del mio film» fa lui senza muovere un muscolo del viso e del corpo. Sembra un rettile al sole.

La Speranza sta per decapitarlo con un colpo secco della cartelletta. «Io l'ho visto il tuo fiiiilm!» Questa volta non me la sento di spegnere gli entusiasmi dialettici della Fabi e decido che correrò il rischio di lasciarla parlare. «Sei bravissimo nel ruolo di quell'autista che si mette a correre di notte!» aggiunge la showgirl con trasporto. Non sapevo che Tomasoni avesse fatto un film sulle gare clandestine.

«Veramente sono un autistico che soffre di una grave forma di sonnambulismo» replica Tomasoni seccato. La gente ride a crepapelle e io stessa non riesco a trattenermi. Vedo che perfino Vasco Martini si sta divertendo. In fondo, la comicità involontaria di Gaia Fabi è molto più esilarante di quella volontaria di molti comici da tormentone.

«Magari la signorina Viola è più ferrata sull'argomento toy boy e ha voglia di dire la sua sulla questione, io attendo di poter parlare di cinema e di spiegare agli spettatori com'è il mio film» continua Tomasoni con fare gelido. Un altro che mi liquida come luminare assoluto in fatto di scemenze. Sto per rispondergli che se decide di fare una marchetta poi non deve pretendere che il cliente si presenti lavato e profumato, perché l'olezzo della tv lo conosceva bene e lo evitava accuratamente finché non ha pensato che potesse servire al suo film. Poi mi ricordo che siamo in tv, decido di ignorare la provocazione dell'attore altezzoso e torno ad accanirmi sul guerriero di terracotta.

«Scusa Lucas, posso chiederti cosa facevi prima di svernare alle Maldive con Virna?»

«Io... io lavoravo.»

«Sì, questo lo immagino, ma cosa facevi di preciso?»

«Lavoravo nella moda.»

Ecco, appunto. Un eterosessuale che lavora nella moda, come no. E io sono Angelina Jolie.

«E in quale ruolo?» gli chiedo curiosa.

«Facevo il visual merchandiser.»

Ah, certo. Nella città in cui l'arredatore si chiama personal home stylist, vai a capire cosa diavolo facesse questo per campare.

«Parla come mangi Lucas. Che è 'sto visual merchandiser?» gli domando spazientita.

«In pratica mi dedicavo alla visualizzazione della merce in un negozio, alla sua collocazione e alla visibilità su strada e non.»

«Ah, ho capito. Facevi il vetrinista.»

«No, non è esattamente lo stesso, perché io mi occupavo anche dei cinque sensi del consumatore, cominciando dal tatto che...»

«Mi stai dicendo che i consumatori palpano i manichini?»

«No intendevo dire che...»

Virna Cosimato ci interrompe bruscamente: «Non mi sembra rilevante cosa facesse Lucas prima di conoscermi. Ho avuto uomini ricchi che erano aridi di cuore, mentre lui, ok, si farà pagare la cena e le vacanze, ma mi fa sentire bella e corteggiata, ha slanci di cui gli uomini più avanti con gli anni non sono più capaci! Lucas sa cosa vuole una donna!».

E certo che lo sa. È più donna di te e di me messe insieme. Fingere di credere alla sua eterosessualità è sempre più complesso. Urge la consueta visualizzazione. Immagino Ryan Gosling sudato, sotto al sole, in canotta e jeans sdruciti, che cambia una ruota a un camion col bicipite sporco di grasso. Tiene sollevato il tir col braccio sinistro mentre un rivolo di sudore partito dall'ascella diventa un ruscello nella strada polverosa, finché non raggiunge un cactus che fiorisce di botto impollinando tutte le piante grasse nel raggio di duecento chilometri.

«Virna, io la capisco. Capisco che un ragazzo giovane possa avere un effetto benefico sulla propria autostima ma, mi creda, questo giovanotto non vuole strusciare lei, vuole strisciare la sua carta di credito, non vuole stare con lei sotto le coperte, vuole stare con lei sulle copertine e, davvero, lei di fianco a Lucas non sembra avere qualche anno in meno, sembra solo avere qualche ingenuità in più. Si trovi un uomo che la vede non come una vecchia gloria da spennare a ogni giro di shopping, ma come un nuovo amore da celebrare ogni giorno. Un uomo che accarezzi le sue rughe, non l'idea di essere incluso nel suo testamento. È la felicità che va cercata con ostinazione, non la giovinezza.»

La Speranza è raggiante. L'età media delle sue spettatrici è sessant'anni, per cui rischio seriamente di essere il prossimo presidente della Repubblica. Il pippone retorico del resto è la mia specialità e lo estraggo dal cilindro sempre verso la fine del programma, quando so che dopo mezz'ora di insulti e grasse risate il pubblico cotoletta va impanato e fritto in una prosa più ampollosa. E non ho ancora finito. Lucas tenta una disperata difesa.

«Scusi ma lei come si permette di dire che sto con Virna per i soldi? Io sto con Virna perché con lei posso condividere... posso condividere...»

«La carta di credito» replico io.

«No, lei è proprio fuori strada, io e Virna facciamo un sacco di cose insieme!»

«Sì, la ceretta a caldo, poi?»

«Poi altro che non le sto a dire, tanto lei continuerà a dubitare di me e del mio amore per Virna, io so solo che la amo, che ho sbagliato a tradirla ma ora ho la coscienza a posto!»

«Certo Lucas. A posto. Sono tanti gli uomini che dichiarano di avere la coscienza a posto dopo aver compiuto le peggiori nefandezze in questo Paese. Politici, imprenditori, bancari, mariti, fidanzati, amanti. Si tratta solo di capire in che razza di posto l'abbiano messa questa coscienza. Sotto le scarpe? Sulla mensola accanto alle menzogne e alle convenienze del momento? Su, tu che sei un visual merchandiser, un esperto nel collocare la merce, dicci, dove l'hai collocata la tua coscienza? Nella busta di Armani accanto al completo che ti ha regalato Virna o sul materassino della piscina della sua villa a Capri?»

Il pubblico è in delirio. Sento che da un momento all'altro potrebbero portarmi a spalla come la Madonna dei pescatori. Intravedo Vasco Martini applaudire timidamente. La cosa mi colpisce molto, pensavo che i picchi trash del teatrino lo avessero tramortito, e invece sembra guardare nella mia direzione con aria benevola.

Virna Cosimato pare non gradire il mio monologo accorato. «Lei è una donna molto cinica, signorina Agen. Io apprezzo la sua difesa, ma mi creda, non mi deve mettere in guardia da nulla. A me fa piacere essere generosa con Lucas e non mi sento svilita nel fargli un regalo. Sarà una mia debolezza, che vuole che le dica, e Lucas lo sa. Ne approfitta? E chi dice che non sia io ad approfittare della sua freschezza? Lui attinge al bancomat dei miei risparmi e io al bancomat della sua giovinezza.»

Merda. Non fa una piega. O meglio, la farebbe pure se potessi aggiungere il fattore finta eterosessualità ma non sarebbe politicamente corretto. Dov'è la fregatura nell'avere un uomo giovane se sai che forse ti sfrutta, ma tutto sommato ti sembra un prezzo accettabile per la tua felicità? Sono tentata di darle ragione, quando come al solito mi viene in mente Giorgio. Cosa c'era nella nostra storia che mi rendeva infelice più ancora del suo egoismo, della sua aridità, del suo vergognarsi di me? Cosa c'era che mi regalava sonni agitati e mi faceva sentire perennemente inadeguata, spenta, infelice? Lo so molto bene. È una verità amara che ho sempre avuto limpida di fronte a me, perfino nei rari momenti felici accanto a lui. L'idea di essere a tempo. Sapevo che prima o poi mi avrebbe mollata e questa consapevolezza era una coperta ruvida e pesante che appesantiva il passo d'inverno e faceva caldo d'estate. Ci sono storie che nascono col germe della fine dal loro primo vagito e anche quando sono felici hanno il sapore dell'agonia. Una storia non è piena quando pensi che durerà per sempre. È piena quando sai che ci sono i presupposti perché possa accadere.

«Virna, lei lo sa che presto o tardi Lucas la mollerà, vero?»

La Cosimato si incupisce improvvisamente. Dopo un attimo di silenzio in studio che la Speranza lascia intatto perché secondo la prima regola dello share il silenzio imbarazzato in tv crea pathos, Gaia Fabi pensa bene di spalleggiarmi: «Certo, infatti Virna, io al posto suo starei attenta perché anche se lei, per carità, la sua anzianità se la porta bene, Lucas farà quello che ha fatto Ascio Ciacce!».

La guardo perplessa. Tomasoni la guarda perplesso. Virna e Lucas la guardano perplessi. Perfino la Speranza rimane interdetta. «Scusa Gaia, Lucas farà quello che ha fatto chi?»

domanda la conduttrice per la prima volta sinceramente in difficoltà da quando ho imparato a conoscerla.

La Fabi ripete a pappagallo: «Ascio Ciacce Ascio Ciacce! Quello che stava con Demimù». Ho giusto il tempo di realizzare che Ascio Ciacce è Ashton Kutcher e Demimù è Demi Moore, che il pubblico esplode in una risata grassa e incontenibile. Giocare con la Fabi in squadra è avere una tragica zavorra a centrocampo. Vasco Martini se la ride di gusto scuotendo la testa come a dire: «Chiamate un'ambulanza e portatela via», e dalla direzione del suo sguardo sembra proprio che stia cercando di condividere il pensiero con me. Io annuisco complice e alzo gli occhi al cielo, con un sorriso rassegnato.

Virna replica sicura: «E perché, non è normale che una storia finisca? Non sarà né la prima né l'ultima relazione ad avere un epilogo, o qui siete tutti sposati da quarant'anni?».

Riparto con la mia arringa finale, ancora scossa dall'ultima incursione in area della Fabi: «Certo Virna, lei ha ragione, ma se oggi dall'amore non si può più pretendere l'eternità, si può almeno pretendere un finale aperto. Questo è un film di cui si conosce il finale e pure i titoli di coda. Lei lo vedrebbe volentieri un film di cui conosce già la fine?».

L'ex cantante permanentata è chiaramente in difficoltà. «Ma che c'entra, e poi sì, per esempio *Titanic* lo sapevamo tutti come finiva, eppure è stato uno dei maggiori incassi della storia e tra l'altro era una storia d'amore!»

«Sì, in cui comunque nella coppia c'è scappato il morto» replico io con una prontezza da opinionista consumata.

La Fabi interviene prima che riesca a zittirla: «Che poi diciamocela tutta, Jack muore perché la Uinslè c'aveva un culo più grosso dell'aisbèr su cui ha sbattuto la barca e quindi in due su quella tavola non ci stavano, quindi guardi Virna, se vuole salvare la sua storia faccia pilates tutti i giorni come me e le verranno due chiappe secche e sode che almeno davanti museo ma dietro liceo!».

E niente. Il salotto è definitivamente andato in vacca, ma dal timer sul pavimento intuisco che per fortuna il tormento è quasi terminato. La Speranza invita Tomasoni a descrivere brevemente il suo film, ma ormai lo detesta per il malcelato disprezzo con cui l'ha trattata, per cui, mentre lui parla, lei fa i soliti cenni isterici agli autori.

«Come accennavo prima, il mio film racconta la storia di Umberto, un ragazzo affetto da una grave forma di autismo e di sonnambulismo notturno con una madre bulimica e un padre malato che chiede l'eutanasia a un'infermiera depressa che ha perso il figlio in un incidente sei mesi prima. Insomma, una pellicola che spinge gli italiani a...»

«Suicidarsi!» mi sgorga dalle viscere.

Tomasoni rimane impietrito. Non potevo più trattenermi. Perfino la Speranza merita rispetto se sei qui col vano proposito che il suo zoccolo duro di lobotomizzati si precipiti in massa a vedere il tuo film da istigazione al suicidio.

«Signorina Agen, mi faccia il piacere, lei si occupi di gossip e dinamiche da libri Harmony, che il cinema è una cosa seria.» Strabiliante, al netto della battuta sulle tette, mi ha rimessa in riga come il Boero (che, tra parentesi, non ha avuto più il coraggio di ripresentarsi in studio). L'idea di segnare un gol ai supplementari mi galvanizza. Mi sento l'Argentina nella finale contro l'Olanda nei mondiali del '78.

«Tomasoni, sono venti minuti che con un'espressione da pavone finto impegnato ci guarda tutti come fossimo materiale di scarto siderurgico e, sebbene per certi versi possa perfino avere ragione, lei smette di avere ragione nel momento in cui si siede qui a raccontarci il suo solito film italiano borioso e sfrantumapalle in cui la noia più plumbea è spacciata per impegno.»

L'attore è furioso. Non so quale demone mi possieda quando sono in tv, ma certo è che se riuscissi a tirar fuori un millesimo di questa grinta quando ho a che fare con gli uomini nella vita reale, farei collezione di teste di maschi impagliati nella vetrinetta in salotto.

«Ma come si permette, il cinema non sa neanche cos'è, fosse per lei *Scary Movie* avrebbe vinto l'Oscar. Non le permetto di interpretare il ruolo del critico cinematografico, lei è Viola Agen mica Luca Marangoni.»

E anche in questo caso vorrei poter replicare che non solo conosco piuttosto bene il cinema italiano, ma che anni fa ho scritto un'analisi filologica delle pellicole di Pier Paolo Pasolini firmata proprio dallo stimato critico cinematografico Luca Marangoni, che purtroppo quell'estate era troppo impegnato a godersi vacanze a scrocco tra festival di cortometraggi bosniaci e rassegne sul cinema lesbico nel Salento per poter scrivere il suo libro. Vorrei spifferare la verità e pagare la penale pur di zittire Elio Tomasoni ora e per sempre, ma proprio mentre sto per improvvisare un altro affondo, si sente un rumore fortissimo, come di un'esplosione, seguito da una specie di lamento sordo. Due monitor laterali, nonché la telecamera fissa sul primo piano della Speranza, si spengono di botto. Io e la Fabi facciamo un salto sulla sedia, la cartelletta della conduttrice cade per terra facendo volare tutti i fogli per aria. C'è un'inconfondibile puzza di plastica bruciata. Tutti si guardano intorno terrorizzati cercando di capire cosa sia successo, finché una signora del pubblico lancia un urlo raccapricciante: «Oddiioooo, il caneee!». Sta indicando i piedi del cameraman nascosti da due grandi casse. E in effetti, ai piedi del giovane cameraman col maglione blu, tra un groviglio di fili neri, c'è un cane minuto, immobile, con la coda dritta come un cobra e la mandibola aperta, orribilmente paralizzata, da cui pende un cavo sfilacciato. È Bra. O meglio, quel che resta di uno dei cani push up. Lo riconosco subito, perché conciato così ha la stessa espressione ebete della padrona.

«Braaaaaaaaa!» La Fabi scatta dalla sedia come una furia e nell'impeto perde una scarpa. Il suo assistente Teso' le corre dietro con il volto deformato dalla disperazione. Le grida della Fabi sono lancinanti. Perfino la Speranza, che pur di alzare gli ascolti improvviserebbe l'autopsia al chihuahua in diretta con un guanto da forno, decide di interrompere la trasmissione. «Scusate amici, ma qui in studio si è verificato un piccolo incidente tecnico, per cui saluto velocemente tutti i miei ospiti ma mi raccomando, la Giusy vi aspetta subito dopo il tg del pomeriggio per un'intervista bella bella bella con il candidato sindaco di Milano Vasco Martini che oggi è venuto a trovarci!»

Mi avvicino con prudenza alla scena del crimine. Due energumeni stanno tenendo a forza la Fabi che pare posseduta dall'anticristo mentre un tecnico di studio invita tutti a non toccare il cane perché è attraversato dalla corrente elettrica con cui si potrebbe illuminare San Siro.

Teso' accampa delle scuse visibilmente turbato: «Non lo trovavo più, s'era nascosto tra i fili, durante la diretta non potevo muovermi...». È strano, non piange, non perde il controllo, non è al telefono con l'eliambulanza di Dolce&Gabbana, è davvero un assistente gay atipico.

La Fabi in compenso è fuori di sé: «Idiotaaaa che non sei altroooo, ti pago per tenermi i caniiiiiii!».

«Sì, e la borsa e i trucchi e il telefono e la spazzola e la lacca e...»

Incredibile, un assistente gay che osa contraddire l'assistita e non si fustiga a colpi di extension sintetiche.

«Io ti pago per tenermi le mie coseeeeeeee e per fare finta di essere gayyyy, non mi pare tanto difficile idiotaaa!»

Attenzione: fermi tutti. Ho sentito bene? Gaia Fabi paga Teso' per assassinarle il cane e per fingere di essere gay? A un tratto mi sento catapultata in una puntata di *Will & Grace*. Il pubblico accorso per seguire gli sviluppi della faccenda è in religioso silenzio per non perdere una sola battuta dell'avvincente dialogo.

«Ecco, appunto, per fare finta, solo che io non sono gay, volevo chinarmi per vedere dove si era nascosto quella specie di sorcio rinsecchito vestito da drag queen che tu chiami cane, ma questi maledetti pantaloni skinny mi tiravano sulle chiappe e poi l'altro sorcio ha pisciato sul pavimento e con questo mocassino azzurro in vera pelle di bufalo sono scivolato e la tua finta Chanel comprata a cento euro da quello che a Milano vende tutte le borse false alle poveracce come te è finita dritta nel piscio del sorcio e la stavo pulendo quando l'altro sorcio s'è messo a sgranocchiare un cavo della luce e sai che ti dico? Sai che ti dico? Che almeno ora si potrà dire che c'è qualcuno più fulminato della padrona!»

La Fabi è talmente furibonda che riesce a liberarsi dai due energumeni: «Sei licenziatooooooo! Ridammi i miei telefoni e vatteneeee assassinoooo! Serial chillè!».

«Certo che te li ridò. Ecco, questo è quello vero, quello in cui ci sono più numeri di calciatori in rubrica che neuroni nel tuo cervello e questo è quello che spacci per il telefono del lavoro ma in realtà è una patacca di plastica vinta al tirassegno al luna park che mi facevi tenere in mano per farti sembrare molto richiesta!»

«Lo sapevo che non dovevo andare in pubblicità!» La voce di Giusy Speranza interrompe il climax strabiliante a cui sto assistendo rapita. Mi passa davanti spostando tutti con enfasi e abbraccia la Fabi con una commozione più finta del rosso dei suoi capelli: «Gaiaaaaa, non sai quanto sono addolorata per il tuo adorabile animaletto! Ma dimmi, perché mai hai chiesto a quell'irresponsabile di fingersi gay?».

Gaia Fabi si asciuga una lacrima sulla tutina rosa del cane superstite. «Perché se oggi non hai un assistente gay sei una sfigata, le mie colleghe ce l'hanno tutte, solo che gli assistenti gay costano troppo, così ho pensato di chiedere a un amico di mia sorella che fa il barista se aveva voglia di farmi da assistente gay quando vado in tv e alle feste, ma a lui scappava spesso di essere etero e l'ho capito subito che non funzionava!»

«Gaiaaa ma è una storia bellissima e straziante che racconta il disagio sociale e il senso di inadeguatezza che può cogliere anche chi è apparentemente privilegiato, spero vorrai raccontare la tua storia qui giovedì prossimo, magari invitando tua sorella e il proprietario del bar in cui lavora il tuo finto assistente. Porta tutte le foto col chihuahua morto che le mandiamo con una bella musica sotto e...»

Vedo la Speranza sparire dietro le quinte con Gaia Fabi. Ringrazio mentalmente Orlando perché giovedì ha appuntamento dal dentista e non andrà a scuola, quindi ho già detto che non potrò essere alle *Amiche del tè*. Decido che per oggi ho vissuto troppe emozioni e mi avvio pensierosa verso il mio camerino. Sono ancora incredula. Ripercorro mentalmente i momenti di delirio a cui ho appena assistito e mi rivedo davanti le facce di Lucas e di Teso'. Due facce di quella stessa medaglia che è il maschio oggi. Ero in uno studio con un tizio che per lavorare si fingeva etero e con uno che per lo stesso motivo si fingeva gay. Entrambi stipendiati o mantenuti da una donna. Un panorama deprimente. Nell'universo maschile regna una confusione che neanche in camera da letto durante il cambio di stagione.

Svolto l'angolo del corridoio su cui affaccia il mio camerino e mi trovo davanti Vasco Martini appoggiato al muro mentre sorseggia un caffè in un bicchiere di plastica. È esattamente di fronte alla porta di legno chiaro su cui qualcuno ha attaccato con un osceno scotch grigio da pacchi un foglietto con la scritta «Viola Hagen». Con l'acca, come il gelato, ma con una A di meno. Da vicino Vasco Martini è ancora più alto. Più di un metro e novanta, almeno un metro e novantacinque, particolare che unito ai suoi colori biondo-rossicci fanno di lui una specie di vichingo dall'aria gentile. Ora che ci penso devo aver letto da qualche parte che era un famoso giocatore di basket, prima di un disastroso infortunio.

Martini solleva lo sguardo e, su una retta immaginaria che precipita almeno trenta centimetri più in basso, incrocia il mio. Imbarazzato. Non so perché, ma quando sono indecisa sull'opportunità o meno di salutare qualcuno perché io so chi è lui e lui sa chi sono io ma non ci siamo mai incontrati e decido di rompere l'imbarazzo, mi esce sempre un ridicolo, polveroso: «Salve!». Tipo adesso. «Salve!» E certo, sono l'ambasciatore d'Austria che dico salve.

Martini è più disinvolto e moderno di me e mi porge mano e polsino slacciato pronunciando un più informale: «Piacere, Vasco Martini».

«Viola Agen. Senz'acca» gli rispondo indicando il cartello con una smorfia ironica.

Martini lancia il bicchiere di plastica vuoto nel cestino a due metri da noi con una disinvoltura da cestista navigato e chiarisce le sue intenzioni. Non era parcheggiato qui casualmente in attesa della diretta. Voleva parlarmi. «Scusi Viola, ma ho un dubbio che mi attanaglia e lei mi sembra l'unico individuo presente a se stesso in questo studio: secondo il suo parere, il chihuahua della signorina assente a se stessa ha mordicchiato il filo per gioco o, nell'avere a che fare con la Speranza, ha cercato la morte spontaneamente?» Lo dice con una lievissima inflessione dialettale poco localizzabile, ma sicuramente del Nord. Credo sia un piemontese annacquato da anni di vita meneghina.

La battuta mi fa sorridere e sembra partorita senza snobismo. «Propendo per l'ipotesi dell'harakiri, io stessa ho meditato più volte di farlo in diretta. Quel chihuahua in Giappone sarebbe un eroe.»

«Mi vedo già i titoli dei quotidiani di domani: sfuggito a morte disdicevole tra le braccia di Gaia Fabi, l'eroico Bra ha scelto la dipartita con onore come gli antichi samurai» dice il Martini con finta enfasi. Ora capisco perché i suoi detrattori lo hanno battezzato «giullare di corte» e «simpatico cialtrone». Vasco Martini è decisamente troppo ironico per la politica. E anche troppo alto. In questo Paese la statura morale di chi ci governa di norma è sorprendentemente proporzionale a quella fisica.

«Ovvio, titolo in basso, perché a piena pagina c'è un altro strillo: Vasco Martini perde altri due punti nei sondaggi. Giorgio Mazzoletti sempre più vicino a diventare sindaco di Milano!» aggiunge divertito. Incredibile, è perfino autoironico. Mi stupisco che qualcuno abbia deciso di candidarlo. L'ultimo politico autoironico forse presiedeva il Consiglio degli anziani babilonesi. Del resto, il vantaggio di Giorgio non è certo un caso: non ha mai brillato per leggerezza.

«Be', le campagne elettorali sono imprevedibili...» farfuglio io già nel panico all'idea di affrontare un argomento che preveda l'utilizzo del nome proprio di persona «Giorgio».

«Senta Viola, a parte gli scherzi, non sono un fedele spettatore dei salotti della Speranza e quindi sì, conoscevo il suo nome e il suo volto ma non l'avevo mai ascoltata con attenzione prima di oggi. Devo dire che mi ha sorpreso, l'ho trovata brillante ed efficace, con la giusta dose di sarcasmo ma anche empatica quando ha toccato corde più femminili. Ora capisco perché la mia fidanzata è pazza di lei...»

Conosco la sua fidanzata. Mia Celani, nota fashion blogger bionda e angelica, figlia di un celebre industriale milanese. La conosco perché ha un blog che Ilaria consulta come fosse la Bibbia, perché ha una rubrica di moda su tutti i femminili del Paese e perché quando una donna mescola tutti i colori dall'arancio all'indaco al fucsia senza sembrare una Winx, è ufficialmente un'icona fashion.

«La sua fidanzata pazza di un'opinionista che veste Zara! Pensavo che Zara per una fashion blogger fosse criptonite... Comunque grazie e che dire, in bocca al lupo per la campagna elettorale...»

«Ecco, a proposito di campagna elettorale, mi piacerebbe farle una proposta che ha a che fare proprio con questo, perché io credo che lei...»

Vasco Martini sta terminando la sua frase, quando si spalanca la porta del camerino di fianco al mio e sbuca fuori Teso', già ribattezzato «Teso-pprimo il cane», che nel frattempo è tornato etero. Molto etero. Indossa un paio di jeans bassi che gli lasciano scoperto l'elastico della mutanda Diesel e degli agghiaccianti Camperos che, abbinati alle braghe calate, gli regalano un'andatura da sceriffo a cui hanno appena sparato nelle chiappe. «Scusi signorina Viola, mi sa che non metterò mai più piede in uno studio televisivo quindi glielo devo proprio dire perché se non glielo dico oggi non glielo dico più: lei è veramente una gran milf!» L'ex Teso' mi porge la mano manifestando quella ormonale spavalderia che ormai hanno solo i ragazzi giovanissimi. Solo che a me viene da ridere. Mi ha appena dato della milf davanti al candidato sindaco di Milano, che è un marcantonio di un metro e novantacinque, a cui per giunta sta porgendo clamorosamente le spalle.

«Grazie, lo prendo come un complimento, ma... scusa, quanti anni hai?» gli chiedo io.

«Ventidue.» Ecco, appunto. «Sei un po' giovane e poi io se ci fidanzassimo ti affiderei un bambino di otto anni, non un chihuahua di tre mesi, e visti i recenti accadimenti non mi sentirei tranquillissima...»

L'ex Teso' mi saluta con un goffo baciamano e sparisce nel corridoio. L'assistente di studio in interfono invita gli ospiti a entrare rapidamente in studio.

«Poi dicono che i giovani d'oggi non sono colti. Questo per esempio era un romantico, sinceramente interessato ad approfondire la sua Milfanschauung, Viola.» Scoppio a ridere mentre la solita hostess arriva per scortare Martini oltre la porta antincendio. «Vado dalla Speranza, ma le devo ancora parlare della mia proposta. Cosa fa giovedì a pranzo?» mi domanda Vasco Martini camminando all'indietro nel corridoio, senza smettere di guardarmi.

«Io? Giovedì a pranzo? Sono... sono libera, sì.»

«Perfetto! Mentre l'adoratore delle milf si complimentava le ho scritto il mio numero sul retro del foglietto sulla sua porta, aspetto un suo messaggio, così avrò il suo.»

Rimango basita. «Bene... Allora lo segno... Salve... Arrivederci.»

Vasco Martini si gira ma, arrivato all'angolo dietro al quale si viene inghiottiti per sempre dal girone infernale delle *Amiche del tè*, si volta di nuovo: «Ah. Già che c'ero ho anche cancellato a penna l'acca. Lei non è una lettera muta. È una splendida lettera parlante! A giovedì!».

No! Giovedì a mezzogiorno devo portare Orlando dal dentista. Prendo velocemente le mie cose in camerino e mi avvio senza neppure infilarmi il cappotto verso l'uscita. Orlando deve essere agli allenamenti di calcio tra ventidue minuti esatti. Sbircio un attimo lo studio dalla porta antincendio. «E in collegamento da Alba, Erminia, la nonna di Vasco Martini con tutte le foto belle belle belle della prima comunione del suo nipotino ormai cresciuto!»

Quel chihuahua, un eroe.

Orlando e la maglia numero 7

«Mamma, secondo te io sono bravo a calcio?»

«Certo che sei bravo, amore.»

«Ma bravo davvero o me lo dici perché sei mia madre?»

«No no, sei bravo davvero. Bravissimo.»

Orlando a calcio è una pippa. Ma non una pippa normale. Una pippa di dimensioni poderose. Non l'ha mai detto, ma credo che abbia deciso di frequentare una scuola di calcio perché sa che il pallone è il lavoro di suo papà. Credo sogni di diventare una di quelle stelle emergenti che Fabio va a cercare in giro per il mondo. Sogna che il papà un giorno non si accorga di un argentino di quindici anni, ma di un bimbetto di otto, che sgambetta su un prato verde sotto il sole e sotto la pioggia, per diventare l'eroe del suo supereroe distratto.

«E allora perché i miei compagni non mi passano mai la palla però la passano agli altri?»

«Perché... perché sono egoisti.»

«Che vuol dire?»

«Vuol dire che sono un po' come te quando ti rubo una patatina da McDonald's e ti arrabbi.»

A proposito. Sulla totale mancanza di dignità delle madri che elemosinano patatine dall'Happy Meal dei figli, bisognerebbe scrivere un trattato.

«Ma io le patatine non le do a nessuno, non è che non le do solo a te!»

Infatti. Cosa c'entrano le patatine? Ma poi perché continuano a dire che i fritti contengono grassi saturi che non fanno bene al cervello e mio figlio ha la capacità analitica di un rettore di filosofia contemporanea?

«Sì, be', passano poco la palla a te perché... perché... giochi in difesa e si sa che nel calcio la palla si passa di più agli attaccanti perché devono fare gol.»

Smottamenti sulla tomba di Enzo Bearzot.

«Mamma, guarda che io gioco in attacco.»

È vero. Dopo la disastrosa partita di un mese fa in cui la squadra di Orlando, la Sempione Football, ha sfidato in casa la Montenero Cricket. Un difensore è stato espulso a dieci minuti dalla fine sul 2-0 per la Montenero e Orlando è rimasto solo in difesa – la partita poi è terminata 12-0. E l'allenatore ha ritenuto che Orlando faccia meno danni in attacco.

«Ah già, ma da poco, quindi sai, ti lasciano un po' di tempo per imparare a giocare in avanti... però la scorsa domenica ti hanno fatto tirare un rigore, no?»

Sì, certo, perché dopo tre settimane che mio figlio non toccava palla, ero andata dall'allenatore e gli avevo detto che sapevo di non essere la madre del nuovo Pelé, ma comunque pagavo trecento euro al mese per farlo divertire con una palla e se Orlando anziché divertirsi finiva ad arare il campo con gli scarpini per novanta minuti, allora preferivo mandarlo a piantare friarielli in campagna.

«Lo so mamma, ma il rigore era meglio se non me lo facevano tirare...»

«E perché? L'hai sbagliato, ma che c'entra... non... non è... non è mica da questi particolari che si giudica un giocatore. Un giocatore lo vedi dal coraggio, dall'altruismo, dall...»

«Sì, dalla fantasia!»

Miseria ladra. La sa. Pure De Gregori conosce. Ma non può ascoltare la sigla delle tartarughe Ninja come tutti i bambini della sua età?

«Mamma quella canzone la conosco, me l'ha fatta sentire papà mille volte in macchina quest'estate quando siamo andati al mare insieme.»

Fabio che ascolta De Gregori. Doveva essere nel suo periodo con la ventenne universitaria tunisina, perché in quei mesi gli ho visto perfino una kefiah grigia. A lui. Lui che quando ci siamo sposati mi chiese se durante il ricevimento poteva distribuire i confetti nella bandiera della Padania.

«Appunto, allora se conosci quella canzone, lo sai che non importa se sbagli un calcio di rigore.»

«Sì mamma, ma io non è che l'ho solo sbagliato. Io ho preso la rincorsa da lontano lontano e ho dato un calcio fortissimo ma anziché la porta ho centrato la nonna di Ettore che stava sulla sedia a rotelle sul bordo del campo e l'hanno portata via con la barella e...»

«Sì, e lei urlava: "Padre Pio aiutami tu", lo so lo so, ma la nonna di Ettore si è solo un po' impressionata, non si è fatta niente.»

Rottura del setto nasale, un mese e mezzo di convalescenza e somministrazione coatta di tranquillanti nelle quarantotto ore successive. Recuperai il rapporto con la famiglia di Ettore portando la nonna a vedere *Le amiche del tè* appena si riprese.

«Comunque Orlando, la canzone dice che contano il coraggio, l'altruismo e la fantasia ed è vero, contano molto più quelle cose nella vita di un piede dritto.»

«Allora mi stai dicendo che non ho il piede dritto!»

Come faccio a dirgli che no, non ha il piede dritto, ma ha il piede destro che guarda a Levante e quello sinistro che guarda a Ponente, entrambi cosparsi di grasso di foca, perché non appena toccano palla, quella schizza via come la pallina del flipper quando becca le molle laterali? Come si può dire al proprio figlio: «Tesoro, tu stai al calcio come papa Francesco sta agli after hour?». La verità è che dovrei raccontare a questo bimbo tanto saggio eppure così candido, che il suo papà si accorgerà di quanto meraviglioso sia suo figlio su un campo da calcio, e non perché la palla sta incollata al suo piede, ma per altro. Per molto altro. Per il coraggio con cui tira quel rigore sapendo che lo sbaglierà e che ci sarà qualche risata cattiva di troppo, per l'altruismo con cui corre dal compagno che segna il gol per abbracciarlo, quel compagno più bravo di lui che non gli passa mai la palla. Per la fantasia tenera con cui immagina il papà a bordo campo fiero di lui.

«Ascolta Orlando, io non lo so se diventerai proprio un campione. Forse no. Però una cosa la tua mamma la sa: non diventerai mai "un giocatore triste di quelli che non hanno vinto mai".»

«Perché lo sai?»

«Perché le persone con i piedi storti sono capaci di grandi cose. Sono capaci di sorprendere, come fai sempre tu. Non si sa mai in che direzione tireranno la palla, fin dove le permetteranno di rotolare libera. Quelli che tirano sempre dritto, quella povera palla alla fine la intrappolano in una rete, le fanno fare la fine del tonno.»

«E allora quando i miei compagni ridono perché sbaglio che devo dire mamma?»

«Niente amore, sorridi e continua a giocare. Tu sei forte.»

«Anche se ho le spalle strette?»

«Anche se hai le spalle strette.»

«Ora che ci penso mamma anche Godzilla è gigante ma ha le spalle strette.»

«Ecco, e con quelle spalle da lucertolina ha sconfitto tutti i mostri del mondo.»

«Però mamma, il pallone d'oro non l'ha vinto neanche Godzilla!»

Mi abbraccia. Sorride. Lo vedo andare incontro al suo allenatore tutto felice nella sua magliettina a righe col numero 7 stampato dietro.

7
Il cacciavite giusto

Questa mattina è tornato Fabio dal Brasile, che tradotto vuol dire una bella giornata per Orlando e ventiquattro ore d'inferno per me. La ragione è semplice: quando il mio ex marito mette piede in Italia dopo le sue sgangherate peregrinazioni tra sconosciute squadre di calcio dai nomi esotici e signorine autoctone più conosciute della squadra del posto con nomi altrettanto esotici, pretende che la vita di Orlando e la mia si incastrino alla perfezione con i suoi orari e i suoi ritagli di tempo tra un aereo e l'altro. Come dice la saggia Ilaria: «Sono due le cose da cui nella vita non si torna più indietro: ex mariti e tinta rossa». Tra l'altro, questa è una mattinata convulsa, di quelle in cui piccoli inciampi, comunicazioni di servizio e burocrazia varia ti succhiano la giornata senza capire come sia già arrivata l'ora di decidere cosa si mangerà per cena. Amir, il portiere egiziano del palazzo, mi ha appena consegnato tre cartelle esattoriali contenenti otto multe da pagare entro sessanta giorni, commentando: «Certo che con quello che paga lei di multe, io ci manterrei la mia famiglia ad Assuan», quando il rumore di un clacson attira la nostra attenzione.

Davanti all'ingresso del cortile c'è un taxi con le quattro frecce accese da cui sta scendendo Fabio con una gigantesca foca di peluche sottobraccio. Intuisco che è il suo regalo per

Orlando e intuisco anche che l'ha comprato all'aeroporto di Linate al suo arrivo a Milano e non proprio a Florianópolis, visto che la foca monaca mi risulta essere un souvenir un po' meno tipico di sciarpa del Brasile e caffè. Sembra come sempre (in)felice di vedermi. Ommm.

«Viola!»

«Ehi Fabio, ciao, pensavo che arrivassi nel pomeriggio, come mai già qui?»

«E chi ti ha scritto che arrivavo nel pomeriggio?»

I convenevoli tipo «Ciao», «Buongiorno», «Ehi come va?» per lui sono come i sedili in pelle: un optional.

«In effetti non hai specificato, mi hai scritto un affettuoso: "Guarda ke domani torno".»

«E quindi? Cos'è, dovevo farti mandare una lettera dall'avvocato con allegati i voucher dell'agenzia viaggi e gli orari di andata e ritorno?»

«Fabio, sono solo sorpresa che tu sia qui alle nove del mattino, non ho detto che mi dovevi mandare l'ambasciatore del Brasile per annunciarmi il tuo rientro a Milano.»

Nel frattempo il portiere ha già ordinato Coca Zero e popcorn grandi. Paradossalmente Fabio è l'unico uomo che nella mia vita riveste il ruolo che rivesto io nei salotti tv: contesta, gratuitamente e pretestuosamente, qualsiasi cosa io dica. La Speranza ne farebbe una star.

«Senti, dov'è Orlando che gli ho portato un regalo?»

«Fabio, sono le nove del mattino, è venerdì, è un bambino, dove vuoi che sia Orlando, a chiarire la sua posizione fiscale dalla guardia di finanza? È a scuola.»

«Ah, cavoli, non ci avevo pensato. Comunque stai calma, eh.»

Certo che non ci avevi pensato. Così come non hai mai pensato che vada accompagnato a scuola, che qualcuno debba aspettarlo all'uscita, che i suoi libri si ordinino e i cedolini si riconsegnino al libraio, che qualcuno dovrebbe seguirlo nei compiti, specie nella matematica in cui io sono una capra, che le maestre desidererebbero vedere anche te ai colloqui ogni tanto, che la scuola costi e pure la mensa, i quaderni, gli astucci, i grembiuli, gli sport e che se la tua latitanza economica pesa solo su di me, quella di papà che non lo ha mai sentito ripetere la tabellina del nove, o la poesia sulla pioggia a catinelle, pesa su Orlando, come un macigno invisibile, di cui un giorno sentirà il peso.

«Vabbe', oggi pomeriggio alle tre vado a prenderlo a scuola allora.»

«Sì, ma se vai alle tre ti porti a casa un bambino di prima elementare. Le terze escono alle quattro.»

«Infatti, volevo dire alle quattro.»

«Fabio, posso stare tranquilla?»

«Che domanda è "Posso stare tranquilla", scusa?»

«È la domanda legittima di una madre che si preoccupa all'idea che accada quello che è accaduto ad aprile, quando hai detto che saresti andato a prenderlo alle quattro e alle quattro e venti si è presentata una diciannovenne giapponese in scooter affermando che era stata incaricata da te di prelevare suo figlio e Orlando si è rifiutato di andare via con lei perché non l'aveva mai vista prima e sosteneva che somigliasse alla scienziata giapponese che voleva uccidere Godzilla in *Godzilla vs Mothra*. Sono dovuta andare a prenderlo io, chiamata dalle maestre, con le cartine delle mèche ancora in testa.»

«Non è colpa mia se Orlando sta venendo su diffidente verso il prossimo...»

«Non era "il prossimo". Era una delle tue fidanzate giovani ed esotiche che se venissero bocciate due volte si ritroverebbero in classe con tuo figlio. Ha fatto bene a non fidarsi.»

«Era una ragazza... sì, magari un tantino appariscente, ma molto... molto in gamba che avevo conosciuto in Giappone, non una delinquente.»

«Fabio, sei stato due mesi in Giappone, lontano da tuo figlio, per tornare con un calciatore uscito dalla categoria giovanissimi dell'Osaka e sei tornato con una tizia che sembrava uscita dalla categoria Asian di YouPorn.»

«La mia vita privata non sono cazzi tuoi.»

«Lo è nel momento in cui ci va di mezzo Orlando.»

«Non lo è più dal momento in cui mi hai lasciato.»

«Sì, ti ho lasciato. Libero di viverti la tua adolescenza a trentaquattro anni suonati. E comunque basta con questa storia che ti ho lasciato, sono passati sei anni, sarebbe ora che abbassassi i toni e fossi meno conflittuale con me.»

«Non sono conflittuale.»

«Sì, sei conflittuale, mi insulti costantemente e alla fine mi punisci negando attenzioni a tuo figlio.»

«Non è vero.»

«È vero.»

«E allora sai che ti dico? Che oggi vado dall'avvocato, stronza. E Orlando lo vai a prendere tu!»

Appunto. Ommmmmm. Urge visualizzazione. Non sono nel cortile del mio palazzo con questo rozzo energumeno a cui la vita ha fatto un regalo immeritato. No. Sono nella camera da letto di una villa bianca sul lungomare di Miami. Io e Ryan Gosling abbiamo appena finito di accoppiarci brutalmente sulla chaise longue in cavallino marrone sotto la finestra che dà sull'oceano. Mi alzo, nuda, per aprire la porta. Da sotto il letto sbuca fuori lo stylist di Jennifer Lopez, il quale mi infila una mutanda con guaina modellante e un velo in chiffon per camuffare le mie chiappe importanti in modo che Ryan non si disamori all'istante. Apro la porta. Il cameriere ci ha portato due uova di quaglia fresche covate per tre giorni e tre notti da Eva Mendes. Richiudo la porta. Ryan mi taglia la mutanda contenitiva col fermacarte del Delano e mi possiede nuovamente sul lampadario in Swarovski.

«Ok, ascolta, mi dispiace Fabio. Hai ragione tu.»

Dopo la visualizzazione pecoreccia con Ryan riuscirei a dar ragione anche a Giusy Speranza. E ad ogni modo non so neppure su cosa gli stia dando ragione, ma non importa. Le separazioni, per le persone dotate di un briciolo di giudizio, sono una grande scuola di vita: si impara ad attribuirsi il torto quando si ha ragione e se non basta, se dire: «Ok, ci siamo separati per colpa mia» non è sufficiente e la serenità di tuo figlio dipende da quanto sei capace di fare il mea culpa a casaccio, ad aggiungerci pure: «E anche lo tsunami del 2004 e la faglia di Sant'Andrea sono colpa mia». Separarsi da un ex coniuge è facile. È separarsi da livori, rancori, egoismi, sete di vendetta, che è difficile.

«Ecco brava, vedo che cominci a ragionare.»

«Sì, ero un po' nervosa per i fatti miei. Dai, allora vai a prendere Orlando a scuola che non vede l'ora di vederti, ok?»

«E certo che non vede l'ora di vedermi. Con me si diverte!»

Ommmmm.

«Anche con me si diverte, Fabio.»

«Sarà, ma l'altra volta mi ha detto che con me si diverte di più.»

«Non è che si diverte di più. È che con te, quelle cinque volte l'anno che ci passi più di due ore, si diverte e basta. Il tempo con me è anche quello del dovere, delle docce quando non ha voglia di lavarsi, del "Vai a letto", del "Mangia tutto", del "Basta videogiochi".»

«Quando non lo dice la babysitter al posto tuo.»

Ommmmmm.

«Sei ingiusto, lo sai che la babysitter fissa non l'ho mai avuta e che non la voglio, mi faccio in quattro per stare con lui il più possibile perché già c'è poco suo padre e suo padre è il supereroe che sbuca da una nuvola a metà pellicola col mantello di Superman, mentre io sono quella che l'aspetta fuori da scuola, fotogramma dopo fotogramma, con l'impermeabile sotto la pioggia. Questa sfida a "Con chi ti diverti di più?" la perderò sempre, lo so.»

Non è una risposta, è un rigurgito malinconico.

«Guarda che se proprio vuoi scomodare i supereroi, tu sei la prima a sentirti Wonder Woman, non fai altro che rinfacciarmi quanto sei brava a far quadrare tutto. Mi ricordi certi calciatori che si sentono bionici e poi, al primo ginocchio che cede, se ne stanno un mese in stato catatonico perché pensavano che a loro non potesse succedere.»

Non so esattamente perché, ma per la prima volta Fabio ha detto qualcosa che non ha fatto il solito fracasso di piatti che si rompono. La sua frase è come il sibilo di un proiettile che mi sfiora l'orecchio. Dura un attimo, poi passa, ma mi resta appiccicata addosso una lieve inquietudine. Non posso sapere, e ancor meno lo può sapere Fabio, che quelle parole rabbiose sono le note sinistre di uno spartito che il mio senso di invincibilità sta silenziosamente componendo. Riacquisto il mio piglio. Mi domando perché mai la sera in cui ho conosciuto il mio ex marito a quella cena, non me ne sia rimasta a casa bloccata da una colite spastica a mangiare semolino e mele cotte. Mi domando come mi sia saltato in testa di sposare un uomo così catastroficamente immaturo e prepotente, dopo soli tre mesi dal nostro primo incontro, travolta come una sprovveduta dall'onda dirompente dell'infatuazione. E dico infatuazione perché io e Fabio non ci siamo mai amati. Io ero la figurina che mancava al suo album di conquiste seriali e lui era quell'entusiasmo vacuo e travolgente a cui qualche volta ci si abbandona. Fabio non ce l'ha con me perché chiedendo la separazione gli ho inflitto un dolore. Ce l'ha con me perché gli ho inflitto una ferita narcisistica. Peccato sia troppo involuto e astioso per saperlo.

«Fabiooooo bonitoooo, sou stanca!»

Una ragazza mulatta più giovane di alcune mie borse nell'armadio si sporge sbuffando dal finestrino del taxi.

«Vai, che la nuova promessa del calcio brasiliano deve essere a Milanello per gli allenamenti tra mezz'ora...» gli dico ironica.

Fabio si volta senza salutarmi, come sempre. Le mie amiche, quando parliamo di lui, mi ripetono come un disco rotto: «Alla fine però Orlando vale tutta la fatica diplomatica che ti fa fare quell'uomo».

È vero, ma non è tutta la verità. Non ne è valsa la pena solo per Orlando. Guardo Fabio allontanarsi con la gigantesca foca grigia che gli penzola da sotto il braccio e non posso fare a meno di pensare che nonostante tutto, nonostante la salita costante e i rospi da ingoiare, chi non l'ha fatto non lo sa. Per quanto sia avventato e da incoscienti, fare un figlio con una persona che si conosce poco, sull'onda dell'entusiasmo, nel pieno della passione, è gioia feroce. È l'attimo e il per sempre che si toccano. È il progetto partorito con lo slancio del desiderio, senza lo zelo della pianificazione. Dura poco ed è quasi sempre una fregatura, ma chi l'ha fatto, sa. È pura felicità.

Saluto il portiere che, dopo aver assistito con sommo godimento al siparietto tra me e Fabio, mi dice con rassegnata complicità: «Tuo ex marito mi ricorda storia di mio Paese: è ottava piaga d'Egitto!».

«Hai ragione Amir, peggio delle cavallette!» e penso al lato positivo della faccenda.

Fabio che va a prendere Orlando a scuola vuol dire che oggi ho un paio d'ore libere inattese per me. (Sempre che Fabio si ricordi di andare e non mi tocchi recuperare Orlando in qualche orfanotrofio.) Mentre salgo le scale del palazzo per raggiungere il mio appartamento al primo piano e comincio a pianificare il pomeriggio come se quelle due ore fossero la settimana di Natale, incrocio il signor Mandelli, ovvero il tizio che sospetto essere il condomino fancazzista del bigliettino sulla mia Smart. Ci sono due indizi che ritengo schiaccianti: il primo è che il signore abita al settimo piano eppure non prende mai l'ascensore. Ne sono certa perché io abito al primo e quindi l'ascensore non lo uso, per cui lo incrocio spesso mentre sale o scende e l'unica ragione per cui un uomo anziano si fa sette piani a piedi è che vuole monitorare il palazzo, pianerottolo dopo pianerottolo. La seconda è che il signore, che secondo la mia vicina di terrazzo sarebbe un ex fioraio con moglie e figli non pervenuti, è il re del bricolage. Lo vedo di frequente sbucare dal garage con secchi, pennelli, trapani e seghe circolari, per cui o è il mostro di Milwaukee o è il mostro del fai da te. E sospetto da sempre che gli uomini con una seconda vita da artigiani ne abbiano una terza da rompicoglioni. Troppo metodici, troppo precisi, troppo organizzati per poter tollerare una vicina naïf come me. Lo saluto con un goffo cenno della mano, lui mi risponde con un buongiorno che è uno spiffero entrato dal finestrino di un peschereccio a Capo Horn. Il suo zigomo destro è leggermente asimmetrico e lui porta degli occhiali da vista, ma dovessi fornire il suo identikit faticherei molto, perché non mi soffermo mai a guardarlo più di tanto. Non reggo il suo sguardo, perché nel suo sguardo vedo il Giudizio. Non un giudizio. Il Giudizio. Quello sul mio zerbino tenuto arrotolato per giorni di fianco alla porta, dopo che le signore delle pulizie hanno passato lo straccio sul pianerottolo. Sulla mia macchina parcheggiata alla buona. Sulla mia cassetta delle lettere che vomita volantini di kebab take away per mesi. Sul Babbo Natale dell'autogrill sopra al mio campanello che canta ancora *Merry Christmas* al prete che ad aprile viene a portare l'ulivo benedetto. E anche sul foglietto di risposta poco amichevole che gli ho lasciato quel giorno per la storia della Smart davanti al passaggio per le biciclette.

Quando la porta di casa si chiude alle mie spalle provo un certo sollievo. L'occhio del Grande Fratello Condomino non è più su di me. Ora le priorità sono due. Mandare un messaggio a Vasco Martini, visto che non l'ho ancora fatto e aspetta il mio numero per accordarci sul pranzo. E soprattutto, rispondere a Valerio, il quale non solo non mi ha più chiarito la natura del suo ultimo, enigmatico emoticon col saluto romano, ma mi manda messaggini su WhatsApp dalle otto di stamattina, affermando che ha fatto la notte al giornale e continua a essere lì perché è successo un fatto gravissimo e mi deve raccontare con calma. Il tutto, alternando questi messaggi allarmistici a quell'emoticon orrido in cui la faccina giallo ittero spalanca occhi e bocca come se avesse visto l'assassino prima di morire o Rocco Siffredi barzotto. Ditemi voi se un giornalista separato con prole che si occupa di mafia, 'ndrangheta e criminalità organizzata può inviare emoticon a una donna di anni trentotto con un figlio, un ex marito e sedici cartelle Equitalia da pagare. Mistero della fede. Le due priorità vanno risolte al più presto perché poi ho un'incombenza che mi attende: capire cosa sia accaduto alla caldaia durante la notte, poiché stamattina dai rubinetti del bagno si selezionava «calda» e usciva l'acqua del ghiacciaio dello Stelvio. Ho rischiato di dover infilare le mani di Orlando nel microonde assieme alla tazza del latte per scongelargliele, dopo che se l'è lavate.

Recupero dal fondo della borsa il foglio con la scritta «Viola Hagen» sorridendo alla vista dell'acca cancellata da Martini e inserisco il suo numero nella mia rubrica telefonica. Comincio a digitare l'sms.

«Salv...»

No, salve anche in un sms è qualcosa di inaccettabile. Ma poi quanti anni ha Vasco Martini? Perché questo impaccio formale con un tizio che alla fine non è neppure sindaco, e con ogni probabilità non lo diventerà mai perché quel bastardo del mio ex abbindolerà i milanesi come ha abbindolato me? Perché tutti questi problemi per uno che potrebbe avere la mia età o forse addirittura qualcosa in meno?

Solo una cosa può aiutarmi a superare l'imbarazzo: Wikipedia.

«Vasco Martini, Mombaruzzo (Asti), 18 luglio 1975, è un ex cestista e politico italiano. Ha conseguito il diploma classico presso il liceo Vittorio Alfieri di Bologna. Ha militato nella Pallacanestro Cantù, dove ha esordito appena diciassettenne per poi consolidare il suo ruolo di ala presso la Virtus Bologna dove è rimasto dal 1992 al 1998, vincendo quattro scudetti. Nel luglio del 1998 vola negli Stati Uniti, all'Nba, dopo aver firmato un accordo con i New York Knicks. A fine stagione subisce un infortunio che chiuderà la sua carriera di cestista. Dal 2001 al 2004, è controllore del traffico aereo presso l'aeroporto di Milano Linate. Diventa portavoce dell'unione sindacale dei controllori di volo. Nel 2003, a soli ventotto anni, guida un lungo e travagliato sciopero a seguito del quale, solo dopo mesi di estenuanti negoziazioni, riesce a strappare un accordo più vantaggioso per i dipendenti dell'Enav. Nel 2004 lascia la torre di controllo per laurearsi, nel 2007, in filosofia all'Università degli studi di Milano. Nel frattempo prosegue la sua militanza politica, sempre vicina ai sindacati. Nel 2008 entra nella segreteria generale della Cgil, ma abbandona l'incarico dopo appena quattro mesi per gravi contrasti interni. Dal 2009 entra a far parte dei Nuovi Riformisti, dove in breve tempo viene considerato uno dei giovani destinati a favorire il ricambio generazionale all'interno del partito. Nel 2010 viene eletto consigliere regionale in Lombardia. Nel 2013 si candida come sindaco alle elezioni amministrative di Milano. È fidanzato con la nota fashion blogger Mia Celani.»

Però. Una vita decisamente piena. Comunque, ha esattamente la mia età (un mese in meno, per la precisione), non ha centrato il cestino con il bicchiere del caffè per caso, ha una fidanzata elegante e ricca sfondata e sull'accento avevo ragione: piemontese appiattito da un milanese scialbo che ormai non parla più nessuno e che grazie al cielo non trasforma più in cummenda chiunque viva a Milano per più di dodici mesi.

Insomma. È un coetaneo troppo alto che sta per prendere la sua prima batosta politica. Posso adottare un tono familiare. «Ciao Vasco, perdonami se uso il tu, ma il lei mi fa sentire un po' ingessata. Ti ho detto che ero libera giovedì ma avevo dimenticato che a mezzogiorno mio figlio ha un appuntamento dal dentista, quindi dobbiamo spostare. Sempre che tu alla seconda domanda della Speranza non abbia emulato il gesto dell'eroico chihuahua e ora non riposi con lui nel paradiso dei giusti. A presto, Viola.»

Tra parentesi, io cosa voglia dalla sottoscritta Vasco Martini non l'ho ben capito. Mi è simpatico e apprezzo l'inconsapevole candore con cui si è avvicinato a me per propormi non so bene cosa, ma naturalmente, qualunque progetto stia covando, che sia un mio endorsement in tv o un pranzo con la sua fidanzata icona che mi stima tanto nonostante gli outfit Zara, dovrò dire no grazie. Non voglio che la mia vita si intrecci di nuovo con quella di Giorgio e non voglio che Giorgio possa pensare anche solo per un attimo che io sia così meschina e ancora così coinvolta da accodarmi al suo avversario politico pur di avere un ruolo nella sua esistenza. Cosa che per giunta rappresenterebbe un'assoluta novità, visto che un ruolo, nella sua esistenza, non l'ho mai avuto neppure quando mi svegliavo la mattina nel suo letto. Ora però ho una caldaia e un papabile fidanzato con due rughe verticali schifosamente erotiche su cui concentrarmi, e non ho alcuna intenzione di immalinconirmi pensando a Giorgio. Anche perché sia la caldaia sia Valerio non ne vogliono sapere di partire.

«Si può sapere cosa è successo al giornale? Nulla che faccia saltare il nostro appuntamento di stasera, spero» gli scrivo allarmata più per l'ennesimo incontro saltato che per l'enfasi catastrofica dei suoi messaggi.

Mentre aspetto che Valerio mi spieghi se c'è sciopero dei poligrafici o un focolaio di colera nella redazione spettacoli, cerco di ricordare dove diavolo sia la caldaia in questa casa. Escludo con certezza solo l'interno della scarpiera e lo sportello sotto il lavandino, mentre su tutti gli altri angoli dell'appartamento mantengo un atteggiamento possibilista. Dunque, quella dietro all'appendiabiti è la scatoletta degli interruttori della luce. Lo so perché quando c'è stato l'ultimo temporale è saltata la corrente nel quartiere per dieci minuti e io ho vestito due giorni Orlando con la torcia perché non avevo capito che andava tirata su una levetta. Quella roba accanto all'armadio a muro è il termometro... no... termovalorizzator... il termostato. Quella scatolina in bagno è il mio portagioie. Quella è la scatola dei Godzilla di Orlando. La mia accurata ricerca è interrotta dall'inconfondibile suono di testata contro campana di WhatsApp. È Valerio.

«Non puoi capire la gravità della cosa. Qui al giornale è arrivata una scatola indirizzata a me contenente della polvere sospetta. Si pensa sia polvere da sparo. Stiamo aspettando gli inquirenti.»

Ormai è chiaro. La parola karmica di oggi è «scatola». E poi è altrettanto chiaro che c'è una precisa trama criminale ordita contro la mia felicità sentimentale. Ho incontrato l'uomo della mia vita e l'ostacolo non è semplicemente che è sposato o residente in Oklahoma, no. Me lo vogliono ammazzare.

«Ma come sarebbe a dire della polvere da sparo inviata a te? Che succede Valerio?»

Mi sta comunicando che lo minacciano di morte via WhatsApp, non riesce ad alzare il telefono neppure di fronte all'ipotesi più definitiva.

«Viola, le mie inchieste, le mie prese di posizione sulla malavita e le collusioni con la politica, il mio pezzo sul recente arresto del boss Schiavuzzo... Mi sono fatto dei nemici.»

Oddio, non voglio sminuire il suo lavoro fino a oggi, ma nello specifico, gli unici nemici che si può essere fatto col suo box di cinque righe sulla biografia di Schiavuzzo sono i grafici che hanno dovuto impaginarlo alle due di notte.

«Accidenti Valerio, sono in pensiero per te. Fammi sapere cosa dice la polizia.»

«Sì, la redazione è temporaneamente in quarantena finché non arriva la scientifica, non si può escludere il rischio antrace, infatti la scatola è chiusa sul terrazzo.»

La scatola è sul terr... Ma certo. La scatola della caldaia è sul terrazzo! Ora ricordo. Lo so con certezza perché tempo fa il tecnico venne a fare la revisione e mentre trafficava con gli attrezzi mi chiamò la mamma di Ettore. Orlando stava giocando a casa del suo amichetto e gli era venuto un improvviso febbrone. Nella concitazione del momento, afferrai un cappotto, afferrai la borsa, chiusi la portafinestra e uscii di corsa. Il tecnico della caldaia rimase chiuso sul terrazzo e, poiché

«Ti dirò, io all'uomo falena un po' ci credo. Comunque, ce l'hai un cacciavite in casa o almeno qualcosa che somigli a una cassetta per gli attrezzi?»

«No, cioè boh, c'era una specie di valigetta gialla che Fabio tirava fuori ogni tanto e in cui diceva che c'erano i suoi attrezzi...»

«Viola, stiamo parlando di Fabio. Probabilmente per cassetta degli attrezzi lui intendeva quella in cui teneva la collezione di vibratori.»

«Sì, in effetti è un'ipotesi plausibile. Comunque ora che ci penso, il Furby che aveva Orlando andava a pile e le pile si infilavano solo girando delle viti e per aprire lo sportelletto una volta ho usato un attrezzo...»

«Un cacciavite?»

«No, un martello. Ho preso a martellate il Furby finché non si è aperto quel maledetto sportelletto, solo che quando ho messo le pile il Furby ha cominciato a dire cose incomprensibili, una specie di messaggio di Marilyn Manson al contrario, e l'ho buttato perché secondo me il piccolo Furby era in odore di satanismo e Orlando ci ha pianto per tre giorni.»

«Il tuo talento per gli aspetti pratici della vita è sempre commovente Viola. Se tu facessi cerette inguinali agli uomini come faccio io, lasceresti i peli e tireresti via il pisello.»

«E non sbaglierei, tanto ormai negli uomini il superfluo è quello, mica il pelo.»

«Vabbe' amica ti devo lasciare, ho ancora sei tonnellate di fango da spalmare sulla tizia che pensa di dimagrire così. Questa non dimagrisce manco se si stacca una colata di fango dal fianco di una montagna e la seppellisce per tre giorni, ma ogni volta mi lascia centocinquanta euro ed esce felice, convinta di essere diventata Kate Moss, perché ucciderle l'illusione?»

«Non lo fare infatti. Lo sai, voi estetiste vendete autostima, mica creme contorno occhi.»

«Lo so, lo so. Procurati un cacciavite. Ti richiamo più tardi per sapere se hai aperto il caveau!»

Se avessi il senso pratico di Ilaria, probabilmente la mia vita sarebbe un po' più semplice e la saggezza di mio figlio mi creerebbe qualche complesso in meno, ma io sono così: mi spaventa di più una vite arrugginita da svitare, che un onorevole borioso da demolire. Mi decido ad aprire quel cassetto infernale che tutte le donne single possiedono in casa. Il cassetto «delle cose che non capisci», quello contenente una devastante cagnara di caricabatterie di cellulari di dodici anni fa, punte di trapani mai posseduti, prese scart, istruzioni di frullatori, pile ossidate, chiodi sparsi, vasetti di stucco diventato marmo di Carrara e, ovviamente, utensili di ogni genere. Alla fine scorgo qualcosa che potrebbe sembrare un cacciavite. La scatola è attaccata al muro e due delle viti sono troppo in alto per la mia modesta altezza, per cui prendo una sedia e ci salgo sopra. Infilo il maledetto attrezzo nella testa della vite e provo a girare, ma non va. Gira a vuoto, non fa presa. Intanto Ester, la mia vicina di terrazzo, comincia ad annaffiare la sua immensa collezione di piante grasse. Tra parentesi, non ho mai capito perché questa donna si sia convinta di poter riprodurre la flora del deserto del Messico su un terrazzo cubico nella zona nord di Milano, ma ognuno ha le sue perversioni. Ora spero solo che i cactus catalizzino così tanto la sua attenzione da non accorgersi di me in piedi su una sedia con la finta tuta di ciniglia e un cacciavite in mano.

«Signorina Viola, buongiorno! Che fa in piedi su una sedia con un cacciavite in mano?»

Ecco, appunto.

«Ah no, niente, davo un'occhiata alla caldaia... ma ho finito.»

«Queste maledette caldaie, sempre problemi. Certo che se le facessi una foto così, "Celebrity Wow" la pubblicherebbe subito!»

La vedo ridacchiare mentre sposta una pianta d'agave di dimensioni abnormi.

«Eh, lo so, così non sono proprio come mi si vede dalla Speranza, mi rendo conto...»

Scendo dalla sedia per rientrare in casa al più presto, ma la vicina non molla.

«Senta, a proposito, mio marito mi chiedeva se ci potrebbe procurare due posti per venire dalla Speranza mercoledì prossimo... sempre se non è un disturbo eh...»

La popolarità è la cartina di tornasole di un sacco di cose. Della meschinità, dell'opportunismo, dell'ambizione, dell'invidia, delle amicizie interessate. Ma più di tutto, dell'inopportunità delle richieste continue e assillanti che arrivano quotidianamente da gente semisconosciuta. «Non è che mi puoi procurare una foto autografata della Speranza per mia nipote?», «Non è che conosci qualcuno che può aiutare mia figlia a entrare a *Io ballo*?», «Non è che Gaia Fabi mi firmerebbe il suo calendario?», «Non è che saluteresti al telefono mia suocera?». Io ora me ne sto qui, al freddo, con un cacciavite in mano davanti a una caldaia sigillata come i reattori di Chernobyl, e mi devo preoccupare di trovare due posti a Lady Tex Willer e ai suoi settantotto cactus per quel vomitevole spettacolo che è il salotto della Speranza?

«No, non è un disturbo solo che io non posso chied...»

Nella tragedia moderna, il deus ex machina è sempre più spesso la suoneria di un cellulare. In questo caso, la mia. (Per la cronaca, la colonna sonora di *Drive*, film in cui Ryan Gosling è di una bellezza accecante.)

Mi precipito in cucina salutando la vicina con uno sguardo di finta costernazione e afferro il cellulare. «Ilaria, qui è un casino. Quel cazzo di cacciavite non apre un bel niente, per cui la caldaia è ancora sigillata, tra mille anni troveranno me e

Orlando mummificati nel permafrost milanese come i mammut siberiani.»

Ilaria rimane insolitamente in silenzio.

«Ilaria, cos'è, la culona s'è alzata per andare in bagno e la valanga di fango ti ha trascinata in strada?»

«Viola?»

Miseria ladra. O Ilaria ha appena finito di fumare un sigaro cubano o questa è una voce maschile. Forse mi ha fatta chiamare dal tizio che fa gli scrub, magari è un esperto di caldaie.

«Viola, sono Vasco Martini.»

No, non è vero. È un'allucinazione uditiva. Questa voce maschile non esiste. È il canto di una sirena di Ulisse. Quella diceva: «Ulisse, ferma la nave!» e questo dice: «Viola, sono Vasco Martini!», ma è uguale, sono fantasie.

«Sei divertente anche quando sei sboccata... Ah, come avrai notato sono passato al tu anch'io... Ma spiegami bene il nesso tra la caldaia sigillata e la culona fangosa, che la questione mi pare appassionante.»

«Vasco, scusami, ero convinta che... che fosse la mia amica Ilaria e cioè, insomma, lei è una molto diretta e mi stava dando una mano con la caldaia che ha qualche problema, non ho il cacciavite giusto perché ne ho uno ma non entra nella testa della vite e... vabbe' lasciamo stare.»

Non ci posso credere. Oltre ad aver appena fatto una figura di merda maestosa con il candidato sindaco della mia città, ora gli sto anche fornendo inutili dettagli sulla conformazione del mio cacciavite.

«No no, non lasciamo stare un bel niente. Io ti avevo chiamato per il pranzo ma mi sembra che in questo momento la priorità sia un'altra. Com'è la punta di questo cacciavite?»

«Oh no, senti Vasco, grazie, ma immagino che tu abbia altro da fare, tipo pensare a vincere le elezioni...»

«Le elezioni si vincono occupandosi dei problemi concreti dei cittadini, non con le chiacchiere. Non ho voluto slogan per questo, i miei slogan sono i fatti, quindi cittadina Viola, ora descrivimi accuratamente la punta di questo benedetto cacciavite.»

«D'accordo. Dunque, direi che a occhio, boh, è gialla e... ah no questo è il manico... allora... mi sembra che abbia la forma di una specie di croce...»

«Perfetto. È un normale cacciavite a stella. Ora descrivimi la vite, che forma vedi sulla testa?»

Sono di nuovo sul terrazzo. La vicina mi guarda con aria curiosa. Se sapesse che sono al telefono con Vasco Martini al quale sto descrivendo la vite di una caldaia, avrebbe materiale di discussione con il marito da qui a Capodanno.

«La vite ha tipo un taglio orizzontale, sembra il cartello del senso vietato.»

«Apprezzo il riferimento alla segnaletica stradale, da futuro sindaco posso dire che sei proprio un'ottima cittadina.»

Come no, soprattutto sulla strada. Se sapesse che ho più multe che capelli in testa, non manifesterebbe questo entusiasmo.

«Allora Viola, la vite si chiama "vite spaccata". Un cacciavite a stella non può entrare in una vite spaccata né tantomeno farla girare. Non combaciano. Una vite spaccata può combaciare solo con un cacciavite a taglio. Chiaro, no?»

«Chiarissimo. Quindi posso sforzarmi quanto voglio, ma senza il cacciavite giusto quella maledetta caldaia non si aprirà.»

«Sì, diciamo pure quella cazzo di caldaia non si aprirà, che in effetti mi pareva rendesse meglio il concetto. E poi ormai siamo in confidenza, puoi abbandonarti al turpiloquio anche con me.»

«No ma guarda che quel linguaggio colorito non è la prassi, ero solo un po' alterata dalla mia inettitudine...»

«Non ti preoccupare, mi sto abituando alle situazioni pirotecniche che si scatenano quando si ha a che fare con te. Ti ho conosciuto in occasione della dipartita di un chihuahua, ti sento per la prima volta al telefono e mi seppellisci di parolacce. Mai banale.»

«Scusami ancora Vasco. È che la mia vita è un po' caotica e gli imprevisti di questo tipo mi mandano in tilt, nel mio dna mancano i cromosomi "organizzazione" e "senso pratico". Alla fine risolvo tutto e riesco a fare tutto, ma con soluzioni e incastri un po' creativi, ecco.»

«Io invece ho uno spiccato senso pratico, ma forse mi manca il cromosoma "creatività".»

«Lo avevo intuito dal tuo manifesto elettorale.»

«In che senso?»

«Nel senso che sembra la foto su una lapide. A guardarlo, più che di votarti, vien voglia di accenderti un cero sotto.»

Sento Vasco ridere di gusto.

«Comincio già a sentirmi un uomo nei tuoi talk show. Un'altra battuta così e finirò dall'analista assieme a Boero e all'attore spocchioso.»

«Ma no, dai, nella vita sono meno battagliera. Però non posso mentirti Vasco, il tuo manifesto è triste sul serio. Capisco la scelta di non adottare slogan, ma la grafica pare fatta a casa con Paint e nella foto hai l'aria emaciata di uno che non sta chiedendo il voto, ma cinque euro per comprarsi un panino.»

«D'accordo, ma non mi vorrai dire che è meglio quello di Mazzoletti, con la foto da piacione in cui tiene la giacchetta con l'indice dietro la spalla e il vento tra i capelli. E poi: "Giorgio Mazzoletti. Uno di noi"... Ma come si fa a credergli? Bisogna essere davvero ingenui per credere alla trasparenza di quest'uomo, oltre che alla sua vocazione politica. Ha un padre e uno zio indagati e della società immobiliare di famiglia si occupava anche lui fino a che non è entrato in politica...»

«Però lui dalle indagini non è stato nemmeno sfiorato. E poi ha appena prodotto un'opera multimediale sulla catechesi con la benedizione del Vaticano, come non credere al suo spirito cristiano...»

«Ripeto. Per credere alla dirittura morale di Mazzoletti bisogna essere degli sprovveduti» ribadisce Vasco.

Bisogna essere imbecilli, non sprovveduti. Tipo me. Se Vasco Martini sapesse che sta parlando a una cittadina che ha creduto alle sue promesse di occuparsi di lei per sempre oltre che a quelle di aggiustare il manto stradale in piazzale Lotto, mi toglierebbe il saluto. E comunque che lui sia invischiato negli affari loschi del padre non ci credo. Giorgio è uno che non si è mai fatto rimborsare un taxi e su questo era inflessibile. Decido che la conversazione si sta spostando su un terreno scivoloso.

«Comunque Vasco, scusa il consiglio non richiesto, non so usare un cacciavite, figurati se posso insegnarti come si fa una campagna elettorale...»

«E invece volevo parlarti proprio di questo a pranzo, ma vorrei spiegarti cosa ho in mente di persona, non al telefono con te che hai appuntamento con una caldaia e io uno col mio responsabile della comunicazione web...»

«Mi spiace Vasco ma, come ti ho scritto, giovedì a mezzogiorno porto Orlando dal dentista e...»

«È una cosa lunga?»

«No, credo mezz'ora... gli deve solo prendere il calco per l'apparecchio...»

Dalle informazioni sulla caldaia sono passata a fornirgli quelle sui problemi odontoiatrici di mio figlio. Ci manca solo che gli dia dettagli sull'irregolarità del mio ciclo mestruale.

«Bene, allora ci vediamo all'una e mezzo. Porta anche tuo figlio, non mi formalizzo, neanche per i denti storti. E poi sono in cerca di consensi, il candidato sindaco a un tavolo con un bambino fa molta scena... Chiedigli se può fare anche qualche capriccio di quelli vistosi, così scriveranno che "Vasco Martini ha mostrato self control e una sorprendente sensibilità per il mondo dei minori, anche quelli più problematici..."»

«A parte che la trovo una bieca operazione di self marketing e non ti permetterò di trasformare mio figlio in un vile strumento per i tuoi interessi politici, ma davvero, non mi sembra il caso di venire con Orlando...»

Non porto quasi mai Orlando a incontri con sconosciuti. Non posso mai istruirlo su quello che può e non può dire a gente mai vista prima, perché mio figlio è imprevedibile. L'unica volta in cui assistette a una discussione tra me e Giorgio in cui lui, un ossessivo compulsivo dell'igiene, come al solito mi rimproverava per un bicchiere lasciato sporco nel lavandino di casa sua, ci interruppe dicendo: «Tu vuoi sempre la pulizia fuori, ma il tuo cuore è pieno di polvere e la mia mamma piange per questo». Dopo quella volta, Giorgio e Orlando non si incontrarono più, per scelta di Giorgio. Si era sentito nudo. È dura ammetterlo, ma temo l'onestà intellettuale di un bambino di otto anni.

«Viola, sul serio, giovedì porta tuo figlio. È un pranzo informale e poi sono curioso di conoscere l'unico uomo che forse ti tiene testa.»

Nessuno lo sospetta, ma sono una che tende a cedere per sfinimento.

«Va bene, hai vinto, verrò con Orlando.»

«Il ristorante è in via Lomazzo 5, ti aspetto per le tredici e trenta.»

«Ok, intanto grazie per la preziosa consulenza su cacciavite a stella e viti spaccate, forse riuscirò a evitare la morte per assideramento.»

«Di nulla. Era solo una questione di incastri. Quello non poteva funzionare. Buona giornata Viola.»

Mentre cammino a passo svelto per il quartiere in cerca di una ferramenta che abbia il cacciavite giusto mando un messaggio a Valerio. «Novità?»

«Allarme rientrato, almeno così sostengono gli investigatori» mi risponde con la sua solita prontezza su WhatsApp.

«Cioè?»

«Ti spiego quando ci vediamo.»

«Ecco appunto, quando ci vediamo?»

Desidero mettere fine a questa messa virtuale. Non voglio più vivere nella tentazione di guardare a che ora s'è collegato l'ultima volta su WhatsApp e chiedermi se ha fatto le tre perché ha letto un libro o perché è stato in un night club con le russe.

«Stasera devo prendere Simone dalla mia ex, l'ho saputo poco fa, dorme con me.»

Eccomi qui, ridotta come di consueto a elemosinare un'uscita al solito uomo che preferisce palpare una tastiera che me.

«E domani invece? È sabato, io il sabato sera ho la babysitter, se hai Simone con te possiamo uscire e lasciarli insieme a casa mia.»

«Devo vedere se riesco a incastrare un paio di cose...»

Deve incastrare un paio di cose.

«Intanto perché non mi mandi una tua foto? Ho bisogno di ricordarmi quanto sei bella.»

«Le mie foto le trovi su Google Immagini. Ne trovi quante ne vuoi.»

«Sei arrabbiata?»

«No Valerio, ma sembri costantemente alla ricerca di una scusa per rimanere in questo brodino tiepido che sono i messaggini e le fotine e le faccine e tutte queste paroline da bimbominkia, mentre io vorrei vederti e basta. Forse è un desiderio obsoleto, ma scusami, quando avevo vent'anni gli uomini prendevano sei autobus per darmi un bacio, oggi faticano a prendere la macchina per portarmi a letto.»

Premo invio senza pensarci troppo e naturalmente me ne pento subito. Era un messaggio esasperato, da sfigata e pure sessualmente esplicito. Mentre scorgo l'insegna blu di una ferramenta mi domando per l'ennesima volta perché se un uomo mi piace molto perdo il piglio che ho dalla Speranza, e perché non gli abbia scritto un più meritato: «Vai a cagare tu e le tue rughe verticali».

«Ok, Viola, messaggio ricevuto. Vedrò di incastrare tutto al meglio, è un po' un casino, ma posso farcela. Domani sera riporto Simone alla mamma per le dieci, che ne dici di un film a casa mia alle dieci e mezzo?»

Attendo da un momento all'altro che il cielo si apra e un coro d'angeli intoni un celestiale Alleluia. Con un'immane fatica Valerio domani incastrerà il suo tempo con il mio.

«Buongiorno, stavo cercando un cacciavite per una vite spaccata.»

«Allora le serve quello a taglio signorina Agen... Ho tredici forme diverse di cacciavite, ma quella vite lì gira solo con questo.»

«Perfetto, grazie.»

«Si figuri. È tutta una questione di incastri, sa. Ne può provare tanti, ma alla fine quello perfetto è uno solo.»

Già. Me l'ha detto Vasco. Me l'ha detto Valerio, me lo sta dicendo anche il tizio della ferramenta. Finalmente ho quello che mi serve. Ora tocca a me: devo solo girare la vite nel verso giusto.

«Mamma, ma in Brasile fa caldo o fa freddo?»

«Caldo amore, dipende un po' dalle stagioni e dalle zone ma comunque caldo.»

«Ah.»

«Perché me lo chiedi?»

«Perché papà mi aveva detto che mi portava una cosa speciale dal Brasile, una cosa che si trova solo lì e a me non mi sembra tanto che la foca vive in Brasile.»

Ecco. Non è vero che i bambini capiscono tutto. È una litania banale che attribuisce capacità sovrannaturali ai piccoli e sensi di colpa sovrumani ai grandi. I bambini non capiscono molte cose, per fortuna. Io non ho compreso parecchie cose dei miei genitori, quando ero bambina, e forse qualcuna non mi è chiara ancora adesso. Non ho capito quando mia mamma è stata malata, non ho capito quando è guarita, non mi sono accorta che mio padre era andato via di casa per un'altra donna e quando è tornato ho creduto che fosse stato fuori per lavoro. Ho capito perché hanno litigato tutta la vita ma non so perché qualche anno fa, all'improvviso, hanno smesso di litigare, come se al tavolo delle trattative un giorno avessero cambiato sedia, entrambi, e si fossero guardati da un angolo nuovo della stanza. Ai piccoli sfuggono certe dinamiche tra grandi, ma sui rapporti che i grandi hanno con loro, possiedono un intuito sbalorditivo. I bambini capiscono quando li vuoi fregare per sciatteria, per esempio. Quando gli vendi alibi e coperture per le piccole mancanze.

«Adesso che ci penso possono esserci inverni molto freddi anche in Brasile. E poi mi ricordo che una volta una foca s'è spiaggiata a Copacabana, dicevano che si era persa poverina...»

«In che senso si era persa mamma?»

«Nel senso che stava facendo una bella nuotatina nelle acque del Polo Nord e a un certo punto non si ricordava più la strada per tornare a casa ed è andata verso sud, finché non ha detto: "Ehi, quella spiaggia non sembra male, è piena di ragazze carine in costume!" e s'è fermata a Rio. Più o meno.»

«Allora ha fatto come te quando siamo in macchina e il navigatore dice ricalcola e tu dici: "Ricalcola il tempo che mi stai facendo perdere pezzo di cretina con la voce robotica!" e ci perdiamo sempre e alla fine chiedi la strada ai benzinai?»

«Sì, cioè, insomma. E comunque non è colpa mia se ogni volta che salgo in macchina io, i satelliti vanno a farsi un caffè d'orzo al bar. Bene, senti Orlando, ora che ne dici di vederci insieme *Il ritorno di Godzilla*?»

Godzilla è sempre un escamotage vincente per distrarlo.

«Quale, mamma, quello del 1966 o quello del 1984?»

«Quello che preferisci tu.»

«Quello dell'84, anche se quando cade nel vulcano infuocato mi fa sempre piangere.»

Oddio. Ho capito qual è quello del 1984. Un polpettone micidiale in cui russi, americani e giapponesi si accaniscono contro 'sta lucertola mettendo su una task force che neppure per Osama Bin Laden. E tra l'altro l'avrò già visto sedici volte (di cui almeno tre di seguito il giorno in cui il dvd è arrivato da eBay Giappone).

«Dai Orlando, prendi il dvd.»

«Va bene mamma, ma prima ti devo dire una cosa.»

«Dimmi.»

«Però quello della foca che si è persa è stato un caso, le foche vivono al Polo Nord non in Brasile.»

Ecco. Ora mi devo guardare *Il ritorno di Godzilla* 1984 senza neppure essere riuscita a evitare domande sulla sciatteria del padre.

«E che significa?»
«Significa che anche noi quella volta che mi dovevi portare alla partita di pallone vicino Milano ci siamo persi e siamo finiti in quella pista di go kart a Bergamo, ma noi non viviamo a Bergamo.»
«Dove vuoi arrivare Orlando?»
«Papà non mi ha portato una cosa che c'è nel Brasile. I pappagalli vivono lì, non le foche. Questa foca c'è nel negozio di giocattoli davanti a casa.»
Ci sono momenti in cui la verità solleva i piedi per lanciarsi dalla punta della lingua e sfracellarsi al suolo. Questo è uno di quelli. Vorrei dire: «Sì, tuo papà è un cretino, è stato un mese in Brasile e non ha avuto dieci minuti per comprarti un regalo lì, per farti capire che ti pensava anche se lontano, e questa stupida foca non c'entra nulla col suo viaggio e non c'entra nulla neppure con te, perché se passaste un po' più di tempo insieme saprebbe che non giochi con i peluche da quando avevi tre anni e che l'unico che hai è quello di Godzilla, con cui vai a dormire». Orlando ha una faccetta cupa. Si alza dal divano e va a riporre la foca nel cesto dei giocattoli, come se la sola vista di quel simpatico muso baffuto lo turbasse. L'impeto della verità cede il posto a una storia diversa, di quelle che ho imparato a confezionare per prolungare a mio figlio il tempo dell'infanzia felice.
«Stai sbagliando Orlando. Papà invece ha fatto una cosa incredibile. I negozi in Brasile sono pieni di peluche di pappagalli, di coccodrilli, di scimmie, di anaconde, di tucani. Poteva prenderti un pappagallino nel primo negozio che trovava, assieme ad altri mille papà che compravano pappagallini per i loro bambini lontani e invece lui sai che ha fatto?»
«No, mamma.»
«Ha deciso che avrebbe messo sottosopra tutti i negozi del

Brasile per trovarti un souvenir che lì non va di moda e ha pensato a un animale che proprio col Brasile non ci azzecca niente. Ha pensato alla foca!»

«E perché proprio alla foca?»

«Perché ora, tralasciando un attimo quella scema che s'era persa, diciamoci la verità Orlando: la foca col Brasile non c'entra proprio niente, eh. Ce la vedi la foca a ballare la samba con quelle chiappone che si ritrova? O con la saudade pensando alle acciughe al forno di mamma foca? O a passare la palla a Ronaldo a centrocampo?»

Orlando si mette a ridere e io con lui.

«E allora papà dove l'ha trovata?»

«Mi ha detto che ha girato tutto il Brasile da nord a sud per trovare una maledettissima foca ma provavano a vendergli leoni marini, orche assassine, pare che a San Paolo avesse trovato perfino una coppia di pinguini ballerini che non erano niente male, solo che lui per te voleva proprio il peluche più difficile. "Orlando è un bambino speciale e merita un regalo speciale!" ha detto a tutti i giocattolai del Brasile.»

«Quindi mamma?»

«Quindi... quindi...»

Ecco, non mi viene il finale. Mi capita spesso quando dico minchiate. Vado fortissimo nell'incipit, ancora meglio nella parte centrale della storia, ma poi sulla chiusura tendo a spiaggiarmi come la foca a Copacabana.

«Dai mamma, dimmi la fine che voglio vedere Godzilla!» Godzilla, certo, la chiave di volta è lui.

«Quindi papà aveva ormai perso tutte le speranze, quando è arrivato alle cascate dell'Iguazú, al confine con l'Argentina. E lì lo sai chi c'era che faceva il bagno solo soletto e lontano dagli uomini?»

«Chi?»

«Godzilla! Lui e papà hanno fatto amicizia, papà gli ha spiegato che tu hai tutti i suoi film e che era arrivato fin lì per cercare una foca per te ma non ce n'è una in tutto il Brasile e allora Godzilla si è alzato in piedi – era più alto delle cascate dell'Iguazú – ha fatto quattro passi ed è arrivato in Patagonia!»

«Cos'è la Patagonia mamma?»

«La Patagonia è una regione sperduta nel sud dell'Argentina, davanti all'Antartide, dove fa freddo, per cui i negozi di souvenir sono pieni di peluche di foche. Godzilla è entrato con una zampa in un negozio, ha preso la foca e con altri quattro passi è tornato da tuo papà.»

«E ha rotto tutto il negozio?»

«Ha rotto tutto il negozio. Però ha lasciato un'enorme impronta sul ghiaccio che la proprietaria ha recintato. Ora fa pagare dieci pesos a testa ai turisti se vogliono vederla, quella furba di una vecchietta.»

Adesso si tratta solo di capire se si beve questa boiata micidiale. In teoria, quando si tratta di Godzilla, la sua razionalità perde colpi. Orlando si alza di nuovo dal divano e va verso il cesto dei giocattoli. Lo apre, afferra la foca e si risiede sul divano. Ora tiene la foca stretta a sé. La abbraccia come abbraccia suo papà quando torna dai suoi viaggi, con i piedini incrociati e la testa affondata tra i cuscini del divano. Sa quanta strada ha fatto per arrivare da lui. Sa che è un regalo speciale per un bambino speciale.

«Mamma perché ti alzi? Questa è la scena più bella, quando Godzilla distrugge la centrale nucleare!»

«Orlando devo... devo mandare una mail.»

Che fatica, il buon senso.

aveva anche lasciato il cellulare sul tavolo della cucina, non poté avvisare nessuno. Era dicembre. Quando tornai a casa io e Orlando lo trovammo in ipotermia avanzata che batteva i pugni congelati sul vetro. Mi disse tante di quelle parolacce che gli chiesi se i discorsi glieli scriveva il mio ex marito. Comunque, ho trovato la scatola. Dentro quella cassetta di alluminio grigio, brucia la fiammella che tiene al caldo mio figlio. Adesso la apro e capisco cosa c'è che non va. Sì sì, ora la apro. Ecco, appunto, dov'è la maniglia? Dov'è la serratura? Ci sarà un pulsante. Forse si apre a pressione. Forse c'è il riconoscimento vocale. Caldaia! Niente. È chiusa. Sigillata. Decido di telefonare a Ilaria, che è quella concreta del Gruppo Testuggine. Le donne single creano dei gruppi di reciproco soccorso per le emergenze che solitamente si delegano al maschio di casa.

«Ilaria scusa, stai lavorando?»

«Sì, sto facendo i fanghi a una tizia che peserà centoventi chili. Solo per spalmarle la coscia destra ho dovuto dragare il Mar Morto.»

«Ascolta, devo vedere cosa succede alla caldaia, ma la scatola è chiusa e non c'è una maniglia, un bottone, niente, non riesco ad aprirla.»

«Lo so. Non mi chiedere perché ma è più facile aprire il caveau con i gioielli della regina che una caldaia. Comunque, non vedi maniglie perché è chiusa con delle viti, ti serve un cacciavite.»

«Eh?»

«Un cacciavite, Viola. C-a-c-c-i-a-v-i-t-e, mai sentito nominare?»

«Sì, ma io pensavo che i cacciavite fossero quelle cose tipo scrittura medianica, uomo falena, mariti fedeli... Se ne parla ma non esistono veramente.»

8

Il martire immaginario

Oggi alle *Amiche del tè* ero insolitamente fuori forma. Sarà che si parlava di relazioni con uomini sposati e poco prima di entrare in studio avevo ricevuto un messaggio di Ivana che diceva: «Questa volta Tommaso la lascia sul serio!», per cui ero più in vena di dare delle imbecilli alle donne che abboccano che agli uomini che lanciano l'amo. Sarà che a un certo punto si parlava di tradimenti su facebook e c'era un tizio nerd fino al midollo che si definiva web surfer e snocciolava analisi e dati di un'inutilità cosmica, per cui io non ho potuto che commentare: «Perdonatemi ma mentre parla il web surfer io non riesco a non pensare a quando gli uomini erano surfisti e basta, a quando cavalcavano le onde anziché i trend topic del giorno». Con rimpianto.

E poi avevo aggiunto che preferisco conoscere gli uomini grazie a un mojito con la complicità del barista sotto casa che grazie a un poke con la complicità di una società di Palo Alto. A quel punto Gaia Fabi aveva chiesto se Palo Alto è la città in cui si svolgono i campionati mondiali di lap dance a cui lei avrebbe sempre voluto partecipare. Sarà che pensavo a Valerio e al fatto che stasera finalmente archivieremo la fase virtuale e quella dei caffè del mattino al bar ma fondamentalmente della Speranza me ne fregava perfino meno del solito. Fatto sta che dopo aver fantasticato così tanto su quelle due rughe verticali e aver invocato un incontro con Valerio più di quanto dovesse consentirlo la mia dignità, ora manca mezz'ora all'appuntamento a casa sua e io sono qui davanti all'armadio, posseduta dalle insicurezze di tutte le tredicenni del mondo. Puoi avere trentotto anni, un figlio, un matrimonio alle spalle e una biografia su Wikipedia, ma di fronte a quella grande incognita che è la prima uscita con un uomo, si torna adolescenti. E non è che con l'età la sensazione si allevi, anzi. Dopo un certo numero di esperienze, sai che anche se un uomo ti piace e tu piaci a lui, potrebbe non funzionare per un sacco di motivi. Sai che non è sempre importante la stessa intesa sulle grandi cose, ma che spesso conta di più l'affiatamento sulle piccole cose, quelle che sembrano trascurabili. Sai che la complicità vera non è nel sesso, nel Dio che si prega, nella musica che si ascolta. È nell'essere entrambi mattinieri o due che hanno voglia di tirar tardi tutte le sere per vedere una serie tv. Sai che è detestare entrambi la pasta a cena. O amare il chioschetto dell'hot dog dopo il cinema. Sai che è aver voglia in due di riempire la casa di amici. O di stare a casa da soli. Sai che dopo aver fatto l'amore con lui la prima volta, a vent'anni ti basta fare la doccia insieme sperando che dopo ti risalti addosso, a trenta ti basta fare la doccia insieme sperando che dopo ti porti a cena in un bel posto, a quaranta si può anche fare la doccia da solo, l'importante è che dopo non lasci l'asciugamano a terra. A vent'anni gli uomini li scegli sulle lenzuola. A trenta sulla carta. A quaranta sul divano. Quello che invece le donne non sanno mai, neanche quando arrivano a ottant'anni, è cosa indossare la prima sera in cui escono con un uomo, specie se l'appuntamento non è al ristorante ma a casa sua, come nel mio caso. Sul mio letto c'è un informe ammasso tessile di almeno quindici vestiti già scartati per le ragioni più improbabili: troppo casual, troppo stretto, troppo premaman, troppo misero, troppo estivo, troppo invernale, troppo giallo, troppo castigato, troppo da strappona e così via.

E questa è la parte dell'armadio già saccheggiata. Poi c'è la parte dell'armadio che è la stessa da anni, con abiti mai indossati per ragioni imperscrutabili. Sono lì, li trovi pure belli e adatti a te, ma non è mai la giornata giusta per indossarli. Tipo quegli uomini che hanno tutto per poterti piacere e ci esci, ti impegni pure per farteli andar bene, tenti manovre di autoconvincimento – è bello, è affidabile, è concreto, stravede per me – ma non riesci ad amarli e non c'è niente da fare. Quegli abiti un giorno forse li girerai alle amiche, come gli uomini migliori, e ogni volta che le incontrerai con quel vestito o con quell'uomo, ti chiederai: «Perché non me lo sono tenuto?». Sulla sinistra c'è la parte dell'armadio destinata al nero. Maglie, pantaloni e vestiti neri sono un blob indistinto di capi che si mimetizzano l'uno con l'altro rendendo impossibile la scelta. Le cose nere nell'armadio, fateci caso, non si tirano fuori con sicurezza come quelle bianche o rosse. No. Si pescano. Infili una mano, rovisti un po', cominci a estrarre roba a caso, dai fuseaux in pelle alla magliettina traforata, finché alla fine non rinunci. Ci sono vestiti neri che compri, riponi sul ripiano con le altre cose nere e poi non li trovi mai più. Magari un giorno ti ricapitano in mano e quando li vedi esclami: «Mi ero dimenticata di averlo!», come fosse un preservativo dopo due anni di astinenza. La parte più interessante dell'armadio è però quella destinata ai vestiti denominati «Quando sarò magra», ovvero quegli abiti che acquisti consapevole del fatto che sono due taglie in meno rispetto alla tua o modelli con cui Kate Moss sembrerebbe un po' sovrappeso e nonostante ciò vivi nella candida convinzione che prima o poi ti andranno alla perfezione. Io ne possiedo almeno una decina ancora intonsi con le loro belle etichette col prezzo ancora in lire e sono assolutamente certa che dopo la traversata atlantica a nuoto mi andranno. Per la cronaca, questa sofferta cernita avviene mentre Orlando è di là che gioca con Godzilla, costringendo la babysitter a impersonare il perfido King Ghidorah, e io sono in mutande seduta sul bordo del letto preda di un'insicurezza feroce. Certe volte mi chiedo chi dei due si debba mettere lo zaino in spalla la mattina presto. Urge consulenza rapida col Gruppo Testuggine.

Viola: «Amiche, stasera argomento di concetto: non so che mettermi».

Gruppo Testuggine (Anna): «Quindi stasera niente considerazioni sulla filologia romanza nel Ventunesimo secolo? Peccato».

Gruppo Testuggine (Ivana): «Peccato sì, ero curiosa di sapere il parere di Ilaria sulla questione filologia in effetti».

Gruppo Testuggine (Ilaria): «Perché non ve ne andate tutte gentilmente a fanculo?».

Viola: «Oh, l'arrivo di Ilaria è sempre preceduto da un coro di voci bianche».

Ilaria: «Manco qui foste tutte plurilaureate! Ma Valerio lo vedi a casa sua, vero?».

Viola: «Esatto. Tra mezz'ora».

Ivana: «A casa sua... Quindi con prospettive erotiche...».

Viola: «Ma non lo so, non do niente per scontato, non è che vado a casa sua per quello...».

Ilaria: «No certo, gli vai a montare la parabola di Sky».

Viola: «Se è per quello io a uno con quelle rughe agli angoli della bocca imbiancherei pure casa».

Anna: «Non cedere amica, io anni fa al mio primo fidanzato vero, Francesco, gliel'ho fatta sudare un mese e...».

Ilaria: «E Francesco nel frattempo s'asciugava il sudore con le mutande della segretaria... dai Anna per favore, Francesco non è l'esempio adatto».

Ivana: «Stiamo calme! Amiche, lo sappiamo che se una cosa deve andare va sia che si finisca a letto all'antipasto sia che ci si finisca al dolce».

Ilaria: «Ivana, sbaglio o tu a Tommaso l'hai concessa che non vi avevano portato ancora il menu?».

Ivana: «E infatti, vedi? Ancora dura!».

Ilaria: «Sì, però dura anche con la moglie, da dieci anni!».

Anna: «Ragazze, l'importante è che con questo Valerio ne valga la pena e Viola mi pare presa...».

Ilaria: «Che ne valga la pena o no, non starei lì a farmi troppe domande. Io, per esempio, sono come Louis Vuitton: ogni tanto regalo, ma non faccio saldi».

Ivana: «Grazie per averci rese partecipi della tua politica aziendale, Ilaria».

Ilaria: «Vuoi parlarci della tua politica aziendale, Ivana? Quand'è che compri le quote di Carola e rilevi la società Tommaso, anziché accontentarti del due per cento?».

Anna: «Ohhhhhh, la smettete voi due?».

Viola: «Appunto, smettetela. Comunque io vi stavo chiedendo il parere solo sul vestito, non sull'opportunità o meno di andarci a letto. Quello lo decido senza alzate di mano, se permettete».

Anna: «Mettiti una cosa semplice, non troppo aggressiva».

Ivana: «Sì, ricordati che al primo incontro il vestito lancia dei messaggi precisi!».

Ilaria: «E tu come ti eri vestita al primo incontro con Tommaso? Da Mr Potato?».

Ivana: «Perché?».

Ilaria: «Perché il messaggio che gli è arrivato è "Prendimi per il culo fino al 2020!"».

Viola: «Non è che Ilaria abbia tutti i torti...».

Ivana: «Ma ce l'avete con me oggi?».

Anna: «Sì, un po'. Dopo la festa avevi giurato che se non avesse mollato Carola non ti avrebbe rivista mai più e invece ieri eravate al motel a Paderno Dugnano».

Viola: «??? Ti fai portare in un motel con lo specchio sul soffitto e un copriletto a cui se facessero la prova del luminol ti verrebbe la scabbia solo a guardarlo?».

Ilaria: «Neanche un pied-à-terre, quello spilorcio».

Ivana: «È un posto come un altro per vedersi...».

Viola: «Ragazze possiamo rimandare il processo a Ivana al prossimo weekend che tanto si va insieme in Piemonte? Ora mi dite cosa mi devo mettere di grazia?».

Ilaria: «Fregatene amica, tanto il vestito del primo appuntamento è come una striscia depilatoria: te lo tirano via prima che tu possa fiatare».

E con la lapidaria considerazione di Ilaria, l'infruttuosa consulenza col Gruppo Testuggine si conclude miseramente. Alla fine, opto per uno dei cinquanta tubini neri di Zara lungo fino al ginocchio ma con una generosa scollatura che fa un po' vedova in un film porno, mi spalmo dello scioglipanza Beauty&Star sulle cosce nell'illusoria convinzione che mi tolga due centimetri di circonferenza al solo contatto con la pelle e infine compio quel rito immancabile che compie ogni santa donna prima di un incontro con prospettive erotiche: mi passo la mano sulle gambe dal basso verso l'alto per sentire se c'è qualche pelo solingo o, peggio, qualche area afflitta da irsutismo sopravvissuto per sbaglio a cerette distratte. Ho un pelo, un unico pelo dello spessore di una quercia secolare, appena sopra il tallone. Sono tentata di chiamare Ilaria, che stamattina ha dedicato un'ora alla mia deforestazione, per farle una piazzata. Se stasera Valerio passasse una mano lì per sbaglio, capirebbe che la stupefacente levigatezza delle mie gambe è solo uno sporco artifizio e che quella creatura liscia e glabra che cinge tra le sue braccia è una donna come tutte. Una donna che, se naufragasse con lui su un'isola deserta, dopo quindici giorni senza creme e lamette si trasformerebbe in scimpanzé. L'ho sempre pensato vedendo *Laguna blu*. La cosa meno realistica di quel film non era lo slippino da star di addii al nubilato di lui, ma la totale mancanza di peli sul corpo e la faccia di lei. Lascia Brooke Shields un mese senza Silk-épil e poi vediamo se il biondo ha ancora voglia di possederla su ogni singolo scoglio dell'isola o se le lancia noccioline dalla palafitta sull'albero. Afferro la lametta e mi accanisco sul pelo con una forza bruta. Mi guardo allo specchio in cerca di un difetto che occupi i miei ultimi cinque minuti prima di uscire. Snobbo la mensola dei profumi. Ho smesso di spruzzarmi eau di qualsiasi cosa dopo che una sera sono uscita con un tizio che portava lo stesso profumo di Giorgio. Appena il poveretto mi ha baciata sulla guancia, ho avvertito un risentimento inumano, che ho profuso in abbondanza durante tutto il tempo della nostra passeggiata a Brera. Il disgraziato non ha capito perché l'abbia guardato in cagnesco pure quando mi ha aperto la portiera della macchina, tanto che il giorno dopo mi ha chiamata affranto, chiedendomi perché fossi stata così ostile. Gli ho risposto con franchezza che avevo avuto un problema col suo odore.

«Puzzavo di sudore?!»

«No, puzzavi di ex, che è peggio» ho replicato con una brutalità che non meritava. Fatto sta che dopo quello spiacevole episodio di evocazione olfattiva, ho deciso che a spruzzarsi addosso note olfattive distribuite in tutte le profumerie del mondo si corre il rischio di evocare altri stronzi e io all'unicità della mia stronzaggine ci tengo parecchio. Morale: profumo di me o, al massimo, di vaniglia.

Credo di potermi definire tecnicamente «pronta». Sarà stata la cervellotica meditazione di fronte al guardaroba, ma nel frattempo mi è venuto un mal di testa feroce. Frugo nell'armadietto delle medicine ma non trovo nulla che somigli a un Momendol. Orlando è sdraiato per terra con Godzilla sulla pancia e la tv accesa sui *Griffin*.

«Orlando per favore, quante volte ti ho detto che i *Griffin* non sono cartoni per bambini? Sara, ti avevo chiesto di non farglieli vedere!»

«Lo so Viola, mi scusi, ma dice che stasera muore il cane...»

«Sì mamma, per favore, stasera è la puntata che muore Brian!»

L'ultima volta che gli ho permesso di vedere i *Griffin* mentre stendevo una lavatrice, sono rientrata dal terrazzo e c'era Peter che pippava dopo aver chiesto al figlio se ne voleva un po'. Ho passato due giorni a convincerlo che ci sono medicine per il raffreddore che si aspirano dal naso, ma lui replicava che non capiva come mai se Peter aveva il raffreddore, subito dopo aver aspirato la medicina si era buttato nudo dalla finestra.

«Orlando, non vedo perché con tutti i cartoni che ci sono tu debba guardare proprio i *Griffin*, cambia canale, forza.»

In quel momento Orlando si gira per salutarmi e noto che anziché focalizzare di nuovo l'attenzione sulla famiglia Griffin rimane immobile a scrutarmi. Mi sento il suo sguardo inquisitore puntato addosso come la canna di un fucile. «Perché ti sei messa i vestiti stretti mamma?»

«Per vedermi più carina. Ciao Orlando!»

«E perché hai le scarpe così alte?»

«Per vedermi più alta. Ciao Orlando!»

«E perché hai il rossetto così rosso?»

«Sì vabbe', per mangiarti meglio. Orlando, sei un incrocio tra la Cia e Cappuccetto Rosso, non stavi guardando i *Griffin*?»

«Ma mamma, mi hai detto che non devo guardarli!»

«No, anzi, guarda... guarda, il cane è finito sotto una macchina, poverino! Ciao Orlando!»

Mio figlio si volta di scatto e viene provvidenzialmente rapito dalla tragica dipartita del povero Brian. Detesto il senso di disagio che mi assale quando esco addobbata da serata intima e devo passare sotto le forche caudine delle occhiate di mio figlio e della babysitter. Essere genitori single è anche questo: colpevolizzarsi per il solo fatto di avere una vita sessuale. Sospettare che la babysitter ti giudichi perché le molli tuo figlio mentre tu ti fai un giro tra le lenzuola, e vedere negli occhi puliti di tuo figlio il dubbio che tu sia più bella del solito per un uomo che non è lui. Saluto Sara con uno stupido imbarazzo e scendo le scale rischiando di cadere a ogni gradino. Lo sapevo. Non dovevo mettere il plateau, tanto se devo piacergli gli piacerò anche se si accorge che dal nanismo mi separano appena dieci centimetri. E poi Valerio non è neppure così slanciato, per cui con un tacco otto sarei andata benissimo e non avrei rischiato la vita sull'odioso marmo liscio dei gradini di questo palazzo. Per una volta potevo prendere l'ascensore.

«Ce la fa?» È lui, il signor Mandelli, l'ex fioraio psicopatico. Il vicino fancazzista. L'inquilino che trascorre buona parte della sua esistenza nella tromba delle scale. È la prima volta che mi rivolge la parola, e il fatto che inauguri una conversazione su una rampa di scale per assicurarsi che non stia per giocarmi un crociato la dice lunga sulla serietà della mia claudicanza.

«Sì, penso di farcela, grazie. Comunque non ci siamo mai presentati, Viola.»

Il tizio mi porge la mano senza neppure guardarmi, continuando a salire le scale, con un'espressione indispettita. Certo, quando ti lasciano i biglietti sul parabrezza sono leoni, poi li incontri e hanno la coda tra le gambe. «Ottavio» mi risponde frettolosamente. Per poi aggiungere borbottando: «Guardi che Amir ha lasciato una cosa per lei nell'androne. È una cosa grossa, la tolga che intralcia il passaggio».

Quest'uomo è ossessionato dalle questioni carrabili. Deve aver subìto un trauma, forse anni fa ha visto passare la donna della sua vita a un incrocio e non è riuscito a inseguirla perché uno scooter nero intralciava il passaggio. Cosa ci può essere di voluminoso ad attendermi nell'androne del palazzo, a parte un sicario assoldato da qualche ospite della Speranza? Effettivamente, accanto alla porta a vetri che si apre sul cortile, c'è un grosso pacco. Un pacco avvolto in una carta marrone, anonima, alto più o meno come me senza plateau. Sul fiocco della sobria corda da pacchi che lo adorna, scorgo una busta bianca con una scritta rossa piuttosto evidente: «A Viola».

Orfana del cognome. Sono abituata a ricevere fiori, vestiti, salami tipici e torte della suocera da fan che si procurano l'indirizzo degli studi delle *Amiche del tè*, ma a casa non arriva mai nulla, anche perché il mio indirizzo lo conoscono solo parenti e vigili urbani, e il mio nome non è neanche sul citofono.

Potrei portare il pacco a casa e aprirlo lì, ma poi Orlando e la babysitter farebbero domande a cui non ho voglia di rispondere, specie vestita così e con l'aria colpevole stampata sul volto. Scarto il regalo facendo attenzione a non scheggiare lo smalto, tiro il nastro adesivo accanendomi con i denti dove non molla e seminando tracce di rossetto rosso ovunque. Fortuna che era no transfer. Attendo il primo pubblicitario onesto che dica chiaro e tondo alle clienti: purtroppo per voi l'unica superficie su cui questo maledetto rossetto non lascerà traccia sono gli addominali di Ryan Gosling, fatevene una ragione. Finalmente libero il contenuto dalle pareti di cartone e mi ritrovo a osservare con aria interrogativa un oggetto inaspettato. Che non fosse un solitario l'avevo intuito, ma una sedia no, non me l'aspettavo. È di legno chiaro, con una seduta ampia e un poggiaschiena ondulato. Temo sia uno di quei momenti in cui dovrei pronunciare un cognome svedese o danese con quaranta kappa e fingere familiarità con il rutilante mondo dei designer, ma la verità è che di design e sedie fighette non so una cippa. Sulla seduta, oltre a un'etichetta con scritto «Aalto Alvar», c'è una busta attaccata con lo scotch. La apro con curiosità mista a preoccupazione. C'è un messaggio di poche righe scritto a penna, con una calligrafia ordinata, ma curiosamente posizionato in basso e di lato. Lo leggo appoggiandomi con una mano alla porta a vetri. Non è l'emozione, è il plateau. «Per il momento il mio posto non può che essere qui, in fondo a destra, come in una misera toilette da ristorante qualunque. Ma non ho fretta, so aspettare. Le ore lontane in cui forse meriterò un posto diverso nella pagina bianca che sei da quando ti ho vista. Le ore vicine in cui ti rivedrò. Nel frattempo, ti attendo seduto, silenzioso e frastornato da tanta bellezza imprevista. V.»

Una sedia per raccontarmi la poesia dell'attesa. Se Valerio voleva sorprendermi, c'è riuscito. Gli abbuono all'istante le settimane di messaggi su WhatsApp, l'assenza di telefonate, la mancanza di intraprendenza, il box su Schiavuzzo e i continui tentativi di fuga. Doveva solo prendere un po' di coraggio e decidere che era ora di cominciare a fare sul serio. Risalgo le scale cercando di sollevare la sedia e di non cadere dal mezzo metro di plateau e suono il campanello di casa mia. «Uno sponsor delle *Amiche del tè* mi ha mandato una sedia, per ora la lascio qui accanto al divano. Ari-ciao!»

Mentre apro la porta di casa noto che il visino paffuto di Orlando è bagnato dalle lacrime. Fissa la tv senza neppure salutarmi. Capisco che piange la morte del cane Brian. Sto per richiuderla e andare da lui, ma penso a Valerio e alla sedia. Penso che, per una volta, Orlando può attendere. Faccio cenno a Sara di andare a consolarlo e chiudo la porta in silenzio. Così ora nella borsetta, oltre alle chiavi e al rossetto no transfer, ho pure un bel senso di colpa. E il senso di colpa di un genitore sì che è no transfer. Ti si appiccica addosso da quando nascono e non ti molla mai più.

La palazzina bassa di Valerio è a due isolati dalle famose case a igloo ai confini col Villaggio dei Giornalisti, il che mi conferma la sacra dedizione di quest'uomo al suo lavoro. Credo sia l'unico giornalista a viverci sul serio. Sono arrivata fin qui con una certa facilità perché Valerio, poco prima che uscissi, mi ha mandato via WhatsApp una foto di Google Maps con le indicazioni stradali. Premure su premure, davvero sorprendenti gli exploit galanti di quest'uomo nelle ultime ore. Sul citofono però il suo nome non c'è. Leggo un A. Menzani, un Vecchiotti, un Ghedini M., un Mazzantini A., un Guzzano/Serbelloni, un L.D., un N.S. Assicurazioni e un loschissimo «Massaggi». Valerio Palmisani non c'è. Lo chiamo per la prima volta in venti giorni che lo conosco. Non ci siamo mai sentiti per chiarire i nostri sentimenti e ci sentiamo per chiarire la targhetta di un citofono.

«Valerio, scusa, sono qui sotto ma non trovo il tuo nome...»

«Sì, lo so. Non te l'ho specificato prima perché certe cose è meglio dirle all'ultimo momento... citofona a N.S. Assicurazioni.»

«Ah.»

Non ho ben capito. Ha un secondo lavoro? Vende polizze

vita ai boss della 'ndrangheta? Vive nell'ufficio di una società di assicurazioni? Tenterà di appiopparmi un fondo pensione? Ma poi, perché certe cose è meglio dirle all'ultimo momento? Chiedevo lumi su una targhetta, non sulle sue volontà testamentarie. Vabbe', penso a Google Maps, alla sedia e agli slanci sentimentali di cui è evidentemente capace e smetto di interrogarmi sulle sue stranezze saltuarie. Quando Valerio apre la porta laccata bianca del suo appartamento, intuisco subito che aveva ragione Ilaria: non è prevista una mia incursione sul tetto per sistemargli la parabola Sky. Candele Ikea e lounge compilation non sono esattamente le premesse per una serata di chiacchiere sui misteri del cosmo. E neppure un subliminale troppo originale, a dire il vero, ma la bellezza di Valerio è un'attenuante a tutto. Potrei perdonargli pure il materasso ad acqua e *Cinquanta sfumature di grigio* sul comodino. L'unica cosa che non posso proprio perdonargli (e neppure le due rughe verticali possono) è che il suo appartamento è un loft. Il loft a Milano è la certificazione doc del maschio single. Qui gli uomini pensano che basti abbattere due pareti per rendersi scapoli fascinosi. Separati intriganti. Divorziati irresistibili. Ci sarebbero milanesi disposti ad abbattere pure il muro portante del tinello e a porre fine alla loro esistenza sotto le macerie, pur di trasformare un bilocale in loft.

«Ah però, vivi in un loft!» esclamo simulando una piacevole sorpresa. E dissimulando l'impennata ormonale percepita alla vista della sua t-shirt scolorita verde militare.

«Sei molto bella» mi risponde lui dandomi un lungo bacio sulla guancia, prima di chiudere la porta. Il bacio sulla guancia che arriva quando sai che tra poco ci sarà il bacio sulla bocca, quando sai che manca solo quella piccola scheggia di familiarità o di audacia in più perché sia altro. E allora è un po' più lungo di un normale bacio sulla guancia e non si stampa, ma si affonda sul volto dell'altro. Quel bacio è una meraviglia di cui avevo lontana memoria.

«Scusa il disordine, Simone ha lasciato qualche pezzo di Lego in giro...»

«Anche tu nel girone infernale dei Lego...»

«Sì, Simone è fissato, gioca solo con quelli e mi costringe a montare cose impossibili.»

«Lascia stare. Io ho toccato dei picchi di frustrazione nel montare con mio figlio il galeone Perla Nera, che neanche quando ho divorziato.»

Valerio prende il mio cappotto rosso e va a posarlo su una poltrona beige accanto a una colonna che sembrerebbe essere lì per separare idealmente la zona giorno dalla zona notte.

Mi guardo intorno. Diciamo che se esiste una scala da uno a cinque per quantificare il minimalismo in un'abitazione, qui siamo a cinque con lode. Sembra una casa reduce da un pignoramento massiccio di Equitalia. A parte un televisore al plasma, una Xbox ancora accesa, un porta cd sbilenco, una collezione abortita di sigari su un mobiletto basso e un divano ad angolo in alcantara color grigio topo, nella zona salotto non c'è molto altro. Tra l'altro, non vedevo l'alcantara da quando avevo diciotto anni e una Y10 con gli interni in alcantara beige che il mio primo fidanzato mi bucò ignobilmente con una sigaretta mentre mi limonava al semaforo. A voler essere precisi, ci sarebbe anche un gigantesco poster incorniciato di Naomi Campbell su una sdraio, nuda, che lancia uno sguardo infoiato, ma preferisco far finta di non averlo notato perché Helmut Newton in un loft milanese sta come il carretto siciliano in un bar di Aci Trezza: ce lo devi mettere, altrimenti sei un provinciale che non ha mai sfogliato il portfolio dei più grandi fotografi del mondo e non va alle mostre di fotografia milanesi. E a Milano se fotografi due piccioni al parco e non allestisci una mostra «per raccontare le piccole storie che descrivono la Milano più vera», sei un poveraccio, si sa. Valerio torna da me con un sorriso che sturberebbe un convento di monache agostiniane.

«Come vedi ho una casa piccola ma ariosa. Dopo che sono andato via dall'appartamento che ho lasciato alla mia ex moglie, avevo bisogno di spazio.»

«Sì, in effetti è... è... molto ariosa» replico con scarso entusiasmo, mentre mi cade l'occhio sulla zona cucina tutta acciaio e mensole deserte. Il mio mal di testa, intanto, non solo non mi ha abbandonata, ma si è esteso alle tempie, che sento pulsare violentemente.

«Senti Valerio, volevo ringraziarti per il pensiero, l'ho visto uscendo di casa, hai reso molto bene l'idea di quanto attendessi questo momento e... mi hai sorpresa.»

«È una sciocchezza. Non volevo aspettarti un secondo in più. Ti va del vino rosso?»

«Sì, certo.»

«Hai preferenze?»

«Oddio, perché, hai una cantina da qualche parte?»

«No, ma ho almeno una ventina di vini pregiati, diciamo che un po' me ne intendo.»

No. Un altro single di ritorno che si inventa una seconda vita da sommelier. Osservo Valerio valutare con attenzione le etichette di un paio di vini e nel frattempo fingo disinvoltura passeggiando per il suo loft curiosa di capire se almeno il letto ha materasso e coperte o è solo un'asse di legno e un cuscino senza federa. La zona notte è incassata in un angolo della casa che dal salotto si intravedeva appena. La buona notizia è che il letto c'è. È piccolo, credo una piazza e mezzo, e con un copripiumone bianco, spiegazzato, su cui giace abbandonato un Lego Star Wars. La cattiva notizia è che la camera da letto, tra faretti, luci, lucine e abat-jour, è illuminata che neppure il primo piano di Giusy Speranza. Il che vuol dire una cosa sola: se finiremo a letto, le mie smagliature porcellana sul culo saranno più catarifrangenti di un mosaico bizantino sotto al sole. Non mi resta che fare quello che tutte le donne sprovviste del culo di Charlize Theron fanno: rivedere l'illuminazione del talamo su cui a breve si giacerà con l'uomo che non ti ha mai vista nuda. E che nel mio caso, essendo io una donna di spettacolo, ha aspettative più alte della media. Alcune mettono in atto il piano mentre lui va in bagno, altre lo fanno con nonchalance appoggiando casualmente una spalla sull'interruttore, altre accampano scuse pietose tipo: «Questa luce mi dà fastidio agli occhi!», ma le altre, quelle più abili e lungimiranti come me, agiscono approfittando della sua distrazione. Altro che Artemide o Foscarini. Le donne con cellulite e smagliature sono le più abili light designer al mondo. Vere e proprie artiste del Photoshop fai da te. Mi affaccio per assicurarmi che Valerio stia ancora trafficando con il vino e spengo l'abat-jour sul comodino. Poi spengo la linea di faretti piazzati proprio sopra la testata del letto che, emanando luce perpendicolare, sarebbero in grado di evidenziare un accenno di ritenzione idrica pure su una coscia di Rihanna. Da quando so che i paparazzi mi scattano foto al mare, io, per dire, ho smesso di andare in spiaggia a mezzogiorno, quando i raggi del sole cadono a piombo sulle mie chiappe. Vado alle sedici e qualsiasi avvallamento risulta accettabile. Decido di lasciare accesa solo la serie di faretti laterali a destra e di spegnere quella a sinistra, perché sul mio lato sinistro, da sdraiata, ho un neo su un fianco abbastanza antiestetico. Certo, il vantaggio potrebbe annullarsi se si decidesse di cambiare posizione e passare da supina a prona, ma è un'eventuale prima volta e le prime volte non spiccano quasi mai per estrosità e fantasia. Il mio pesante intervento sugli interruttori di casa dovrebbe passare inosservato. Dubito che quando io e Valerio ci trasferiremo in questa zona, sarà in grado di notare variazioni sull'illuminazione. Le luci adesso sono accettabili. Di inaccettabile, nell'area letto, rimane un'altra foto di nudo sulla parete accanto a una porta in vetro opaco di quello che dovrebbe essere il bagno: è il solito ritratto in bianco e nero di Kate Moss con l'aria incazzata e la sigaretta in mano, quello che chiunque lo guardi finisce per commentare: «Certo che Kate è inimitabile», «Non è questa gran bellezza, ma davanti all'obiettivo si trasforma...», «Pensare che non è neanche uno e settanta» e banalità varie.

Decido che la mia carriera di light designer per stasera finisce qui. E che ho bisogno di andare in bagno, perché il mio mal di testa sta diventando insostenibile e il mal di testa con un uomo è una scusa da cinquantesima volta, non da prima. Mi serve un Momendol o qualcosa di simile. «Posso usare il bagno?» chiedo a Valerio ad alta voce.

«Vieni, è qui, quello collegato alla camera è un guardaroba!»

Non me ne ero accorta, ma in effetti dietro alla cucina c'è una piccola porta di legno scuro. L'ingresso nel bagno della persona che vedi la prima volta è una vera incursione nell'intimità dell'altro. Cerco di non guardarmi troppo intorno per non uscire con dei pregiudizi penalizzanti perché magari ho intravisto le alette antisudore su una mensola. Però ho bisogno di aprire l'armadietto sul lavandino e trovare qualcosa per il mio mal di testa. Ora. Sant'Ambrogio mi sorride. In bella vista, sull'unico ripiano interno, accanto a un tubetto di aspirine e a un collutorio per denti sensibili, c'è una scatola di Momendol. Estraggo l'ultima pasticca insolitamente sfusa e la butto giù, pregando che il mal di testa si plachi al più presto. Anche perché è finita la mia carriera di light designer, ma ora comincia quella di gattamorta. Torno in cucina da Valerio. Cioè, nella zona cucina, visto che si tratta di un blocco d'acciaio piazzato in mezzo a uno stanzone tipo palestra che lui chiama casa.

«Questo dovrebbe piacerti. È un Barolo di La Morra, non so se conosci...»

«No, non lo conosco... Senti Valerio, come mai sul tuo citofono c'è scritto N.S. Assicurazioni?»

«Be', mi sembra ovvio. Per depistare.»

«Depistare chi?»

Valerio appoggia la bottiglia appena stappata sul tavolo e sospira con aria solenne.

«Viola, non so quanto tu abbia capito la situazione, ma io non faccio un lavoro come un altro. Mi occupo di malavita. Non è prudente far sapere dove abito, anzi, ti prego di non confidarlo a nessuno.»

Non mi è chiaro a chi dovrei confidare le coordinate geografiche di casa sua, ma abbozzo.

«Ma certo che ho capito, forse non so fino a che punto ti sei spinto con le tue inchieste e anzi, a proposito, mi devi raccontare com'è finita la storia del pacco al giornale. Appurato che non era antrace, cos'era quella polvere?»

«Lasciamo stare...»

Valerio versa il vino nei calici con un'espressione infastidita.

«Era polvere da sparo?» gli chiedo con una certa preoccupazione.

«No, non era nulla di particolare...»

Mi porge il bicchiere come se volesse cambiare discorso il più in fretta possibile.

«Era alluminio? Era magnesio? Era nitrato di qualcosa? Roba esplosiva?»

«No.»

«E cos'era?»
«Pepe nero.»
«Come sarebbe a dire pepe nero?!»
«Sì, a quanto pare il pacco non era indirizzato a me ma al critico gastronomico del giornale, Randolini.»
«Scusa e come mai tu hai pensato che fosse per te?»
«Perché era sulla mia scrivania per sbaglio, io l'ho aperto senza leggere il destinatario e dentro c'era un messaggio con questa sostanza strana sul fondo di una busta.»
Non riesco a nascondere un'espressione perplessa.
«E il messaggio che diceva?»
«Le bombe sono la nostra specialità, prima di scrivere ancora male di noi, annusa la polvere con cui le riempiamo. Questa arriva dalla Cambogia.»
«E?»
«E io pensavo fosse la 'ndrangheta, invece era un ristoratore piacentino.»
«Cosa aveva scritto Randolini?»
«Che in quel ristorante le bombe di riso facevano schifo e che dentro c'era un pepe nero terribile che pareva venire da un discount di Chinatown.»
Sto per mettermi a ridere per l'assurdità dell'equivoco, ma Valerio sembra poco divertito nel raccontare la vicenda.
«E comunque il qui pro quo è stato possibile perché non sarebbe stata la prima minaccia arrivata sulla mia scrivania...» farfuglia mentre rimette il tappo alla bottiglia appena aperta. Il box con la biografia del boss fatto passare per un dettagliato articolo sull'arresto di Schiavuzzo, il pepe nero spacciato per antrace, il citofono col nome di una finta assicurazione... C'è qualcosa che non mi quadra, ma non mi è ancora ben chiaro cosa.
Decido che forse è meglio spostare la conversazione su al-

tro e avvicino il mio calice al suo. «A questo punto brinderei al piacere dell'attesa e, perché no, a quello di porle fine...» sussurro con uno sguardo che Ilaria non esiterebbe a definire «scaldamutande». A proposito. Il Gruppo Testuggine disapproverebbe non poco il comportamento tenuto da me finora. Non sto rispettando il regolamento da adottare tassativamente al primo appuntamento. Lo ripasso mentalmente: l'uomo che ho davanti, per quanto meraviglioso possa apparire, può sparare al massimo cinque minchiate. Alla prima che gli scappa, da Homo sapiens viene retrocesso a Neanderthal. Alla seconda è Erectus. Alla terza è Ominide. Alla quarta è Australopithecus. Alla quinta è Gorilla. Quando l'uomo che hai davanti arriva all'ultimo grado dell'involuzione, devi cancellare ogni condizionamento estetico e rammentare che sei seduta davanti a un gorilla. Guardo Valerio sorseggiare il suo vino rosso appoggiato all'isola in acciaio della cucina e concludo che è troppo bello perché possa camminare curvo sulle nocche. Il che vuol dire che sto subendo un condizionamento estetico e non va bene, sono a rischio rincoglionimento.

«Vado un secondo in bagno, aspettami lì!» mi dice Valerio, regalandomi una panoramica retrospettiva della sua andatura virile. Sento strani rumori provenire dal bagno, come di mobili spostati, poi Valerio torna da me, con la faccia tesa.

«Tutto ok?» gli chiedo con una lieve apprensione.

«Sì, sì. Che ne dici di spostarci sul divano?» La domanda di Valerio è retorica, perché ha già afferrato con delicatezza il mio braccio per accompagnarmi sui cuscini di alcantara grigio topo. Il mio mal di testa va leggermente meglio ma, in compenso, sento un caldo anomalo, nonostante sia decisamente poco vestita. Assumo la tipica posizione consigliata in tutti i manuali di gattamortismo applicato: gomito appoggiato sulla spalliera del divano, posa leggermente di profilo con una delle due chiappe un po' sollevata per valorizzare l'arco del fianco, l'avambraccio che preme sulla scapola per spingere la tetta all'insù e il calice sollevato, facendo attenzione a sorseggiare il vino a piccole dosi e assaporandolo con un'aria concentrata e goduriosa. Quando un uomo ti versa del vino, quell'uomo va fatto fermentare come l'uva che ti ha appena versato nel bicchiere. Magari non diciotto mesi in una botte di rovere, ma un'oretta su un divano mi pare il giusto compromesso. La musica lounge non è tra le migliori. Se chiudo gli occhi, mi sembra di essere nella hall di un albergo a Ibiza, ma è ormai evidente che non sarà la selezione musicale a decidere le sorti di questa serata. Ci fosse anche una selezione di mazurca rivisitata in chiave dance, io vorrei essere l'agnello sacrificale sull'altare con copripiumone di quest'uomo divino. Valerio è a pochi centimetri da me. Il mio gomito sfiora il suo bicipite, con quella lussuriosa casualità che entrambi fingiamo di ignorare. Il contatto mi provoca un irrefrenabile istinto di stracciarmi le vesti e chiedergli di possedermi sull'isola d'acciaio, ma noto il lampadario basso che scende dal soffitto per illuminarla, penso a quel chiarore sul mio corpo nudo e non potendo spegnere quell'interruttore molesto, spengo ogni pulsione.

«Viola, io sono scomodo» mi dice Valerio accigliato.

«Togliti le scarpe e metti i piedi sul divano!» gli rispondo con un sorriso smagliante.

«Scomodo per le mie posizioni sulla malavita, non per quella sul divano.»

Ah. Ritiro il sorriso con una velocità da record olimpico.

«Sai, la mia vita non è facile da quando ho cominciato a occuparmi di questo, ma a un certo punto ho sentito che non potevo continuare a scrivere di macchine e motori...»

«Ah, non sapevo che prima ti occupassi di automobili...»

«Sì, fino a sei mesi fa. A vent'anni facevo il pilota, ma ho smesso presto.»

«E cos'è che ti ha fatto cambiare idea?»

«Sono stato a un incontro con Giuseppe Bellomo, sai lo scrittore che ha venduto due milioni di copie col suo *Etna di sangue* sulla mafia catanese e ora conduce *In trincea* su Rete News ed è fidanzato con l'attrice Serena Villa, il tutto sempre sotto scorta... Ecco ho capito che la mia missione era un'altra. Era percorrere la strada di Bellomo.»

Detta così è un po' come se io domani andassi a un convegno sulla tettonica a zolle e il giorno dopo mi mettessi a scrivere su «Nature», ma non è una dichiarazione tale da farlo regredire a Neanderthal.

«Sì, capisco. Ho letto il libro di Bellomo, l'hanno letto tutti. È anche sugli scaffali del cibo per celiaci nel supermercato sotto casa, è impossibile non comprarlo. E tu di cosa hai scritto in questi mesi?» gli domando curiosa di capire quanta acqua torbida sia riuscito a smuovere in così poco tempo, nonché di valutare quanto rischioso sia sedere nel salotto di casa sua, considerato che la porta ha l'aria di potersi aprire con una spallata di Orlando.

«Impossibile elencarti tutto. Ti cito solo le cose più importanti. Ho intervistato un giocattolaio di Pizzo Calabro che non paga il pizzo e si è trovato la macchina rigata sotto casa. Poi ho fatto un'indagine incredibile sul racket degli arancini a Misterbianco, a seguito della quale un barista è stato tre mesi ai domiciliari. Ma ho scritto anche un feroce ritratto del mafioso Franco u' Tuppo e Viola, la mafia non perdona.»

«Questo Franco u' Tuppo ti ha minacciato?»

«No, è morto nel 1994, ma sai, ci sono sempre due sue cugine che vivono in America...»

Comincio seriamente a preoccuparmi. E non per la mafia.

Per Valerio. La sensazione che sopravvaluti il peso della sua figura nel giornalismo di inchiesta sulla malavita si fa sempre più concreta. E anche quella che sia leggermente invasato.

«Oddio Valerio, per carità, sicuramente sono argomenti molto seri, ma non è che tu abbia proprio sgominato una cupola... Per ora penso che tu possa stare abbastanza tranquillo.»

«Viola, tu mi piaci e ho rispetto per il tuo, diciamo, "lavoro", ma ti occupi di argomenti frivoli e male che ti vada ti metti contro un deputato rincoglionito, io qui rischio la vita tutti i giorni!»

Lo dice come se Totò Riina stesse cercando di forzare la serratura adesso, tant'è che istintivamente mi volto nella direzione della porta. L'appendichiavi coi gattini stilizzati mi sembra effettivamente un attentato, ma più al buongusto che alle nostre vite.

«Ma scusa Valerio, ti sono arrivate minacce?»

«No ma sai, anche a Bellomo non sono mai arrivate...»

«A Bellomo hanno fatto saltare in aria lo scooter sotto casa, se non ricordo male.»

«Appunto, quella non è una minaccia a Bellomo.»

«E cos'è, una minaccia alla Piaggio?»

«No Viola, non capisci la differenza. Quello è un gesto intimidatorio nei confronti del giornalismo di denuncia.»

«Ok, ma non era esattamente una testa di maiale davanti alla porta, tant'è che Bellomo poi ha avuto la scorta.»

«Esatto, esatto... È un'ipotesi che infatti ho messo in preventivo.»

«Quella di comprarti uno scooter?»

«No, quella di ritrovarmi con la scorta, prima o poi.»

Mi devo arrendere all'evidenza. La mitomania di Valerio comincia a risultare più marcata delle sue rughe verticali. Temo che se inserirà un altro elemento fortemente paranoico nella conversazione, dovrò rassegnarmi alla sua involuzione in Neanderthal.

«Forse la preoccupazione per un'eventuale scorta è un po' prematura... Non mi pare ci siano rischi tangibili nel...»

Valerio si alza in piedi di scatto, come se qualcuno avesse appena lanciato l'allarme tsunami.

«Ma io non temo la scorta. Io sarei fiero di portare questa croce per la giustizia nel nostro Paese! Come dice Bellomo: "Possono blindare la mia auto e la mia vita, ma non blinderanno mai il mio grido di denuncia!".»

Valerio vuole la scorta come la Juve vuole la Coppa Uefa. Neanderthal, senza se e senza ma.

«Valerio, Bellomo ha scritto un libro di quattrocento pagine in cui fa nomi e cognomi dei più feroci criminali degli ultimi vent'anni e denuncia collusioni con politici, imprenditori, forze dell'ordine e capi di Stato italiani e stranieri, a lui non serve la scorta, servono i caschi blu. La sua situazione è un po' più delicata...»

«Oh, ma ci arriverò. La mia vita tutto sommato ha una quantità impressionante di similitudini con quella di Bellomo. La malavita, il ribellarsi alla cultura omertosa, siamo perfino nati tutti e due a febbraio e ora c'è per entrambi una... insomma... una donna celebre nelle nostre esistenze travagliate, che nel suo caso è una compagna da un anno, nel mio... una splendida presenza qui nel mio salotto...»

Miseria ladra. Valerio è posseduto dal demone dell'emulazione mitomane. Ci manca solo che si convinca che la mafia tari i suoi crimini in base alle sue mosse.

«Viola, tu pensi che sia un caso che la 'ndrangheta non uccida esattamente da sei mesi?» Ecco, forse ci siamo.

«No?» gli rispondo buttando giù mezzo bicchiere di vino per stordirmi in previsione della sua risposta.

«Quando ho cominciato a scrivere di 'ndrangheta io?»

«Sei mesi fa?»

«Esatto. Sanno che gli sto addosso e ora si muovono con cautela.»

È assolutamente convinto che l'organizzazione criminale più potente del mondo tema lui e il suo appendichiavi coi gattini stilizzati. Riesco a pensare solo a due parole. La prima è schizofrenia, che si va a sommare ad altre due sindromi poco rassicuranti (mitomania e paranoia). La seconda è Erectus. La rapida involuzione in cui sta precipitando Valerio mi preoccupa a tal punto che sto per alzarmi in piedi anch'io e andarmi a riempire il bicchiere di liquido stordente. A furia di sentir parlare di fantacamorra, mi sento già Michelle Pfeiffer. Mi sento già Elvira in *Scarface*, col caschetto biondo e l'abito blu senza reggiseno, preda di vizi incontrollabili. Mi tiro su dal divano in un tempo morto della conversazione e accade l'irreparabile. Mentre passo accanto a Valerio col bicchiere vuoto sospeso a mezz'aria lui mi afferra per la vita con una mano, mi toglie il bicchiere con l'altra e, dopo avermi guardato per un tempo brevissimo ma sufficiente a farmi rimuovere la valanga di minchiate dette fino a quel momento, mi bacia. Sento la sua lingua e tutto il resto tesi su di me, la sua mano che si apre sulla mia schiena e questo raccapricciante pezzo lounge in cui una tizia rantola qualcosa tipo «*Feel my body*» e decido che è come una sconfitta a Risiko: in un attimo perdo tutti i carri armati. Non ho più difese. Sto baciando l'uomo più bello che mi sia capitato di baciare da molti anni a questa parte e dopo Giorgio non mi è più successo di provare questa attrazione fisica per nessuno, per cui chi se ne frega se Valerio si sente Giuseppe Bellomo o Iron Man o se si convince che gli daranno la scorta perché ha sgominato il racket degli arancini o il boss della soppressata calabrese. Mi spinge delicatamente sul divano senza smettere di roteare la sua lingua dentro la mia bocca e posa il bicchiere per terra incurante del fatto che potrebbe rompersi. È la resa finale. Oddio. Ora che ci penso sta roteando con eccessivo vigore la lingua nella mia bocca. Sì, decisamente eccessivo. Mi sembra di avere una pala eolica in un giorno di scirocco tra le gengive. Mi stacco un attimo da lui per prendere fiato e sto per chiedergli di moderare l'intensità dell'elica come nei ventilatori estivi, ma le due rughe verticali su cui cadono i miei occhi per la milionesima volta durante la serata hanno il potere sinistro di offuscare la ragione. Può fare quello che vuole. Valerio può limonarmi in modalità centrifuga da qui all'alba. Si tira su mentre io giaccio sul divano con un tacco conficcato nell'alcantara grigia e l'altro riverso sul parquet e si sfila la maglietta con un gesto naturale e virile, come se nella vita non avesse mai fatto altro che sfilarsi t-shirt, come fosse uscito dall'utero materno sfilandosi la placenta dal collo. Si china di nuovo su di me, che ormai ho la capacità di intendere di una vongola verace, e mi abbassa una spallina del vestito mentre si accanisce sul mio collo con la lingua, che è ormai una pala eolica completamente fuori controllo. Tira giù anche l'altra spallina, scoprendo i bordi del classico reggiseno nero che non delude mai e improvvisamente realizzo che questo incontenibile arrapamento sta vanificando il mio certosino lavoro da light designer effettuato in camera sua poco prima. O meglio, in quella rientranza della parete che chiamerò camera sua. Urge intervento repentino e radicale. Se gli dico: «Ci spostiamo sul letto?», sembro una casalinga che non vuole macchie sul divano preso a rate da Mondo Convenienza. Se gli dico: «Sono scomoda, perché non ci trasferiamo sul letto?», sembro una a cui non si potrà mai proporre nulla di più estroso di una missionaria sulla piuma d'oca. Se gli dico: «L'alcantara mi ricorda le mie prime volte a diciotto anni sul sedile ribaltabile della mia Y10, e considerato che ho cominciato a sentire piacere a venti, non è un'evocazione molto favorevole», si alza e l'unica cosa che faremo insieme è una gara con l'Xbox. Va bene. Ho deciso. Mi gioco la carta figli. È scorretto, ma qual è il genitore che non ha mai scomodato finte influenze del piccolino o diarree fulminanti della sua cucciolotta, quando era alla ricerca di scuse valide per saltare una cena o un giorno di lavoro? Se i nostri figli sapessero quante volte hanno avuto la scarlattina o il celeberrimo «virus strano che deve essersi preso a scuola» a loro insaputa, ci rinnegherebbero appena compiuti i diciotto anni.

«Andiamo di là, qui ci sono giocattoli di tuo figlio ovunque, mi sento un po' strana, come se stessi violando il suo territorio, sai com'è...»

Ho un seno scoperto, le guance arrossate dal raptus libidinoso ma anche da questo caldo inspiegabile che avverto da quando sono entrata qui e la netta sensazione che Valerio, in questo momento, fingerebbe di credere a tutto, pure che sono Elvis Presley ancora vivo e sotto mentite spoglie.

«Certo, capisco perfettamente, vieni con me!» La complicità tra amanti che hanno figli ha sempre una marcia in più. Si solleva dal divano tirandomi per una mano e mi trascina in «camera» precedendomi, e senza dire una parola. Prima che la parete svolti a destra, devo distrarlo in qualche modo per evitare che si accorga dell'intervento massiccio sugli interruttori. Non posso più aspettare. Mi scappa un «Ehi!» pronunciato con una tonalità da tigre da materasso che per un attimo temo gli saltino i bottoni dei jeans come i bulloni di un treno dopo una vibrazione troppo intensa. In realtà non ho la più pallida idea di quale tema voglia introdurre un «Ehi!», ma Valerio si gira di scatto e devo affidarmi all'improvvisazione. Ora l'importante è solo che arrivi sul letto di spalle e guardando me. Ho una tetta di fuori, il vestito accartocciato, un tacco sì e uno no e le extension aggrovigliate tipo nido di cicogna. Sembro reduce da una zuffa con la caporedattrice di «Elle» durante una svendita di Zanotti. Serve un gesto forte. Non so cosa mi salti in testa, se è una reminiscenza di una chat erotica, se apro mentalmente una pagina a caso del libro *Sesso e stereotipi*, ma mi inumidisco l'indice destro passandoci la lingua sopra come se fosse una stalattite di ghiaccio dopo tre giorni di arsura nel deserto e senza mai smettere di guardarlo negli occhi. Credo che perfino quelli di YouPorn oscurerebbero il video con una tizia con una scarpa sì e una no che si ciuccia l'indice. E invece Valerio, anziché scoppiare a ridermi in faccia come temevo facesse, scuote la testa per dire: «Sei di un erotismo devastante» o giù di lì, e mi tira a sé con una forza animalesca.

La ragione per cui gli uomini saranno sempre inferiori alle donne è che loro, quando gli parte l'ormone, credono a tutto. La ragione per cui le donne saranno sempre inferiori agli uomini è che noi cominciamo a credere a tutto quando a loro finisce l'ormone. Valerio mi spinge sul letto e sta per buttarsi su di me. Che lancio un urlo atroce. Avverto un dolore fitto, esattamente all'altezza del mio perizoma nero di pizzo che non delude mai.

«Credo di essere stata appena sodomizzata dalla spada laser di Luke Skywalker» dico a Valerio rammentando improvvisamente l'immagine di un Lego Star Wars abbandonato sul letto.

«Oh mio Dio, scusa Viola, Simone prima di andare via ha giocato qui...» Lo vedo trafficare sotto il mio sedere in cerca di pezzi sparsi, finché non si blocca, guardandosi intorno. «Tra l'altro ha giocato anche con gli interruttori della stanza nonostante gliel'abbia proibito tassativamente, domani mi sente!»

Ecco. Un bambino innocente si beccherà un cazziatone dal padre per colpa di una donna di trentotto anni che occulta smagliature a spese di minori. Liberato il letto dalle forze del Male, Valerio si lancia su di me con foga e riprende da dove aveva lasciato in salotto. Pardon, nella zona giorno. Ovvero dal mio collo. Poi si avventa sul vestito per sfilarmelo dall'alto, ma il vestito ha una cerniera laterale a destra come il novanta per cento dei vestiti neri Zara ed è un tubino, per cui gli faccio gentilmente capire che sta sbagliando tecnica e comincio a togliermelo da sola. Lui fa altrettanto con i suoi pantaloni. Se c'è una cosa che ho imparato del sesso, è che con l'età si smette di spogliare l'altro. Ci si toglie dall'imbarazzo di avere a che fare con bottoni occultati, cinture estranee e gesti goffi nel cercare il gancio del vestito. Si preferisce fare da soli. Si sceglie un altro imbarazzo: quello del gesto meccanico, della preparazione asettica come spogliarsi in palestra o alla visita militare. Come se da giovani il sesso fosse avventarsi e da meno giovani farsi accogliere. Come se con la maturità si cercasse un ultimo momento di solitudine, di distanza, prima di mescolarsi. Il problema è che la cerniera Zara non è una vera cerniera Zara se non si incastra sul più bello. Valerio è già in boxer mentre io sto cercando di spingere la cerniera in giù per poi tentare di farla risalire su, ma è inchiodata a metà percorso e non ne vuole sapere di sbloccarsi. Sto sudando freddo. Dico cose a caso, per riempire il silenzio imbarazzato: «Adesso si sblocca eh...», «Sempre le solite cerniere...».

Sono seduta su un letto col vestito ormai totalmente arrotolato all'altezza della pancia, il reggiseno calato ma non ancora slacciato e una cerniera bloccata che mi impedisce di sfilarlo sia dall'alto sia dal basso. In più c'è Kate Moss che mi guarda dall'alto dei suoi quarantacinque chili e se per lei il tempo si è fermato a vent'anni, per me il tempo s'è fermato troppe volte al McDrive nell'ultimo anno, per cui non sono da buttare via ma in questa posizione quei tre chili in più si vedono tutti.

Valerio si offre di aiutarmi. La cerniera fa uno scatto secco verso l'alto e sento un dolore disumano. Credo che il mio neo antiestetico non sarà più un problema perché con ogni probabilità è stato appena ghigliottinato da un'azienda spagnola che fattura qualche bilione di euro l'anno ma risparmia sulle cerniere.

Trattengo l'urlo fantozziano in gola e mi avvento sulla bocca di Valerio per nascondere la smorfia di dolore. Valerio mi bacia distrattamente tentando ancora di far scendere la cerniera, ma vedo la capitolazione nei suoi occhi. «Senti, chi se ne frega!» mi sussurra spazientito e ricomincia a passarmi la lingua rotante addosso mentre le sue mani furiose si insinuano nei miei slip. Ora, non so se agli uomini è chiaro ma questi momenti, in cui lui ti sta addosso in jeans o mutande come adesso, sono quelli in cui una donna comincia a farsi un'idea di quello che la aspetta. Diciamo che in termini più semplici, sono quelli in cui una donna intuisce la massa specifica contenuta nel volume boxer. Ecco, mi auguro che quello che sento io sia il bottone del boxer, perché se è altro: «Houston, abbiamo un problema».

Se è altro, sarò costretta ad accendere tutte le luci per vedere almeno qualcosa. Valerio intanto si sta dando un gran daffare. Anche troppo. Mi ha appena sfilato gli slip ma stranamente è ostinato nel non togliersi i suoi. Forse vuole che lo faccia io. Allungo le dita sull'elastico, ma si irrigidisce e allontana la mia mano con un gesto rapido. In quel momento comprendo che l'irrigidimento è ahimè solo una questione emotiva e che il nostro ménage si sta trasformando in un inatteso ménage à trois: siamo io, lui e la sua ansia da prestazione.

«No, sai, prima voglio baciarti un po'...» sussurra nella speranza che io non sospetti la desolazione a sud del suo ombelico. Lo lascio fare, nonostante la mia faccia, il mio seno, il mio collo siano ormai una mappazza fastidiosa di sudore e saliva. Mi sposto da un punto all'altro del lenzuolo, per cercare un po' di fresco perché il caldo si fa sempre più insopportabile. C'è la mia sindone sul lato destro del letto. Valerio ora sta passando la sua spazzola pulisci-strade sulle mie caviglie. Le sento umide come se avessi appena finito il mio turno in risaia. Poi sale, è sul polpaccio, arriva alle ginocchia, passa all'interno coscia e quando sta per avventarsi sul resto si blocca in una smorfia raccapricciante.

«Ma cosa, cosa cavolo...» Non riesce a formulare la frase per intero perché comincia a sputare saliva sulla sua mano e a tossire emettendo suoni gutturali. Pronuncia parole incomprensibili, con la mascella contratta, come dopo l'anestesia dal dentista.

«Valerio, cos'hai?» Mi sollevo di scatto. Ho partecipato talmente poco all'atto, fino a questo momento, che finire in cronaca per aver provocato un ictus fulminante a un uomo durante un rapporto sessuale mi regalerebbe una gloria immeritata.

«Lacrue...»

«Eh?»

«Lacraaa.»

«Eh?»

«LA CREMA!»

Oddio.

«Hai una struana cruema sulle gambue!»

La crema snellente con leggero potere anestetizzante a base di estratto di valeriana e agrimonia Beauty&Star. Miseria ladra. Gli ha paralizzato la lingua. «Valerio oddio, è una crema snellente, sì, insomma, elasticizzante, c'è della roba agrumata dentro, scusa non ho pensato all'eventualità che...» Che mi spennellassi come l'arrosto per venti minuti dalla testa ai piedi con quella lingua che, grazie Signore, una crema ha provvidenzialmente fermato.

Valerio si precipita in cucina, dove lo sento ingurgitare consistenti masse d'acqua dal lavandino mentre io me ne resto attonita sul letto, combattuta tra l'imbarazzo per l'accaduto e il sollievo per aver involontariamente messo fine all'imbarazzo di Valerio, che col furore meccanico di quella lingua tentava di tamponare il malinconico crepuscolo nelle sue mutande. Mi tiro su il vestito e mi asciugo la fronte con il lembo del copripiumone. Sono fradicia. Valerio è di nuovo qui, in boxer, che cerca di riprendere la funzionalità della sua pala eolica facendo movimenti circolari con lingua e mascella.

«Come va?»

«Meglio. Non ti preoccupare... Solo che sai, mi sono un po'... un po' agitato e...»

Dai rilievi orografici appena effettuati dal mio occhio clinico, non si rivelano avvallamenti nella sua zona boxer, nonostante me ne stia ormai mezza nuda davanti a lui e insomma, al di là di qualche smagliatura post partum e una cellulite ben mimetizzata, farei anche la mia figura. «Senti Valerio, mi spiace, io...»

«No Viola dai, non è colpa tua...»

«È che fa molto caldo e la crema si è sciolta sulle gambe e tu...»

«Davvero, non c'è problema... però a dire il vero ci sono venti gradi, non fa così caldo...»

«Non lo so, forse sono io che non sto benissimo. Avevo mal di testa prima di venire qui, poi ho preso il Momendol che ho trovato nel tuo bagno e...»

Vedo Valerio impallidire. «Cosa?»

Mi guarda con un'aria spiritata manco avessi appena confessato di avergli rubato il Rolex del papà morto dal comodino.

«Scusa, non te l'ho detto solo per non fare la solita femmina lagnosa col mal di testa la prima sera che ci vediamo...»

Valerio si siede sul letto passandosi nervosamente la mano tra i capelli. «Viola, ascolta. Abbiamo un problema.»

Eh lo so che abbiamo un problema. Lì perché leviti qualcosa serve il flauto per il cobra. Non glielo dico, ma gli regalo un silenzio carico di comprensione.

«Dobbiamo andare all'ospedale» aggiunge lapidario.

Eh? Ora, la situazione è grave, ma un ricovero per ansia da prestazione mi pare eccessivo. «Perché all'ospedale? Valerio, tranquillo, guarda che non penso che la crema sia tossica...»

«No, la crema non c'entra e poi dobbiamo andare per te, non per me.»

Per me? Maledetto slogan, deve averlo convinto che la cellulite è una malattia. «In che senso scusa? Guarda che ho solo caldo e un po' di mal di testa...»

Valerio ora mi fissa con un'espressione greve. «Quella pasticca che hai preso, per il mal di testa, non era Momendol.»

«No? E cos'era? Un antistaminico?»

«No.»

«Oh no. Un lassativo???»

«No.»

«E che sarà mai stato? Cianuro?»

«Viagra.»

«VIAGRA?!»

«Sì.»

«Ma era una scatola di Momendol, sono certa, era quella nel primo ripiano del tuo armadietto!»

«Lo so, avevo messo la pasticca lì per mimetizzarla... Non volevo la vedessi. Quando sono andato in bagno per prenderla non c'era più, ho pensato mi fosse caduta dietro qualche mobile... Non ti sei accorta che era blu?»

Credo di essere ufficialmente sotto shock. Mi sto rivestendo in fretta mentre faccio un rapido riepilogo dei beni che lascio a Orlando e cerco di ricordarmi se ho firmato per donare gli organi. «Ora che ci penso era una cosa blu, sì, ma non è che tutto quello che è blu serve a levare in alto la bandiera, Valerio, altrimenti sarei finita al pronto soccorso ogni volta che ho mangiato M&M's!»

«Sì, questo sì, però...»

«Ma poi non hai neppure quarant'anni, cosa te ne fai del Viagra???» Sono furiosa. Valerio ha trentanove anni. Trentanove, quindi o adesso mi racconta che ha una grave disfunzione e non gli si desta neppure se si trova davanti tutte le protagoniste del calendario Pirelli dal '64 a oggi nude, solo per lui, oppure mi arrendo alla totale inettitudine dell'uomo moderno.

«Nulla nulla, è solo per... per... sai, alle volte uno per sentirsi più sicuro... tu poi sei così... così... bella e poi sei una che agli uomini fa un po' paura...»

Ecco. Ci risiamo. È colpa mia. Sono sempre troppo qualcosa. Troppo ingombrante per essere la compagna di un politico. Troppo saccente per avere un ex marito decente. Troppo appariscente per firmare un libro. Troppo incalzante in tv per andare a letto con un uomo di trentanove anni a cui succeda qualcosa senza l'aiuto del Viagra. Ecco perché non gli succedeva nulla. Era in ansia due volte: perché c'ero io lì e perché non c'era il Viagra in bagno.

«Ok, adesso però abbiamo un altro problema Valerio. Io non posso andare all'ospedale. Se mi presento in un pronto soccorso e racconto questa storia, domani siamo su tutti i giornali e la Speranza su questa storia ci fa la puntata di Capodanno.»

«Ah già, non ci avevo pensato» farfuglia Valerio affranto.

«Non so neppure se è pericoloso... Non hai un amico dottore da chiamare? Io non mi fido del mio, ha troppi amici nel mondo dello spettacolo...» gli chiedo implorante.

«Sergio! Chiamo Sergio, è il papà di uno dei miei più cari amici, primario al San Raffaele. Solo che sa di noi, insomma, che stasera eri qui, forse collegherà...»

«Possiamo fidarci di lui?»

«Sì, è un amico di infanzia.»

«Telefona subito a suo padre allora.»

Mentre Valerio chiama il dottore, io vado in bagno a ricompormi nell'ipotesi in cui debba diventare lo zimbello d'Italia entro un paio d'ore. Già mi vedo i titoloni: «Viola Agen ricoverata in ospedale per aver preso del Viagra. Un goffo tentativo di raddrizzare la sua vita confusa?». Non ho idea di cosa possa accadermi. Forse domani mattina mi troveranno sul terrazzo della vicina intenta ad accoppiarmi con tutte le piante grasse dalla forma vagamente fallica e degli infermieri in camice bianco mi staccheranno a forza da un cactus peyote.

Valerio sta bussando alla porta del bagno. «Viola, buone notizie!»

Apro mentre mi sto ancora tamponando la fronte con un asciugamano, per ironia della sorte, blu. «Sergio dice che non dovrebbe accaderti nulla di grave, l'unico effetto collaterale potrebbe essere dovuto alla vasodilatazione, quindi calore e al limite un po' di tachicardia...» Ah, ecco perché da mezz'ora sudo come un maratoneta all'ultima tappa. «Dice di stare tranquilla, ma comunque di fare attenzione a qualsiasi reazione anomala fino a domani. Nel caso, mi ha assicurato che se vai da lui ti garantirà la massima riservatezza... Mi spiace per il contrattempo Viola, davvero.»

«Il contrattempo.» Ora si dice così. Ho passato una serata

a pregare che una cerniera si abbassasse e che qualcos'altro si alzasse, dopo essermi sorbita paranoie sulla malavita e propositi di avere la scorta entro l'anno e lui lo chiama «contrattempo».

«Che ne dici di rimetterci a letto, magari ci coccoliamo un po'...»

Non ci posso credere. Ha ripreso a usare la forza motrice della sua lingua per molestare nuovamente il mio collo. Sta facendo un ultimo patetico tentativo di mandarmi a casa contenta. A quest'uomo serve una pasticca per l'ansia da malavita e da prestazioni sessuali e un'altra per raddrizzare la sua autostima, non il resto.

Ora, non so se è l'effetto Viagra, ma improvvisamente ragiono da uomo. «Scusa Valerio, ma devo tornare da Orlando, la babysitter a mezzanotte e mezzo deve andare, è sabato anche per lei» gli rispondo sgusciando via dal suo approccio umidiccio.

Valerio va a rivestirsi senza dire una parola. Il pezzo di musica lounge, neanche a farlo apposta, ora è il *Requiem* di Mozart rivisitato in chiave arabeggiante. Credo che in campo musicale questo esperimento si possa ritenere l'armageddon, un po' come il funerale dei sensi che si è celebrato questa sera.

«Ti accompagno alla macchina. Qui tra il quartiere, il Viagra e i rischi che corro io, non mi fido a lasciarti andare da sola di notte.»

Quando il portone pesante del palazzo si apre sulla via stretta piena di macchine parcheggiate, scopriamo che ha appena iniziato a nevicare. Per una come me, che viene da una città di mare, la magia di vivere in una città in cui la neve non è un evento che scomodi la protezione civile è qualcosa a cui non mi sono ancora abituata. Sto per dire qualcosa di inutilmente poetico, quando Valerio si blocca tirandomi e mi indica qualcosa per terra, a mezzo metro dall'ingresso del palazzo. «Temo che quella sia la testa di qualche animale, questo è un messaggio per me, lo so...»

Guardo l'oggetto in questione, mi chino rischiando di cadere per colpa del plateau e la prima neve, mi tiro su e invito Valerio a guardare alla sua sinistra le tre vaschette di alluminio abbandonate sull'asfalto. «Sì, Valerio. È la testa di qualcosa. Di un coniglio per la precisione. Deve essere passata la gattara pochi minuti fa. Hai denunciato il racket dei croccantini? La mia macchina è quella. Buonanotte.»

Ho omesso di dire: «Quella con la multa sotto il tergicristallo già diventata poltiglia cartacea sotto la neve», ma credo che Valerio ora stia solo pensando a cosa possa voler dire nel gergo della 'ndrangheta «testa di coniglio». Ci sono ottime probabilità che diventi il primo giornalista di mafia a cui viene data la scorta per minacce da una gattara di quartiere.

Mentre guido piano verso casa non posso fare a meno di pensare che certe storie sono come la neve incerta che sta scendendo ora su Milano. Non attaccano. Sono meravigliose finché le vedi cadere leggere, ma poi al contatto con il suolo perdono consistenza e si trasformano in una pappetta opaca e melmosa. Penso che Valerio sia un totale cretino e che se non fosse stato lui così bello e io così famelica di riprovare qualcosa dopo Giorgio, non mi sarei fatta fregare dalla sedia e da quelle rughe. Che se fossi stata lucida sarebbe diventato gorilla dopo le prime cinque scemenze sul pepe nero e manie di persecuzione varie e mi sarei risparmiata il Viagra e il duro lavoro di light designer. Che l'avrei dovuto lasciare confinato su WhatsApp. E come se non bastasse, ora il senso di colpa che avevo messo in borsetta prima di uscire di casa è caduto assieme al rossetto sul tappetino della mia macchina. Ho lasciato che una babysitter asciugasse le lacrime di mio figlio per la morte di un cane buono e saggio, per finire nel letto di un uomo che è il papà di un suo amichetto di scuola, con cui a ricreazione si dice chissà che cosa.

Entro in casa stando attenta a non fare troppo rumore. Mi sono rimessa il rossetto prima di aprire la porta, per non fornire a Sara l'ultima prova che non ero fuori per una prima teatrale, ma per una prima volta con un uomo. Neanche Sara fosse mio marito.

«Orlando è a letto, ma credo che non dorma, era molto turbato per la morte di Brian e diceva che le voleva chiedere delle cose quando tornava» mi spiega mentre si infila il cappello di lana.

«Va bene, grazie Sara, buonanotte.»

Mi tolgo il cappotto rosso prima di andare da Orlando e tiro fuori il telefono dalla tasca. Non lo controllo da almeno due ore. Ho quindici messaggi del Gruppo Testuggine con richieste di cronache dettagliate della serata a cui risponderò domani. Tre sms di Fabio il cui contenuto più riferibile è: «Perché cazzo non rispondi?». Ommmmm. Un messaggio WhatsApp di Valerio che dice: «Arrivata?», a cui risponderò con l'avvento della primavera. E infine, un sms di Vasco Martini. Di Vasco? Cosa vuole ancora Vasco da me? «Sappi che si dorme malissimo su quella sedia, ma nell'attesa di rivederti, non mi scollo di lì neanche di notte. Baci. V.»

I colpi di scena per stasera sono finiti oppure ora andrò in camera e troverò Orlando che gioca a strip poker con due estoni sorseggiando rum? Mi siedo su quella sedia, scossa per l'equivoco che sto improvvisamente realizzando, e mi fermo a ragionare con calma.

La V era la V di Vasco, non la V di Viagra-Man. O di Valerio, a scelta. Sono senza parole. Sono ufficialmente l'ex fidanzata del quasi futuro sindaco e la potenziale amante del suo sfidante. Neanche Marilyn con i fratelli Kennedy è arrivata a tanto.

Mi sfuggono due cose: la bellezza del gesto di Vasco nei miei confronti e la bassezza nei confronti della sua fidanzata, per giunta in un momento di esposizione di entrambi. Fossi una delle tante malate di copertine, ora potrei vendere questa storia a peso d'oro. Vasco Martini ha molto da imparare da Giorgio, in questo senso. Lui un rischio del genere non se lo prenderebbe mai. Mi ha lasciata per non correre rischi di etichetta, figuriamoci se mi avrebbe cornificata nel pieno della sua campagna elettorale esponendosi al pericolo di passare per un puttaniere che tradisce la fidanzata con la prima sciacquetta televisiva che passa. Ora l'unica cosa di cui sono certa è che non risponderò a Vasco. Non intendo neppure ringraziarlo per non alimentare false speranze. Giovedì andrò a pranzo con lui, gli spiegherò che è stato un gesto gentile, ma gli chiarirò che non ho alcuna intenzione di infilarmi in questo giochino perverso. Ovviamente tacendo il fatto che la ragione principale dell'impossibilità di frequentarci non è neppure la sua bella fidanzata fashion blogger, per quanto la cosa mi dia alquanto fastidio, ma Giorgio Mazzoletti. E questo no, Vasco Martini non può davvero saperlo: l'uomo che è destinato a rubargli la poltrona è anche quello per cui dovrà alzarsi da quella sedia.

Orlando e il cane Brian

«Orlando, ma sei sveglio?»

«Sì mamma.»

«Come mai?»

«Penso al cane Brian.»

«Ma stai piangendo?»
«No.»
«Mmmm fammi vedere.»
«Un po'. Ma poco.»
Metto una mano sul suo cuscino. È fradicio. Penso al letto fradicio in cui giacevo poco fa e mi sento una madre orrenda.
«Amore, è solo un cartone animato, Brian non esiste.»
«Appunto.»
«Appunto cosa?»
«Se non esiste, se non vive, come fa a morire?»
Mezz'ora fa ero con un uomo quasi quarantenne a discutere di Viagra e ora sono con un bambino di otto ad affrontare questioni epicuree.
«Ma, piccolo mio, è morto per finta! La sua morte è solo un'idea di quelli che scrivono i *Griffin*.»
«E allora sono degli scrittori stupidi!»
Orlando esplode in un pianto disperato. Credo di non averlo mai visto piangere così dalle sue ultime coliche a tre mesi di vita. Il piccolo quacchero ha le sue fragilità. Gli accarezzo i capelli lunghi da paggetto che si rifiuta di tagliare perché li vuole uguali a Thor. Senza le mèche di Chris Hemsworth, per fortuna.
«Dai Orlando, adesso calmati. Ti piaceva così tanto quel cagnaccio?»
«Sì.»
«Perché?»
«Perché lui, anche se beveva e certe volte fumava quelle cose illegali, era il più intelligente della famiglia e capiva sempre tutto.»
«Sì, però aspetta Orlando, accade perché è un cartone, se nella vita a fumare cose illegali si diventasse intelligenti, Lindsay Lohan avrebbe scoperto il vaccino per il cancro.»

«Chi è Lissi Lon?» Orlando si asciuga gli occhietti rossi con la manica del pigiama.

«Lascia stare. Dimmi invece: per esempio, cosa capisce Brian?»

«Capisce quando lui è cattivo mentre Stewie è cattivo e basta.»

«In che senso?»

«Lui quando offende i tizi di colore poi chiede scusa mentre Stewie non lo sa che è cattivo, quindi non chiede mai scusa.»

«È vero Orlando. Questa era una cosa molto bella di Brian. Alle volte era un po' scorretto ma gli scappava, poi se ne pentiva. Pensavo che di lui ti piacesse il fatto che fosse un cane parlante o che facesse delle battute divertenti, e invece hai colto un aspetto più bello. Vieni qui.»

Lo abbraccio, gli accarezzo le manine tozze, come quelle del papà.

«E poi, mamma, perché l'hanno fatto morire in maniera così stupida?»

«I cani muoiono spesso sotto le macchine... non è che poteva morire lanciandosi col paracadute no?»

«E invece sì, l'hai detto tu che è morto per finta, e allora se era tutto finto, potevano disegnargli una morte più bella.»

«Sai che ti dico, Orlando? Hai ragione. La morte non dovrebbe capitare. Dovremmo potercela disegnare, e invece non si può. Nei cartoni invece sì.»

«Infatti, Godzilla mica muore perché inciampa nei fili del computer mamma!»

«Giusto! Muore da eroe, anche Brian doveva morire da eroe!»

«Sì mamma, è questo che mi fa arrabbiare, è morto da sfigato.»

Ora capisco perché non si dà pace. Perché ha versato tante lacrime. Non è l'idea che Brian sia morto. È come è morto, che non gli va giù. È il suo senso di giustizia che gli chiede di trovare un finale migliore. Una morte più giusta. Orlando ha appena ripreso a piangere, premendo la sua testolina sul mio petto per non farsi vedere.

«Ho un'idea, senti se ti piace. Visto che Brian è finto, inventiamocela noi una morte per lui. Una più bella. Magari più divertente, come sono i *Griffin*, che dici?»

«Mmm...»

«Dai, comincio io. Allora, dunque. Secondo me... secondo me... Brian è stato trafitto dal suo acerrimo nemico Snoopy con un osso di bufalo quando ha scoperto che Brian ha più follower di lui su Twitter!»

Orlando comincia a ridere e poi a tossire in quel miscuglio di lacrime, catarro e mocciolo che, pure se fa un po' schifo, noi mamme amiamo come fosse miele d'acacia.

«No mamma secondo me... è morto... è morto... perché lui ha preso la macchina del tempo di Stewie ed è andato nel futuro...»

«Nel futuro! Mi piace. E che gli è successo?»

«Niente. Però ha visto che gli scrittori dei fumetti lo avrebbero fatto fidanzare con una barboncina che si fotografava sempre con l'iPhone come te mamma e allora si è buttato sotto la macchina!»

C'è sempre l'ombra del giudizio su di me, ma riconosco che fa molto ridere. E infatti stiamo ridendo insieme.

«E quindi Brian non è finito sotto una macchina come un randagio qualunque, ha rifiutato un espediente narrativo che lo avrebbe ridicolizzato! Bello Orlando, questa morte sì che è eroica, è il fumetto che si ribella al fumettista!»

«Mamma cos'è l'espidiente narrativo?»

«L'espediente. Vuol dire un momento importante di una storia, più o meno... Scusa Orlando, ogni tanto parlo un po' come se facessi ancora il mio vecchio lavoro... sai quando scrivevo sempre?»

«Sì mamma. Quando stavi sempre con il monitor davanti, ora invece ci vai dentro.»

Devo ammettere che del mio lavoro mio figlio ha una visione più lusinghiera della maggior parte degli uomini con cui sono uscita negli ultimi anni, Giorgio compreso.

«Comunque Orlando, tu non lo sai perché sei piccolo, ma questo tuo finale parla di una cosa importante che si chiama libero arbitrio. Nessuno deve disegnare una vita che non ci piace, la dobbiamo disegnare noi. Magari trovando un'alternativa al suicidio, ecco.»

«Mamma, lo facciamo ancora il gioco del libero arbritrio?»

«Il libero arbitrio, non arbritrio. I cartoni che si ribellano alle cose ridicole che li costringono a fare i loro disegnatori?»

«Sìììì!»

«Ma facciamo che vale un po' tutto, supereroi compresi?»

«Sìììì! Comincia tu, mamma!»

«Orlando, ok, però domani, ora è tardissimo, devi dormire!»

«No mamma, anche io voglio il mio libero artribio! Voglio stare sveglio!»

Ho creato un mostro, lo sapevo. È sempre così con la democrazia, dai un dito e si prendono il braccio.

«Arbitrio, non artribio. Orlando quello lo eserciterai a diciotto anni, ora dormi.»

«Dai mamma, domani è domenica... non ho la scuola...»

Un'ora fa ero una tigre da materasso, adesso sono un chihuahua da grembo. E pensare che Freud è morto senza scrivere nulla sul bipolarismo delle madri single. Una grave lacuna nella psicologia moderna.

«E va bene, una storia e basta però. Dunque... scelgo Catwoman. Devi sapere che la poverina sotto Natale ha mangiato un po' troppo panettone e quella tuta in latex taglia 40 ora le va stretta, per cui ogni volta che salta da un tetto all'altro, il disegnatore non se ne accorge perché la disegna sempre di lato, ma la tuta le si scuce puntualmente sul sedere. L'ultima volta Batman era dietro di lei quando è successo e le ha riso in faccia per mezz'ora.»

«Ah ah ah, e allora che ha fatto Catwoman?»

«Allora Catwoman, stufa di collezionare figuracce ma non di essere un'eroina dei fumetti, è entrata in un negozio, senza chiedere il permesso al disegnatore, e si è comprata una bella tuta larga di ciniglia, così ora salta sui tetti bella comoda!»

«E la sua tuta bellissima che fine ha fatto mamma?»

«La sua tuta bellissima in latex il disegnatore l'ha messa a un altro personaggio...»

«A chi mamma?»

«Non so, a uno che l'avrebbe sempre voluta...»

«Chi mamma?»

«A... A Robin! E che Robin non vedesse l'ora di mettersela mentre aspettava Batman di ritorno dalle sue missioni l'abbiamo sempre sospettato un po' tutti...»

«Perché mamma?»

«Orlando... scherzavo...»

«Cioè?»

«Devo mandare una mail. Buonanotte!»

9

Giorgio

È domenica mattina e sono saltata in aria.

Orlando stava ancora dormendo, dopo una notte agitata in cui il cane Brian deve essergli andato a fare visita. Io ero in cucina a preparare la colazione e avevo acceso come sempre la tv per riempire la stanza di un rumore che coprisse il silenzio faticoso della domenica, che per me, dall'adolescenza in poi, non ha mai perso quell'alone grigio da messa appena finita. Dal salotto arrivava la voce nasale del direttore di tg più ruffiano e asservito al potere che sia mai transitato nel mondo dell'informazione, Gianni Maderno. Allungavo il caffè americano con un po' di acqua fredda, quando l'ho sentito scandire le parole «Giorgio Mazzoletti», seguite da un affettatissimo: «Le sono grato per avermi invitato, direttore».

Mi sono appoggiata al lavello e anziché andare di là e cambiare canale come faccio sempre da quando Giorgio si è candidato e rimbalza da un salotto televisivo all'altro, ho ascoltato la sua voce. Non so neanche il perché abbia deciso di restarmene lì impalata, ma ho avvertito che in questa mattina di fine novembre c'era spazio per il dolore. Sarà stato l'ennesimo senso di fallimento dopo la serata con Valerio. Sarà che la sedia in salotto avrebbe forse regalato una chance al vichingo gentile, se non fosse che il vichingo gentile con i manifesti più brutti della storia politica del Paese è la persona più legata a Giorgio in questo momento. O forse è solo che la ricostruzione emotiva, dopo un amore troppo sofferto, è un'amica infedele, un cielo insidioso, in cui il dolore non cresce, non cala seguendo un andamento regolare, ma torna a singhiozzo, attraverso brecce improvvise. E la domenica è una breccia fin troppo facile. Per chi torna solo dopo aver amato molto, l'appuntamento con l'ultimo giorno della settimana diventa come il primo Natale dopo aver perso un genitore: il giorno delle cose che non hai più. Così come il sabato diventa il giorno delle cose che non hai: nessuno con cui andare a cena, al cinema, a fare un weekend.

Ascolto in silenzio lo scambio di battute dalla cucina.

«E quindi, Mazzoletti, a un mese e mezzo dalle elezioni, qual è il suo stato d'animo?»

«Sono soddisfatto perché vado spesso nelle piazze, mi metto a parlare con la gente, la ascolto e sento l'affetto dei milanesi, avverto che condividono con me il progetto di far diventare questa città più europea, più moderna, più ordinata ma anche più umana.»

Lui che si mescola alla gente e ascolta i bisogni delle persone, come no. A fatica riusciva ad ascoltare le esigenze dei membri del Rotary Monza di cui era presidente oltre che le mie e quelle di chiunque gli chiedesse qualcosa di più che passargli il sale, figuriamoci cosa gliene frega degli operai milanesi.

«Abbiamo letto un acceso scambio di tweet ieri col suo avversario Vasco Martini...»

«Martini vuole l'albo delle unioni civili per tutelare i gay e io gli ho risposto che voglio l'albo dei cittadini civili per tutelare i milanesi da microcriminalità, delinquenti e stranieri troppo spesso non in regola nella nostra città.»

«Sì, e a quel punto Martini ha twittato: “Immaginate se Mazzoletti si imbattesse in uno straniero non in regola e pure gay: lo butterebbe nel Naviglio Pavese con una pietra al collo!”.»

«Martini è un cialtrone e ha questo gusto per la battuta da cabaret che io, da persona seria quale sono, riservo alle cene con gli amici.»

«Le segnalo che però la sua battuta da cabaret ha avuto milleduecentotrentacinque retweet.»

«Sì, ma guardi: io al contrario di Martini ho altro da fare che stare sui social dalla mattina alla sera, preferisco parlare con i milanesi piuttosto che stare lì su internet.»

A parte il fatto che «stare lì su internet» è un'espressione che troverebbe antiquata anche mio nonno, ricordo che Giorgio controllava compulsivamente su qualsiasi social network esistente cosa si dicesse di lui e della sua ipotesi di candidatura, all'epoca, e che un paio di weekend insieme saltarono perché «sono troppo nervoso dopo quello che ho letto sul web», ma evidentemente deve aver cambiato abitudini.

«Mazzoletti, passiamo a un argomento più leggero... Secondo i sondaggi lei in questo momento avrebbe il quarantun per cento delle preferenze, ma la tendenza è una crescita di circa un punto a settimana. Dietro di lei Martini col trentasei per cento, Ignazio Lanaro col quindici e infine Antonella De Vivo con l'otto per cento. Pare che la progressiva crescita nei sondaggi sia attribuibile al suo successo con le donne. Sembra che alle milanesi lei piaccia molto e non solo a loro. Il settimanale “Noi donne” due giorni fa l'ha definita “il Clooney meneghino”. Lusingato?»

«Maderno ascolti, sono lieto che la mia, diciamo, piacevole presenza susciti approvazione nel mondo femminile, ma onestamente a me queste cose imbarazzano...»

«Possiamo almeno sapere come mai non c'è una fidanzata o una moglie al suo fianco? Ha cinquant'anni, le donne la venerano...»

«Sono molto riservato su questo argomento, le copertine rosa le lascio al mio avversario politico. Io sono per la sobrietà, mi mostrerò con una donna accanto quando sarò certo di condividere con lei gli stessi valori del matrimonio, della famiglia e della fede cattolica in cui credo fermamente.»

Mi sale quello che non esiterei a definire un disgusto profondo. Nella mia esistenza penso di non essermi mai imbattuta in un individuo più allergico al concetto di famiglia di Giorgio. Perfino il mio ex marito, al confronto, era un capofamiglia solido e affidabile. Con i genitori ha un rapporto gelido. Per il resto, so di un altro paio di ex fidanzate della famosa Milano bene liquidate brutalmente prima di me, di un fratello con cui non si parla da anni per una storia legata all'eredità del nonno materno e di un labrador di nome Axel che ha mollato in un allevamento a Pavia quando ha deciso che non aveva più tempo di occuparsene. Questa è la tradizione attorno alla quale si muove la sfera affettiva del candidato sindaco Giorgio Mazzoletti. Poi certo, ci sono stata io. Che su questo suo smagliante egoismo mi sono schiantata con la stupidità di chi pensa di avere davanti un bambino a cui deve insegnare ad amare e non un adulto che non ha nessuna voglia di imparare.

Quando si incontra un uomo così, si deve solo sperare di essere illuse e disilluse nell'arco di una settimana, perché se un individuo del genere finisce per amarti nell'unico modo in cui lui sa amare, ovvero rosicchiando la tua autostima e minando ogni tua certezza, sei fregata.

Il grande inganno in cui si cade quando si sta con un egoista arido che per un attimo si invaghisce di te si gioca tutto all'inizio della storia, quando l'egoista stesso sarà sorpreso dai suoi sentimenti e si stupirà di quelli che lui chiamerà slanci. Che so, ti farà una chiamata in più durante il giorno e sottolineerà il gesto con frasi come: «Devo essere impazzito, io che chiamo solo per dire a una donna che mi manca!». Ti comprerà una rosa al semaforo e te la regalerà dicendo: «Sappi che non ho mai regalato un fiore a una donna in vita mia!». Ti farà rimanere per più di due giorni di seguito a casa sua e commenterà: «Incredibile, non sono mai riuscito a trascorrere con una donna più di tre ore nel mio appartamento, senza aver paura che piantasse le tende!». Il problema di questa faccenda è che una donna sgamata leggerà frasi simili come indizi di sicura infelicità, una donna cretina li leggerà come segnali di inequivocabile felicità. Una donna intelligente si sentirà l'ennesima disgraziata a cui quell'uomo sta facendo l'elemosina. Un'idiota come me si sentirà la conquista speciale per cui quell'uomo sta facendo cose straordinarie. Assuefarsi all'elemosina è il passo successivo. Piano piano, non te ne accorgi, ma tutto ciò che da un uomo qualunque ti sembrerebbe il minimo sindacale, fatto da lui parrà una cosa eccezionale, e improvvisamente ti sentirai onnipotente. Ti crederai l'unica donna che è stata capace di far sollevare un piede a un infermo. Il tutto tralasciando un particolare fondamentale: quell'uomo non è un infermo, ma un maschio giovane e in perfetta salute e tu sei una povera cretina che grida al miracolo perché una persona sana solleva un mignolo.

Giorgio non mi voleva mostrare in pubblico, ma mi aveva mostrato alla sua famiglia e diceva che ero l'unica con cui si fosse deciso a farlo. A lungo non mi sono sentita mortificata all'idea che mi nascondesse alla gente, ma lusingata perché mi aveva portato due volte a pranzo a casa dei suoi. E chissà per quanto tempo avrei continuato a sentirmi speciale vivendo di carità, se non fosse entrato in politica. Mente al conduttore di un tg con la stessa lucida freddezza con cui mentiva a me. Non è lui che non dimentico. È il dolore, soprattutto quello che mi sono autoinflitta, che non riesco a scordare. Ora vorrei solo poter godere del privilegio di non sapere più nulla di lui, e invece Giorgio Mazzoletti sta per iniziare una storia d'amore di almeno cinque anni con la città in cui vivo e che amo, con la città i cui luoghi belli erano tornati a essere miei, dopo che erano stati nostri.

Poso la tazza sul tavolo ed esco sul terrazzo. La neve molle caduta nella notte ha lasciato delle pozzette d'acqua sporca sul pavimento. La mia vicina sta coprendo le sue piante grasse con un telo di plastica mentre il marito, chinato per terra con una specie di vestaglia da casa marrone, è intento a mettere del silicone su una fessura della portafinestra. Non si parlano, ma sembrano così placidi e compiuti in quei gesti semplici, che all'improvviso intuisco in quale breccia oggi s'è insinuato il dolore. Mi manca esattamente quello, nel giorno in cui manca quello che non si ha più. Non il fare qualcosa insieme, ma fare le proprie cose l'uno accanto all'altra senza neppure parlarsi, sapendo che chi ami è lì. Mi manca qualcuno con cui condividere l'operosità annoiata della domenica.

Orlando si è svegliato e mi chiama dalla sua cameretta. Manca anche qualcuno a cui chiedere di sorridere a un bambino al posto mio, certe volte. Del resto, è una lezione che ho imparato presto. Essere una madre sola è anche questo: non aver nessuno a cui delegare la felicità, nelle domeniche in cui manca quello che non hai più.

10

All you can eat

L'anticamera del dentista è come tutte le anticamere dei dentisti: uno di quei luoghi in cui potresti essere in attesa di subire una devitalizzazione al molare destro come un'investitura papale e l'atmosfera sarebbe comunque quella di chi si prepara al patibolo. Quattro sedie verde ospedale attaccate a una parete grigia, litografie sparse di nature morte, opera di quello che deve essere il nipote con velleità artistiche del dentista e un gigantesco poster di Miró il cui titolo mi è sconosciuto, anche perché Miró mi ha sempre fatto abbastanza schifo. Orlando è inginocchiato per terra e gioca col suo Godzilla Bandai, che invece occupa una sedia in compagnia del suo temuto rivale Mechagodzilla, una specie di mostro in titanio che spara razzi dagli occhi se non fai come dice lui. In pratica, la versione Bandai di Giusy Speranza. Afferro una rivista dal mucchio di giornalacci impilati in un portariviste troppo piccolo e trattengo a fatica una risata: Lucas, il toy boy finto etero della povera Virna Cosimato, il guerriero di terracotta, sorride dalla copertina di «Mondovip» abbracciato a una tardona francese nota alle cronache per aver ereditato una fortuna dal suo povero marito, il conte di non so che, ex produttore di vini pregiati, deceduto in un incidente in elicottero pochi mesi fa. La location è un vigneto della tenuta del povero conte. Lucas è seminudo, con una mutanda microscopica imbevuta di quello che dovrebbe essere vino rosso, immerso fino alle cosce in una specie di tinozza di legno a metà tra una botte tagliata e un abbeveratoio per frisone. Lei è nell'atto di addentare un acino da un grappolo che lui le porge e nel frattempo riesce pure a sorridere, prima che ovviamente le resti attaccata la dentiera all'uva. Titolo: «Virna addio: ora c'è Corinne!». Il tutto, a neanche una settimana dalla sua ospitata in tv con l'ex gloria della musica pop. All'interno, una vaneggiante intervista in cui lui dichiara che Corinne è la donna della sua vita e lei dichiara che Lucas è l'uomo della sua vita, vita la cui aspettativa, a occhio e croce, dovrebbe essere di un paio di mesi al massimo. Dalle foto risulta palese che ormai l'omosessualità di Lucas è incontenibile: sopracciglia ad ali di gabbiano, tonnellate di kajal che neppure Rajmata la principessa indiana, giacchetti di pelle di tre taglie in meno indossati a petto nudo, camicie smanicate a quadretti da cowboy coi cd di Barbra Streisand sotto la sella del cavallo e un principio di occhio leggermente a mandorla (fateci caso, non si sa perché ma dopo un po' a molti gay l'occhio inizia ad allungarsi). L'assistente mora del dentista interrompe la mia lettura sul più bello, ovvero durante il lirico passaggio in cui Lucas sancisce che Corinne è come il vino della sua tenuta: più invecchia e più diventa buona. Sì, buona da mungere, stavo commentando io ad alta voce.

«Vai Orlando, tocca a te» dico mentre infilo Godzilla e Mechagodzilla in borsa. Gianluca, il meticoloso dentista che da tre settimane ha in cura Orlando, ci spiega senza tanti giri di parole che mio figlio, in bocca, non ha un'arcata dentale. Ha un'orgia di denti piazzati ciascuno in una posizione diversa del Kamasutra, che vanno convinti a rivestirsi e a sistemarsi composti al loro posto. L'unico modo per aggiustare la situazione è inserirgli nel palato un aggeggio d'acciaio che a lui costerà una masticazione un po' faticosa e a me tremila euro netti. Insomma, Orlando porterà l'apparecchio. Oggi il dentista gli prenderà il calco e la prossima settimana mio figlio suonerà ogni volta che passerà sotto a un metal detector.

«Mi piace l'apparecchio mamma, così sarò un po' di acciaio come Mechagodzilla!» commenta Orlando sdraiato sulla poltrona verde.

Gianluca ci spiega che l'operazione sarà piuttosto semplice e io spero soprattutto rapida, anche perché dobbiamo andare a pranzo all'una e mezzo e la visita è iniziata con venti minuti di ritardo. «Orlando, io ora ti infilo una specie di pongo in bocca, devo spingertelo fino ai denti in fondo, tu dovrai morderlo per trenta secondi. Poi lo estrarrò e avrò l'impronta perfetta dei tuoi denti, così ti faccio l'apparecchio su misura, ok?»

«Ok!»

«Sei agitato?»

«No!»

«Mi raccomando respira col naso!»

Orlando spalanca la bocca come se avesse appena visto Godzilla, quello vero, e Gianluca gli spinge dentro una poltiglia grigia piuttosto voluminosa. Io sorrido a Orlando per tranquillizzarlo, il dentista sorride a Orlando per tranquillizzarlo, Orlando sorride a noi per tranquillizzarci, poi cambia improvvisamente espressione, tira indietro il collo per una frazione di secondo ed erutta un getto di vomito con la forza propulsiva di un missile cruise. Il problema serio è che la palla di pongo gli resta incollata ai denti, al centro della bocca, quindi il vomito esce lateralmente e ovunque trovi un buco in cui farsi spazio. Lapilli di mela e cereali volano in aria a spruzzo, trasformando la saletta del dentista nel cesso di una discoteca dopo un after hour alle sei del mattino. Gianluca ha circa un terzo del fabbisogno calorico a colazione di un bambino di otto anni sulla spalla destra. Un altro terzo è sparso tra i vestiti di Orlando e la poltrona. Il restante terzo è spruzzato sulla parete sinistra dello studio, e se non fosse che il momento è teso, sarei tentata di dire che il rigurgito surrealista di mio figlio è quasi meglio del Miró nell'anticamera. Io mi sono miracolosamente salvata perché l'attimo prima in cui stava per vomitare mi ero spostata dietro di lui. Il dentista gli estrae a fatica l'orrenda poltiglia pongo&vomito, Orlando inizia a scusarsi rammaricato per aver provocato del caos involontario nel mondo giusto e ordinato che a lui piace tanto, io cerco di pulirlo alla buona con delle salviette, ma l'aria è irrespirabile e per poco non faccio un Miró anch'io sulla parete destra. Gianluca ci spiega che Orlando deve togliersi un po' di ansia e io gli dico che lui invece deve togliersi il pezzo di mela che gli è rimasto in testa, poi ci diciamo che riproveremo la settimana prossima e io, mio figlio, Godzilla e Mechagodzilla usciamo affranti dallo studio. Mancano venticinque minuti al pranzo con Vasco Martini e non solo è tardissimo perché il ristorante è dall'altra parte della città, ma Orlando emana un disgustoso olezzo di discarica abusiva sotto i raggi d'agosto, oltre ad avere macchie sparse ovunque e residuati bellici sull'orlo del collo del maglioncino blu che avevo scelto con tanta cura.

«Mamma, mi porti a cambiarmi?»

«Orlando, è tardissimo, con il cappottino sopra non si vede quasi niente...»

«Ma mamma al ristorante poi me lo tolgo e poi ormai puzza anche il cappotto e io mi vergogno!»

Ha ragione. Ha come sempre ragione. E poi non vorrei che Vasco Martini si convincesse che la caldaia è ancora rotta e mio figlio non si lava da una settimana. Solo che se ripassiamo a casa arriveremo tardissimo e ormai è troppo tardi anche per disdire.

«Orlando, abbiamo solo una soluzione. Tu ora aspetti cinque minuti in macchina così non prendi freddo che sei tutto bagnato e io vado da Gap qui davanti a comprarti qualcosa da metterti, ok?»

Non entro da Gap. È più esatto dire che faccio irruzione da Gap. Mi faccio largo rozzamente tra orde di milanesi che assaltano i negozi in pausa pranzo e raggiungo l'area bambini. Questo giaccone è perfetto. Taglia 10-11, taglia 4-5, taglia 14-15, maledizione, non c'è la sua misura. Vabbe', prendo la 10-11, non c'è tempo e l'importante è che stia al caldo. La maglietta, ora serve la maglietta. Questa è perfetta. No. Questa è 3-4, non gli entra, questa è 12-13, no, troppo grande. Non c'è 8-9 neanche di questa. Neppure di questa. Non ci posso credere. A Milano i bambini hanno tutti otto anni. C'è stato un concepimento di massa otto anni fa. Cosa è successo nel 2005? Perché le donne erano tutte così fertili? Era uscito il calendario di Ryan Gosling? Mi sposto nel reparto bambine. Ci sarà una maglia neutra della sua taglia. Una normale maglietta bianca, gialla, nera. Non può non esserci. Questa con i cuoricini no. Le farfalle neanche. Se gli prendo questa con le Winx mio figlio mi querela. Questa con Hello Kitty sul taschino la escluderei. Miseria ladra, è l'una e un quarto. Eccola, questa rossa è perfetta ed è 8-9. Pago alla velocità della luce e salgo in macchina trionfante, mettendo in mano la busta a Orlando. «Orlando, ora tu mentre guido vestiti, hai una maglietta e una giacca di lana pesante belle pulite. La giacca è un po' grande ma non fa niente. Tanto cresci in fretta...»

Mentre mi immetto su viale Zara, sento Orlando tirare fuori qualcosa dalla busta. «Mamma, vabbe' che cresco in fretta, ma per mettermi questo devo crescere prima che arriviamo al ristorante, è gigantesco!»

«Forza, non fare storie. Intanto levati la maglietta e infilati quella nuova rossa, che invece è della tua taglia.» Orlando mette una manina nella busta. Rimane in silenzio per un po'. «Passami la maglietta sporca che accosto un attimo e la butto nel secchione tanto è vecchia, qui dentro non si respira più.»

Rientro in macchina affannata. «Allora, te la sei messa sì o no?»

«Ma mamma, io non me la metto questa maglietta!»

Riparto sgommando come se avessi appena rapinato la Banca centrale. «Orlando, guarda che ora mi arrabbio, eh!»

«Ma mamma, io mi vergogno!»

«E di cosa ti vergogni? È rossa, cos'ha il rosso che non va? Ce l'hai coi comunisti?»

«Chi sono i comunisti?»

«Dei poveri illusi che non si rassegnano alla morte di un'idea. Senti Orlando, ora arrivo al semaforo e te la metto io a forza!»

«Ho detto no mamma, io ho il libero arbritrio!»

«Arbitrio! E tu comunque non hai il libero arbitrio, hai i vestiti che puzzano di peschereccio, muoviti!»

«No!»

Non sono abituata ad avere a che fare con la disubbidienza. Mio figlio è sempre stato un soldatino e ha un rispetto per l'autorità rigidissimo, per cui questa inedita ostinazione unita all'agitazione per i contrattempi e al ritardo imbarazzante che stiamo accumulando mi irrita tremendamente. Arrivo al semaforo e mi volto di scatto, strappandogli furiosa la maglietta rossa che ha tra le mani. Orlando è a petto nudo, mezzo infreddolito e con uno sguardo corrucciato e deciso. Slaccio la cintura di sicurezza e mi sporgo dal sedile per infilargliela, quando mi accorgo di una stampa sul retro che non avevo notato nel negozio. È una gigantesca, evidente, inequivocabile Barbie Malibu con l'aggravante di un vezzoso bikini a fiori con due margherite laterali rosa in rilievo applicate sugli slip. «Oh porca vacca Orlando, questa non l'avevo vista!»

«Allora non me l'hai comprata apposta?»

«Ma no Orlando, ti pare che potrei mai comprarti intenzionalmente una maglietta con la Barbie?»

«E allora perché l'hai presa?»

«Perché questa cretina vestita da porno fatina del bosco era stampata dietro!»

«Cos'è la porno fat...»

«Orlando, la tua maglietta l'ho buttata nel secchione due minuti fa, quindi non abbiamo scelta. Te la devi mettere lo stesso.»

Sto ufficialmente chiedendo a un bambino, che già cresce con una madre dalla personalità ingombrante e un padre assente, di vestirsi da femmina. Quando a diciott'anni lo vedrò su un carro del Gay pride, ricorderò questo momento come quello in cui gli ho indicato la stella polare.

«Ma mamma, io non mi voglio mettere i vestiti da bambina!»

«Sentimi bene Orlando, dai retta a me: se ti metti la giacca a petto nudo, oltre ad avere una broncopolmonite entro sera, sembrerai Lucas Conti, e anche se tu non sai chi sia Lucas Conti, ti garantisco che è peggio che sembrare una femmina, per cui mettiti quella maglietta con Barbie Malibu sulla schiena e a pranzo vedi di rimanere seduto immobile così nessuno si accorgerà di niente, ok?»

«E se qualcuno passa dietro e la vede?»

«Vedrò di trovarti un posto in cui hai un muro dietro, ok?»

«Va bene mamma.»

Orlando si mette la maglietta con una faccetta mesta che fa tenerezza e pochi minuti dopo siamo davanti al numero 5 di via Lomazzo, nel cuore del quartiere cinese di Milano. La scelta della zona mi era già parsa curiosa, ma ora che vedo anche l'insegna del ristorante, mi sorge il dubbio di aver sbagliato posto. Fu-Ji-Ten, all you can eat restaurant. Ma una cotoletta qui a Milano non la mangia più nessuno? Possibile che ormai in questa città si chieda una lasagna e te la portino avvolta in un'alga? Ma soprattutto: perché Vasco Martini dovrebbe invitarmi a mangiare in un all you can eat? Non credo di sembrare denutrita e neppure una studentessa fuori corso. Come se non bastasse, ho dovuto lasciare la macchina nel posto per i motorini perché ho fatto tre giri dell'isolato e l'unico spazio libero era quello.

Orlando me l'ha fatta pesare. «Mamma, poi non è che litighi con i vigili come fai sempre che poi loro ti dicono: "Guardi che qui non è la tv che può dire la sua opinione" e poi tu dici: "Sì avete ragione" e io mi vergogno?»

«No Orlando, tu piuttosto, ti ricordi che raccomandazione ti ho fatto?»

«Sì.»

«Cosa non puoi dire a pranzo neppure se ti minacciano di portarti via il Godzilla Bandai?»

«Che conosco Giorgio.»

«Bravo!»

«Mamma, perché non posso dire che conosco Giorgio?»

«Perché... perché... poi te lo spiego!»

È l'una e quarantacinque. Quindici minuti di ritardo e neppure un mio messaggio di scuse. Sono una cafona. Neppure uno di Vasco per sapere se è successo qualcosa, a dire il vero. Tra l'altro, dopo la sedia e il mio mancato «grazie», non si è più fatto vivo neanche per sapere se il regalo è arrivato a destinazione, quindi presumo abbia capito che poteva alzarsi tranquillamente per andare a fare una passeggiata con la sua fidanzata, altro che sedia. In compenso, ho intuito come sia stato possibile l'equivoco Valerio/Vasco, perché ho chiesto chiarimenti al giornalista mitomane e consumatore abituale di Viagra. Quando quella sera ho ringraziato Valerio per il pensiero e lui mi ha risposto: «Figurati, non potevo aspettare un minuto in più per vederti», credeva che lo stessi ringraziando per la sua fotina di Google Maps in cui era indicata la strada per raggiungere casa sua. Quella mandata via WhatsApp poco prima che uscissi. Gli era parso un gran gesto, evidentemente.

All'ingresso del ristorante mi accoglie quello che sembrerebbe il proprietario: un simpatico cinese che parla italiano meglio di Gaia Fabi e con un'improbabile cresta alla Balotelli. Mi spiega che il dottor Martini è andato un attimo a fare una telefonata importante nella saletta interna, ma che il nostro tavolo è quello a centro sala. Orlando mi guarda atterrito. Un tavolo nel bel mezzo della sala vuol dire che tutti lo vedranno con la maglietta di Barbie Malibu e quel Godzilla in mano passerà per la patetica copertura di un bambino che finge di amare i mostri ma nel silenzio della sua cameretta gioca col camper di Barbie.

«Scusi, le posso chiedere una cortesia? Il bambino è stato poco bene e vorrei evitargli qualsiasi tipo di corrente, non è che ci può dare un tavolo più... più defilato, magari quello laggiù accanto alla parete?»

«Non c'è problema signorina Agen, vi sposto subito!»

Orlando appare sollevato.

«Visto che abbiamo risolto?»

«Sì, mamma. E poi lì c'è anche lo spazio per giocare così posso fare la guerra Godzilla contro Mechagodzilla!»

«Sì, infatti, quel tavolo è più carino.»

Ci andiamo a sedere. Mentre passiamo accanto a un tavolo di ragazzini che non avranno più di quindici anni e hanno tutta l'aria di essere nel pieno della loro adolescenziale minchionaggine, sento distintamente un veloce scambio di battute: «Viola Agen c'ha un figlio? E con chi l'ha fatto?», «Ma sì dai... Con quel talent scout di calcio sfigato...». Mi volto per focalizzare il cretino che ha pronunciato quella frase, un biondino emaciato infilato nella sua felpa col cappuccio da cui sbucano due cuffiette blu, e gli lancio un'occhiata di disprezzo così mortificante, che devo avergli prolungato la pubertà di almeno dodici anni.

Orlando si toglie la giacca di due taglie più grande stando attento a dare le spalle alla parete e si siede sulla sua poltroncina di pelle nera, con la sua Barbie Malibu fedelmente occultata dal muro dietro di lui e da un séparé di legno a lato da cui una geisha con ombrellino ci sorride complice. Spero che le chiacchiere dei bimbominkia gli siano sfuggite.

«Mamma, perché quel tizio ha detto che papà è uno sfigato?»

E ti pare che gli sfugge qualcosa. «Perché sono degli scemotti, Orlando. A quell'età i maschi spesso sono dei piccoli buzzurri insensibili...» Vorrei dirgli che molti poi ci restano, ma mi pare ingiusto.

«Anch'io diventerò così?»

«Non lo so Orlando, tu a dire il vero sembravi adolescente a tre anni e oggi ragioni come un cinquantenne, per cui non so bene cosa te ne farai dei tuoi quattordici anni. Sono curiosa anche io...»

«Mamma secondo me quei ragazzini hanno dei problemi perch...»

Sento che è il caso di spostare l'attenzione su questioni più leggere. Vasco arriverà da un momento all'altro e potrebbe sedersi al tavolo mentre mio figlio analizza la questione adolescenziale dal punto di vista della psicopedagogia con un'ampia panoramica sull'emancipazione e i conflitti. Lo interrompo bruscamente. «Orlando, cosa ti sei portato per giocare?»

«Allora... Godzilla, Mechagodzilla, due casette e le bombe atomiche che gli americani sganciano dagli aerei per uccidere Godzilla! Le bombe e le casette ce l'ho nella tasca mamma!»

Faccio un rapido inventario mentale dei suoi giochi e mentre le casette le ho raccolte più volte sparse sul pavimento, le bombe non mi sembra di averle mai viste. «Fammi vedere queste bombe che non me le ricordo...»

«Sono cose tue che tanto non ti servon...»

Ecco Vasco. Si sta dirigendo verso il tavolo che io e Orlando abbiamo bocciato, ma viene prontamente intercettato dal Balotelli orientale, che gli indica il nostro angoletto con séparé. Il vichingo gentile fa un cenno di saluto e ci viene incontro con le sue poche falcate da gigante. «Scusate, stavo spostando di mezz'ora l'appuntamento che ho dopo, altrimenti avrei avuto pochissimo tempo.»

«Salve... Ciao Vasco, scusa il ritardo ma... ma, insomma, è una storia lunga. Lui è Orlando.»

«Ciao Orlando. Piacere, io sono Vasco.»

Orlando tende la manina rimanendo con la schiena dritta contro il muro nella posizione del soldato durante un'ispezione del sergente maggiore.

«Che bei capelli lunghi da selvaggio, Orlando! E quel dinosauro chi è?»

No. No. NO. L'ha chiamato dinosauro. Orlando trova che declassare la figura imponente di Godzilla a semplice rettile del Giurassico sia un affronto insostenibile. Temo che gli infilzi una mano con la bacchetta per il sushi.

«Non è un dinosauro, è Godzilla!» risponde piccato. Cominciamo malissimo.

«Oh ma certo, Godzilla, che stupido!» Quando il metro e novantacinque circa di Vasco Martini si accomoda sulla sedia di fronte alla mia e mi restituisce uno straccio di orizzonte, realizzo che tutto il ristorante ci sta osservando. «Orlando, sai che io Godzilla l'ho visto veramente?»

Mio figlio si illumina di una luce mariana. «Davvero?»

«Sì. Devi sapere che anni fa giocavo a basket a New York, nell'Nba, in una squadra che si chiama New York Knicks. Una sera invitarono la mia squadra alla prima del film *Godzilla* del 1999...»

«Quel *Godzilla* americano è del 1998!» lo corregge prontamente Orlando. Un'altra imprecisione su Godzilla e mio figlio esce dal ristorante bestemmiando in giapponese.

«Ah già, in effetti giocai nella stagione 1998-1999, quindi può essere. Anzi, è sicuro perché quell'anno la stagione iniziò a febbraio del '99 e noi giocatori siamo stati un bel po' a non fare nulla, una cosa un po' complicata. Comunque, avevano piazzato un Godzilla alto come due piani di un palazzo davanti al cinema!»

«Davvero?» chiede Orlando con gli occhi accesi di curiosità.

«Sì sì, e pensa che quella sera ci regalarono il modellino di Godzilla che corre sul ponte di Brooklyn con la canotta della nostra squadra! Il mio aveva il numero 15, ce l'ho ancora nella mia vecchia casa.»

«Io sono nato il 15!»

«Sì amore, tu sei nato il 15 febbraio, però ora lascia parlare un po' la mamma con Vasco, ok?»

«Ok, mamma.» Orlando tira fuori le bacchette del sushi dalla carta che le avvolge e dà vita a una battaglia a colpi di bastone tra l'iguana gigante e Mechagodzilla, immergendosi nel suo mondo di creature geneticamente modificate.

«Ti somiglia» osserva Vasco senza smettere di studiarlo.

«Sì, ha i miei occhi e il mio naso» gli rispondo compiaciuta.

«Intendevo dire nel puntiglio con cui redarguisce il prossimo.» Colpita e affondata. Vasco mi guarda un secondo prima di aprire il menu. «Ti ricordavo meno bella, peccato.»

«Perché peccato?»

«Perché la bellezza oltre una certa misura è incostituzionale. E perdona il politichese. Cosa mangiamo?» domanda senza mai alzare lo sguardo dal menu. Ha mani pallide e lunghissime che sbucano dai polsini slacciati di una camicia bianca e due braccialetti di corda modello «finto giovane appena rientrato da Formentera».

«Quelli non sono un po' troppo gggiovani per un candidato sindaco?» ironizzo indicando il suo polso ossuto.

«Quella non è un po' troppo scollata per una mamma?» replica indicando la mia maglietta, sempre senza staccare gli occhi dalla lista di specialità fusion da tre euro a pezzo. Ha l'aria divertita di chi provoca con la lancia spuntata.

«Scommetto che arrivano da Formentera» continuo io mentre verso l'acqua a Orlando.

Vasco chiude il menu con un gesto teatrale, solleva finalmente lo sguardo e, con un'espressione solenne, mi risponde senza mai scollare i suoi occhi grigi dai miei: «Signorina Viola Agen, nutro una profonda stima per la sua intelligenza, per cui le chiedo gentilmente di non includermi nella categoria "vitellone milanese" con abitudini stereotipate quali weekend a Santa, neve a Courma, cena al giappo e mare a Formentera. Che poi mi sa dire perché i milanesi non concedono a Formentera il privilegio di un'abbreviazione come per le altre località? Perché questa discriminazione? Se mi eleggeranno sindaco promuoverò subito un referendum abrogativo per abolire la dicitura Formentera in favore della più equa Forme».

«Credo che qualcuno utilizzi già la formula abbreviata. Comunque chiedo venia, è che non sono mai stata a Formentera e quando lo confesso mi trattano come un'appestata, ci sono milanesi che mi spruzzano addosso l'antibatterico.»

«A parte che, pur sentendomi milanese perché ci vivo da un secolo, sono astigiano, ad ogni modo nulla contro Formentera, solo che si contano meno milanesi in corso Vittorio Emanuele di sabato pomeriggio che sulla spiaggia a Forme il 10 di agosto. E io sogno di amministrare i miei "concittadini" in città, non in vacanza davanti a una caipirinha. No grazie. I miei bracciali arrivano dalle Canarie.»

«Canarie?»

«Sì, la versione nerd-comunista delle Baleari.»

«Allora hanno ragione i tuoi detrattori quando dicono che sei l'ultimo dei comunisti dentro ai Bastioni.»

«Dipende da cosa intendi per comunista.»

«Io lo so cosa intende!» interviene Orlando col celeberrimo orecchio bionico dei bambini apparentemente intenti a fare altro. «Dei poveri illusi che non si rassegnano! Me l'ha detto la mamma prima in macchina.»

Perfetto. Cerco una gambetta di Orlando sotto al tavolo per fratturargli incidentalmente una tibia, ma tiro un calcio a vuoto.

«Brava, vedo che lo cresci con le idee politiche del Mazzoletti... Orlando, quelle bacchette con cui hai armato Godzilla sono manganelli, vero?» dice Vasco ridendo.

«Cosa sono i magnanelli?» domanda mio figlio curioso.

«Niente Orlando, tu continua a giocare e fatti gli affaracci tuoi possibilmente...» dico io.

«No, lascialo pure riferire le tue idee politiche, è più in gamba di molti portavoce che conosco.»

Prima che Orlando riferisca pure il pin del mio bancomat e la marca del mio deodorante per le ascelle, arriva una ragazza cinese minuta e con un sobrio shatush fucsia a prendere le ordinazioni. Secondo quello che dice il menu all you can eat, con quattordici euro e cinquanta, possiamo farci saltare nel wok anche il suo polpaccio. «Prendo spaghettini gamberi e verdure, pollo funghi e bambù e ravioli di granchio. Per il bambino riso con i gamberetti e vitello alla piastra.»

Vasco mi guarda perplesso. «Ah però, mangi. Quindi non temi la regola che mi ripetono tutti da quando frequento il piccolo schermo, secondo la quale la tv ingrassa cinque chili.»

«No Vasco, anche perché la tv ingrassa cinque chili se te la mangi» replico io addentando un edamame salatissimo. Mentre la ragazza manga segna diligentemente la mia ordinazione noto le sue unghie squadrate, decorate con delle agghiaccianti farfalline viola. Vasco ordina involtini primavera, zuppa piccante e un sushi misto, commentando: «Orlando, il sushi l'ho preso in onore del tuo Godzilla, che è giapponese. E che, se tanto mi dà tanto, ripudia quei comunisti dei cinesi e i loro involtini primavera!». Ha capito che Godzilla è l'ariete con cui sfondare quel pesante portone che è la complicità tra Orlando e il mondo degli adulti maschi. Perspicace il vichingo. «Devo finire la storia dei bracciali che tu hai ingiustamente declassato a souvenir da vacanza tra calciatori e veline che giocano a racchettoni in tanga.»

«Ah già, scusa. Mi hai detto che preferisci le Canarie. Sverni con i vecchietti tedeschi a Tenerife? Hai la mia età, ma le abitudini di un anziano, Martini...» scherzo io col sale dell'edamame che mi brucia sulle labbra.

«Hai preso informazioni sulla mia età, questo tradisce un certo interesse Viola, ti prego di non pressarmi troppo perché, come avrai capito, non mi piaci per niente. Anzi guarda, ti trovo perfino respingente...»

«Mi sono informata sul tuo anno di nascita solo perché tra un mese si vota e sono ben lieta di contribuire al declino della gerontocrazia nel Paese, per cui forse ti voterò per la tua giovane, giovanissima età, non certo per le tue idee politiche.»

«Di politica ti parlerò appena finisco la storia dei braccialetti, se magari la smetti di trattarmi come quel toy boy tutto truccato nel salotto della Speranza e mi lasci raccontare la genesi di questi bracciali.»

«Chiedo venia, prego» replico, realizzando improvvisamente che sono da mezz'ora a tavola con un uomo e non ha ancora detto nulla di idiota, sessista, sgradevole, autoreferenziale, infantile, arrogante, denigratorio, presuntuoso, prevedibile, volgare e qualunquista. In più non ha fatto domande sceme a Orlando da maschio medio che ha visto più licaoni che bambini, tipo: «Per che squadra tifi?» o «Ma tu ce l'hai una fidanzatina?» e, soprattutto, ha capito il mio imbarazzo sulla questione sedia e ha evitato di mettere sul piatto richieste di spiegazioni sui mancati ringraziamenti. Che comunque gli devo. «Quest'estate sono stato su un'isola delle Canarie che si chiama Lanzarote. La conosci?»

«No, non ci sono mai stata. Sono stata a Tenerife con delle amiche dopo il diploma...»

«Ecco, e ti sarai fidanzata con un ragazzo di Newcastle che alla settima birra ti avrà chiesto di sposarlo...»

«Era svedese, e beveva whisky, per amor di precisione, ma sì, confermo la domanda di matrimonio alcolica» specifico ridendo.

«Ecco, appunto. Comunque dimentica quelle Canarie lì tutte alberghi ed ecomostri, pub inglesi, negozi di paccottiglie cinesi e turismo low cost.»

«Mamma cosa sono gli ecomostri?» interviene Orlando.

«Degli edifici su cui il tuo Godzilla dovrebbe poggiare la sua bella zampetta, Orlando» gli risponde Vasco.

«Perché?»

«Perché sono brutti.»

«Allora guarda, facciamo finta che gli ecomostri sono questi e io ci lancio sopra le bombe!»

Orlando indica le casette che si era portato da casa sparse sul tavolo e si infila una mano in tasca, alla ricerca di qualcosa. Poi emette un suono per simulare un bombardamento aereo, qualcosa tipo *fiuuuuuu*, apre la sua candida manina e sgancia quattro Tampax flusso medio sulla tovaglia di carta bianca. Vorrei che la geisha stampata sul séparé chiudesse il suo ombrellino e lo desse in testa a Vasco con violenza per cancellargli dalla memoria questo momento.

«Orlando, ma... ma dove li hai presi quelli?!»

«Dal bagno mamma, te li ho presi in prestito per fare le bombe ma poi te li ridò!»

Vasco ha ripreso in mano il menu e ridacchia mentre finge di dare una ripassata alla lista degli antipasti.

«Dammeli subito, dobbiamo metterli via prima che qualcuno li veda...»

«Perché, cosa sono?»

«Sono, sono delle cose da femmine.»

«Che vuol dire?»

Vasco mette giù il menu. «Niente Orlando, cose che in politica chiamiamo decreto flussi, roba noiosa...» dice sfottendomi.

«Scusa Vasco, sono mortificata, spero che nessuno abbia visto dei Tampax al tuo tavolo.»

«Tranquilla, male che vada dirò che ho insultato Mazzoletti via Twitter perché ho le mie cose.»

Occulto il materiale bellico-mestruale nella borsa e provo a riportare la discussione su un livello di normalità.

«E quindi cos'ha questa Lanzarote di così speciale?» chiedo mentre mi accorgo che sul mio iPhone sta lampeggiando la scritta OMMM. Non ho idea di cosa voglia Fabio ora, ma conoscendolo potrebbe essere qualunque cosa, da un prestito di duecentomila euro al volermi comunicare la notizia di aspettare tre gemelli da una polinesiana.

«Intanto Lanzarote è un'isola strana. Nel 1730, e poi circa cento anni dopo, trenta vulcani dell'isola cominciarono a eruttare contemporaneamente, inghiottendo campi e villaggi. Le eruzioni sono durate sei anni. Alla fine, un terzo dell'isola ha cambiato completamente fisionomia e oggi chi va lì, a ovest, trova questo paesaggio primitivo e lunare che non è solo un'ottima location per le pubblicità delle automobili o per i film di Almodóvar, è un luogo magico.»

«Un luogo magico lo dicono anche di Formentera. Di Sorrento. Di Mauritius. Di Portofino. Di parecchi ristoranti sui Navigli. E molte milanesi anche dello show room di Miu Miu...» lo provoco con sguardo ironico.

«Touché. Un luogo magico va bene sul dépliant di una spa, è vero, ma posso fare di meglio. Però la storia non è finita. La parte opposta dell'isola, invece, ha di fronte il Marocco. Tutti gli anni, a causa delle tempeste di sabbia nel Sahara, lo scirocco porta questo vento carico di sabbia bianca sulle coste a est di Lanzarote. Ci sono giorni in cui c'è talmente tanta sabbia nell'aria che non si vede a cento metri di distanza. Gli abitanti, questo vento rossastro e polveroso, lo chiamano Calima. La Calima nei secoli ha regalato all'isola delle spiagge caraibiche, di sabbia bianca, uniche in tutte le Canarie. Quindi, vedi, è un'isola divisa a metà: da una parte è aspra, dura, dall'altra bianca, radiosa.»

«Una bellezza fatta di contrasti» osservo io.

«Una bellezza fatta di contrasti lo dicono anche di Napoli, della Corsica, del Giappone, dell'Egitto e molti milanesi anche del quadrilatero della moda quando d'inverno i clochard dormono davanti alle vetrine di Valentino.»

«Touché, posso fare di meglio.» Colpita e affondata per la seconda volta.

«Non è solo un fatto di contrasti. Lanzarote è un'isola vestita di lava e battuta dai venti, che la bellezza se la suda e non ci si è accomodata sopra, come certi posti da cartolina.»

La ragazza manga comincia a distribuire piatti sulla tavola, spostando bicchieri e tovaglioli per trovare un po' di posto. Sta per sollevare Godzilla e infilare il piattino della soia nello spazio occupato dal pupazzo, ma Orlando lo afferra prima che lei riesca solo a sfiorarlo. Se Giorgio avesse avuto solo un decimo di quel senso del possesso con me, oggi avremmo cinque figli e un labrador nero accoccolato sul divano.

«E insomma, quest'estate ero lì, solo, che mi chiedevo se continuare o no la mia storia con Mia, e alla fine ho trovato la risposta.»

«Quindi siete stati in crisi...» commento mentre rifletto sul fatto che se fa il piacione con tutte come con me, la risposta che ha trovato a Lanzarote gliel'avrà data una finlandese di venticinque anni.

«Sì, a giugno a un certo punto s'è rotto qualcosa.»

«Il tuo cellulare lanciato contro la porta dopo che lei ha visto cose che non doveva vedere?» ironizzo mentre taglio a Orlando un pezzo di vitello duro come il marmo. Che pensa bene di intervenire nella discussione: «Mamma, come te quella volta col telefono di Gior...».

Prima che termini quel nome proprio di persona, gli infilo vitello e forchetta nella trachea, impedendogli di ultimare la frase. So a cosa si riferisce. A quella volta in cui Orlando si era messo a giocare col mio telefono a tavola mentre eravamo a cena con Giorgio e aveva fatto partire per sbaglio una telefonata proprio a Giorgio, il cui telefono posato sul tavolo aveva cominciato a lampeggiare con la scritta «Axel». Mi aveva memorizzata col nome «Axel». Il nome del suo cane. «Ti chiami Viola, non Alessandra, qualcuno a tavola con me come in questo momento potrebbe vedere il tuo nome sul display e collegare, o potrei perdere il cellulare e se finisce in mani sbagliate...»

Ricordo che lo guardai dritto negli occhi e lo interruppi bruscamente: «Hai presente Sandro Meloni, il senatore intercettato mentre parlava con Olga, la tizia con cui andava da Mességué coi rimborsi della Regione?».

«Sì, ho presente, ma non vedo il nesso.»

«Sai con che nome l'aveva memorizzata sulla sua rubrica? Olga-baldracca. Era stato meticolosissimo. Neanche all'ultima delle amanti si affibbia un nome falso in rubrica. Anzi, il nome di un cane.» Poi mi alzai da tavola, afferrai il suo cellulare, lo lanciai da qualche parte e gli gridai: «E sarò anche un cane, ma non sperare che adesso te lo riporti». Presi per mano Orlando e uscii dal ristorante in lacrime. È successo che mio figlio avrà avuto cinque anni, ma a quanto pare non l'ha mai dimenticato. E neanche io. Vasco ha palesemente finto di non aver sentito l'allusione di Orlando a un mio lancio di cellulare e trangugia la sua zuppa piccante in un silenzio sospeso, quello di chi sa che ha lasciato una storia a metà.

«Nessun telefono rotto, anche perché io sono uno fedele. Non solo alle donne, a tutto. Alle mie idee politiche, agli amici, alla marca di camicie che indosso, al bar in cui faccio colazione da vent'anni. Io, quando mi sveglio prima che apra il mio bar, aspetto la mia barista sul marciapiede, non vado mai da quello all'angolo.»

«Anch'io avevo un fan che mi aspettava tutti i giorni sul marciapiede davanti agli studi, ma la polizia l'ha chiamato stalking, non fedeltà.»

«Viola, la barista ha settantadue anni, la polizia la chiamerebbe gerontofilia, non stalking.»

«Ok, la smetto di fare basse insinuazioni sulla tua moralità.»

«La verità è che ci sono storie, a volte matrimoni lunghi una vita, in cui si può essere fedeli all'altro sempre, senza essere fedeli a se stessi mai. Con Mia era così.»

Nel pollo funghi e bambù, il bambù sembra quello della staccionata di un orto, ma fingo di mangiarlo entusiasta. «Quindi mi dici cosa ti ha svelato questa Lanzarote, a parte il fatto che è meglio non farci un investimento immobiliare?»

«Ok, vado avanti. È una storia un po' lunga, ma tanto non c'è problema, io ho solo una campagna elettorale da vincere e il ministro delle Infrastrutture da incontrare tra trentacinque minuti, ma oggi ti ho invitata qui per dirti due cose e ho iniziato dalla più importante. La più importante è Lanzarote, anche se non sarei partito dai braccialetti.»

«Scusa Vasco, temo di non capire. Per quanto bella sia stata la tua descrizione di Lanzarote, non afferro il perché sia così importante che io sappia dove vai in vacanza, anche perché la meno importante, a questo punto, presumo sia farmi sapere dove vai a nuoto.»

Vasco si porta il tovagliolo alla bocca per ridere di gusto senza mostrare il bolo di sushi che ha in bocca. «Va bene, arrivo al punto. Dopo una settimana che ero a Lanzarote, ho incontrato due ragazzi italiani. Li ho riconosciuti perché, in mezzo a centocinquanta tedeschi col pinocchietto, erano gli unici coi pantaloni alla caviglia. Eravamo vicini di tavolo in hotel e ci siamo messi a chiacchierare. Mi raccontavano cosa avevano visto e soprattutto quello che si aspettavano da un'isola, da una vacanza e che Lanzarote li aveva delusi. Gli erano piaciuti i mercatini, il giretto sui cammelli e la mega piscina dell'hotel. Ovvero tutto quello che di Lanzarote io avevo detestato. Non avevano cercato e riconosciuto la sua bellezza ruvida. Le distese di terra nera, la lava che si tuffa nell'oceano, i muretti di sassi a proteggere le viti dal vento, i cimiteri sgangherati, i villaggi bianchi dei pescatori. E il clima prepotente. Quello che certi giorni ti costringe a rimanere in casa se non vuoi che i venti ti spazzino via, ma non annoia mai. Allora ho capito che con Mia io mi annoiavo perché era una parte dell'isola che va bene per alcuni, ma non per me. Io non voglio il cammello, voglio i piedi che si tagliano sulle rocce dure.»

Quest'uomo è ufficialmente pazzo. Un candidato sindaco mi ha invitato in un all you can eat dal quale probabilmente io e mio figlio usciremo con un'epatite B, dopo che mi ha abbordata dicendo che piaccio alla sua fidanzata. Poi mi ha mandato una sedia in regalo con un biglietto inequivocabile, ora mi dice che però lui è talmente fedele da rasentare lo stalking e subito dopo che ha capito che la sua fidanzata è un cammello. Il tutto raccontato molto bene, per carità, ma con qualche incongruenza di troppo. «Se tu mi avessi chiesto di raccontarti la mia vacanza di quest'estate ti avrei detto: "Ponza è bellissima, ho mangiato gli spaghetti alle vongole più buoni della mia vita e Orlando ha imparato a tuffarsi di testa", per cui apprezzo la liricità della narrazione, davvero Vasco, ma la faccenda del cammello mi sembra un po' ingiusta nei confronti della tua fidanzata.»

«Mia non è più la mia fidanzata da luglio. Il 30 luglio sono tornato da Lanzarote e l'ho lasciata.»

«Eh?»

«L'ho lasciata, sì. Da quattro mesi non stiamo più insieme.»

«Scusa ma a parte che l'hai chiamata "la mia fidanzata" più volte, vorrei ricordarti che ci sono fonti orali e scritte che lo certificano, non ultima la copertina di "Gente vip" di poche settimane fa in cui tu dicevi: "Mia è la persona più importante della mia vita", e io ho pensato che esistono ancora uomini che fanno dichiarazioni così e poi ho pensato a Giorgio che mi aveva memorizzato col nome del cane pure deturpato da una brutta alopecia e ho avuto voglia di aspettarlo sotto casa con una mazza chiodata.» E va bene, l'ultima parte, quella su Giorgio, non l'ho vomitata. L'ho solo pensata, ma con una tale intensità che Vasco deve aver colto un lieve turbamento.

«L'ho detto perché è vero e perché io e Mia abbiamo deciso che, fino alle elezioni a gennaio, diremo che stiamo ancora insieme, ma la realtà è che ci vogliamo un bene immenso e non smetteremo di volercene, ma dopo quattro anni in cui siamo stati anche molto felici, ho capito che lei per me era troppo semplice. Era la costa bianca dell'isola, senza il vento e senza la parte bruciata.»

«Ecco, così suona meglio che Mia-era-un-cammello. E scusa, perché fingete di stare insieme?»

«Perché Mia è stata generosa. È la donna più limpida e buona che io abbia mai conosciuto, solo che ha sempre avuto tutto: soldi, bellezza, la migliore università, la sua casetta in centro.»

«Viziata?»

«No. Non è viziata, è un problema diverso. Non ha fame. Non ha domande. Ha quella bellezza di cui ti parlavo prima, di chi si è accomodato.»

«Credo di aver afferrato.»

«Quando le ho spiegato che non potevo più mentirle, ha sofferto, ma ha capito. E mi ha detto che la strada per diventare il sindaco di questa città l'avevamo fatta insieme, che i suoi genitori sono personalità amate e stimate a Milano – forse lo sai, la madre è socia e fondatrice di molte associazioni filantropiche – e che tutto questo mi poteva aiutare ad avere voti e consensi, quindi non c'era nulla di male nel non dire la verità fino a gennaio. Era il suo regalo per gli anni belli che le ho dato, e io l'ho accettato, e sai perché?»

«Perché sei un paraculo?»

«Perché io avrei fatto lo stesso per lei. Perché sì, è un compromesso con la paraculaggine che mi pareva accettabile. E perché la politica è per me un amore vero e appassionato, e credimi Viola, so l'onestà con cui l'ho abbracciata nella mia vita, per cui forse mi posso permettere di occultare nell'armadio uno scheletrino innocuo come questo. Almeno credo. Almeno finché mi sembrerà la cosa più giusta da fare.»

Sto pensando a tre cose, innanzitutto a Mia, alla sua generosità, al suo regalo a Vasco e contemporaneamente al mio regalo a Giorgio per gli anni che mi ha regalato. Quando il mio ex si chiuse la porta di casa alle spalle chiedendomi di non farmi ritrovare lì la sera e di portare via le poche cose che avevo da lui, chiamai il Gruppo Testuggine in preda alla disperazione più cupa. Quella mattina, nonostante Ilaria, Anna e Ivana stessero lavorando, mi raggiunsero a casa di Giorgio per starmi accanto. Fu lì che Ilaria ebbe l'idea. «La vendetta è come il tacco sul sanpietrino, si consuma subito» mi disse con l'aria di chi già sa. E infatti, dopo un rapido sopralluogo di casa Mazzoletti, decise che il Gruppo Testuggine avrebbe applicato la vendetta creativa sui gradini. Più precisamente, sulla fila di gradini senza ringhiera incassati al muro, che portavano al ballatoio su cui davano la camera da letto e il bagno. «Quei gradini lì di design della minchia li avevo anche io nel mio vecchio centro estetico finché un giorno una vecchia scivolò e si giocò il femore, facendomi causa. Sono incastrati al muro con delle lame» sentenziò Ilaria con l'espressione da arredatore di fama internazionale. «Chiamo un amico mio che sa fare 'ste cose e che, diciamo, ho incassato al muro pure io un paio di volte, e te li faccio smontare tutti entro due-tre ore, così quando stasera torna il minchione dal lavoro, per andare al cesso dovrà fare free climbing!» Replicai che mi sembrava inumano. «Vuoi fare un gesto d'umanità? Lasciagli un pappagallo sullo zerbino» mi rispose Ivana. E fu così che il Gruppo Testuggine approvò all'unanimità lo sfregio creativo e che Giorgio la sera mi inviò un sms per cui piansi due giorni, ma ci regalammo un aneddoto grazie al quale io e le mie amiche ridiamo da due anni.

La seconda cosa che penso è che la storia di Mia e Vasco è spaventosamente diversa dalla mia storia con Giorgio, ma anche emblematica di quello che sono i candidati sindaci della mia città e in fondo anche la politica: uno nascondeva la sua fidanzata perché nella sua testa poteva danneggiarlo, l'altro mostra la sua ex fidanzata perché potrebbe favorirlo. Come se la via dell'onestà escludesse a priori il consenso.

La terza cosa che penso ha a che fare con gli occhi grigi di Vasco, incorniciati da sopracciglia folte e rossicce da guerriero barbaro. Al fervore, a come si accendono quando mi parla della sua passione per la politica e a come si ingentiliscono quando mi racconta di Mia e di Lanzarote. Se non fosse che mi ha appena detto di non essere sincero, direi che mi sembra sincero. E io non scomodo l'aggettivo «sincero» per un uomo dal 1984, quando mio padre mi disse che si era dimenticato di comprarmi il regalo di compleanno.

«Scusa, io non c'ho capito niente a parte quella cosa dei vulcani, però ogni tanto ho ascoltato perché avevi detto che era una storia su quei braccialetti e invece non ho capito che c'entrano i braccialetti con la sabbia e il cammello.» Orlando dice la frase tutto d'un fiato, con la forchetta sospesa in aria e la frangetta troppo lunga davanti agli occhi. Io e Vasco scoppiamo a ridere per il buffo puzzle di stralci di conversazione che è uscito dalla sua bocca di bambino attento. Tra l'altro, avevo dimenticato che la storia doveva essere la genesi di quei braccialetti.

«È vero Orlando, ma devi sapere che i politici sono così. Quando una domanda è troppo diretta e la risposta è scomoda, confondono l'avversario. Tirano fuori sondaggi, percentuali, aneddoti e certe volte vulcani e cammelli, e uno alla fine non si ricorda più cosa aveva domandato. C'è gente che ha vinto le elezioni non rispondendo mai neanche alla domanda: "Che ora è?".»

«E il perché di quei braccialetti era una domanda così scomoda?» dico io mentre mi chiedo mentalmente se lasciare sei chicchi di riso in un all you can eat vorrà dire che li dovremo pagare comunque, ma soprattutto a quanto stia un chicco di riso in un all you can eat. E se quel mezzo involtino rimasto potrebbe entrare nel mio reggiseno imbottito, perché quello ce lo fanno pagare sicuro ma dubito che perquisiscano i clienti sulla porta per vedere se hanno del sushi avanzato nelle mutande. Intanto Orlando si è rimesso a giocare sul bordo del tavolo, però a questo punto ci è chiaro che seppure a singhiozzo, ci ascolta anche lui.

«Ho dieci minuti per finire la storia dei bracciali e chiederti l'altra cosa. Poco, troppo poco. E in più non ho fatto parlare te, non ti ho chiesto nulla di quello che avrei voluto sapere, di quello che hai fatto.»

«Di quello che ho fatto quando?»

«Dal 19 agosto 1975 a oggi, comprese festività e ponti.»

«Ti sei informato sulla mia data di nascita, mi stai pressando Martini...» gli dico scherzando.

«Sono arrivato al tuo indirizzo di casa, figuriamoci se non arrivavo a Wikipedia. E poi su Google basta digitare le parole chiave uomini-discussione-lite-tette-scarpe e vieni fuori tu, cerca di capire.»

«Spiritoso. Ecco, a proposito del mio indirizzo di casa, Vasco, io non so che dire per la sedia, è molto bell...»

«Aspetta. Non dire nulla. Ho sbagliato io a mandartela senza dirti prima di Mia, non dovevo. Avrai pensato che stavo facendo il cretino con una fidanzata ignara che mi aspettava a casa e hai fatto bene a non rispondermi. Ma hai fatto bene a prescindere, perché io "aspettavo", ma non mi aspetto nulla.»

«Sì, in effetti mi è sembrato un po' azzardato, io, tu, cioè, la frase era bella e, però...» Però io che Giorgio è il mio ex non posso dirtelo. Non sono in cerca di voti, ma non posso permettermi il lusso dell'onestà neanche io. Non avrebbe senso e poi io ti conosco appena, non posso spiegarti che non voglio avere a che fare con te perché un grado di separazione tra me e Giorgio è troppo poco per la mia serenità.

«Viola, al di là di quello che ti ho scritto nel biglietto, la storia della proposta non era una scusa. E questa era la seconda cosa che desideravo dirti oggi. Vorrei che tu mi intervistassi al mio comizio nel giorno di Sant'Ambrogio. Ci saranno molte associazioni femminili ad assistere e mi serve una spalla brillante, nonché qualcuno che sia apprezzato e benvoluto dalle donne. Mazzoletti in questo ha una marcia in più, le donne sono il suo zoccolo duro, ha un forte ascendente sulla componente femminile degli elettori...»

Ne so qualcosa. Anche io quando l'ho visto la prima volta ho pensato che fosse il prototipo dell'uomo solido e affascinante. Il tipo di maschio che evoca parole come stabilità e concretezza. E poi è uno che sa intortare le donne, è capace di gesti antichi, di fare il baciamano, di aiutarti a metterti il cappotto, di aprirti la portiera della macchina. Peccato che poi se fai un incidente in macchina come mi è capitato, non viene neppure in ospedale a trovarti. Peccato che Giorgio Mazzoletti sia fuffa. Ingannevole, evanescente, ridicola fuffa. E che le milanesi ci caschino in massa esattamente come ci sono cascata io. «Grazie per la proposta, davvero, ma credo ci siano donne più adatte di me per affiancarti a quel comizio, io sono un personaggio televisivo e faccio una tv terribile...»

«E questo che c'entra?»

«C'entra perché sono simpatica alle donne, è vero, ma finché parlo di uomini, corna e toy boy. Vasco, lo sai meglio di me, la politica è un'altra faccenda, ha bisogno di gente credibile...» Il lavaggio del cervello di Giorgio ha funzionato così bene che ormai mi do della sciacquetta da sola.

«Non ti ho chiesto di fare l'assessore se mi eleggono, ti ho chiesto di intervistarmi.»

«Perché non lo chiedi a Camilla Morante, lei è a capo del comitato Donne onlus ed è un punto di riferimento a sinistra per quel che riguarda le tematiche femminili, poi ha quella rubrica su "La pagina" ed è la moglie dell'ex ministro dell'Ambiente...»

«Ti prego Viola, piuttosto che farmi intervistare dalla Morante chiamo la Speranza. È la donna più triste e deprimente della storia, una di quelle che hanno la ricrescita bianca perché la ricrescita bianca è di sinistra e la tinta è di destra. Di quelle che sembrano vestite da presidi di riformatorio e poi scopri che il tailleur era di Prada. Di quelle che dicono di non avere la tv in casa, però poi hanno la villa a Capalbio. Esiste anche una sinistra più pop e più simpatica, i radical chic sul palco con me non ce li voglio.»

«Ho capito, ma se non vuoi la sinistra radical chic e la destra la lasci a Giorg... a Mazzoletti, chi ti vota a parte tua madre?»

«I gay e i bolscevichi!» esclama Vasco ridendo.

«Be', non male, se ti votano tutti i gay residenti a Milano, prendi il novantotto per cento dei voti e la fascia di sindaco te la disegnano Dolce&Gabbana.»

«Dai Viola, dimmi di sì.»

Il candidato sindaco Vasco Martini è convinto che la mia presenza accanto a lui potrebbe aiutarlo a battere il suo avversario politico Giorgio Mazzoletti, quello convinto che la mia presenza accanto a lui avrebbe potuto farlo perdere. L'idea di essere un fantomatico ago della bilancia mi fa sorridere. «No, non posso accettare, mi spiace.»

«Dammi una ragione decente per cui non accettare.»

«Ho troppe tette. A sinistra le tette non piacciono, evocano volgare opulenza. Il tuo partito non approverebbe.»

«Wow, questo sì che è un argomento di concetto.»

«Vasco, non voglio avere a che fare con la politica, io faccio tv e mi sta bene occuparmi di scemenze.»

«Tu sei molto meglio di quello che fai.»

«Lo spero.»

«È evidente che sei sprecata.»

«Mi stai dicendo che vuoi tirarmi fuori dalla palude trash in cui sto sprofondando?»

«Non ci penso neanche.»

«In che senso?»

«Nel senso che a me non frega un bel niente di quello che fai per vivere. Si vede come sei pure quando parli di corna e lap dance e chi non lo capisce è un cretino.»

«Già, resta il fatto che parlo di corna e lap dance.»

«Marilyn Monroe era un'impacchettatrice di paracaduti. Tu ora stai impacchettando paracaduti, ma sei destinata ad altro.»

«Sì. A suicidarmi con i barbiturici per festeggiare la trecentesima puntata delle *Amiche del tè*, come Marilyn.»

«Scema.»

«Comunque è no.» Pronuncio i miei no e rifletto sul fatto che nessuno mi aveva mai parlato così. Vasco è il primo uomo che non mi incasella, che non mi giudica, che non fa battutine sull'inutilità del mio lavoro. Sa che io non credo di salvare il mondo e non ha bisogno di ricordarmelo.

«Veniamo ai braccialetti. Lanzarote è piena di storie affascinanti. Una riguarda...»

«Scusi se la disturbo mentre sta pranzando, dottor Martini, posso stringerle la mano?» Una signora un po' più che attempata ha fatto irruzione al nostro tavolo, costringendo Vasco ad alzarsi in piedi, per galanteria. A vederlo così, da seduta, di fianco alla vecchietta un po' curva e secca da far spavento, sembra di assistere a una scena dei *Viaggi di Gulliver*.

«Mamma, il tuo amico è alto come Godzilla!» scherza Orlando impressionato quanto me dalla stazza di Vasco.

Guardo Vasco con attenzione per la prima volta. È asciutto, ma ha conservato le spalle e le braccia forti del giocatore di basket. Non è bello, ma c'è una strana armonia in lui tra l'imponenza della sua figura e la premura nei gesti, la delicatezza della voce, i movimenti leggeri con cui accompagna ogni sua intenzione, come se a causa della sua mole avesse imparato a maneggiare le cose con cura, per paura di romperle. La vecchietta non solo gli stringe la mano in una morsa micidiale e non la molla, ma ora gliela cinge anche con l'altra mano, in un gesto da misericordia papale. Vasco si piega in avanti per ascoltarla e lei gli parla fissando le sue mani, come fosse un santo o Gesù Cristo sceso in terra per far convertire i fedeli dell'all you can eat alla cucina mediterranea. «Lei è una brava persona, si vede, e mi è anche simpatico, ma non deve dire quelle cose lì sugli uomini che hanno quelle perversioni, quelli lì, mi ha capito, no?»

«Gli omosessuali.»

«Eh, quelli. Non deve dire che sono uguali a noi. Dio ha fatto l'uomo e la donna, ci sarà un motivo, no? Che poi all'epoca mia queste cose non c'erano...»

«Signora, anche questa è l'epoca sua...»

«No guardi, quale epoca mia. Io non ci capisco più niente, per dire, oggi sto qui in questo ristorante strano con i miei nipoti e mi hanno detto che se lasciano qualcosa nel piatto la pagano. Quando ero giovane io se lasciavo qualcosa nel piatto mio padre mi picchiava con la cinta, qui non si capisce più niente, glielo dico io!»

Vasco è visibilmente imbarazzato. In compenso io e Orlando stiamo seguendo gli insegnamenti pedagogici della signora sforzandoci di non scoppiare a ridere. O meglio, io mi sforzo, mentre Orlando si lascia andare a una sonora risata. La vecchietta si gira verso di noi con una lentezza biblica. Molla finalmente le mani al povero Vasco e punta l'indice nella mia direzione, scrutandomi con interesse. «Io la conosco la signora. L'ho già vista da qualche parte. Ha mica una frutteria in via Bigli?»

Orlando esplode in una seconda risata allungando le sue manine sul tavolo e poi asciugandosi gli occhi che ormai piangono lacrime di spasso assoluto. Io assecondo l'Alzheimer della vecchietta e confermo la mia dedizione sincera al commercio di mele e banane. Vasco cerca di liquidarla con gentilezza, ma la vecchietta ha la tigna del grasso sui fianchi. «Complimenti per la bambina!» esclama osservando Orlando, che nel frattempo cerca di ricomporsi. E che la corregge prontamente: «Bambino!».

La nonnetta molesta strabuzza gli occhi. «Bambinooo? Un maschio con quei capelli lunghi?»

Intervengo io, prima che mio figlio improvvisi una rissa verbale con la vecchia, che da simpatica disturbatrice ha già avuto una rapida promozionc a ineguagliabile rompicoglioni. «Sì signora, gli piacciono i capelli lunghi, dice che li vuole come Thor...»

«E il toro in testa ha le corna, mica i capelli!»

Orlando scoppia a ridere di nuovo. Vasco prova a intromettersi nella discussione, ma ormai la vecchia è partita in quarta. «Ai miei tempi, mia madre appena ci crescevano i capelli a me e ai miei fratelli ci infilava un bel pentolino in testa e seguiva il bordo con le forbici. Così nessuno sembrava una femmina e non c'erano queste cose contro natura che ci sono oggi. Lei voleva la femmina, dica la verità?» E qui la signora tocca un nervo scoperto, perché è un'insinuazione cretina che ho già subìto più volte.

«No signora, per niente, anzi, io volevo proprio un maschio...» tento di replicare ormai allo stremo delle forze e ringraziando il cielo per aver spazzato via i Tampax dalla tavola prima che arrivasse la signora.

«Ah, ho capitoooo!» La vecchia si gira e fissa Vasco, tirando indietro la testa per scorgerne il viso a un metro di altezza dal suo, e annuisce come se ora il disegno criminoso le fosse improvvisamente chiaro. «Allora la voleva lei la femmina!»

Il vichingo gentile cerca di spiegare l'equivoco, ma l'imbarazzo lo rende improvvisamente impacciato: «Noooo. Ha capito male, lei non è mia mogli...». In quel preciso istante Orlando tira un urlo feroce, che fa girare tutta la sala. Lo guardo colta dal panico. «Mamma mi bruciano gli occhiiii!» Ha della roba verde impiastricciata tra le sopracciglia. Sembra... sembra... sembra... WASABI. A furia di ridere battendo i pugni sul tavolo e asciugarsi gli occhi con le manine, deve aver infilato per sbaglio una mano nella ciotola del wasabi, che è notoriamente una roba in confronto alla quale il peperoncino di Soverato è un insaporitore da brodino d'ospizio, e ora mio figlio ha gli occhi in fiamme. Lo prendo per un braccio, ci tiriamo fuori dal tavolo e ci dirigiamo rapidi verso il bagno passando davanti a Vasco, alla vecchia rompicoglioni e a tutto il ristorante che non ha perso una battuta del siparietto, dimenticando il dentista, la parete surrealista e soprattutto Barbie Malibu e i suoi fiocchettini rosa sul micro bikini. Io e Orlando ci lasciamo la vecchia alle spalle quando ci arriva limpido il suo commento: «Eccooo!

Lo sapevo! Sono maschi e li mandano in giro coi capelli lunghi e le magliette di Barbie! Poi dice che gli nascono i figli ermafrociti! Mi spiace ma io il mio voto lo do al Mazzoletti, che quello non lo vuole l'album dei pervertiti!»

«L'albo signora, l'albo, e non dei pervertiti, delle unioni civili» replica Vasco timidamente. Quella è l'ultima battuta che riesco a sentire prima di varcare la soglia del bagno, con mio figlio che piagnucola e lacrima come la Madonna di Civitavecchia. Per restituire la vista a Orlando, impiego almeno cinque minuti e venti sciacqui con l'acqua tiepida del rubinetto. Quando l'operazione è terminata, apro la porta della toilette ma mio figlio si rifiuta di uscire. «Voglio il mio giacchetto, non passo davanti a tutti con la maglia di Barbie!»

«Orlando, ormai è andata, l'hanno vista, non ci faranno più caso.»

«No! Io mi vergogno!»

«Andiamo!»

«Ho il libero atribrio!»

«Arbitrio!»

«Atribio!»

«E va bene, aspetta qui che vado a prenderlo. NON TI MUOVERE.» Chiudo la porta di metallo pesante dietro di me sbuffando come solo le madri sanno sbuffare quando si cede a un capriccio inutile e davanti a un vaso di fiori secchi, posato su un mobiletto triste accanto all'ingresso dell'anticamera del bagno, mi trovo Vasco.

«Lo so, starai pensando che ormai piantonare le porte che ti riguardano sia un'abitudine. Volevo solo salutarvi senza gli occhi della gente addosso. E sapere se Orlando sta bene. A proposito, dov'è?»

«È dentro, vuole il suo giacchetto per coprire Barbie Malibu... quella che ti ha fatto perdere il voto della vecchietta...»

«Ah ah, sì, in effetti questa me la devi spiegare, anche se agli strali dei milanesi conservatori sono abituato...»

«Era un cambio d'emergenza, prima di venire qui aveva avuto un piccolo incidente dal dentista, giuro che non volevo la femmina e che non gli ho dato io i Tampax... ma, ad ogni modo, ti chiedo formalmente di portare avanti la tua battaglia per l'albo delle unioni civili perché se vado avanti così ha ragione la vecchietta e devo pensare al futuro di Orlando.»

«Eh sì, citando il maestro Yoda: "Nebuloso è il futuro di questo ragazzo!"» scherza Vasco, pronunciando la frase con aria profetica.

«Non ci provare, mio figlio è molto più figo di Anakin e il suo lato oscuro è solo quella maledetta ossessione per Godzilla!»

Io e il candidato sindaco di Milano stiamo giocando a *Star Wars* nell'anticamera di un cesso mentre Orlando è chiuso in bagno con la maglietta di Barbie. La vera questione è perché tutto sembri così normale. Così normale da spaventarmi.

«Vado a prendere il giacchetto prima che mio figlio torni a casa attraverso la rete fognaria» gli dico dirigendomi verso la porta.

«Ok, io presidio la porta, come sempre.» Ho già la mano sulla maniglia di plastica. «Viola!» È un «Viola!» bello, pieno, quasi perentorio. Mi volto. «Quando ti rivedo possibilmente lontano da un infisso?»

«Non lo so, Vasco.»

«Sabato vado ad Asti, stacco un po' e passo una giornata nella mia cittadina, lì non ci sono fotografi e personaggi invadenti, perché non mi accompagni? Ti faccio vedere la mia città...»

«Non posso, sabato e domenica sono via con le mie amiche.»

«Ok, ho capito, provo con una proposta più formale. La settimana prossima ho questo comizio a piazza Castello per Sant'Ambrogio. Non vuoi intervistarmi, ok. Vieni a vedermi?»

«Vado a prendere il giacchetto...»

Due minuti dopo io, Vasco e Orlando con gli occhi ancora arrossati dal collirio al wasabi siamo fuori dal Fu-Ji-Ten.

«Grazie per il pranzo... e per non aver mangiato mio figlio ovviamente.»

«Confesso che il sushi faceva così schifo che per un attimo ho avuto la tentazione di ricominciare a mangiare bambini, ma ho abbandonato il pensiero estremista da un po'.»

«Sì, in effetti non volevo dirtelo ma non è che il cibo fosse memorabile. Come mai un all you can eat? Non sei un po' anziano e un po' troppo benestante per questi posti?»

«Vuoi sapere la verità sul perché ho scelto un cinese improbabile?»

«Perché sapevi che il bagno aveva un'anticamera in cui si chiacchiera da Dio?»

«Perché ai giovani squattrinati e ai cinesi non frega nulla di chi diventerà sindaco e di cosa fai tu in tv, per cui ero certo che ci avrebbero lasciati in pace senza foto e interruzioni continue. E poi il quartiere cinese è ancora uno dei pochi posti a Milano in cui in questo periodo riesco a girare tranquillo. La vecchietta è stata un incidente di percorso.»

«Ai milanesi potrebbe far incazzare sapere che il candidato sindaco snobba l'ossobuco per l'involtino primavera.»

«Ho deciso di correre il rischio. Da domani ricomincio il tour dei ristoranti tipici chiedendo al ristoratore di appendere all'ingresso la mia foto con lui e il capocuoco in una cornicetta di legno come fa Mazzoletti, giuro.»

«Perché vuoi comandare Milano?» La domanda ingenua di Orlando arriva assieme al taxi di Vasco.

«Può aspettare un attimo?» chiede Vasco al tassista, che alza il finestrino e mette le quattro frecce.

«Perché se un domani Godzilla sbucasse dal lago di Como e mettesse i suoi zamponi sul Duomo o sul Pirellone, vorrei esserci io a difendere questa città.»

«E lo uccideresti come hanno fatto gli americani e certe volte anche i giapponesi?»

«No, gli chiederei di riservare le sue micidiali codate per qualche villa di Mazzoletti e di lasciare in pace gli altri milanesi.»

«Allora ti voto!»

«Grazie Orlando! Dammi il cinque!»

Orlando spalanca la sua manina piccola e la batte forte su quella enorme di Vasco. Mentre loro due familiarizzano, io intanto ho adocchiato un fogliettino bianco sotto il tergicristallo della macchina. «Be', noi andiamo, ciao Vasco...»

«Vi accompagno alla macchina!»

«No, non ti preoccupare e poi c'è il tuo taxi.»

«Non c'è problema, aspetta.»

«Ma il ministro...»

«Aspetta anche lui. Dove avete la macchina?»

«Nella via qui dietro, davvero nessun problema...»

«Ma no mamma, la macchina è lì!»

Vasco sta per voltarsi e realizzare finalmente che si trova di fronte alla cittadina più indisciplinata della città che vorrebbe amministrare, quando Fabio fa la prima cosa giusta da nove anni a questa parte: mi chiama. Per la verità, sarebbe più esatto dire: mi chiama per la decima volta da quando siamo entrati al ristorante. «Scusami Vasco, ma ti devo lasciare, è il mio ex marito...»

«Capisco. Non ti preoccupare, Wikipedia mi ha istruito anche su questo. Ti vedo al comizio?» mi chiede mentre apre la porta del taxi.

«Non lo so...» gli rispondo mentre mi allontano.
«Orlando, che ha detto la mamma dei comunisti? Che sono...»
«Dei poveri illusi che non si rassegnano!»
«Ecco! Capito, Viola? Ciao Orlando!»
Vasco chiude la portiera del taxi affacciandosi un'ultima volta per sorridermi, poi sparisce all'angolo con via Sarpi.
«Pronto, Fabio?»
«Si può sapere perché cazzo non rispondi quando chiamo?»
Ommmmm. «Anche io sono felice di sentirti!»
Orlando ha già lo sguardo radioso che gli viene quando sente che il papà chiede di lui nel mondo.
«Sempre con queste battute da cretina. Invece di fare la spiritosa, rispondi al telefono, visto che stai con mio figlio e parlarci è un mio diritto!»
Certo, e occupartene sarebbe un tuo dovere, ma ormai sono abituata all'idea che sventolerai sempre e solo la carta dei diritti, oltre alla mutanda di qualche brasiliana. «Vuoi parlare con Orlando? Che bello, te lo passo subito!»
«No, volevo parlare con te, stronza!»
Ommmmm. «Ah, quindi vuoi parlare prima un attimo con la sua mamma e poi con lui, certamente.» Intanto, ho appena sfilato dalla spatola tergicristallo la multa per divieto di sosta. Credo sia la nona questo mese. Potrei rilegarle e sfogliarle, per geolocalizzare i ricordi sparsi per la città. E sfogliando l'album delle multe, ricordare quanto mi sono costati. Questo del pranzo con Vasco, per esempio, sessantanove euro e cinquanta che in fondo potrebbe venirmi a chiedere proprio lui tra un mese, se si fa eleggere. Non male.
«Allora, questo weekend io me lo porto al mare.»
«Chi?»
«Come chi? Orlando.»

«Vuoi portare con te al mare Orlando?» Io (Fabio, soggetto). Lo (lui, Orlando, complemento oggetto). Porto (predicato verbale). Al mare (complemento di luogo). L'analisi grammaticale sembra confermare l'affermazione del mio ex. Non chiede di portarlo con sé da qualche parte – esclusa una settimana scarsa di vacanza estiva – da quando Orlando è sceso dal girello. «Ma siamo praticamente a dicembre» replico io mentre Orlando ha già drizzato le orecchie.

«E quindi? Mica ho detto che lo porto al mare a fare una gara di tuffi. Vado in Liguria, a Varazze, con degli amici calciatori che hanno dei figli. Questo weekend non c'è il campionato di serie A, sono fermi.»

Orlando ha messo su l'occhio caritatevole del gatto di *Shrek*. Devo cercare di non pensarci. Mio figlio in mezzo a una banda di buzzurri tatuati coi capelli spiaccicati sulla testa e la riga in mezzo che parlano solo di gnocca e della Porsche da vendere a quello del concessionario fuori Milano che però poi c'ha un affare immobiliare da proporgli e allora subentrano i personaggi come il mio ex marito che non si sa cosa facciano nella vita ma sono amici dei calciatori e quindi di mestiere fanno gli amici dei calciatori e perciò vanno a vedere l'immobile per conto dei calciatori e così via. Va bene, va bene. Suo padre è questo, e Orlando lo ama così, inaffidabile, rozzo, infantile. Anzi, forse lo ama di più perché è così. E poi è un maschio, e anche mio figlio deve fare le cose sceme che fanno i maschi. Qualche rutto serve anche a crescere. «Va bene Fabio, allora dico a mia madre di non venire a Milano sabato perché io sarei andata fuori per il solito weekend al mese con le amiche, però lunedì mattina deve essere a scuola. E dovete fare i compiti.»

«Già rompi le palle? Li fa i compiti, stai tranquilla.» Tutututututu.

«Ciao Fabio, sì, benissimo, allora non te lo passo perché devi proprio scappare ma sabato andate insieme al mare, certo che glielo dico. Sì, te lo saluto. Ciao!»

Il volto raggiante di mio figlio mentre gli comunico che papà se lo porta al mare questo fine settimana vale il litro di bile appena prodotta dal mio fegato duramente provato da anni di separazione. Io e Orlando saliamo in macchina. Durante il tragitto ce ne rimaniamo insolitamente in silenzio. So a cosa sta pensando lui. Al mare, al papà, al pallone sulla sabbia. Siamo fermi a un semaforo di quelli che sembrano rotti, per quanto se ne restano piantati sul rosso. Io invece sto pensando che non so come finiva la storia dei braccialetti. Finalmente scatta il verde. Sto pensando a Vasco.

11

Un surfista mediocre

Giovedì 28 novembre 2013, h 23,14
Da: vasco.martini@gmail.com
A: viola.agen@yahoo.com

Ciao Viola,

confesso che ho riflettuto un po' prima di decidermi a scriverti questa mail. Trenta secondi, compreso il tempo occorso per avviare il computer. Spero tu mi legga dal divano di casa e non dal pronto soccorso del Fatebenefratelli, reduce da una lavanda gastrica dopo l'indimenticabile pranzo di oggi. Mi scuso ancora, ma avendo dovuto scegliere tra: a) il privilegio di gustarmi la tua compagnia in santa pace; b) quello di gustarmi un pranzo decente, ho optato per la a). Sono un egoista, come la maggior parte degli uomini. Ti scrivo perché oggi ho lasciato una cosa a metà. E non sto parlando del terrificante involtino primavera nel piatto. Parlo della storia dei bracciali di Lanzarote che, come ha fatto giustamente notare Orlando, è rimasta in sospeso. Non sono due banali pezzi di corda arrotolati a un polso troppo magro. Ti racconto cosa significano per me, venendo perfino meno a un assioma imprescindibile della mia vita, che è «le cose importanti si dicono, non si scrivono». Lanzarote è un luogo pieno di storie affascinanti. Te ne narrerò tre. L'attore Omar Sharif finì su quest'isola negli anni '70 per girare un film, *La isla misteriosa*. Una ciofeca di film, tra parentesi. Si innamorò di Lanzarote e di una casa incredibile, scolpita dentro a una parete rocciosa di un paesino di nome Nazaret. L'aveva costruita l'artista dell'isola che fu allievo di Picasso, Cesar Manrique. Una casa davvero fiabesca, fatta di grotte, tunnel, passaggi segreti. Omar Sharif la comprò, pagandola probabilmente una fortuna. Una notte, proprio a Lanzarote, se la giocò a una mano di bridge, come fosse stata una qualunque montagnetta di fiches, e oggi è rimasta a quel tedesco più fortunato di lui, che ne ha fatto un luogo da visitare pagando un biglietto. Omar Sharif non tornò mai più sull'isola. Poi c'è la storia di Cesar Manrique, l'artista. Era nato a Lanzarote e amava la sua terra. Girò il mondo, si trasferì a New York, espose ovunque, dal Giappone all'America, ma non riuscì a rimanere lontano da Lanzarote. Ci tornò a vivere, forse rinunciando a molta della fama che stava accumulando, e decise che l'avrebbe difesa dallo sfruttamento turistico, dagli hotel casermoni, dai progetti poco in sintonia col paesaggio. Disseminò l'isola di sue sculture che si muovono col vento e non smise mai di valorizzare la bellezza della sua terra. Perfino sulle strade lunghe e dritte di Lanzarote, così sgombre che non esistono quasi i semafori, non c'è una rotonda che non abbia al centro una scultura di Manrique. E sai come finisce questa storia, Viola? Che Manrique morì sulla sua isola proprio su una di quelle strade lunghe e dritte, per via di uno stupido incidente in macchina. Tradito da chi amava. Infine, c'è José Saramago. Il premio Nobel portoghese si trasferì a Lanzarote con il suo grande amore Pilar dopo che il suo governo e la Chiesa cattolica criticarono aspramente alcune sue opere fortemente anticattoliche. José era un comunista più estremo e perfino più ruvido di me. Diceva che il comunismo per lui era una questione ormonale, diceva: «Ho una ghiandola che secerne ragioni affinché io resti comunista». Su una cosa, Viola, vorrei essere chiaro. Io per fortuna continuo a secernere più testosterone che ormoni comunisti, ma questa è una faccenda più terrena che al momento accantonerei. Fu un esilio culturale, una lotta in difesa delle proprie idee che gli costò l'abbandono volontario del suo Paese. E a Lanzarote Saramago è morto serenamente a ottantasette anni, accanto a Pilar, nella sua bella casetta bianca di Tías, in cui aveva una parte della biblioteca dedicata solo alle scrittrici. In fondo avresti voluto bene anche tu al vecchietto comunista che amava le donne. Ti starai domandando dove vada a parare questa storia, Viola. Tranquilla, desidero sempre diventare sindaco, non guida turistica di Lanzarote. Il pomeriggio prima di ripartire ero sulla spiaggia nera di Famara che pensavo a cosa avrei detto a Mia al mio ritorno e mi sono messo a vagare tra negozietti e bancarelle per surfisti. C'era un ragazzo inglese, un surfista, con un asciugamano bagnato sulle spalle che parlava con una signora che vendeva braccialetti. Lei tentava in tutti i modi di convincerlo a comprare. «Compra! *Buy buy*! Quando si rompono si avvera un desiderio!» continuava a ripetergli in un inglese maccheronico. «Non mi piacciono le cose che non sai quando si rompono. L'onda non aspetta, l'onda si rompe. E se sei un bravo surfista sai quando sta per accadere.»

«E come lo sai quando sta per accadere?» gli aveva chiesto lei affascinata dal suo eloquio. «Guardi la sezione più alta e se la linea d'onda è livellata, saprai che è il momento. Puoi morire, puoi domarla, puoi diventare Dio o farti riempire di botte dalla tavola, ma se non remi e vai al largo, non saprai mai come andrà. C'è chi aspetta la schiuma sulla riva e chi va incontro alle cose e le cavalca quando si rompono. Ma devi essere disposto a rinunciare all'acqua bassa per scoprirlo.»

«Allora prendi questi, non si rompono. Te li levi tu, quando decidi che è il momento di lasciare l'acqua bassa, amico saggio» replicò la signora. Il ragazzo comprò due di quei braccialetti, se li mise e sparì dietro a una duna, sorseggiando la sua birra chiara. «E tu, che braccialetti vuoi?» mi chiese la signora simpatica. È lì che ho capito.

Io non ho mai lasciato l'acqua bassa, Viola. Ho amato, ma non ho mai scelto di andare incontro alle onde più grandi. O forse non ne è mai arrivata una così perfetta da farmi decidere di lasciare la riva. Non c'è mai stata una passione per cui io sia stato disposto a perdere qualcosa. Per Sharif la passione, magari scellerata, era il gioco e per quello ha perso tutto. Per Manrique la passione era la sua terra e ha perso la fama e poi anche la vita, proprio per mano di quella terra che amava. Per Saramago la passione era un'idea e per quella ha rinunciato al suo Paese. Ci sono amori folli, amori ingiusti e amori quieti. Ci sono amori su cui si scommette, amori per cui si resta, amori per cui si parte e perfino per cui si muore. Ma non ci sono amori per cui non si sia disposti a lasciar andare qualcosa. Ed è questa la risposta che mi ha dato Lanzarote: io degli alisei non me ne sono mai fatto nulla. Al massimo, nella mia vita, il vento ha fatto ruotare la girandola sulla porta. Quello che ho detto a Mia quando sono tornato già lo sai. Dopo la fine della storia con lei, dentro di me mi ero convinto che la politica fosse la mia onda perfetta, che fossi nato per amare solo quella. Che in amore avrei scelto sempre l'acqua bassa. Poi ti ho vista e mi è venuta voglia di sdraiarmi sulla tavola e di remare forte. Quei bracciali li ho comprati dopo che il surfista se n'è andato. Sono robusti e non si romperanno da soli. Li toglierò io, ma solo quando avrò il coraggio di lasciare andare qualcosa per amore di qualcos'altro che non sia la politica. Ho finito. Sei arrivata in un momento complicato. C'è la campagna, ci saranno le elezioni, ci sarà un dopo che probabilmente per me vorrà dire leccarmi le ferite, ma nella mia carriera di mediocre surfista è la prima volta che guardo la cresta e non il ventre dell'onda. E l'onda si rompe, non aspetta, come ha detto quel ragazzo. Lo so che per adesso mi hai detto solo dei sonori no, ma va bene così. Tu sei una spiaggia senza accesso da terra, di quelle che ti devi guadagnare. L'ho saputo dal primo momento in cui ti ho vista. E, se non ci riuscirò, resta sempre l'ipotesi Formentera e i racchettoni con le veline. Lì le spiagge hanno perfino la passerella di legno. Ovviamente, mi annoia solo il pensiero.

V.

P.S. Godzilla ha ancora le sue cose?

Venerdì 29 novembre 2013, h 00,51

Da: viola.agen@yahoo.com

A: vasco.martini@gmail.com

Hai il nome di un grande esploratore portoghese, Vasco Da Gama. E non un esploratore qualunque, perché non so se lo sai, ma Vasco Da Gama fu il primo ad allontanarsi dalla costa per sfruttare i venti migliori. L'ho ripassato qualche giorno fa con Orlando mentre lo aiutavo a fare i compiti di storia. Quindi, onora il coraggio del tuo impavido omonimo e abbandona l'acqua bassa. Anche se forse non sono io l'onda perfetta...

Buonanotte.

Viola

P.S. Godzilla è passato agli assorbenti con le ali. Ora pare Smaug.

Venerdì 29 novembre 2013, h 00,59
Da: vasco.martini@gmail.com
A: viola.agen@yahoo.com

Mi sono venute in mente 213.211 battute sul mio desiderio di circumnavigarti. Hanno ragione i miei detrattori: non sono una persona seria.

Buonanotte.

V.

12

Il Gruppo Testuggine

Il Gruppo Testuggine ha tre regole: la prima, assoluta, è che i contenuti delle nostre chat non sono divulgabili. È severamente vietato fotografare schermate di conversazioni del Gruppo Testuggine e mostrarle a terzi, chiedendo pareri a persone esterne al gruppo. Tale pratica è invece ampiamente consentita, e anzi raccomandata, all'interno del gruppo. Le schermate di conversazioni virtuali avute con fidanzati, o aspiranti tali, vengono costantemente monitorate dal Gruppo Testuggine per vagliare il livello di inutilità e coglionaggine dell'uomo di turno. Non so quanto l'universo maschile ne sia consapevole, ma ormai quello che un uomo ci scrive su una chat non viene più riportato alle amiche per via orale, con tutti i possibili fraintendimenti del caso. No, la storia è cambiata: viene fotografato e inviato alla più cara amica nel migliore dei casi, o a un intero gruppo di amiche nel peggiore, che si ergeranno a giudici supremi della sua conoscenza del mondo femminile, delle regole base del corteggiamento, ma soprattutto della grammatica italiana. Per esempio, Anna, Ilaria e Ivana mi hanno cassato sul nascere almeno un paio di ipotetici flirt per abuso di kappa e io, Anna e Ivana una volta volevamo andare sotto casa di un corteggiatore di Ilaria per metterlo sotto con un suv dopo che le aveva mandato il seguente sms: «Scusa se non mi ho fatto vivo prima, ma sono un disel e ci metto un po' a scarburare». Per un corteggiatore di Ivana che utilizzò l'aggettivo «fatiscente» in un sms, brindammo a Cristal per una settimana di seguito. La seconda regola del Gruppo Testuggine è che il Gruppo Testuggine non esiste. Che non vuol dire niente ma faceva figo dirlo. La terza è che si fa tutte insieme un weekend al mese in una località segreta nelle Langhe.

Non siamo né un Fight Club né la versione 2.0 di *Sex and the City*. Siamo in quattro, siamo donne, siamo tutte over trentacinque ma detestiamo gli stereotipi sulle donne sessualmente emancipate, sulla crisi di mezza età e i ginecei volgarotti. Odiamo *Sex and the City*, la faccia da cavalla di Carrie, le loro colazioni da caserma in cui si discetta solo di piselli e vibratori, le gonne a tutù per le vie di New York, la voce narrante di Carrie che non si capisce quale giornale la paghi per scrivere quelle boiate retoriche e non abbiamo mai capito perché per il ruolo di Mr Big abbiano scelto un attore così cesso. E poi non c'è la mia foto sugli autobus di New York. C'è la foto del mio ex sui tram di Milano, il che dovrebbe chiarire la sostanziale differenza di karma tra Carrie e una me qualunque. Nel Gruppo Testuggine non ci sono curiosità morbose sull'attività sessuale reciproca e non ci si stupisce se, come accade spesso, qualcuna di noi trascorre lunghi periodi di castità. Il Gruppo Testuggine è una chat chiusa, una specie di massoneria sentimentale, in cui ci si aggiorna e incoraggia a vicenda, il cui nome prende spunto da un episodio accaduto tre anni fa.

Ivana usciva per la prima volta con un tipo che quella sera la veniva a prendere nel locale in cui stavamo facendo un aperitivo. Era un medico, piuttosto giovane e piuttosto timido, ci aveva spiegato. Quando arrivò, la accompagnammo fuori tutte insieme. Per cortesia, ma soprattutto per vederlo. Lui era già lì, ma aveva parcheggiato a un centinaio di metri, quindi sul marciapiede la scena era questa: il giovane medico veniva incontro a noi che andavamo incontro a lui. Solo che lui era solo e timido e noi eravamo quattro donne, chi in minigonna, chi scollacciata, chi con anni di ruggini e disincanto stampati sul volto, e ci muovevamo compatte nella sua direzione. Ilaria, quella pragmatica, ebbe un momento di lucidità. «Ragazze, questo già avrà l'ansia da prima uscita – per giunta con Ivana che farebbe paura pure al Kraken – e noi gli stiamo andando incontro nella formazione a testuggine modello Massimo Decimo Meridio.» A quel punto Ilaria prese in mano la situazione. «Formazione a macchia di leopardo, disperdiamoci! Anna che ha il maglione a collo alto in prima fila, forza! Io mi piazzo in seconda che ho le ballerine e tu Viola stai dietro e allacciati il cappotto, Ivana dietro ad Anna e non palesarti se non durante gli ultimi venti metri.» Il tutto mentre ridevamo con le lacrime agli occhi. Ivana, dopo quell'incontro, non vide mai più il giovane medico perché lui due giorni dopo partì per un ospedale di Emergency in Afghanistan, ma l'aneddoto entrò nel mito. Quella sera, con l'epico messaggio WhatsApp «In amore vince chi fugge. Co' uno più giovane!» inviato a tutte noi, Ilaria fondò il Gruppo Testuggine. Un gruppo il cui nome di battesimo dunque non è affatto battagliero, anzi, nasce da una premura: quella di non spaventare il sesso maschile.

Oggi è il sabato del mese in cui noi testuggini ci ritroviamo. La partenza per le Langhe era prevista alle dieci del mattino sotto casa mia, ma sono le dieci e mezzo e siamo ancora tutte qui in attesa di Fabio. Doveva venire a prendere Orlando alle nove per portarlo al mare ma alle nove e mezzo mi ha scritto: «Sono un po' in ritardo». Alle nove e quarantacinque ha precisato: «Dieci minuti e sono lì». Alle dieci ha inviato l'sms: «Due semafori e sono sotto casa» e da quel momento è entrato ufficialmente nella lista persone scomparse dell'Interpol.

Orlando è sveglio dalle sei. Lui che dorme dodici ore a notte e non si sveglia neanche sotto bombardamento aereo era così felice ed emozionato all'idea di partire con suo padre, che stamattina ha aperto gli occhi all'alba. Ha controllato una decina di volte che il suo pallone da calcio fosse gonfio, che Godzilla fosse nello zainetto di Super Mario e ogni cinque minuti ha domandato: «Che ora è?». Alle nove si è infilato il suo piumino grigio e i guanti verdi. Non si è tolto nulla di dosso neppure quando gli ho detto che il padre era in ritardo, per cui se n'è stato lì sul divano, col pallone in grembo, vestito da pupazzo di neve, per un'ora. Alle dieci in punto Ilaria ha citofonato ed è scattato in piedi che neppure io quando mi hanno riferito che Ryan Gosling era nel cinema dietro casa per l'anteprima europea di *Drive*. Il suo sguardo quando gli ho detto che non era suo papà mi ha squarciato il cuore. Ho chiesto alle ragazze di aspettarmi giù, mi sono chiusa in bagno per chiamare Fabio senza che Orlando sentisse, ma Fabio non ha risposto. Gli ho mandato quattordici messaggi, sei dei quali concilianti, quattro irritati, due minatori, uno contenente minacce di morte, l'ultimo contenente minacce di morte estese ai parenti stretti. Nulla. Sono uscita dal bagno, ho preso il telefono di casa, mi sono chiamata da sola sul cellulare, ho fatto finta di rispondere e ho detto a un telefono che faceva tutututututu: «Capisco Fabio, si è rotta la macchina, succede. Ti aspettiamo ancora mezz'ora, poi Orlando viene con me nelle Langhe. Sì, glielo dico che ti spiace tanto, certo!». Negli ultimi otto anni ho fornito più alibi e coperture io al mio ex marito, che la Cia ai suoi agenti in Pakistan.

Quando ho detto a Orlando che dovevamo cominciare a scendere, ha abbandonato il pallone sul divano. «Tanto tu con me non ci giochi a calcio.»

In quel momento ho capito che per quanto io faccia e lui

sia felice, gli manca la complicità maschile, il tempo dei giochi rudi col papà. Ho provato a convincerlo della mia irrefrenabile voglia di improvvisarmi capocannoniere. «Guarda che gioco, andiamo in campagna, me li levo i tacchi...»

«Ma se tutte le volte che andiamo al parco Sempione tu vieni con i tacchi e fai i buchi nell'erba e pare che lì ci abita una talpa troppo magra!»

E infatti stavo bluffando. Non ho scarpe da ginnastica nel borsone e neppure qualcosa che somigli a una tuta, ma so che una volta lì incontrerà dei bambini e io potrò cedere la fascia di capitano a un altro maschio di otto anni. Quando il Gruppo Testuggine mi ha vista aprire il portone con Orlando e il suo zainetto, non ha avuto bisogno di chiedere nulla. La foto di Fabio è sulla lavagnetta dei maschi criminali a piede libero che ciascuna di noi tiene in casa come promemoria. «A Fabio si è rotta la macchina... Aspettiamo ancora un po' e se non arriva Orlando viene con noi.» Nessuna delle mie amiche ha figli e Orlando, negli anni, è diventato per tutte una specie di nipote in multiproprietà. Ivana, Anna, Ilaria l'hanno visto crescere molto più di quanto non l'abbia visto crescere Fabio. L'hanno visto addormentarsi sulle sedie al ristorante, protestare nei negozi, spaventarsi al cinema, aspettarmi col Nintendo mentre facevo la tinta. A turno, qualche volta, sono andate a prenderlo a scuola e tutte quante lo hanno tenuto a dormire qualche giorno l'anno. Ilaria l'ha parcheggiato una settimana nel centro estetico quando la Speranza mi ha mandata in Giamaica per un servizio sul turismo sessuale delle babbione italiane. Quando sono tornata, Orlando giocava a Godzilla che si fa il gommage. Per farlo regredire all'eterosessualità c'è voluto un mese. Le mie amiche sanno che quando si tocca le punte dei capelli ha sonno e che quando dice: «Mamma devo andare in bagno» a cena, va a sputare qualcosa che non gli piace nella tazza. Lo amano e Orlando ama loro, perché in fondo sa bene che con i miei genitori in Abruzzo e Fabio sempre lontano, Ivana, Ilaria e Anna sono sempre state la nostra stravagante, allegra famiglia. Quello che Orlando non sa, è che i nostri weekend nelle Langhe sono più sacri del Santo Natale. E per quanto io sia abituata a trascinarmi dietro Orlando ovunque e le mie amiche lo abbiano visto presenziare anche all'Ambrogino d'oro, nelle Langhe c'è stato una sola volta ed è stato un disastro. Le Langhe sono i nostri due giorni scarsi di sfoghi, consigli, racconti, in cui ciascuna è la coscienza critica dell'altra. Quando Orlando venne con noi fummo costrette a parlare in codice per non farci captare dal suo orecchio bionico e l'escamotage ebbe risvolti tragicomici. Io mi lamentavo di Fabio chiamandolo «Gianni», Ivana chiamava Tommaso «il porco», Anna disse: «Marco non ha più voglia di fare la spesa» per raccontare che il suo fidanzato dell'epoca era svogliato sessualmente, Orlando replicò: «Si può fare su internet», e lei gli rispose: «Infatti l'ho beccato su un sito alle tre di notte che faceva la spesa in un supermercato di Lugano». A quel punto mio figlio si convinse che a Lugano le zucchine hanno prezzi vantaggiosi. Ma l'apice si raggiunse con Ilaria: disse che non veniva nella spa e rimaneva in camera perché aveva le sue cose e Orlando nella spa chiese alla responsabile se avevano una cassaforte che «una nostra amica ha le sue cose e non le vuole lasciare in camera». Insomma, un dramma.

Fatto sta che alle dieci e mezzo di Fabio non c'è ancora traccia e se non vogliamo perdere tutta la mattina del sabato, dobbiamo partire con Orlando, il quale nel frattempo ha costruito il suo consueto castello di giustificazioni per il padre, che è il suo modo sottile e commovente di proteggerlo e di proteggersi: «La macchina di papà sta sempre ferma perché lui parte sempre allora forse il motore non è allenato», «Anche al papà di un mio compagno di scuola si è rotta la macchina una volta», «Papà va un po' veloce in macchina quindi forse la macchina si è stancata troppo». A ogni sua fantasiosa giustificazione Ilaria annuisce, Ivana conferma, Anna gli dà ragione. Ma la verità è che ci si spezza il cuore a vedere un bambino di otto anni nel ruolo del papà che copre le marachelle del figlio di quaranta e passa. Mettiamo il pallone e lo zainetto di Orlando nel portabagagli, lui sale in macchina stretto al suo Godzilla e quando Ilaria, che è l'autista del giorno, comincia a fare manovra per uscire dal parcheggio, Orlando esclama: «Ho sentito il rumore della macchina del papà!».

«Ma no amore, non c'è nessuna macchina nel vialetto, non vedi?»

«Ho detto che ho sentito il rumore della macchina del papà!»

Ilaria tenta di riportarlo con i piedi per terra: «Orlando, ti sarai confuso con un altro rumore, io ora devo andare, sono in mezzo alla strada, ok?».

«No! Voi siete femmine e non li conoscete i rumori delle macchine!»

Anna prova a distrarlo: «Ma di quale calciatore è la firma che ho visto sul tuo pallone?».

Ivana sta cercando delle caramelle nella borsa, io ho appena aperto la sezione «giochi» sull'iPhone, quando la Porsche nera di Fabio sbuca nella via alla velocità del bosone di Higgs e ci incrocia nell'altro senso.

«Papààààà. Ve l'avevo detto!» Orlando aveva sentito arrivare la macchina del papà come i cani sentono i terremoti. E per quanto io sia felice che Fabio gli abbia tolto quel dolore dal cuore, avverto una fitta feroce all'idea che esista quell'ingiusto assioma nei sentimenti per cui troppo spesso la persona che ti ama di meno è quella che ami di più.

Santo Stefano Belbo è il nostro luogo segreto. Vorrei dire «il nostro angolo di paradiso», ma sarebbe una grave imprecisione, perché non è l'angolo, bensì il corridoio centrale del paradiso. Quattromila abitanti tra le «gialle colline» dei falò d'agosto di Cesare Pavese, che qui nacque nei primi del Novecento. Pavese chiamava il suo paese «Quattro tetti». Ed è sotto uno di quei quattro tetti in cima a una collina gialla del cuneese (cento anni dopo diventato il tetto di un relais da sogno), che il Gruppo Testuggine vive i suoi sacri momenti di assoluta complicità femminile. Ilaria ha guidato col suo consueto stile impetuoso, per cui siamo tutte leggermente spossate, chi con un principio di labirintite, chi con la nausea. «Ragazze, non so voi, ma io sono provata dalla guida di Ilaria, andrei a rilassarmi un po' in piscina» dico mentre svuoto la mia sacca sul letto.

«Perché, come guido, scusa?»

«Ilaria, siamo oneste: al volante sei così arrogante che fai tu le foto agli autovelox.»

Anna e Ivana si mettono a ridere prima che Ilaria riesca ad abbozzare un'arringa difensiva e alla fine incassa divertita.

La piscina riscaldata all'interno dell'area spa è semideserta, per cui ci impadroniamo di quattro lettini in posizione strategica, ovvero tra la vasca grande e la piccola area circolare in cui c'è la postazione per l'idromassaggio. Ivana ha un bikini rosa microscopico che sfoggia con impietosa fierezza. Ilaria la osserva mentre controlla la temperatura dell'acqua con la punta del piede: «Scusa Ivana, ma l'hai capito che siamo in una spa a dicembre e non a Rimini a ferragosto?».

«Ho preso l'unico costume che non avevo messo via da quest'estate...»

«Ah, ho capito, quello che metti quando Tommaso si degna

di portarti negli hotel con le spa anziché nei motel a Paderno Dugnano...»

«Sì, e quindi?»

«E quindi gli uomini sposati non lasciano le mogli per un bikini rosa col triangolo, sappilo.»

«Be' intanto lei il triangolo se lo può permettere, io 'ste tette potrei coprirle a stento col triangolo di segnalazione auto in panne» dico per sdrammatizzare.

«Apprezzo l'ironia Viola, ma sei pregata di non lamentarti delle tue tette perché mi sfuggono gli svantaggi di una quinta.»

«Non ho mai detto che ci sono svantaggi, ma prova a convivere con qualcosa che arriva sempre un attimo prima di te in una stanza e poi ne riparliamo.»

«Mi stai dicendo che le tette ti fanno da apripista? Che sono il tuo maggiordomo?»

«Più o meno.»

«Non mi sembra un dramma. A me sporgono più le ginocchia che le tette, quindi prima di me in una stanza entra la rotula, che ti garantisco, è meno d'effetto.»

Ivana si intromette incautamente nello scambio di battute tra me e Ilaria. «Tu stai bene così Ilaria, hai un fisico atletico, non ti servono le tette grandi.»

«Le tette sono come le scarpiere: sempre troppo piccole» risponde Ilaria senza neanche guardarla. Tra Ilaria e Ivana ultimamente è in corso un conflitto vivace. Ilaria ha un cinismo sentimentale che le impedisce di comprendere la dipendenza affettiva della nostra bella amica da un uomo sposato e palesemente bugiardo e non glielo perdona.

«A proposito, aggiornaci sugli ultimi sviluppi. Tommaso stava lasciando Carola ma cosa si è inventato questa volta?» chiedo a Ivana prima che lo faccia Ilaria con i suoi modi.

«No, ha detto che fa passare le feste per non rovinare il Natale alla famiglia e dopo Capodanno dice di noi a Carola.»

Ilaria è sul piede di guerra. «E poi che fa, guasta il Carnevale ai bambini? Magari ha già comprato il costume da Grande Puffo al più grande... E dopo c'è la Pasqua, non si lascia una moglie a Pasqua, che quella magari si fuma tutto l'ulivo benedetto per la disperazione...»

Anna la segue a ruota: «E la festa della Repubblica? Non si lascia una moglie con le frecce tricolore in cielo che festeggiano, è di cattivo gusto...».

«Ragazze, quanto scommettiamo che questa volta la lascia?» replica Ivana mentre si immerge con prudenza nella vasca a mosaico.

«Amica, con tutto l'affetto, ti conviene scommettere qualcosa che per te conti poco, tipo la dignità» risponde Ilaria con un livore eccessivo.

«Guarda che dare una seconda occasione a un uomo non vuol dire sacrificare la propria dignità.»

«È la terza volta che lo molli e te lo riprendi, non la seconda, per la cronaca.»

«E va bene, è la terza volta che gli do una possibilità, quindi? Mi vuoi crocifiggere?»

«No, ma sappi che se a un uomo dai una possibilità sei innamorata, se gliene dai una seconda sei generosa, se gliene dai una terza sei cogliona.» Ilaria è brutale, ma l'efficacia delle sue frasi a effetto è indubitabile.

Oggi accade un fatto curioso: per la prima volta nella vita mi viene affidato il ruolo di colei che tenta di sedare gli animi. «Amiche, non è che possiamo evitare di trasformare quest'oretta in piscina in un salotto della Speranza? Fatelo per me, vi prego.»

Ivana è appoggiata al bordo della vasca e muove le gambe

a rana, immagino nella pia illusione femminile di stimolare la circolazione. «Ilaria parla così perché non la scalfisce nulla, a parte ovviamente l'aumento Iva sul tanga monouso per massaggi.»

«Parlo così perché sei una figa spaziale e potresti indicare bendata un maschio a caso che quello direbbe sì, e ti butti via con uno che la sera legge la favoletta ai figli dopo averne raccontate una decina a te.»

«Non ho certo intenzione di difendere Ivana, ma il fatto che lei sia bella non vuol dire nulla. La bellezza non è garanzia di felicità sentimentale e non è vero che potrebbe avere chi vuole» fa notare timidamente Anna. «Guarda Viola. Anche lei è bella e famosa e di successo, ma è sola, si imbatte in uomini improbabili e sappiamo bene come l'ha trattata Giorgio.»

Ilaria si tira su dal lettino stizzita. «Non comincerete con la manfrina che la bellezza è un problema, vero? No, perché nel mio centro estetico entrano almeno trenta donne al giorno che pur di avere quel problema venderebbero il rene del loro primogenito, ve lo garantisco.»

È il momento di dire la mia. «No Ilaria, ovvio che non è un problema, però le donne molto belle conoscono le debolezze maschili e questo le rende fragili. Ti sei mai chiesta perché spesso le donne più belle soffrono di gelosie feroci e invece è pieno di racchie che sulla fedeltà del marito metterebbero la mano sul fuoco?»

«Perché tanto sono cesse e pure con una mano ustionata la situazione non cambierebbe?» ironizza Ilaria mentre si controlla le sopracciglia nello specchietto.

«No. Perché magari sono sicure di sé e risolte, ma anche per un'altra ragione. Perché quando sei molto bella cominci a sedici anni a vedere l'effetto che la bellezza esercita sul mondo maschile, a scoprire quanti uomini sospettabili e insospettabili sarebbero pronti a tradire, ridicolizzarsi, offrirti qualcosa in cambio pur di portarti a letto e smetti di avere fiducia nei maschi. Li conosci troppo bene.»

«E perché, con le racchie non ci provano?» interviene Anna.

«Certo che ci provano, sono uomini, ci provano pure con i sifoni idraulici e poi è pieno di racchie interessanti e irresistibili, ma è un'altra storia.»

Anna continua a incalzarmi. «E tu che ne sai? Sei mai stata racchia?»

«No. Qui nessuna di noi è racchia e può parlare per esperienza, ma io dopo che ho avuto Orlando pesavo ventotto chili in più. Ero ufficialmente grassa e, mi spiace dirlo, ma il mondo non era lo stesso con me. In più non ero ancora famosa, per cui la mia realtà non era alterata e vedevo il mondo così com'è. Da grassa, non avevo gli occhi addosso del salumiere quando andavo a fare la spesa, non mi dava il prosciutto migliore, il controllore non chiudeva un occhio se non avevo il biglietto sull'autobus, non mi trovavo il caffè pagato al bar. Se non avessi saputo quanto si rimbecilliscono gli uomini quando hanno a che fare con la bellezza, forse oggi li stimerei di più. E mi fiderei di più.»

«Concordo» dice Ivana con una punta di amarezza prima di sparire sott'acqua.

«Vabbe', basta che la conclusione non sia che se sei un bidone dell'umido sei più felice, che a me queste cantilene retoriche mi fanno venire la gonorrea» conclude Ilaria con la sua proverbiale delicatezza.

Anna pare molto colpita dalla discussione, forse perché è l'unica fidanzata e l'unica a riporre ancora una vaga fiducia nel genere maschile. «Ok, la bellezza li rincoglionisce, ma poi magari si innamorano di donne normali o perfino cesse, per fortuna l'amore è cieco!»

Ilaria guarda Anna con aria di compatimento: «Sì, l'amore è cieco ma le smagliature le vede benissimo».

Il tema smagliature invece sta molto a cuore a me. «Scusa Ilaria, a proposito di smagliature, ho un dubbio di natura estetica» le dico mentre mi lego i capelli per immergermi in piscina senza bagnarli. «Mi spieghi perché hanno inventato un laser che cancella tatuaggi di dragoni giapponesi e carpe giganti e una minchia di microsmagliatura bianchiccia non la togli neppure dandole fuoco con la benzina?»

Ivana, sentendo che la discussione s'è fatta più elevata, si precipita fuori dall'acqua. «Ecco, sì, mi sono giusto venute due smagliature sul fianco, questa cosa interessa anche me.»

«Sì Ivana, in effetti fai schifo, infilati un accappatoio che non ti si può guardare» scherza Anna mentre le dà il cambio in acqua.

«Le smagliature serie sono le mie, non le tue» le faccio notare.

«Vabbe', ma se una fa un figlio le accetta con più serenità...»

«Serenità un par di palle. Io avevo le smagliature già prima della gravidanza. A me le smagliature vengono pure se lo adotto un figlio.»

Ilaria fa il lungo sospiro del saggio indiano che sta per partorire un aforisma sulla vita dopo la morte ed emette la sentenza: «Signore, sebbene ammettere che per un problema estetico non ci sia soluzione vada contro il mio credo religioso, mi spiace dirvi che tutte le cose spacciate per "importanti innovazioni nel campo della cura delle smagliature" sono sonore cazzate. Ci sono tre cose irreversibili nella vita, ficcatevelo bene in mente: la morte, le smagliature e le frasi dette da ubriachi».

Ivana sembra dissentire: «L'altro giorno ho letto un articolo in cui dicevano che c'è un nuovo laser che attenua di molto le smagliature sulle gambe...».

«Seh, vabbe'. Le smagliature sulle gambe spariscono se le gambe te le fai mozzare con la spada laser...»

«Quindi una con le mie smagliature si deve rassegnare?» dico io affranta.

«Datti alla body art, oppure coprile con un tatuaggio, dammi retta, Viola.»

«Coprire con un tatuaggio le smagliature che scendono giù dalla coscia???»

«Sì, anche.»

«E cosa mi tatuo? Una tempesta di fulmini?»

«Vabbe', in effetti su quelle che scendono giù dalla coscia il tatuaggio non va bene.»

«Ah, perché invece per quelle sul culo va bene?»

«Be', lì le smagliature sono orizzontali e un po' frastagliate, quindi le ricalchi tipo moto ondoso e ci fai disegnare sopra una barchetta col pescatore.»

«Come no, me ne vado in giro con un peschereccio sulle chiappe. Erotismo allo stato puro.»

«Oh, anziché apprezzare un'estetista che cerca una soluzione creativa a un problema irreversibile...»

«Ragazze, io vado in palestra da quando ho quindici anni e di smagliature non me ne sono venute!» esclama Anna dall'altro lato della piscina, dove è andata a recuperare un tubo galleggiante.

«Anche io sono iscritta in palestra da quando ho quindici anni, ma sono una socia filantropa. La mia iscrizione è una donazione, non ci vado mai» le rispondo con l'acqua fino al mento.

Ivana avvolge i suoi capelli lunghissimi nell'asciugamano con le iniziali dell'hotel. «Amiche, la verità è che alle smagliature dovremmo volere bene. Alla fine ci ricordano che i cambiamenti ci segnano irreversibilmente. Io ne ho due sul fianco che mi ha lasciato la dieta e una profonda, nascosta da qualche parte, che mi lascerà questa storia con Tommaso, lo so...»

«Quindi mi stai dicendo che Giorgio, oltre a essere causa di tutte le mie sciagure, è anche causa delle mie smagliature?»

Nel sentire pronunciare la parola «Giorgio», Anna abbandona il tubo azzurro di gomma sul bordo della vasca e mi guarda malissimo. «Basta con questo Giorgio, eh!»

Anna è buddista. Ed è quella con cui ho l'amicizia più antica, ci conosciamo dal liceo. Ha avuto una vita costellata da sciagure. Mamma e papà morti giovani, una sorella più piccola finita in giri ambigui, un ex fidanzato che le rubava i soldi dalla cassa del negozio di bigiotteria che si è aperta con mille sacrifici. Da un po' si è fidanzata con un omeopata che il Gruppo Testuggine ha accettato con scarso entusiasmo in quanto uomo medio che più medio di lui c'è solo Clark Kent, e che ha conosciuto in un centro buddista. Lui sembra volerle bene e, in effetti, degli uomini noiosi si dice sempre: «Le vuole bene», mai: «La ama». «Cristiani si diventa per paura, atei per disincanto, buddisti per sfinimento» ama ripetere Anna quando qualcuno le chiede il perché della sua dedizione al buddismo. Dopo che Giorgio mi ha lasciata, ha pensato che potessi essere permeabile alla disciplina che, lei dice, le ha cambiato la vita. Mi ha invitato al centro meditazione, poi a yoga, poi a un ritiro buddista in un agriturismo toscano. Mi ha regalato libri sul buddismo, oli tibetani, incensi tibetani, campane tibetane, la teiera, il kartari e anche due compilation *Buddha Bar* per provare ad aprirsi un varco più pop che mistico, ma quando è venuta a casa mia una sera e ha visto Orlando che giocava a Godzilla vs Ganesh, e il Ganesh era quello in madreperla che mi aveva portato da Bali, ha capito che non avrei abbracciato il buddismo per sfinimento e per un motivo semplicissimo. Io non ero sfinita, ero incazzata. O meglio, lo sono ancora. «Non è né sano né normale essere ancora così arrabbiati dopo due anni» mi ripete sempre. E credo sia sul punto di ripetermelo anche adesso.

«Non era mia intenzione aprire il capitolo Giorgio, stai serena» la tranquillizzo io.

«Ecco. Anche perché ti ricordo che non c'è più alcun capitolo Giorgio da due anni, dovresti aver ampiamente elaborato» mi risponde Anna con uno sguardo di rimprovero.

«Infatti sto elaborando... il modo di fargliela pagare.»

«Brava!» commenta Ilaria che nel Gruppo Testuggine è quella meno incline agli indulti sentimentali.

Nessuna di loro sa di Vasco. Non ho raccontato che ci siamo visti e neanche che mi sta corteggiando. Per la prima volta da quando le conosco, sono stata investita da uno strano pudore su quello che mi sta capitando. Solo che adesso non sanno che Giorgio non è poi un capitolo così distante dalla mia vita.

Anna riattacca il discorso filobuddista sulla necessità di superare il trauma. «Sei un brutto coacervo di rancori, Viola, e questo alla lunga fa male solo a te, dovresti perdonare.»

«Il perdono si concede a chi tenta di amarti e non ce la fa, non a chi tenta di annientarti per due anni buoni e ce la fa.»

«E allora cosa fai, passi la tua vita ad aspettare il suo cadavere sulla riva del fiume?»

«Aspettare? I buddisti aspettano. Io devio il corso del fiume perché uno tsunami se lo porti via!»

Ilaria e Ivana scoppiano in una risata fragorosa che attira l'attenzione dei due turisti inglesi accanto a noi. Anna scuote il capo come a dire sei un caso disperato. «Viola, è arrivato il momento di elaborare il lutto, altrimenti non riuscirai più a innamorarti.»

«Il lutto? Ascoltami Anna, io ne ho due palle così degli psicologi che definiscono "lutto" la fine di un amore. Nei lutti si piange un morto. Si seppellisce un morto. Quando finisce un amore e non l'amore, si piange un vivo. E i vivi restano lì, a ricordarti cosa hai perso. La fine di una storia non è elaborare un lutto. È seppellire te, vivo.»

C'è un attimo di silenzio.

«Merda. Neanche a me sarebbe potuta uscire una frase così!» commenta Ilaria regalandomi uno sguardo carico di approvazione.

Mi siedo sul lettino infreddolita, cercando le parole giuste per chiudere questa filippica di buoni sentimenti che mi provoca espettorazioni rabbiose, poco utili alla mia serenità e al mio weekend di leggerezza. «Senti Anna, so che me lo dici per aiutarmi e so quanto il buddismo abbia aiutato te, ma siamo diverse. A te sono capitate delle cose. Delle cose più grandi di te, di noi. E queste ti hanno aperto una nuova strada. A me una persona ha fatto capitare delle cose. Delle cose piccole e meschine. E queste hanno complicato la mia strada. Io non sono riuscita ad assolverlo e non credo che l'assoluzione sia sempre necessaria. Al finto perdono preferisco un onesto rancore.»

«Attenta che se vai avanti così, Anna ti dice quello che dice a me quando auguro qualcosa a Carola» interviene Ivana.

«E cioè?»

«Che mi reincarnerò in un millepiedi.»

«Eh, voi scherzate, ma augurando del male a qualcuno accumulate un debito karmico e nel ciclo della metempsicosi potreste diventare esseri meno evoluti...» ci avverte Anna.

«Anziché parlare come mediti potresti parlare come mangi che qui non stiamo capendo più una cippa? Grazie» chiede Ilaria mentre con il suo secondo tuffo annaffia lettini, asciugamani e la coppia di turisti inglesi che nel frattempo s'è spostata qualche metro più in là.

«Reincarnazione, sto parlando di reincarnazione, mai sentito parlare?»

«Sì, io mangio un panino al McDonald's e lui si reincarna in sei centimetri di lardo sui fianchi» grida Ilaria, che intanto ha cominciato a nuotare lasciandosi andare a rumorose bracciate per le quali viene gentilmente rimproverata dalla direttrice della spa.

«Ok Anna, se è vero che sto accumulando un debito karmico, spero che questo debito, il signor Buddha, se lo vada a riscuotere dal mio più grande creditore: Giorgio Mazzoletti. Sarà lui a reincarnarsi in uno scarafaggio al posto mio. Scarafaggio che prenderò a roncolate nel mio piatto doccia in oro zecchino in una villa hollywoodiana perché io nel frattempo rinascerò Angelina Jolie. Una metempsicosi risarcitoria è il minimo che ci si possa aspettare, quando si è sopravvissuti a un narcisista sadico.»

«E va bene, mi arrendo» dice Anna mettendomi un braccio attorno alla vita. «Però promettimi che se non l'hai ancora fatto vedrai il film *Mangia prega ama*, capirai molte cose...»

«No, non l'ho visto.»

«È un film demenziale, io sono pure andata a vederlo al cinema quando è uscito e ho visto gente cominciare a drogarsi a inizio secondo tempo» esclama Ilaria infilandosi un accappatoio di sei taglie più grande. «Julia Roberts sta talmente fulminata che deve arrivare uno sciamano sdentato a dirle che si deve accoppiare con Javier Bardem finché non si scioglierà la calotta polare artica. Rendetevi conto che quella rintronata non sale sul motoscafo con lui che la implora con la camicia aperta sul pontile, che io fossi stata al posto suo avrei rotto allo sciamano l'ultimo dente rimasto per zittirlo e Bardem su quel pontile l'avrei ribaltato a forza di...»

Mentre Ilaria ci descrive con inarrestabile minuzia di particolari le sue fantasie sessuali che comprendono Javier Bardem e l'ex marito di lei nel film, James Franco, io, Anna e Ivana abbiamo lo sguardo inchiodato sulla sagoma di un tizio appena entrato nella spa. Ed «entrato» rende male l'idea. Direi piuttosto che «si è manifestato». Ora, vorrei avere le capacità letterarie per descrivere degnamente il tizio, ma per semplificare potrei dire che è la cosa più vicina a Ryan Gosling che i miei occhi abbiano mai incrociato. E per me, come risaputo, Ryan Gosling è una cosa al cui confronto la Cappella Sistina è roba da graffitari. Quello che è accaduto e sta per accadere da questo momento è ciò che ha segnato inesorabilmente il weekend testuggini e ha monopolizzato la conversazione per almeno ventiquattro ore. Ilaria continua a parlare a occhi chiusi, sdraiata sul lettino, di Bardem e dei suoi addominali, finché non si rende conto che nessuno la interrompe da almeno cinque minuti. Quando apre gli occhi, non si trova più davanti le tre amiche con cui era partita da Milano quattro ore prima. Ha davanti a sé Melchiorre, Baldassarre e Gaspare. Tre statuine dei Re Magi inchiodate lì, sul bordo piscina, a fissare la stella cometa. Ilaria segue il nostro sguardo ebete e la stella cometa appare anche a lei, in tutto il suo sfolgorante splendore. Ammutolisce. E l'ultima volta che Ilaria è ammutolita è stato quando nel suo centro estetico ha preso fuoco la capsula abbronzante con Donatella Versace dentro. Ora, non so se il ricordo di quel momento è inquinato dallo shock emotivo, ma mi pare di rammentare che, quando il tizio s'è tolto l'accappatoio per sdraiarsi sul lettino, le acque della piscina si siano aperte tipo Mar Rosso e che il mosto nelle cantine del relais sia fermentato con sei mesi d'anticipo. Ivana emette il primo suono dopo trentaquattro minuti netti. «Tanto ora arriva la fidanzata.»

Io invito all'ottimismo. «Ma no, dai, magari è un raffinato enologo venuto qui a scovare il Barolo perfetto...»

«Ma quale enologo. Gli enologi hanno i baffi e capelli improbabili, quello non avrà neanche trent'anni e sembra più un attore o un modello» sottolinea Anna.

Ilaria è ancora stordita. «Io so solo che mi vedo già protagonista del sequel del *Profumo del mosto selvatico* con lui che mi possiede tra botti e filari.»

Il Barolo perfetto fa il suo ingresso in piscina mentre siamo ancora alle prese col toto mestiere e gli si sdraia accanto, dopo averlo baciato sulla bocca. È bionda e avrà massimo venticinque anni. E qui, la faccenda ha una virata imprevedibile. L'imprevedibilità sta nel fatto che lei è un cesso fotonico. Non così così o anonima, no. Proprio cessa. Irrimediabilmente cessa. Magrissima, con una pancia scavata e ombelico sporgente, capelli appena sotto le spalle, di quelli che crescono fino a un certo punto e poi si sfibrano e se non li tagli hai sempre un'aria triste premenopausa, sedere piatto e calato, con la mutanda dietro troppo grande, che sblusa leggermente regalando un terrificante effetto «pannolone da cambiare», e un push up delegato a sollevare il nulla. Come se non bastasse, il costume a fantasia hawaiana sembra uno di quelli che trovi allegati alla rivista a quattro euro e novanta.

«Ditemi che è uno scherzo» dice Ilaria sconvolta dall'assortimento della coppia.

«Vi prego, non ho mai visto due cose stare più male insieme del costume a fascia e le tette rifatte prima di oggi» aggiunge Ivana, basita dalla sciatteria della giovane fidanzata.

«Ma poi scusate, che piede ha? Quello è un quarantadue minimo!»

«Prima ci cercavano col piede da principessa e ora si fanno andar bene pure il piede del principe, povere noi!» commenta Ilaria. Come se non bastasse, dobbiamo subire un ulteriore sfregio. I due entrano in piscina mano nella mano e si mettono a limonare senza ritegno, con lei avvinghiata all'adone tipo piovra gigante e lui che, nonostante la presenza di quattro donne in bikini dall'aria libidinosa a bordo vasca, non ci degna di uno sguardo. Da quel momento è tutto un «cicci cicci», patetiche gare a chi spruzza di più l'altro, amplessi mimati nell'idromassaggio, risatine idiote e infine lo smacco finale: lui esce dalla vasca prima di lei per prenderle l'accappatoio e la aspetta in cima alle scale perché non si raffreddi.

«Quando io e Andrea andiamo in piscina, esco dall'acqua che lui non solo è avvolto nel suo accappatoio, ma si è sdraiato sul mio, per cui me lo ritrovo fradicio col culo del mio fidanzato sopra» commenta Anna con malinconia.

Io e le mie sorellastre siamo un concentrato di invidia da far spavento: «Lei sarà ricchissima e nobile, vuole un uomo immagine che la accompagni alle feste». «Lei sarà una cameriera, lui è un narcisista che vuole donne insignificanti per non essere messo in ombra, come Clooney.» «Lei lo ricatta.» «Lui è cieco.» «Gli ha fatto un legamento d'amore.» «L'ha salvato da morte certa e lui le è riconoscente.» «Lui è una donna.» «Lei è un trans.» Insomma, fino alle tre del pomeriggio noi donne piccole e meschine trascorriamo il nostro tempo a commentare il disequilibrio estetico tra i due e l'incomprensibilità della faccenda. A parlare della tizia con un accanimento, un livore, un odio ancestrale che manco per un vicino che ti mette sotto il pechinese con il suv. Ilaria sposta perfino il massaggio thailandese con pietre calde pur di non interrompere il flusso di malvagità che stiamo partorendo: «Preferisco le pietre che stiamo tirando a lei da un'ora» è il suo commento. Ora il nostro unico scopo è scoprire l'identità dei due. Al momento, l'unico elemento certo è che il tizio parla inglese mentre lei è italiana. Per il resto, non si chiamano mai per nome, ma è un continuo «*My love*», «*Darling*» e «Amore mio».

«Aspettatemi qui» ci dice Ivana mentre si riveste alla buona. «Anzi, al bar, così mangiamo un'insalata, ho avuto un'idea.»

Nessuna di noi sospetta cosa abbia in mente Ivana, ma non facciamo domande. Quando una donna si mette in testa di trovare degli indizi su un uomo, è capace di creare tanti di quegli incroci e connessioni che se nell'Ottocento a Scotland Yard i detective fossero stati tutti donne, oggi non solo sapremmo chi era Jack lo Squartatore, ma avremmo pure la collezione dei suoi selfie sui luoghi dei delitti.

Abbiamo appena ordinato un pasto frugale per non compromettere i propositi salutisti del weekend, quando Ivana ci raggiunge al tavolino del bar all'interno del giardino d'inverno con una camminata trionfale. «Amiche, qui dentro c'è la soluzione del mistero figo con cessa!» esclama sventolando il suo cellulare.

«Hai chiamato l'emergenza psichiatrica per farlo curare?» chiede Ilaria.

«No, meglio. Ho fotografato il registro degli ospiti del relais!»

«Scusa, e come hai fatto?» domando io mentre firmo un autografo a una ragazzina con l'apparecchio che dice di non perdere una puntata delle *Amiche del tè*.

«Semplice: alla reception ho visto che lo tenevano aperto sul bancone. È bastato chiedere una pillola per il mal di stomaco, la tipa è andata nel retro a cercarla, e io zac! Ho fatto la foto al registro!»

«Ivana, se non fosse che ti fai prendere per il culo da un anno dal marito di un'altra, direi che sei diabolica!» commenta Ilaria.

Mentre Anna osserva la foto scattata da Ivana non può fare a meno di esprimere la sua legittima perplessità sull'efficacia del piano. «Ora però abbiamo una sfilza di cinquanta nomi circa che potrebbero essere qualsiasi cosa, anche la lista dei massoni sabaudi o degli ultimi fidanzati di Rihanna.»

«E per giunta molti sono stranieri, visto che gli italiani non capiscono una cippa e le Langhe se le filano poco» sottolinea Ilaria.

«Ragazze, la soluzione ha un nome ed è il nome di un roscio malefico che è diventato miliardario grazie a situazioni come questa, in cui da un nome bisogna arrivare a una faccia: Mark Zuckerberg. Lo cerco su facebook!» annuncio io galvanizzata dal mio guizzo.

«Sì, ma qui abbiamo la faccia e non abbiamo il nome» replica Anna.

«Lo so. Infatti dovrò cercare su facebook tutti gli ospiti finché non mi apparirà l'avatar da sturbo che sta limonando la cessa in piscina» spiego io, già galvanizzata all'idea della caccia all'uomo.

«Mi sfugge solo una cosa: pure se dovessimo scovare nome, cognome, professione e nazionalità, poi che ci facciamo? Gli scriviamo con la scusa di aver perso le ciabattine in piscina?» replica Anna con comprensibile scetticismo.

«Ma io mica voglio scrivere a lui, voglio sapere come si chiama lei e scrivere a lei» la interrompe Ilaria.

«E scriverle cosa?»

«Semplice: ci spieghi come minchia hai fatto?» risponde Ilaria.

Mentre le mie amiche ridono, mi cade l'occhio su un nome della lista: Conti Lucas. Il toy boy finto etero a caccia di babbione. «Ragazze, non ci posso credere. Sapete chi c'è qui? L'ex di Virna Cosimato, il ragazzetto tamarro che mi sono trovata un paio di volte nel salotto della Speranza!»

«Noooo, e dov'è?» chiede Ivana divertita all'idea di avere un nuovo bersaglio mobile su cui infierire nelle prossime ore.

«Sarà nel centro estetico con una maschera al cetriolo sulla faccia, dove vuoi che sia?» le risponde Ilaria senza pensarci molto.

«La cosa singolare è che è in una suite da solo...» osservo perplessa. «E le suite qui costano mille euro a notte, strano che una babbiona lo foraggi per andarsene in una spa senza di lei.»

«Magari se la paga con i suoi soldi» controbatte Anna con la sua proverbiale ingenuità.

«Quello non ha i soldi manco per piangere, altrimenti ti pare che sarebbe costretto a fingersi etero e a slinguazzarsi tutta la collezione di mummie del British Museum?» le rispondo io mentre scorro velocemente la lista in cerca di qualche ulteriore indizio.

«Vabbe', sentite ragazze, io vado a fare un bagno turco, se vedo Lucas che approfitta dei vapori per molestare un culturista cubano, ve lo faccio sapere» dice Ivana congedandosi dal Gruppo Testuggine.

«Io vado a recuperare il massaggio thailandese con le pietre calde.»

«Io ho l'ayurvedico alle sedici e trenta, intanto mi butto nella sala relax a leggere un po'.»

«Ok amiche, io vado in camera a farmi una doccia e a dare un'occhiata a facebook per vedere se riesco a risalire all'identità del tizio, tanto come al solito non faccio massaggi, non ho nessuna voglia di ritrovarmi come già accaduto nel tweet di un'ex estetista che racconta al mondo che ho la cellulite sulle chiappe» dico mentre firmo la ricevuta del bar. Sto aprendo la porta della camera quando mi chiama Fabio. «Senti, qui c'è Orlando che dice che il pesto non lo può mangiare perché è allergico all'aglio, ti risulta?» Ommmmmmmm. «Mi risulta da cinque anni, sì, da quando si è sentito male per una minestra e si è gonfiato come una zampogna.»

«E non poteva essere per un altro ingrediente?»

«Fabio, ha fatto le prove allergiche, ti avevo mandato i risultati.»

«Ah, sì mi ricordo.»

«Ti ricordi cosa?»

«Oh, ma è un quiz?»

«No, è preoccupazione che tu gli dia cose a cui è allergico, anche se per fortuna Orlando è più saggio di te.»

«E ti pare che non dovevi fare la solita battuta da stronza.»

«E ti pare che fossi informato sui cibi a cui è allergico tuo figlio.»

«Ti ho detto che li so, non rompere le palle.»

«Va bene, allora mi raccomando, niente aglio e broccoli.»

«Lo so!»

«E infatti è allergico all'aglio e alle noci. Ciao Fabio, di' a Orlando che lo chiamo stasera.» Quando non c'è Orlando con me, la recita è sospesa.

Alle otto in punto io, Ivana e Ilaria siamo nella sala degustazioni. Dall'ampia vetrata che dà sulla campagna circostante, nonostante il buio pesto, si scorgono le pendici delle colline spruzzate di neve. Anna è ancora in camera che si prepara, vittima delle sue consuete paranoie su trucco, abiti e capelli.

«Ma nella lista di cose che i buddisti dicono che bisogna accettare, l'età che avanza non è compresa?» ironizza Ilaria.

«Lo so, ma Anna ha un sacco di attenuanti. È cresciuta senza genitori e sappiamo bene quanto vorrebbe una famiglia sua. Tra due mesi compie quarant'anni e per ora Andrea pensa più ad aggiornarsi sulle novità nel campo dell'omeopatia che su quello che desidera Anna» puntualizzo io, che per il fidanzato della mia amica fragile non ho mai provato particolare simpatia.

«Sì però le andrebbe detto che la deve smettere con quelle che lei chiama punturine» precisa Ivana.

«Ah, dice che sono punturine? Allora mi sa che le è caduto in testa un alveare, perché ha gli zigomi così gonfi che sembrano punture di calabroni neri.»

«Sei crudele Ilaria. E poi perché non glielo dici in faccia?» interviene Ivana stizzita dalla certosina operazione di taglia e cuci in cui ci stiamo imbarcando.

«L'ho fatto, ma ho sbagliato faccia: era quella di una donna gatto identica a lei!»

«Dai Ilaria, non esagerare» dico mentre il cameriere offre un bicchiere di rosso a me e alle mie amiche. «È un Brunate Le Coste del 1997» specifica.

«Ah» è il mio commento tecnico. Mando giù il vino come fosse Fanta.

Il cameriere mi lancia uno sguardo carico di rimprovero. «Andrebbe assaporato e gustato lentamente. Il Le Coste è un vino mascolino e arcigno, con una consistente vena acida...»

«Scusi, sta parlando del Barolo o della mia amica Ilaria?» scherzo io nel tentativo di ammorbidire l'ingessatissimo cameriere. Che rimane impassibile. «Non vi sfuggiranno le note croccanti, fruttate e...»

«Guardi la ringrazio, ma noi il vino lo beviamo, non gli facciamo l'analisi chimico-tossicologica» lo interrompe Ilaria.

«Il vino si degusta, non si beve» risponde lui seccamente, passando a servire i signori rubicondi che parlano ad alta voce di fianco a noi.

«Ma possibile che un vino non possa essere buono e basta? Dio mio, gli enologi sembrano quelle donne che dopo che hanno fatto sesso chiedono al partner se gli è piaciuto, perché gli è piaciuto e gli spiegano pure cosa ha provato» commento irritata.

Ivana tracanna il divin Barolo senza infierire sul pomposo cerimoniale che tocca sorbirsi alle degustazioni. Continua a controllare il telefono ogni dieci secondi, credo nella vana speranza che Tommaso la chiami o le invii segnali di vita dal suo focolare domestico. Io riporto la conversazione dove l'avevamo lasciata prima del Barolo. «Comunque amiche, abbiamo un'età delicata, e questo non è un mistero. Tu Ilaria non vuoi figli, Ivana ha trentacinque anni e sente di potersi prendere ancora qualche anno per pensarci, io ne ho già uno, Anna vive l'ingresso negli anta con più apprensione, è comprensibile... Siamo tutte fragili, ma in modo diverso.»

Proprio mentre stiamo ricamando sulla nostra amica più generosa, Anna ci raggiunge sorridente come sempre. «Dove si prende da bere qui?» chiede senza rendersi conto che fissiamo tutte un punto preciso alle sue spalle. Sono di nuovo lì. Il tizio e la cessa. Mano nella mano, lei con un abito paiettato terrificante e lui con una giacca sfiancata blu con dei revers di un blu più scuro e un paio di jeans stretti il giusto, che ci tolgono il fiato alcolico. «Amiche smettiamo di farci del male, ignoriamoli» consiglia Ilaria.

«Sì, ignoriamoli» approvo io.

«Giusto, ignoriamoli!» approva Ivana.

«Sì sì, meglio ignorarli!» approva Anna.

«Cazzo, ma avete visto il solitario che ha lei all'anulare???» Ilaria è sconvolta. «Ragazze, le mie polpette di melanzane sono più piccole di quel brillocco lì.»

«Ignoriamoli. Giusto. Ignoriamoli.» «Sì, vanno ignorati.» «Cazzo, il tizio le sta versando il vino nel bicchiere e le ha fatto cenno di non berlo finché non assaggia lui.» «Ignoriamoli.» «Assolutamente, ignoriamoli.» «Sono d'accordo, ignoriamoli.» «Merda. Lui s'è tolto la giacca e gliel'ha appoggiata sulle spalle perché il cesso si strofinava le braccia infreddolita!» «Ignoriamoli!» «Dai sì, ignoriamoli!» «Giusto, ignoriamoli.» «Cazzo! Ci stanno per passare accanto, Gruppo Testuggine in assetto da guerra!» «Ci ha ignorate!» «Sì, ci ha ignorate.» «Completamente ignorate.»

«Amiche, la verità è che siamo davvero delle donnicciole piccole e superficiali. Se il tizio si fosse presentato con una playmate del 2011, ci saremmo lamentate del fatto che i belli le vogliono belle e puoi essere intelligente quanto ti pare che tanto il pezzo di carta perde sempre contro il pezzo di gnocca» dico io mentre guardo la coppia allontanarsi verso l'uscita.

Anna mi appoggia subito. «Sì, dovremmo rallegrarci del fatto che ci siano uomini che fanno scelte non banali e invece siamo qui a sparlare di quella poveretta da ore. Siamo proprio meschine.»

E in effetti lo siamo. Come tutte le donne, anche le migliori, certe volte. Sono improvvisamente demoralizzata. «Ragazze, era quasi meglio parlare di vecchiaia incombente.»

«Sì, parliamo di vecchiaia» mi interrompe Ivana ormai a un passo dall'ubriachezza molesta. «Anche perché una settimana fa ho scoperto il mio primo capello bianco.»

Ilaria fa una smorfia sarcastica. «Il problema non è quando hai il primo capello bianco. Il problema è quando hai l'ultimo nero.»

Sarebbe un mondo molto triste senza le massime di Ilaria.

Anna cerca come sempre di glissare. «Dai amiche, parliamo d'altro che io mi avvilisco...»

«Ok, parliamo d'altro. Per esempio come va con Andrea?» le domanda Ivana biascicando.

«Mah, va.»

«Che vuol dire: "Mah, va"?»

«Va che lo amo, ma non so se sarà l'uomo con cui rimarrò fino alla fine dei miei anni.»

«Sì, ma se non si decide a farti una qualche proposta, sarà quello con cui resti fino alla fine dei tuoi anni fertili» si intromette Ivana.

Anna accusa il colpo, si fa scura in volto. «I figli si fanno per amore ma alle volte non si fanno per amore. Voglio stare con un uomo che mi ami e mi accetti, non con un uomo che accetti di riprodursi.»

Ivana aggiusta il tiro. «Ma sì Anna, fai bene, sai che la penso come te» le dice stampandole un bacio sulla guancia. «Se bisogna sfornare figli come Carola, con un uomo che non ti ama, meglio sole.»

«Dai, anche tu, non essere astiosa come Viola. Augura tanta luce a Carola!»

«Sì, la luce del meteorite prima dell'impatto su casa sua!» chiosa Ilaria al terzo bicchiere di vino.

«Comunque davvero, se è scritto che non avrò figli, amen, e non darò la colpa ad Andrea per non averli desiderati. Sto con lui perché lo amo e perché mi ama, non perché ha un organo riproduttivo.»

So che non sta mentendo, perché Anna è totalmente incapace di avere fini non dichiarati nei confronti di chiunque. E le voglio bene come voglio bene a tutte le mie amiche, perché nessuna di loro accetta la dittatura dell'orologio biologico e continuano a distinguere un uomo da una provetta.

«Viola scusa, in tutto ciò stai insolitamente tacendo le tue novità sentimentali...» commenta Ilaria senza smettere di masticare una tartina al formaggio.

La mia coda di paglia si mette a scodinzolare con fervore. «Cioè, che novità? Io non ho novità, ti risultano novità?...»

«Già. Non ci hai detto se il consumatore di Viagra nonché aspirante scortato poi s'è più fatto vivo...» mi incalza Ivana.

«Sì, mi ha mandato vari messaggi su WhatsApp» rispondo con un certo sollievo.

«Per dire?»

«In uno mi diceva che partiva per Caserta a intervistare la zia di un cugino di un fratello di un cognato di un affiliato alla camorra. In un altro mi diceva che forse vince il premio Falcone, ma non ne era certo perché dietro a questi premi c'è tutta una mafia. Nell'ultimo mi chiedeva se la Speranza fosse in cerca di un opinionista sull'argomento malavita e crimini, ma gli ho spiegato che per la Speranza l'unico atto criminoso è tagliarle con due minuti di anticipo il suo show prima del tg della sera.»

«Ma scusa Viola, non t'è venuto il dubbio che Valerio stia provando a usarti?» mi fa notare Anna.

«Certo che sì. Ho anche chiesto a Orlando se conosce un certo Simone a scuola e se è vero che si danno appuntamento a ricreazione, ma Orlando dice di non conoscere nessun Simone.»

«E quindi ti ha avvicinata con la scusa dei bambini per farsi un po' di pubblicità e magari farsi dare una mano in tv?» chiede Ivana con aria schifata.

«Può essere. Ma sapete, quando sei popolare, la genuinità delle persone non puoi più valutarla con sicurezza. Di una cosa però sono certa: è tanto bello quanto sfigato e mitomane.»

«Quel biondo appoggiato al pianoforte invece è un po' giovane ma non è per niente sfigato...» nota Ilaria abbandonando una tartina smangiucchiata sulla tovaglia.

«Ah, lascia stare, si chiama Mark, ha ventiquattro anni, americano e studia a Yale, ma gli interessano solo playmate e football americano. Un cretino» le chiarisco dopo averlo scannerizzato un secondo.

«No, scusa, e tu che ne sai?»

«Ne so perché oggi pomeriggio mi sono studiata il registro degli ospiti su facebook.»

«E ti ricordi il suo profilo facebook?»

«Certo. Non solo il suo, se è per questo. Ho scoperto un sacco di cose. Per esempio, il gruppo di signori qui accanto a noi è formato da manager di Samsung Electronics. Quello che ride è coreano e si chiama Heon e qualcosa, quello con la giacca grigia è australiano e ieri era il suo compleanno, quello che parla al cellulare è indonesiano e ha due gemelle appena nate, forse sta chiamando a casa per sapere come stanno. La foto delle neonate ha ricevuto circa cinquecento mi piace. Quel signore giapponese laggiù è stato ministro dell'Economia in Giappone, tre anni fa si è dimesso per una battuta infelice su Fukushima e sta parlando con un italiano che ha un ristorante stellato a Firenze. Da ex ministro dell'Economia avrà capito che in Italia i soldi li fai col cibo e coi vestiti. Quella coppia è danese...»

«Quindi, facci capire, sai chi sono il tizio e la cessa?»

«No.»

«Come no?» chiede Ilaria con una cocente delusione nello sguardo.

«Non sono riuscita a identificare gli occupanti di quattro camere. Per un nome non c'era alcun risultato, per uno, Luke Williams, c'erano sessantatré milioni di risultati. In una camera c'era una coppia col solo cognome: Santini. Troppo vago. E in una suite, curiosamente, c'era appuntato Signora S. Il nostro meraviglioso amico e signora sono una di queste possibilità, ma temo che non lo sapremo mai.»

Sospettare di un uomo per due anni mi ha resa la regina delle investigazioni. «Ah, quello che sta attraversando la sala con aria torva perché nessuno l'ha ancora riconosciuto è Lucas Conti, ma non serve facebook per identificare le sue sopracciglia.»

«Non ha capito che qui sono quasi tutti stranieri immuni dai salotti della Speranza. Del resto, non credo conosca la differenza tra le Langhe e Cesenatico» sottolinea Anna che pur vedendo poco la tv ha inquadrato subito il soggetto.

Il look di Lucas Conti è argomento del nostro dileggio per la mezz'ora successiva. Gessato bianco a righe larghe, una t-shirt a V nera, aderente, con un teschio dorato stampato nel mezzo, collane e rosari appesi al collo e delle scarpe nere lucide portate senza calzini. I capelli nerissimi, impomatati, sono pettinati all'indietro e la carnagione è perfino più scura di quanto non ricordassi, ma tende all'arancio, come fosse conseguenza dell'uso maldestro di un autoabbronzante. Della sua omosessualità mascherata goffamente con una mise etero-cafona da *Jersey Shore*, non dubita neanche più Anna, che è sempre stata garantista anche con Elton John. È solo e sta riempendo il suo piattino di tartine al tartufo. Il cameriere cerimonioso gli serve un bicchiere di vino e Lucas lo fa roteare con una veemenza non richiesta, e da esperto improvvisato quale palesemente è, investe il cameriere e il suo gessato bianco di alcuni schizzi color rosso vivo.

«Ti prego Viola, andiamo a salutarlo, Lucas Conti è la svolta comica della serata» dice Ilaria senza perderlo di vista un attimo.

«No dai, anzi, spero che non mi veda perché non ho nessuna voglia di salutare quel cret...»

Lucas Conti si volta verso di noi in quel preciso momento. Mi saluta con una smorfia tra il fanatico e lo strafottente e poi viene drammaticamente verso di me. Si muove ancheggiando che neppure Naomi Campbell per la sfilata Valentino primavera-estate 1990.

«Non c'è una botola a metà sala vero?»

«No, temo di no» mi risponde Ilaria gongolando.

«Ragazze, liquidiamolo in fretta perché io sono qui per disintossicarmi dal circo della Speranza.»

Il guerriero di terracotta è di fronte a me e sorride spavaldo. «Viola Agen in una spa! Che ci fai qui?»

Partiamo subito con le domande intelligenti. Cosa dovrei fare in una spa, un corso da radiologo? «Mi rilasso, con le mie amiche. Anzi, te le presento: Ilaria, Ivana e lei è Anna.»

«Lucas, piacere.» Fa un ridicolo baciamano a tutte e non credo sia per galanteria. Forse la mano è la cosa che gli fa meno schifo baciare in una donna. «Io anche mi sono preso un paio di giorni per rilassarmi qui in campagna...»

In campagna. Le Langhe me le chiami campagna, brutto cafone. «Ah, perché il resto della settimana ti spezzi la schiena dove?» replica Ilaria con la sua rinomata diplomazia.

Lucas non sembra risentirsi. «Ah ah, no, in effetti faccio una vita abbastanza rilassante, soprattutto negli ultimi tempi...»

«Stai sempre con la contessa francese di cui ho letto da qualche parte?» gli chiedo mentre lancio uno sguardo all'orologio per trasmettere la sensazione di aver molto da fare di lì a poco.

«Corinne? No, bella donna, per carità, ma era davvero troppo âgé...»

«Posso chiederti quanti anni aveva?» provo a indagare per farlo sentire a disagio.

«Lei ne dichiarava settantotto.»

«Ah, e invece il Carbonio 14 ne dichiarava quanti?» interviene Ilaria, senza che Lucas capisca minimamente la battuta, convinto com'è che il Carbonio 14 sia una band alternativa. Anna e Ivana ridacchiano complici mentre io e la mia amica più bellicosa cerchiamo di imbastire uno straccio di conversazione.

«Ora mi sono sistemato, ho fatto il colpaccio...» dice Lucas guardando fuori dalla finestra con un'espressione diabolica.

«Ah però. Una nuova fiamma ricca e anzianotta?» domando con una sincera curiosità.

«Oh no, molto ma molto meglio. Però ora non posso rivelare nulla, anche se al momento giusto chissà...»

«E da quando sei così discreto?» gli chiedo.

«Da quando mi conviene essere discreto, stella.»

Stella. Io uno che mi chiama stella potrei spingerlo da un dirupo nel mare in tempesta.

«E tu, Viola Agen? Sempre pronta a scagliarti sugli uomini, quand'è che ti trovi un uomo che ti rassereni un po'?»

«Viola troverà l'uomo che cerca quando tu smetterai di depilarti le ascelle» interviene prontamente Ilaria. «Quindi mai, temo.»

«Non ti agitare amore, stavo solo dicendo che la tua amica sembra più una bestia ferita che una femminista agguerrita, ma magari mi sbaglio eh...»

Ilaria è furente.

«Se permetti, amore ci chiami una delle tue fidanzate babbione, a patto che quando la chiami ci senta.»

«Va bene, ho capito, classico gruppetto di quarantenni rabbiose. Vi lascio, anche perché ho di meglio da fare. Ciao Viola, ci vediamo presto...» Dio, che essere ripugnante.

«Giuro che non lo vorrei neanche se fosse l'ultimo uomo sulla faccia della Terra!» esclama Anna nauseata dalla viscida strafottenza di Lucas.

«Se non ci fossero altri uomini sulla faccia della Terra a parte lui, il problema sarebbe più suo che tuo, fidati» sorride Ivana, seguendo con lo sguardo il guerriero di terracotta che sparisce dietro a un gruppetto di signore paciose (Anne, Laura e mi pare Sally, impiegate presso la Davey Tree Expert Company, in viaggio premio da Kent, nell'Ohio).

«Scusate, esco un attimo per chiamare Orlando.»

«Ommmmm» mi rispondono in coro le mie amiche prendendomi in giro. Guardo di sfuggita il telefono prima di chiamare Fabio e mi accorgo che ho due chiamate perse. Sono di Vasco. Ho cercato di non pensare a lui dal pranzo nell'all you can eat, ma dopo la sua mail sulla storia dei bracciali non è stato facile. Ci sono pensieri che ti fanno stare bene, e Vasco è uno di questi. Lo richiamo prima ancora di chiamare Orlando. «Ciao, ho visto che mi hai chiamata, scusa ma ero in una sala affollata...»

«Ciao Viola, che bello sentire la tua voce.» Come al solito, ignoro la sua gentilezza.

«Sei nella tua città?» gli domando per cambiare registro.

«Non si chiede al candidato sindaco di Milano se è nella sua città alludendo ad Asti... La mia città è Milano!» scherza Vasco.

«Ehi, era la domanda di una semplice cittadina, rilassati, non è un'intervista...»

«Lo so, lo so... è deformazione elettorale. Sì, sono ad Asti dai miei genitori. Sono un po' preoccupati per l'andamento della campagna.»

«Ah, e che dicono?»

«Litigano sulle mie strategie di comunicazione. Mio padre mi consiglia: "*Fa' 'd pat ciàir e parla poch!*", fa' patti chiari e parla poco, e mia madre ovviamente scuote la testa e dice: "Vasco sa quello che fa. Nicola, devi sempre *mostrè ai gat a rampignè*!", Vasco sa quello che fa! Nicola, devi sempre insegnare ai gatti ad arrampicarsi!»

«Be', mi sembrano più saggi di tanti esperti e massmediologi.»

«Sì, mio padre è un po' il McLuhan di Mombaruzzo... Voi showgirl lo sapete chi è McLuhan, o pensi stia alludendo a un centrocampista del Celtic?»

«Spiritoso!» Amo l'ironia di quest'uomo.

«E tu dove sei?»

«Sono in un posto che ha dato i natali a Cesare Pavese... Voi ex giocatori di basket conoscete i versi liberi o siete fermi ai tiri liberi?»

«Spiritosa! Sei a Santo Stefano Belbo. Al relais San Maurizio.»

«Vedo che la tua intensa attività di stalker procede senza intoppi!»

«Qui c'è poco da fare stalking. Sono un sabaudo con una passione viscerale per la propria terra e a Santo Stefano Bello non c'è molto altro. Mi complimento per la scelta, sei in un luogo magico. E visto che l'espressione "luogo magico" l'abbiamo classificata buona per il dépliant di una spa, questa volta me la passi.»

«Te la passo. Però questo non è l'astigiano, è provincia di Cuneo...»

«Sì, ma sei più vicina ad Asti che a Cuneo. Anzi, ora che ci penso sei incredibilmente vicina a casa mia...»

«Vasco ora devo lasciarti, Orlando è col padre e devo chiamarlo, sono un po' preoccupata...»

«Capisco, certo. Anche se da quel poco che ho visto, il ragazzo sa il fatto suo.»

«Sì, è molto maturo, anche se conserva degli spazi infantili, grazie al cielo.»

«Sì, Godzilla e il suo mondo di mostri.»

«Già. Ciao Vasco, a presto.»

«Ciao Viola, a presto. Ah, chiedi il Sol.»

«Mah ti dirò, a me questo tempo uggioso non dispiace...»

«Il Sol è un vino.»

«Ah» è il mio commento tecnico.

«Un moscato passito fatto nelle zone in cui sei ora. Lo fa un tipo in gamba, che ama Pavese. Ti piacerà, è un vino sensuale, come te.»

«Ah» è il mio ulteriore commento tecnico.

La telefonata con Orlando, invece, dura otto secondi comprensivi di composizione numero e grugnito di Fabio. Orlando ha una vocina eccitata. «Ciao mamma!» «Ciaooo amore, come va?» «Bene, però ora mamma sto giocando a poker ciao!» «Come stai giocando a pok...» «Ciao mamma ti voglio bene!» Tutututututu. Gioca a poker e non gliene frega nulla di parlare con me al telefono. Ommmmm. Quando rientro nel salone, le mie amiche mi chiedono cosa mi abbia mai detto Orlando per avermi regalato quell'aria beota. «Oh nulla, che sta giocando a poker.»

Ivana è incredula. «Scusa, ci stai dicendo che Fabio con ogni probabilità avrà fatto mettere sul tavolo delle fiches la tua autovettura a tuo figlio e tu hai quell'aria così... così...»

«Radiosa?» specifica Ilaria.

«No. Sono radiosa perché mi ha chiamata una persona. Un uomo... Cioè, mi aveva chiamata due volte, io l'ho richiamato.»

«Scusa scusa scusa aspetta un attimo. Ci stai dicendo che un uomo non ti ha whatsappato, inviato sms, mms, messaggi vocali, selfie, chat, messenger, posta privata su fb, posta privata su Twitter, mail, poke, emoticon o adesivi, ma ti HA CHIAMATA?» domanda Ilaria sull'orlo della commozione.

«Sì, a dire il vero lui chiama quasi sempre, non ha neanche WhatsApp, credo.»

«Amica, io non so neppure chi sia, ma dammi retta: sposalo!» Ilaria, Ivana e Anna mi osservano in attesa della rivelazione destinata a cambiare la storia, ma anziché sfamare la loro curiosità, faccio un cenno deciso al cameriere fanatico: «Scusi, non è che avete il Sol? Sa, avrei voglia di un vino sensuale, di queste parti...»

Ivana è basita. «Vabbe' amiche, Viola ha appena finto di conoscere un vino e l'ha perfino definito sensuale, aggettivo che non usano più neanche nelle pubblicità dei gel stimolanti. Il rincoglionimento è serio. Tira fuori il nome.»

«Ok, ma vi avverto, è una persona nota e non è una situazione facile.»

«Il nome!» dice Anna perentoria.

«Vasco.»

«Il cantante?»

«Viola, ma santo Dio, quello è andato, hai visto i video che postava su YouTube in vestaglia?»

«Ormai sembra un vecchietto di *Cocoon*, non si può dai...»

«Ma no, non è Vasco Rossi.»

«E chi è?»

«Vasco Martini.»

Ilaria appoggia lentamente il bicchiere sul tavolo, lancia un'occhiata greve ad Anna e Ivana e pronuncia il suo verdetto: «Uh porco cazzo».

La signora della reception mi chiede con un sorriso garbato se possiamo fare una foto insieme. «Sa, noi siamo molto discreti qui, ma lei è proprio forte, anche mia figlia la adora!»

«Grazie signora, me la saluti.»

«Senta, ma la Speranza è proprio come sembra in tv?»

«Sì sì, è proprio stronza come sembra!» interviene Ilaria mentre riconsegna le chiavi della camera 315.

«La mia amica scherza, sì sì, è come sembra...» Stronza, appunto.

«In questi giorni sono passati di qui molti personaggi noti. Non so se ha incontrato il suo collega Lucas Conti, era qui fino a un minuto fa...»

Ha appena definito Lucas Conti un mio «collega». Ora le trafiggo il cuore col fermacarte del relais. «Sì, sì, l'ho incontrato ieri sera...»

«Strano tipo quel Conti... Ne avrei di cose da dire ma qui la privacy dei nostri clienti è sacra...»

«Non ci può neanche dire chi ha pagato il conto della suite?» interviene Ivana, curiosa come una scimmia, appoggiandosi sul bancone.

«No, ci mancherebbe... Però posso dirvi che non ha pagato lui... Allora vi aspetto il mese prossimo, è sempre un piacere avervi qui!»

Nel parcheggio, facciamo appena in tempo a scorgere la sagoma di Conti dal finestrino di una macchina scura. Lui è seduto dietro e sta parlando al cellulare. Guida un autista. «Mi sa che il colpaccio l'ha fatto davvero» è il commento di Anna.

«Secondo me è solo un amico che è venuto a prenderlo e non se lo vuole vedere sul sedile accanto» è il commento di Ivana.

«Signorina Agen!» La signora della reception mi viene incontro trafelata, proprio mentre sto mettendo nel bagagliaio la mia valigia. «Mi ero dimenticata di darle questo pacchetto, l'ha portato per lei un signore stamattina presto.» Nel dire «un signore» mi fa l'occhiolino. Ho già un sospetto su chi potrebbe essere il mittente. Lo apro. È un Godzilla di plastica che corre sul ponte di Brooklyn. Indossa una canotta da basket, col numero 15 sulla schiena. C'è un biglietto: «Questo era rimasto nella mia cameretta da adolescente inquieto in cui ero tornato per un po', dopo la mia débâcle sportiva in America. Giuro che dopo quella politica non mi rimetto a dormire nel letto a castello. Dallo a Orlando. V.».

Ilaria divora a una velocità spaventosa il serpentone di curve che si srotola fino alla base della collina su cui sorge il relais. «Viola, ribadisco: sposatelo!»

«Ilaria ne abbiamo già parlato ieri sera. Non ho intenzione di fare in modo che la mia vita si intrecci di nuovo con quella di Giorgio, non è il momento.»

Nel nostro viaggio di ritorno in macchina, il Gruppo Testuggine ha l'abitudine malinconica di tirare le somme di quello che è successo o ci siamo dette nei due giorni di intimità. «Ilaria, preferisci che ti vomiti sul cruscotto o nel porta bibite? Rallenta!» la implora Ivana seduta accanto alla nostra autista psicopatica.

Ilaria non l'ascolta neanche, concentrata com'è sullo smontare le ragioni della mia prudenza, anziché sulle curve che le si parano davanti. «Quell'uomo ha condizionato la tua vita negli anni in cui siete stati insieme, non può continuare a condizionarla pure ora che non state più insieme. Che palle. Fregatene di Giorgio e di quello che potrà dire o pensare quando e se lo scoprirà.»

«Ma poi scusa, dagli una possibilità, magari uscite due volte e finisce lì, non c'è bisogno che il mondo lo sappia. Perché precluderti di conoscere un uomo interessante che fa cose anomale ai giorni nostri tipo telefonare, fare regali, manifestare intraprendenza...» aggiunge Ivana che sta chattando freneticamente con Tommaso da quando siamo salite in macchina.

«Ragazze, mi sembrava che ieri sera foste d'accordo con me sul fatto che è meglio per il mio equilibrio emotivo mantenere una giusta distanza tra me e Giorgio.»

Anna appoggia una mano sulla mia spalla e mi parla con una fermezza che ci ammutolisce tutte: «È meglio per te solo perché non hai ancora il cuore sgombro, sei vulnerabile. Se fossi libera, non correresti alcun pericolo neppure se ci fosse Giorgio qui in macchina con noi adesso».

«Se ci fosse Giorgio qui ora mi lancerei sul guardrail» si intromette Ilaria mentre prende l'ultima curva con le ruote che fischiano in maniera sinistra.

«Anna ha ragione. È come la storia delle dipendenze. Quelli che ne sono usciti sul serio non ci ricascano neppure se c'è la bottiglia aperta sul tavolo.»

«Tu zitta che sto parlando anche con te sai!» le risponde Anna cogliendo Ivana di sorpresa.

«Che c'entrano le dipendenze!» obietto mentre scarabocchio qualcosa sul finestrino appannato.

«C'entrano perché tu eri ossessionata da Giorgio, non lo amavi.»

«Anna, io ero innamorata.»

«No, tu non ti eri innamorata. Ti eri ammalata.»

«Ma dai, questa è un'altra scemenza buddista.»

Per la prima volta vedo Anna perdere la pazienza. «Scemenza buddista un par di palle. Non si va avanti tre anni con uno che ti tratta con quella sciatteria e quel sadismo se non sei ossessionata. Amare in maniera sana vuol dire cercare la reciprocità e tra di voi la reciprocità non c'era.»

«Ti ringrazio per avermelo ricordato. Lo so che facevo tutto io» le rispondo seccata.

«Appunto. L'amore a senso unico ha a che fare con l'onanismo, dove non c'è scambio, non c'è amore. Se proprio vuoi amare qualcuno che non ti dia alcuna prova del suo amore e che ti costringa a un dialogo solitario, allora scegliti un Dio a caso. Non ti interessa Buddha? Bene, buttati su Gesù Cristo, su Allah, sugli dèi pagani, su Justin Bieber, su chi ti pare, ma ti prego Viola, mai più su un uomo. Gli uomini non meritano un atto di fede. Che ci amano ce lo devono dimostrare con i fatti in questa vita, non prometterci un aldilà di attenzioni. L'amore tra un uomo e una donna ha a che fare con l'aldiquà, Viola, tu sei stata tre anni a sperare nel paradiso e nel frattempo hai alloggiato in una doppia uso singola all'inferno.»

Ivana ha improvvisamente smesso di chattare. Io resto in silenzio, tramortita da quelle verità sputate una dopo l'altra dalla mia amica sensibile. Dopo un istante in cui sembriamo sospese ognuna nei propri pensieri, una violenta frenata ci riporta sulla Terra. Non faccio in tempo a realizzare cosa è successo che Ilaria tira il freno a mano, si gira verso Anna e le porge la mano: «Porca puttana amica, se è il contratto con Buddha che insegna a parlare così, disdico subito l'abbonamento con Dio».

Orlando e «il mio papà»

«Allora, amore, raccontami tutto, com'è andato il weekend con papà?»

«Benissimo, mamma! È stato il viaggio più bello di tutta la mia vita!»

«Anche di quello che abbiamo fatto in Egitto, quello in cui abbiamo visto tutti quei pesci colorati e tu dicevi: "Nemoooo" quando vedevi il pesce pagliaccio e...» Maledizione. Sto facendo una cosa che non si fa: imbarcarmi in una sfida comparativa su quale genitore gli faccia fare le cose più belle. Ci manca solo che inizi il gioco della torre: «Chi butteresti giù, il papà o la mamma?».

«Non lo so mamma, l'Egitto era bello però anche la Liguria è bella, solo che non si mangiano cose coi sapori strani come quel pollo che...»

Orlando mi fa un elenco dettagliato degli alimenti speziati della cucina egiziana mentre io gli levo il piumino. Ha la felpa girata al contrario e rovesciata, per cui ha un'etichetta con scritto Made in Serbia sotto al collo e la scritta Gap tramutata in paG sulla schiena.

«Orlando, ma si può sapere come ti sei vestito?»

«Mi ha vestito papà, perché?»

«Niente, lascia stare. Dai, infilati il pigiama che controlliamo i compiti, ceni e vai a letto.»

Il rituale della (s)vestizione riserva altre sorprese. Sotto la felpa il padre gli ha infilato una canotta, nonostante sia annunciata neve da stamattina. Nello sfilargli i pantaloni, scopro che Orlando è senza mutande come Gaia Fabi all'ultimo Galà della pubblicità digitale.

«Orlando, le mutande le hai perse a poker?»

«Cioè mamma? Che vuol dire?»

«Niente, lasciamo perdere. Anzi, mentre prendo i quaderni, mi racconti questa storia che giocavi a poker?»

«Ah mamma, è stato troppo divertente. Io e papà siamo andati a casa di questo signore che aveva dei pitbull cattivissimi nel giardino e aveva una casa grandissima con un sacco di telecamere e...»

«Telecamere fuori?»

«Sì, ma anche in tutte le stanze, sembrava un film di spionaggio!»

«Ah. Ed era un calciatore?»

«No.»

«E chi era? Uno come papà che cerca calciatori in giro?»

«Anch'io gliel'ho chiesto a papà e lui mi ha detto che questo signore fa una specie di lavoro come il suo, però lui dal Sudamerica porta in Italia un'altra cosa, non i calciatori.»

«Ah, ecco. Siamo a posto. E tu giocavi con lui e altre persone?»

«Sì, erano tutti simpatici ma io facevo finta mentre papà giocava davvero!»

«Ah, e ha vinto?»

«Ha vinto sì, mamma! Pensa che ha vinto un motorino!»

«Un motorino?»

«Sì, perché quando siamo andati via di notte la sua Posh l'ha lasciata nel giardino del signore e ha detto: "Visto che bello? Abbiamo vinto il motorino del signore! Che ce ne facciamo della macchina? Lasciamola qui!"»

«Ah, ma che fortuna. E scusa, come siete venuti fin qui a Milano senza la Posh? In motorino?»

«No, ci ha accompagnato un calciatore simpatico che io lo chiamavo Harry Potter!»

«Aveva gli occhiali?»

«No, era un mago!»

«Ma dai! Faceva sparire le carte?»

«No, indovinava tutti i risultati delle partite!»

«Cioè?»

«Al ritorno in macchina sentivamo le partite della serie B alla radio e lui diceva: "Questa perde, questa vince, questa pareggia" e le ha indovinate tutte e infatti in autogrill abbiamo incontrato un signore straniero che gli faceva i complimenti perché aveva indovinato e anche papà era contento e mi ha detto che forse si andava a riprendere la Posh la settimana prossima perché il motorino è bello ma è scomodo.»

Bene. Mio figlio ha trascorso un sereno fine settimana in compagnia di eroi del calcioscommesse e narcotrafficanti. Ora mi manca solo un tassello. «E papà era da solo o con un'amica?»

«Ieri è venuta un'amica che però parlava una lingua strana, mamma.»

«Brasiliano?»

«Sì, forse.»

«Ed era simpatica questa amica?»

«Sì, mi faceva ridere perché mi raccontava le storie nella sua lingua e io non capivo, allora faceva i versi degli animali ed era simpatica.»

Come si permette questa sconosciuta di fare i versi degli animali a mio figlio? La riproduzione dei versi degli animali è un'esclusiva delle madri naturali, lo sancisce la Costituzione italiana. Queste arrivano dal Brasile e credono di poter fare le simpatiche coi figli degli altri. Come si permettono. Decido di interrompere l'indagine sul weekend di mio figlio per non soffrire ulteriormente e mi metto a controllare i suoi compiti. «Svolgi tre frasi a piacere con la terza persona del verbo dare»: a) Il gatto mi da la zampa. b) Il negoziante da la merce. c) Il cliente da una banconota falsa.

«Scusa Orlando, a parte che manca l'accento sul dà, ma poi l'ultima che frase è?»

«Gliel'ho detto a papà che per quella sulle banconote false poi le maestre mi sgridavano, ma lui mi ha detto che era simpatica...»

Ommmmmmmmmmmmmmmmmmm.

«Ma almeno la poesia l'hai imparata?»

«Insomma, mamma.»

«Ma come insomma? Le studi sempre benissimo! Dai, dimmela.»

«La nebbia agli irti colli piovigginando piovigginando...»

«Sale.»

«Sale, e sotto il maestrale strilla...»

«Urla.»

«Urla e sbianchetta il cane.»

«Seh, il gatto. Urla e biancheggia il mare!»

Sono furiosa. «Orlando, possibile che ti lascio due giorni col papà e non mi posso fidare di voi? Anche quando sei con lui devi studiare oltre a divertirti, non va bene che...»

«Ma io non lo vedo mai il papà e se studiavo la poesia lui stava in un'altra stanza con la sua amica e vedeva la tv...»

Si difende come un leone, ma ha gli occhi lucidi e capisco che sta per piangere. All'improvviso mi passa tutto. Il risentimento per la solita trascuratezza di Fabio, l'ansia per la strigliata delle maestre che mi faranno sentire colpevole al prossimo colloquio, la pretesa che Orlando sia sempre all'altezza della maturità a cui mi ha abituata.

«Va bene amore, hai ragione. Non fa niente.»

«Davvero mamma? Non sei più arrabbiata?»

«No, Orlando. Non sono più arrabbiata.»

«Perché non sei più arrabbiata mamma?»

«Perché va bene così. Alle volte bisogna avere il coraggio di prendere delle decisioni anche se sappiamo che faranno arrabbiare qualcuno o che dopo ci faranno stare un po' male.»

«È vero mamma, infatti io lo sapevo che mi avresti sgridato perché i compiti li avevo fatti di corsa, però non mi è importato tanto. Cioè, ora sì, mi importa, ma prima no.»

«Lo so. Alle volte il tempo con le persone a cui vogliamo bene è più prezioso di quello del dovere.»

«E se le maestre mi sgridano domani cosa dico?»

«Di' che te lo meriti ma ti meritavi anche due giorni col tuo papà e certe volte bisogna fare delle scelte che rendono felici noi e scontente altre persone.»

«Ma dici che non faccio una figuraccia davanti a Petra perché non so la poesia?»

«Ma no amore, non credo che per lei sia molto importante.»

«Sai... Papà mi ha detto come devo fare se la voglio conquistare.»

«Ma non hai detto che Petra non ti piace?»

«No, infatti non mi piace, a lei piace Ettore, dico per dire...»

«Ah certo, dici per dire. E quale sarebbe il sistema infallibile suggerito da quel gran seduttore di tuo padre?»

«Dice che la devo portare in bagno con una scusa e le devo dare un bacio quando sta vicino al lavandino.»

Fantastico. Violenza carnale praticamente. Già mi vedo convocata dalle maestre alla presenza degli assistenti sociali che attribuiranno la colpa di tutto alla mia scelta scellerata di far vedere i *Griffin* a Orlando. Ommmmm.

«No, aspetta Orlando. Non mi pare una buona idea. È un po' presto per queste cose e poi sai, noi femmine preferiamo cose più romantiche. Direi che è meglio un bigliettino...»

«Ma io già gliel'ho scritto.»

«E lei che ti ha detto?»

«Mi ha detto: "Ti *volio* bene si scrive con la g".»

Si sofferma sulla grammatica, la sciacquetta. Se solo sapesse che a quarant'anni, su WhatsApp, commettono errori d'ortografia ben peggiori di questo.

«Ma quindi se le hai scritto "Ti volio bene", Petra ti piace.»

«Ma no, dicevo per dire.»

«Ahhh, dicevi per dire.»

Niente. Al padre ha parlato del suo amore non ricambiato per Petra mentre con me non si sbottona. Devo guadagnare qualche punto. Ho un mezzuccio che fa al caso mio.

«Ehi Orlando, guarda un po' che cos'ho qui per te...»

«Nooooooooooooo! Un Godzilla vintage del '98!»

«Ti piace?»

«Mamma è bellissimo! Ma è quel Godzilla che mi aveva detto il tuo amico alto che giocava a basket! Quello che vuole comandare Milano!»

«Sì, Vasco. Si chiama Vasco. Il mio amico simpatico.»

«Mamma perché fai quella faccia quando dici: "Il mio amico simpatico"?»

«Perché? Che faccia ho fatto?»

«Mamma, ma non è che un po' ti piace?»

«Ma no, ho detto solo che è simpatico. E poi... poi dicevo per dire.»

«Mamma perché sei nervosa?»
«Nervosa? Io non sono nervosa.»
«Mamma, allora perché stai girando il cucchiaino nella tazza vuota?»
«Io?»
«Sì.»
«Senti Orlando, vai a giocare con il nuovo Godzilla che io... io... devo mandare una mail.»

Domenica 1° dicembre 2013, h 22,35
Da: viola.agen@yahoo.com
A: vasco.martini@gmail.com

Stasera ho realizzato una cosa: sono diventata un po' secchiona, per cui ho deciso che sabato non farò i compiti e verrò al comizio a piazza Castello. Devo solo decidere da cosa travestirmi per non dare troppo nell'occhio. Sono indecisa tra sindacalista con felpone in pile e il baffo finto, lesbo radicalchic in tailleur pantalone, foulard e bicicletta rétro o da Femen. Tu sarai quello alto che parla sul palco, per cui a meno che non arrivi da un aperitivo con le mie amiche, dovrei essere in grado di riconoscerti.
Buonanotte.
Viola

P.S. Con il Godzilla vintage in tenuta da basket, hai fatto canestro. Orlando se l'è portato a letto preferendolo addirittura al Godzilla mestruato.

Domenica 1° dicembre 2013, h 23,05
Da: vasco.martini@gmail.com
A: viola.agen@yahoo.com

Sono felice di togliere tempo al tuo studio. Però te lo dico: «Se ti presenti col look da Femen, mi ritiro dalla politica e do la vittoria a tavolino a Mazzoletti».

P.S. L'hai poi assaggiato il Sol?

Domenica 1° dicembre 2013, h 23,31
Da: viola.agen@yahoo.com
A: vasco.martini@gmail.com

Sì, l'ho assaggiato. L'ho trovato fantastico. È dolce, senza essere sdolcinato. Ed è la prima volta che il mio commento su un vino va oltre l'«Ah».

P.S. Ok, niente Femen. Ho deciso: vengo travestita da Ken Loach, così sono in target.

Domenica 1° dicembre 2013, h 23,43
Da: vasco.martini@gmail.com
A: viola.agen@yahoo.com

Quindi niente topless e coroncina di fiori?
Ah.
V.

Domenica 1° dicembre 2013, h 23,49
Da: viola.agen@yahoo.com
A: vasco.martini@gmail.com

Sempre così. Appena ti rivesti, gli uomini smettono improvvisamente di avere argomenti.

Domenica 1° dicembre 2013, h 23,53
Da: vasco.martini@gmail.com
A: viola.agen@yahoo.com

E invece ne ho uno, serio. Mi piacerebbe dire qualcosa, a fine comizio, che sia un pensiero per le donne, ma da un punto di vista femminile. Soprattutto, vorrei che fosse qualcosa di genuino, senza i ghirigori del politichese. Perderò queste elezioni, Viola, ma voglio perderle con carattere. Se hai qualcosa da suggerirmi, sai dove trovarmi. Ovviamente davanti a qualche porta, ad aspettarti.
V.

Lunedì 2 dicembre 2013, h 01,33
Da: viola.agen@yahoo.com
A: vasco.martini@gmail.com

In un'altra vita ero un'umile ghostwriter. Ma questo l'ho scritto per te, non al posto tuo. Particolare che fa la differenza. Se non ti piace, buttalo, non mi offenderò.
(Vedi file allegato.)
Ti bacio.
Viola

Lunedì 2 dicembre 2013, h 07,21
Da: vasco.martini@gmail.com
A: viola.agen@yahoo.com

Viola,
non ho buttato il file. Ho buttato trentotto anni senza parlarti e guardarti e immaginarti vestita da Femen.

Grazie, sono senza parole. Per fortuna mi hai regalato le tue.

V.

P.S. Questo tuo passato da ghostwriter sarà la prima cosa di cui mi racconterai a fine comizio. Se non altro perché l'aggettivo «invisibile» è la cosa più lontana da te che mi viene in mente.

13

Via dei Cappuccini 9

«Quando arriverai in piazza, capirai che qualcosa è cambiato, da quando ti ho conosciuta.» Queste sono state le ultime parole pronunciate da Vasco al telefono. Oggi pomeriggio mi ha fatto una chiamata veloce per darmi le coordinate per accedere al retro del palco e assistere al comizio da lì, senza folle curiose e un eccesso di occhi indiscreti. Il Gruppo Testuggine, appresa la mia decisione di smollarmi un po' e di assistere al suo bagno di folla a piazza Castello, mi invia messaggi di scherno da stamattina: «Sarai la Michelle Obama di Quarto Oggiaro!», «Se all'inaugurazione dell'Expo ti vesti Zara ti querelo!», «Mi raccomando: il Gruppo Testuggine vincitore dell'Ambrogino d'oro per meriti artistici e umanitari!» e così via. Io sono talmente nervosa che non sono neppure riuscita a insultarle con estro, ma mi sono limitata a rispondere con delle faccine idiote. La mia idea di venire a piazza Castello in macchina, in fatto di genialità, è seconda solo a un intervento a caso di Gaia Fabi alle *Amiche del tè*. Tutta l'area attorno alla piazza è ovviamente chiusa al traffico e sono costretta a tornare verso parco Sempione, per cui mollo la Smart in una viuzza privata davanti a un bidone della raccolta dell'umido. Mi attendono un paio di chilometri scarsi a piedi che per una come me, con la preparazione atletica di un bradipo zoppo, sono più o meno l'equivalente della maratona di New York. In più, colta da sindrome dell'aspirante first lady, mi sono infilata una specie di camicetta verdognola (Orlando ha commentato: «Mamma, mi sembri Lois Griffin!»), una gonna inutilmente stretta e dei tacchi inopportuni che, abbinati al cappottino cammello troppo corto, provocheranno la mia morte per ipotermia prima che riesca a intravedere una bandiera dei Nuovi Riformisti. Poi dicono che in questo Paese non c'è più gente pronta a morire per un'ideologia. Per fortuna sono inspiegabilmente in anticipo. Credo non sia mai successo nella mia vita di non accumulare un ritardo di almeno venti minuti. Sono arrivata in ritardo perfino al mio matrimonio e il ritardo, nei matrimoni in Comune, non è contemplato. C'era una cerimonia ogni quindici minuti, io mi sono fatta attendere per venticinque, e il tipo che le officiava, quando arrivai, mi disse: «Ora, se fossi ligio, dovrei farle sposare il marito del turno successivo». Non sapeva, quel povero uomo, che a esser ligio probabilmente mi avrebbe risparmiato parecchi problemi. Ad ogni modo, dopo due soste caffè per evitare l'assideramento, una slogatura alla caviglia destra e un principio di angina pectoris, la piazza mi si para finalmente davanti. C'è un freddo secco, tagliente, di quelli che precedono le forti nevicate, per cui la folla che invade la piazza è allegramente bardata con cappelli, sciarpe, piumini e pellicce più o meno sintetiche. Osservo le persone imbacuccate, le bandiere, gli striscioni delle associazioni più disparate, le donne, tante, tantissime che si sfregano le mani per il freddo, le coppie di omosessuali sobri con le pashmine eleganti e il bassotto al guinzaglio e quelle più kitsch formate da bear con giacche di pelle e ragazzetti mingherlini. Intravedo la più agguerrita attivista del movimento lesbico italiano, Paola Chiarugi, con la sua testa rasata e il foulard rosa che l'ha resa celebre, circondata da telecamere e giornalisti. Ma ci sono anche tanti milanesi qualunque, i milanesi così discreti e ordinati nella folla, tanti anziani, signore eleganti nei loro cappotti lunghi e la piega fatta da poco, ragazze allegre che mangiano panini comprati al baracchino, gruppi di sindacalisti con le bandiere sotto le ascelle e i palloncini colorati. E poi le associazioni mamme separate, mamme in difficoltà, mamme lavoratrici, mamme disagiate, donne maltrattate, donne contro la violenza, donne medico, donne manager, donne casalinghe e facce livide dal gelo eppure gioiose e vivaci nell'attesa di parole e promesse. Mi perdo in quella macchia di colore bella e stordente col berretto di lana calato fin sotto le sopracciglia e la sciarpa avvolta attorno alla bocca, per essere invisibile in mezzo alla folla. Penso a quanto siano lontani il salotto della Speranza e i suoi stravaganti abitanti dalla gente che riempie questa piazza. Penso alle battute di Vasco sul mio ipotetico travestimento da Femen e che, oggi, la metamorfosi da Femen a stalagmite di ghiaccio potrebbe avvenire in sei secondi netti. Poi finalmente scorgo le transenne disordinate attorno al palco su cui il cantautore Daniele Balestri sta facendo il suo endorsement, prima del discorso del candidato sindaco, e compongo il numero della persona incaricata da Vasco di venirmi a prelevare. Mi ha detto: «È l'unica di cui mi fido». Non so chi sia, ma la ragazza risponde con un tono premuroso. «Oh, ciao Viola. Arrivo subito. Dove sei?» «Sono, diciamo, guardando il palco a sinistra, praticamente dove c'è il manifesto grande di... di Vasco ma dalla part...» Il manifesto di Vasco. Ora capisco cosa intendeva dire Vasco con il suo: «Quando arriverai in piazza capirai che qualcosa è cambiato dal giorno in cui ti ho conosciuta». Il manifesto bluastro senza slogan, e corredato da foto lugubre modello lapide di valoroso alpino morto al fronte, è stato sostituito da un primo piano di Vasco con un effetto seppia che addolcisce i suoi lineamenti forti. Sotto, all'interno di un riquadro rosso chiaro, campeggia, enorme, una scritta bianca: «L'avvenire non è avvenuto. Scrivilo con me».

«Viola? Ma tu sei Viola Agen?» Una coppia di ragazze molto carine e giovanissime mi fissa mentre io me ne sto imbambolata davanti al manifesto di Vasco, più concentrata sul contorno morbido della sua bocca che sulla metrica del suo nuovo slogan.

«Sì, sono io, ciao. Ma vi prego, non diffondete la voce, evitiamo di dare nell'occhio...» Stringo due paia di guanti, uno rosso e uno viola, mentre cerco con lo sguardo l'assistente di Vasco oltre le transenne.

«Difficile che io e Federica si faccia un gran rumore... Anche tu voterai per Martini?»

«Sì, credo proprio di sì!» rispondo alla ragazza coi guanti viola e un neo sulla bocca.

«Grazie. Grazie per votarlo ed essere qui. Per noi è importante, siamo venute da Civitavecchia. Grazie anche dalla mia ragazza che non può parlare perché è sordomuta, ma ti stima tanto.»

Vorrei sprofondare. Ho appena chiesto a una delle ragazze più educate in cui mi sia mai imbattuta di non farsi cogliere da crisi isterica in compagnia della sua ragazza sordomuta, all'idea che io sia lì a un passo da loro. «Oh, scusa, non avevo capito. Come hai detto che ti chiami?»

«Giada.»

«È tanto che state insieme?»

«Due anni. L'ho conosciuta in un istituto per sordomuti, sai, io sono una logopedista...»

Federica la interrompe sfiorandole una spalla. Fa dei cenni rapidi nel suo linguaggio e Giada scoppia a ridere. Federica ora le tocca il braccio con più insistenza e mi indica, come a dire di riferirmi il suo pensiero.

«Cosa ha detto?» chiedo a Giada confusa dalla loro allegra e impenetrabile complicità.

«Oh, niente...»

«Dai, dimmelo!»

Ha detto: «Doveva insegnarmi a parlare e mi ha insegnato ad amare, questa cretina!».

Sorrido con loro. Sembrano così felici e così fragili che vorrei abbracciarle e dire a Federica che ho conosciuto tanti uomini sordi che ci sentivano benissimo, quando un «Viola!» secco e tassativo interrompe il mio fortuito incontro. Quella che mi chiama sbracciandosi da una transenna non è un'assistente fidata dello staff di Vasco Martini. È Mia Celani. La sua fidanzata ad interim. Sono basita. Saluto le ragazze baciandole affettuosamente e mi dirigo verso la fashion blogger più glamour di Milano. Nel frattempo mi autofustigo mentalmente per aver pensato all'aggettivo «glamour».

«Finalmente ti conosco! Non sai da quanto aspettavo questo momento. Mia.»

«Piacere Mia, a dire il vero so, insomma, Vasco mi aveva accennato che tu mi... mi volevi conoscere...»

Non ho idea di cosa le abbia detto Vasco di me e non vorrei urtare la sua sensibilità. Non so neppure perché sia così affabile con me, perché se io fossi la fidanzata mollata di qualcuno e quel qualcuno mi mandasse a prelevare una sciacquetta tv nel retro palco, farei in modo che un faro la seppellisse.

«Viola, te lo volevo dire da tanto: sei fantastica, davvero. Ti guardo in tv e penso che vorrei avere la tua dialettica, la tua capacità di parlare alle donne anche se sei lì in compagnia di fenomeni da baraccone.»

«Anche tu ti rivolgi a un pubblico femminile, no?»

«Io parlo alle donne con i vestiti e le scarpe ma non è la stessa cosa. Non creo empatia, creo invidia...»

«Be' dai, un sacco di donne sognano la tua vita, i tuoi abiti, la tua taglia 40...»

«Certo. Il punto infatti è questo. A guardare il mio fashion blog le donne vorrebbero essere me. A guardare te si vuole rimanere se stesse, ma migliori.»

Aveva ragione Vasco. Mia Celani è una ragazza generosa. Oltre che maledettamente elegante e aggraziata. E non ha neanche guardato dall'alto in basso il mio abbigliamento trattenendo conati alla scoperta che non ho neppure un gioiello di una nipote di qualche famoso stilista che pur di non andare a lavorare ha deciso di disegnare gioielli ed erudire il mondo sulle suggestioni evocate dall'argento brunito intrecciato col rame. «Ti porto a salutare Vasco? È qui dietro, sta per salire sul palco.»

«No, grazie, non voglio disturbarlo.»

«Viola, sappi che Vasco mi ha parlato di te, mi ha detto come stanno le cose e so che ti ha messo al corrente del nostro accordo. Con me puoi rilassarti, io da un mese ho un nuovo fidanzato, che ovviamente verrà allo scoperto dopo le elezioni, e sono felice.»

«Guarda che in realtà non c'è molto da sapere su me e Vasco, io non...»

«Sì lo so che lo stai facendo tribolare. Vasco mi ha detto: "Mia, tra Viola e Mazzoletti, non so chi sia l'osso più duro. Ma Mazzoletti a gennaio almeno me lo dimentico!"» Sorrido. «Senti, io non so cosa ti trattenga, magari non ti piace e allora ok, non posso farci nulla. Ma se a trattenerti è altro, se è una qualunque paura scema di quelle che abbiamo noi donne, Viola, sappi che con Vasco di paure non ne devi avere. Quando l'ho conosciuto ho capito che con lui avrei finito di soffrire per amore, e così è stato. Per questo non smetterò mai di essergli grata. E anche quando mi ha lasciata, aveva ragione lui:

il nostro ormai era affetto, l'amore era evaporato. Le persone belle non si lasciano cimiteri alle spalle.» Già. In effetti io mi sento ancora uno zombie che passeggia sulla terra smossa di un cimitero, ma questo Mia non può sospettarlo. Come non può sospettare che la ragione delle mie perplessità, secondo i sondaggi, sia in vantaggio su Vasco di cinque punti percentuali. «Dai, ti porto da lui!»

Vasco è già sui gradini che conducono sul palco, dietro all'immenso telone su cui è proiettata l'immagine del suo nuovo manifesto. Mia lo chiama a voce alta, in mezzo a un caos di collaboratori, tenendomi ancora per mano. Vasco si volta e mi vede. Si ferma sull'ultimo gradino e dice: «Ciao Viola!», prima di essere trascinato via dalla fila indiana che lo sta scortando. Quel «Ciao Viola!» abbassa all'improvviso il volume della piazza, della musica, della vocina dentro di me che non ha mai smesso di invitarmi alla prudenza. «Non mi ha mai guardata così, sappilo» commenta Mia continuando a seguirlo con lo sguardo. Ha un'espressione pensierosa. Mi sento profondamente in imbarazzo per il suo commento, ma l'angelica fashion blogger mi rimette subito a mio agio: «Sarei contenta se ci fosse una donna come te al suo fianco. Vasco si merita il meglio».

«Grazie Mia, sei davvero carina. Io non so se riuscirei a dimostrare la tua generosità, ma comunque davvero, al momento ci stiamo solo conoscendo...»

«Senti, però una cosa devo chiedertela» mi dice Mia facendo una smorfia piuttosto enigmatica.

Sono già agitata. «Certo, dimmi purc.»

«Ma vestita così, non senti freddo?»

«Io? No. Nell'ultimo stadio dell'ipotermia i sensi sono completamente anestetizzati, non lo sapevi?»

Mia ride e mi prende subito sottobraccio. «Vieni con me! Ti scorto fino a un fungo riscaldante e ti faccio portare una sedia. Preferisci stare accanto a Mariella Costa, il portavoce delle Nazioni Unite, nonché cara amica di Vasco, oppure laggiù, accanto al direttore del sito di moda Pinkfashion, nonché riferimento di una larga fetta del mondo gay milanese, che è un grande sostenitore di Vasco?»

Do una rapida occhiata alle due postazioni e opto per la compagnia del direttore del sito, visto che dal suo lato si vede meglio Vasco e io sono qui per godere della sua vista oltre che per sentire quello che dice, altrimenti me ne sarei rimasta al caldo a casa a vedere il comizio in streaming. Il direttore di Pinkfashion è il classico gay versione hipster. In pratica, se oggi ti fai barba e baffi come Tom Hanks in *Cast Away* e ti pettini come Burt Reynolds, sei di tendenza. Aggiungi finti occhiali da vista, un cardigan marrone pesantissimo indossato sotto un cappotto color foglie morte più aderente della mia gonna, un paio di pantaloni di velluto beige con risvolto sopra la caviglia e un paio di scarpe da ginnastica gialline, consunte e senza lacci, tipo Superga dopo un giro in lavatrice e sei il direttore di Pinkfashion. Mi viene voglia di chiedergli dove abbia messo la legna che ha appena tagliato, così magari ci accendiamo un fuoco e ci scaldiamo pure.

«Ciao, Viola, piacere!»

«Brando Furlan, piacere.»

Vasco ha appena iniziato a parlare. Lo sento ringraziare la gente per aver sfidato il freddo. La sua figura è così imponente che, nonostante la larghezza eccessiva del palco, riesce a riempire quello spazio con disinvoltura. Ha appena presentato la giornalista di "D come Donna" che lo intervisterà, quando Brando Furlan si lancia nel primo commento non richiesto della serata: «Oh mamma mia, e questa chi ce l'ha mandata!».

«Cioè?» gli chiedo senza capire dove voglia arrivare.

«No, dico, devi salire su un palco davanti a migliaia di persone, almeno un cappotto e delle scarpe decenti comprateli. Sembra una suora laica durante la proiezione di *Marcellino pane e vino*.»

«Ah, sì, in effetti...» rispondo io con scarso interesse, anche perché non ho capito la domanda della giornalista e vorrei sentire la replica di Vasco. «I problemi della mia città li conosco bene perché nonostante la mia condizione di privilegiato ho cercato di non imborghesirmi e no, non vi racconterò storie dicendo che...»

«Comunque, detto tra noi, secondo me Vasco Martini è un gran figo, così alto, così nordico...» È la seconda imperdibile considerazione dell'hipster logorroico.

«Un... un bel tipo sì» replico io seccamente.

«Ma tu come mai sei qui? Sei un'amica di Mia? Ti ho vista arrivare con lei...»

«No no, sono una sua... sostenitrice. Di Martini intendo.»

«Ah. No perché tra l'altro li ho guardati insieme stasera e lui mi è sembrato freddino con lei, secondo me se lo deve dire ancora ad alta voce, ma è gay.»

Una delle caratteristiche principali del gay malevolo è che per lui gli uomini sono tutti i gay. Tutti, compresi suo padre, Cristiano Ronaldo e Rocco Siffredi. Intendiamoci, non che ormai sia una teoria lontanissima dalla realtà, ma il gay malevolo lo dice con una spocchia intollerabile. «Martini no, non è gay. Almeno, non credo» aggiungo io mentre Vasco ha finito di rispondere alla domanda beccandosi un applauso scrosciante. La giornalista ha appena iniziato a formulare quella successiva, quando la mia sciagurata compagnia riattacca a parlare: «Non ti ho mai visto alle mie feste, come mai? Strano perché pullulano di gente giusta come te...».

Dio santo, perché non mi sono seduta di fianco alla portavoce delle Nazioni Unite? Non sono di colore, non sono stata rinchiusa in qualche carcere cinese, non ho contribuito alla realizzazione di pozzi in Sudan, quella non mi avrebbe rivolto la parola tutta la sera, anzi, probabilmente, se solo mi fossi avvicinata, si sarebbe andata a sedere altrove. «Perché, fai feste? Non hai un sito che si chiama Pinkfashion?»

«No, scusa tesoro, io non "ho" un sito. I siti ce l'hanno i nerd. Io sono il responsabile contenuti di un sito di moda gay, ma sono anche blogger, tweetstar, modello, creative director, stylist, fashion editor e, appunto, pr.»

Ho capito. Eccone un altro che non fa una cippa. «E queste feste sono le feste gay di Milano a cui vanno pure gli etero perché dicono che le feste più belle sono quelle gay e poi però si lamentano dicendo che c'erano solo gay?»

«Non sono feste gay, sono feste polisessuali! Mica sono uno di quei pr sfigati che trovi fuori dalle discoteche a Ibiza coi volantini. Io creo dei mood di tendenza in luoghi in cui la gente si sente libera...»

«Di fare quello che gli pare?»

«Di esprimersi!»

Ah già. Oggi nessuno fa più niente. Si esprime. Intanto la piazza sta ridendo, è appena partito un applauso e io non saprò mai cosa abbia detto Vasco con la sua adorabile ironia. Tra l'altro ho notato che ogni tanto si gira a guardare la gente assiepata sotto e al lato del palco, nell'area dentro le transenne. So che è stupido, ma non posso fare a meno di pensare che mi stia cercando. «Comunque io non amo le feste, alle feste milanesi non incontro mai nessuno di interessante» sottolineo con un'antipatia strisciante nella speranza che mi molli.

«Ma io alle mie feste non faccio incontrare. Connetto.»

Ah, lui connette, come no. Sono seduta accanto al primo gay wi-fi della storia. Ho finalmente sentito la nuova domanda della giornalista/suora laica. Gli ha chiesto quali sono gli elementi che compongono il brand Milano secondo lui. Penso che è veramente una domanda oscena. «Mi perdonerà se le dico che è una domanda che non mi piace.» Ecco. «Una marca, un brand è nella testa dei consumatori, una città deve arrivare prima al cuore. E per me Milano è un...»

«Senti, ma tu cosa facevi prima di fare l'opinionista?»

Ma perché il fungo che ci scalda non è un fungo atomico e lo polverizza ora? «Lavoravo per una casa editrice.» Ora immagino che dovrei chiedergli: «E tu?», ma piuttosto mi sfilo il cappotto e consegno le mie stanche membra al gelo dicembrino. Voglio sentire cosa dice Vasco.

«Io quando sono arrivato qui da Bari facevo il door selector.»

Niente, o gli do un colpo secco sulla nuca con una gamba della sedia di metallo su cui siedono le mie chiappe gelide, oppure non si zittirà mai. «Ah, ho capito, stavi alla porta.»

«No, alla porta ci sta il buttafuori. Io ero un door selector.»

«E dove lo facevi il door selector, sul tetto?»

«All'ingresso del locale.»

«E 'sto locale aveva una porta o ci si accedeva da un armadio tipo Narnia?» Non penso di poter essere più antipatica di così. Il livello successivo di antipatia è dirgli: «Zitto boscaiolo ripulito, che mi stai stracciando i maroni», e non so se ce la farò.

Brando Furlan non si scoraggia. «Poi ho cominciato a mettere musica e nel giro di qualche anno gli stilisti hanno iniziato a sgomitare per farsi griffare la colonna sonora delle sfilate da me.»

Ah, lui la musica non la mette. La griffa. «Firmavi i vinili?»

«Ah ah ah. Oggi i deejay da sfilata sono sfigatissimi, le sfilate non sono più gli eventi di una volta...»

Ormai per capire cosa sta dicendo Vasco dovrei affidarmi al labiale. È appena salita la presidentessa dell'associazione lesbiche di Milano con la sua bella testa rasata e stringe la mano a Vasco con una veemenza intuibile fin dalla mia postazione, che fa tremare il suo metro e novantacinque dalle caviglie alle spalle.

«Mamma mia, che orrore le lesbiche conciate da marine. Qualcuno le dica che gli americani ci hanno già liberato anni fa!» commenta Furlan con un sarcasmo davvero irritante. Non riesco più a tollerarlo.

«Scusa Brando, posso chiederti come mai sei qui?»

«Tesoro, ma come come mai sono qui! Mi sembra evidente! Tu sai quante discriminazioni, cattiverie gratuite, battutine e intolleranza siamo costretti a subire noi gay in questo Paese? Visto che sono piuttosto influente in certi ambienti come quello della moda, dell'editoria e della comunicazione, mi sono fatto portavoce di tanti miei amici vittime di omofobia. L'ho sentito come un dovere!»

Cioè, in mezz'ora è riuscito a schifare la giornalista per com'è vestita, a dare del gay a un etero che a diventare gay non ci pensa nemmeno lontanamente (almeno spero), a dare degli sfigati a quelli che hanno siti, fanno i pr, lavorano alla porta, mettono dischi alle sfilate e ad apostrofare la presidentessa dell'associazione lesbiche come un orrore di lesbica conciata da marine americano e si fa portavoce dei gay che subiscono discriminazioni? I gay razzisti che si lamentano della gente razzista e omofoba sono una brutta piaga. Mi ricordo che una volta andai in una nota boutique milanese con Ilaria che aveva visto in vetrina un vestito per Capodanno che le piaceva. Il commesso che ci serviva era palesemente gay e non faceva nulla per nasconderlo. Quando lei gli chiese quell'abito della taglia 44, lui la squadrò dalla testa ai piedi, scosse la testa in segno di disapprovazione e le rispose lapidario: «Mi spiace ma qui abbiamo abiti fino alla 42, in qualche caso fino alla 40, oltre queste taglie si entra in abiti diciamo più comodi, ci sono negozi appositi...». Ilaria lo fissò un secondo che a me sembrò un'eternità e gli rispose imperturbabile: «Tu te lo faresti dire frocio da me?». Il tizio serrò la bocca irrigidito da quella volgarità inattesa. «Te lo richiedo. Tu te lo faresti dire frocio da me?» «Certo che no.» «Ecco, fai bene, e io non mi faccio dire grassa da te. Con una 44 non si entra in abiti più comodi, si entra in boutique con commessi più intelligenti. Tante care cose.» Decido di lasciare l'omorazzista hipster solo con la sua malevolenza e lo saluto con la scusa che vorrei avvicinarmi al palco per fare qualche foto da vicino.

«Ciao cara! Guarda che ti aspetto a una delle mie feste, tu sei una delle poche giuste dello spettacolo e soprattutto non giri con il solito codazzo di frocie!» Ecco, appunto.

In realtà non mi decido a sfidare il freddo solo per sfinimento, ma anche perché spero che Vasco mi veda, nonostante la vicinanza col pubblico mi abbia costretto di nuovo a calarmi il cappello sulla fronte e ad avvolgere la sciarpa fin sotto al naso. Sono un tuareg meneghino emozionato e infreddolito. Eccolo. È a un passo da me, ma anche ad almeno tre metri d'altezza da me e sta spiegando quanto abbiano contato le donne nella sua vita. «Mia madre non si era praticamente mai mossa da Asti, dove ha lavorato tutta la vita in una vetreria con mio papà. Aveva fatto un unico viaggio, il suo viaggio di nozze nel 1972. Era andata a Venezia e durante tutta l'infanzia mi ha ripetuto che quella volta le era sembrato di aver attraversato il mondo, che Venezia era bella, ma tutta quell'acqua le aveva fatto venire l'ansia. Che lì sentiva pure i pensieri in ammollo e tornarono dal viaggio di nozze con una settimana

di anticipo. Quando sono andato a giocare a basket in America e mi sono infortunato – perché noi spilungoni abbiamo la testa così lontana dai piedi che inciampiamo in modo davvero stupido certe volte – lei è salita su un aereo per New York senza dirmi niente. Sola, perché mio padre non aveva giorni di ferie. Non è riuscita neanche a spiegare al tassista dove mi trovassi, perché in realtà non l'aveva capito bene nemmeno lei e non sapeva una parola di inglese. Alla fine è entrata in un commissariato di polizia dove c'era un poliziotto che capiva un po' di italiano e gli ha spiegato che era mia madre, "la mamma di Vasco Martini che gioca nei New York Kiss".»
La piazza ride rumorosamente e parte un applauso, che Vasco interrompe quasi subito con un gesto sicuro della mano.
«No, non ho raccontato questo aneddoto per ridere con voi dell'inglese di mia madre. Questa donna coriacea e meravigliosa alla fine mi ha trovato. Ho visto lampeggiare la sirena di una volante della polizia nel giardino del mio residence e ho aperto la porta. Alle dieci di sera, in un sobborgo a trenta chilometri da New York dimenticato da Dio, c'era mia madre con una valigia rigida, nuova di zecca, che mi veniva incontro con le braccia spalancate. Le donne per me hanno rappresentato sempre questo. Creature capaci di sfidare l'oceano per i propri figli e per le persone che amano, pure se non hanno mai preso un remo in mano.»

Non so bene cosa abbia smosso in me il racconto di Vasco – forse è il pensiero di Orlando e la consapevolezza che per lui io l'oceano lo attraverserei anche a rana – ma c'è qualcosa di caldo che sta tentando di scorrere lungo la mia guancia destra, solo che trova la sciarpa a ostacolarlo lungo il cammino. La inumidisce leggermente. In quell'istante Vasco si volta nella mia direzione. Mi vede. Si blocca all'improvviso. Non so come abbia fatto a riconoscermi: in mezzo a migliaia di occhi, io sono solo due occhi umidi che sbucano da una fessura tra pezzi di lana colorata. Mi sorride. Io gli sorrido con gli occhi. Dico sì con la testa e so che è un sì a quello che ha appena detto, ma è anche e soprattutto un sì a noi due.

Vasco va avanti una buona mezz'ora a parlare di Milano, degli spazi verdi, delle aree da riqualificare, dei parchi per i bambini, delle case-famiglia, dell'area C, dei giovani, delle risorse artistiche da valorizzare, della sua idea di giunta, di famiglia e di felicità. La piazza è rapita dalla sua capacità di parlare in maniera chiara e avvolgente, accessibile a tutti, con un'ironia irresistibile, senza tecnicismi e senza paura di mostrarsi sensibile. Non è affatto uno spiritoso cialtrone, come amano definirlo Giorgio e detrattori vari. È un politico capace di parlare un linguaggio nuovo, un politico a cui la demagogia facile è del tutto estranea. Temo soltanto che sia come sua mamma a New York. Solo, a parlare una lingua che in questa città in pochi capiscono. Se dovessi consigliarlo, lo inviterei a essere più sintetico. La giornalista/suora laica gli chiede se c'è qualcosa che vorrebbe aggiungere in chiusura. «Sì, vorrei lasciarvi con un pensiero che è un omaggio alle donne. Esiste un razzismo culturale che noi uomini alimentiamo col sessismo, con la nostra superficialità, con la nostra tracotanza.» Vasco estrae un foglio spiegazzato dalla sua tasca e allora capisco. «C'è una donna che ha scritto una cosa per voi donne, sul razzismo culturale e linguistico di cui siete vittime tutti i giorni. O forse l'ha scritto proprio per noi uomini, per i carnefici. Ci sono stupri e violenze che si consumano col linguaggio. Non posso dirvi chi è questa donna, ma la ringrazio, come so che la ringrazierete voi dopo aver ascoltato le sue parole.»

Su piazza Castello cala un silenzio irreale. Vasco si schiarisce la voce, la giornalista fa alcuni passi indietro, come a volergli lasciare il palco sgombro. E legge.

«Se un uomo sgomita per arrivare è ambizioso.

Se una donna sgomita per arrivare è una iena.

Se un uomo commette un errore ingenuo viene seppellito di rimproveri.

Se una donna commette un errore ingenuo viene seppellita da risatine.

Se un uomo è bello e arriva in un nuovo posto di lavoro: "Chissà da dove arriva".

Se una donna è bella e arriva in un nuovo posto di lavoro: "Chissà a chi l'avrà data".

Se un uomo è bello e bravo, è bello e bravo.

Se una donna è bella e brava, è bella e anche brava.

Se un uomo è fuori da scuola a prendere il figlio: "Ma che bravo, un papà che fa il papà".

Se una donna è fuori da scuola a prendere il figlio: "Cretina, leva quella macchina in doppia fila".

Se un uomo è nervoso senza apparente motivo: "Avrà le sue ragioni".

Se una donna è nervosa senza apparente motivo: "Avrà le sue cose".

Se un uomo esce con una donna più giovane: "Ma l'hai vista lei, quanto è figa?".

Se una donna esce con uno più giovane: "Ma non si vede lei, quanto è ridicola?".

Se un uomo ha un approccio accademico, è una persona seria.

Se una donna ha un approccio accademico, è una maestrina.

Se un uomo è incapace di avere un'interazione col prossimo è introverso.

Se una donna è incapace di avere un'interazione col prossimo è acida.

Se un uomo è brutto è inguardabile.

Se una donna è brutta è intrombabile.

Se un uomo chiede un permesso per ragioni familiari: "Avrà un genitore in fin di vita".

Se una donna chiede un permesso per ragioni familiari: "Il figlio avrà la recita".

Se un uomo accetta un lavoro lontano da casa lo fa per la famiglia.

Se una donna accetta un lavoro lontano da casa: "E la famiglia?".

Se un uomo sposa una ragazza di buona famiglia: "È entrato a far parte di una dinastia".

Se una donna sposa un uomo di buona famiglia: "S'è sistemata".

Se un uomo è uno stravagante ventenne ricco dalla nascita è un rampollo.

Se una donna è una stravagante ventenne ricca dalla nascita è una viziata figlia di papà.

Se un uomo è poco incline a rispettare le regole è imprevedibile.

Se una donna è poco incline a rispettare le regole è inaffidabile.

Se un uomo esce con altre donne dopo una separazione: "Sta cercando di rifarsi una vita".

Se una donna esce con altri uomini dopo una separazione: "S'è messa a fare la zoccola in giro".

Se un uomo è gentile, vuol dire che è gentile.

Se una donna è gentile, vuol dire che ci sta.

Se un uomo piange è umano.

Se una donna piange è uterina.

La vera parità, le donne l'avranno conquistata quando per uomini e donne si scomoderanno gli stessi aggettivi.»

Vasco ripiega il foglio e solleva lo sguardo, forse incerto sull'effetto di quelle parole, delle mie parole anche forti, su quel pubblico così eterogeneo e imprevedibile. Dopo un istante di probabile stupore, la piazza esplode in un applauso bello, caloroso, accompagnato da grida entusiaste e striscioni e bandiere sventolati in aria.

Vasco si volta ancora una volta. Mi guarda. Appoggia delicatamente la mano destra sul cuore. Poi saluta la piazza, ringrazia la suora laica e sparisce dietro al telone. Io mi sto alitando sui guanti, per tamponare l'emozione con un gesto qualunque. L'hipster malevolo mi appare improvvisamente accanto. «Che belle parole. Ha proprio ragione Vasco, anche voi donne come noi gay siete vittime di un razzismo allucinante. Oh, certo che la suora laica laggiù c'ha un'aria così triste... chissà da quant'è che non tromba!» Ho un punto da aggiungere nella lista.

La testa di Vasco è la vetta di una montagna disordinata di telecamere, registratori e braccia tese per avvicinare il più possibile microfoni di ogni dimensione e colore alla sua bocca. La sciarpa ormai mi copre anche le orecchie e sono certa che conciata così faticherebbe a riconoscermi pure la telecamera interna di una banca appena svaligiata. Credo che andrò via. Per quanto perfettamente mimetizzata, non voglio rischiare di essere vista e non mi sembra il caso di aspettare Vasco qui, come una groupie attempata. Mi guardo intorno per cercare Mia e ringraziarla, quando i nostri sguardi si incrociano. Anche lei sembra cercare qualcuno. «Eccoti!»

«Ciao Mia, volevo salutarti e dirti grazie per tutto, sei stata gentilissima.»

«Non ho fatto proprio nulla, figurati. Senti, Vasco mi ha chiesto di darti questo.» Mi piazza qualcosa in mano con la rapidità di uno spacciatore d'hashish. «L'ha scarabocchiato un attimo fa quando è sceso dal palco e me l'ha messo in mano chiedendomi di consegnartelo prima che tu andassi via. Non so come abbia potuto resistere, ma non ho guardato cosa c'è scritto, giuro.»

«Non ne dubito, ma comunque sappi che per i reati con movente "curiosità femminile", tendo all'assoluzione facile» le rispondo abbracciandola, col bigliettino stretto nel guanto marrone. Spiego il foglietto quando sono già fuori dalle transenne, confusa tra il fiume umano che sta abbandonando la piazza in maniera composta.

«Sali sul primo taxi e fatti portare in via dei Cappuccini 9. No, non c'è un istituto di clarisse e non voglio chiuderti in convento finché non accetterai di sposarmi, tranquilla. Ti aspetto. V.»

Il primo taxi lo trovo in zona Cadorna. Il tacco sinistro ha perso il suo tassello di plastica, per cui a ogni passo, o meglio, un passo sì e uno no, c'è un chiodo di ferro che sbatte rumorosamente sull'asfalto. La mia sembra la camminata di una tizia con una protesi in titanio al posto della gamba sinistra. Libero il viso dalla lana ruvida della sciarpa e chiedo al tassista di portarmi in via dei Cappuccini 9. Capisco che mi ha riconosciuta perché mi spia furtivamente dallo specchietto retrovisore. I tassisti sono una specie curiosa. Alcuni sono taciturni e non vedono l'ora di scaricarti da qualche parte, altri per non rinunciare a una chiacchierata sarebbero disposti a fare il giro largo passando per la Svizzera prima di portarti a destinazione. «È andata anche lei a sentire il comizio?»

«Sì, passavo di lì e mi sono fermata.»

«Ho portato ora una coppia che c'è stata e per poco lei non si lanciava dal taxi in corsa.»

«Ah. Litigavano?»

«Sì, discutevano di una cosa che ha detto Martini, non ho capito bene. So solo che lei continuava a dirgli: "È vero, voi maschi siete così!", e lui diceva che era una cavolata, che la lista di Martini era una... una... aspetti non mi viene la parola... ah sì, una "banale generalizzazione", ha detto proprio così. Una banale generalizzazione. Che doveva averla scritta qualche donna repressa. Ah ah, che scena, pensi che alla fine lei mi ha chiesto di accostare in corso Magenta e lui le gridava: "Fa freddoooo! Dove vai?" e per rincorrerla mi ha lasciato cinquanta euro senza aspettare il resto!»

«Be', lei avrà avuto le sue ragioni» commento io divertita dal racconto.

«Avrà avuto le sue cose» commenta il tassista. Appunto. Per fortuna che ho superato la fase delle sceneggiate in cui per punire un maschio fesso punisco me stessa e faccio accostare una macchina o lascio la cena a metà. La vera evoluzione di una donna sensibile non consiste nello smettere di rimanerci male. Quello è impossibile. Consiste nel rimanerci male senza cambiare programmi. E infatti ora sto giusto pensando che il tassista è un cretino, ma lo penso al caldo.

Sono le nove di sera e via dei Cappuccini è praticamente deserta. «È sicura che l'appuntamento sia qui?» si è accertato il tassista mentre scendevo.

«Sì, sono sicura, grazie.»

«Guardi che dicono che stia per nevicare, si faccia portare al caldo!» mi ha avvisata prima di sfrecciare via. Credo di essere passata da queste parti molto tempo fa, ma non ne sono certa. Pur avendo dedotto dal percorso del tassista che sono in pieno centro, questo angolo di Milano mi è sconosciuto eppure familiare allo stesso tempo. Sto cercando di verificare che il civico 9 sia effettivamente all'altezza del grande cancello nero della villa davanti alla quale mi ha lasciata il taxi, quando sento una voce provenire da una zona buia di quello che sembrerebbe un immenso giardino. «Sono arrivato prima io di te, nonostante abbia rilasciato un'intervista anche a Radio Navigli, sei proprio una donna!»

Dopo un istante di paura vera, riconosco la voce e poi la sagoma maestosa di Vasco, che appare dall'altro lato del cancello nero, alto, sovrastato da due grandi lampioni. «Ehi, ciao!» gli dico senza capire cosa abbia in mente il vichingo gentile. Lui rimane fermo a scrutarmi e per una manciata di secondi restiamo così, immobili, in un silenzio surreale, esplorando i nostri volti in penombra, attraversati dalle sbarre dell'imponente cancellata. «Cos'è, una visita a un parente in carcere?» gli chiedo io per spezzare quella tensione che mi piace e mi imbarazza.

«No, è una visita a qualcuno che non immagini, almeno credo» mi risponde Vasco estraendo dalla tasca una grossa chiave. Mentre armeggia con la serratura, mi spiega le regole del misterioso gioco: «Abbiamo quarantacinque minuti, poi il custode viene a riprendersi le chiavi e a cacciarci via di qui negando di averci mai visti. Benvenuta a Villa Invernizzi, Viola Agen».

«Mi stai dicendo che siamo in un posto in cui non potremmo essere?» domando mentre entro.

«Sì, direi che la frase è tecnicamente corretta. Villa Invernizzi è chiusa al pubblico. Anche di giorno» mi risponde Vasco che ha appena richiuso il cancello girando più volte la chiave non senza difficoltà.

«Quindi hai approfittato della tua posizione di consigliere per farti aprire una residenza privata?» Stiamo camminando lungo un vialetto di ghiaia rosa che taglia il giardino illuminato da una luce tenue.

«Sì, anche questa considerazione è tutto sommato corretta» mi dice Vasco prendendomi la mano.

«Non c'è niente da fare, siete irrecuperabili, voi politici non ce la fate proprio a non abusare di favori e privilegi...»

«È vero, sì, lo ammetto. Faccio parte della casta. La casta dei romantici» dice Vasco indicandomi una zona del giardino alla nostra sinistra. Lo spettacolo che si apre ai miei occhi è qualcosa che ha a che fare con l'onirico di un bambino. O di un regista molto bravo. Fenicotteri, alti, eleganti, sono ovunque. Alcuni se ne stanno appollaiati, godendo beati di quell'oasi di pace in una città che corre sempre, altri danzano leggeri in una grande vasca d'acqua scura, altri ancora se ne stanno fermi su una zampa sola, in un equilibrio magico, aprendo di tanto in tanto quelle ali rosa così ampie e teatrali. Sento la mano enorme di Vasco stringere la mia con più forza. Ma certo, siamo in quello che a Milano è chiamato «il quadrilatero del silenzio», quattro vie immerse nella quiete e piene di storie, d'arte, di biografie di scrittori che hanno vissuto in questa zona. Avevo letto da qualche parte che qui si passa per spiare i fenicotteri nascosti nel giardino di una villa, ma è un racconto che avevo rimosso.

«Che dici? Vale la pena uscire con un politico corrotto, qualche volta?» mi chiede Vasco senza distogliere lo sguardo dai meravigliosi pennuti.

«Sì, ho paura di sì. Mi sento terribilmente corrotta anch'io in questo momento. Corrotta dalla bellezza di quello che sto vedendo.»

«Già.»

Ci avviciniamo lentamente a quell'incanto piumato. Il freddo è curiosamente meno intenso. O forse è la mano di Vasco a irradiare uno strano calore che mi fa sentire bene e al caldo, nonostante il fumo che fuoriesce dalle nostre bocche a ogni respiro. «Sai, tutte le volte che in questi anni ho assistito alle ruberie dei politici, ho letto delle loro porcate, dei loro furti, dei loro inganni, non è mai stata tanto la corruzione diffusa a stupirmi, ma quello per cui si facevano corrompere.»

«Ti stupisce che fossero corrotti per il vil denaro?»

«Sì, e che non lo diventassero per qualcosa che fosse bello anche solo la metà di questo.»

«Vasco, se Berlusconi avesse corrotto Mills per vedere da vicino dei fenicotteri rosa anziché per fargli testimoniare il falso in un processo per tangenti, l'avrebbero internato, mica condannato.»

«Ah ah ah, non intendevo dire questo. Intendevo dire che raramente ho visto quel denaro trovare una sua redenzione estetica. L'ho visto diventare ville pacchiane, donne volgarotte, yacht cafoni, feste sceme, macchine vistose, vacanze in paradisi esotici coi vassoi di frutta galleggianti, ma raramente l'ho visto trasformarsi in qualcosa che avesse a che fare col bello. E non parlo per forza di ville come questa o di opere d'arte. Quel denaro non l'ho mai visto diventare neppure un brutto così brutto, così orrendamente eccessivo, come certe chiese del Barocco, da diventare bello. La maggior parte dei politici ruba per vivere in una mediocre sconcezza.»

«Se è per questo c'è di peggio: boss bilionari che vivono rintanati in buchi di tre metri per due comunicando coi pizzini.»

«È vero, ma alcuni invece si sono fatti costruire ville coi rubinetti d'oro, scalinate doppie alla *Scarface* e qualcuno ha avuto perfino tigri che scorrazzavano in giardino. Lì almeno c'è un'estetica. Del male, ma un'estetica.»

«Mi stai dicendo che i fenicotteri valgono una piccola corruzione?»

Vasco lascia la mia mano e fa un passo in avanti, dandomi le spalle. «Ti sto dicendo che tu vali qualunque corruzione.»

Lo dice mentre si china per osservare un fenicottero da vicino. Io sono come al solito incapace di commentare qualsiasi sua frase, se è di quelle a cui non posso tagliare le gambe col sarcasmo. E in fondo non provo neppure a cercare una frase a effetto. So che mi sto lentamente abbandonando all'inevitabile. «Ma tu che c'entri con la politica?» gli chiedo appoggiandomi alla sua spalla.

«E tu che c'entri con la tv?»

«Niente. Infatti voglio tornare a scrivere. Come avrai notato, il mestiere di ghostwriter non mi viene poi così male.»

«Ma io non mi sono attribuito le tue parole. Se dichiari di avere un ghostwriter, quello non è più un ghostwriter. E poi diciamocelo, Viola: non hai il fisico del fantasma. Scomoderei almeno un centinaio di aggettivi per te, ma eterea proprio no. Dovrai cercarti un'altra occupazione» scherza buttando un occhio sulle mie tette.

«Guarda che non è poi così male come lavoro. E poi tutti hanno bisogno di un ghostwriter, perfino il papa ce l'ha.»

«Lascia stare quel povero papa, per favore.»

«Perché, pensi che non potrei scrivere un suo discorso?»

«Sì, come no. Ce lo vedo a leggere un Angelus in cui dà dello stronzo bacchettone a qualche cardinale.»

«Ma lui è un papa moderno, twitta, telefona, si fa i selfie, per me usa pure WhatsApp.»

«Sì, secondo me si compra pure le papaline su eBay. Viola, a parte gli scherzi. Scrivi per me. Aiutami a preparare i discorsi e a comunicare sui social in questo mese di campagna. Sarai una mysteriouswriter. Dico sul serio.»

«Non lo so, devo pensarci. E comunque si dice speechwriter.»

«Lo so.»

«Vasco, non so se è politicamente corretto. Ci provi in maniera spudorata con me, non vorrai finire coinvolto in qualche scandalo sessuale per colpa di una donna che hai piazzato da qualche parte...»

«Ma ti ho offerto un posto da ghostwriter, mica un ministero.»

«Speechwriter.»

«E poi scusa, eh, non vorrei fare il pignolo, ma per ora i presupposti per uno scandalo sessuale ahimè sono un po' deboli, a meno che un fenicottero rosa testimoni contro di me affermando che io e Viola Agen abbiamo abusato di lui la notte di Sant'Ambrogio.»

«Va bene, ci rifletto.»

«Guarda che non te lo chiederei se non pensassi che hai un grande talento nella comunicazione. E non sono il genere d'uomo a cui s'annebbia il cervello davanti a una bella donna.»

«Ti ricordo che hai corrotto un guardiano per vedere dei fenicotteri rosa in una notte di freddo siberiano, non mi sembri lucidissimo.»

«E va bene. Da quando ti ho visto non ho capito più niente, o forse ho capito tutto, dipende dai punti di vista, ma diventare sindaco di questa città continua a essere la cosa che desidero di più al mondo, quindi non mi giocherei la campagna per una fregola.»

«La fregola sarei io?»

«Dai, hai capito. E poi la moglie di De Blasio scriveva i suoi discorsi e lui oggi è sindaco di New York.»

«Io però non ho un passato lesbo, mi spiace, sono una banale, noiosa eterosessuale dalla nascita.»

«L'associazione lesbiche l'abbiamo già portata a casa, tranquilla. È un'altra cosa che mi preoccupa.»

«Cioè?»

«Non è che mi fai un figlio coi capelli del figlio di De Blasio, no?»

«Ah ah, no, ma a me spaventa di più che erediti i tuoi piedi.»
«Un numero 47, e che sarà mai...»
«Hai un 47? Non hai dei piedi, hai una pedana!»
«Rimpiangi i politici bassi?»
«No, anzi, ho già in mente il primo tweet che scriverò al posto tuo: mai più politici con le suole rialzate!» Vasco mi guarda con aria interrogativa. «Sto scherzando. Hai l'ironia di quel fenicottero laggiù» gli dico indicando un pennuto isolato dal resto del gruppo, con un'aria vagamente depressa.
«A proposito di fenicotteri. Vieni qui. Chinati, guarda che meraviglia il becco adunco di questo, con quella punta nera, come se avesse provato a bere da una pozzanghera di inchiostro.» Mi abbasso lentamente, facendo attenzione a non perdere l'equilibrio, ma non corro pericolo, perché i miei tacchi sottili si conficcano nella terra morbida del prato. Mi viene in mente la frase di Orlando. «Tu coi tacchi fai i buchi nel prato, come se qui ci abitano talpe troppo magre.» Io e Vasco siamo vicinissimi, la mia spalla sfiora il suo avambraccio. «Sai che questi fenicotteri sono probabilmente gli ultimi veri milanesi rimasti a Milano?»
«Cioè?» gli chiedo cercando di ignorare il contatto con lui.
«I loro avi sono arrivati dall'Africa e dal Cile negli anni '80, ma il custode mi ha spiegato che questi sono nati qui, in cattività, i loro nonni stranieri sono morti.»
«Quindi se sono fenicotteri milanesi mangiano cotolette e risotto?»
«Certo, anzi guarda, quello barcolla perché è appena tornato da un aperitivo.»
«E quello è di un rosa più acceso perché è chiaramente gay!»
«Quella fenicottera lì invece è in disparte, e incazzata nera, perché non c'era il suo numero alla svendita di Paciotti!»

Ci mettiamo a ridere entrambi, senza accorgerci che due ragazzi di passaggio si sono arrampicati sul muretto ai piedi della cancellata per sbirciare. «*Shhhhh*» mi fa Vasco appena distingue le teste nel buio. Io mi copro la bocca con la mano per soffocare le risate, quando i ragazzi si voltano verso di noi. Vasco afferra il mio braccio e con la sua forza disumana mi trascina dietro a un albero enorme per nasconderci dalla vista dei curiosi. Purtroppo però c'è un piccolo particolare: nella foga con cui mi ha strattonata, il mio corpo e la mia anima sono andati dietro a lui, mentre le mie scarpe sono rimaste piantate nel giardino. Così, senza poter barare con i dodici centimetri del mio sacrosanto tacco, il vichingo è un troll e io accanto a lui, immersa in questo giardino fiabesco, sono l'elfo dei boschi.

«Vasco, le mie scarpe sono rimaste là!» gli dico parlando a bassa voce, mentre lui si sporge con prudenza dal bordo del tronco per capire se i due ci hanno visto.

«Ah, sì, le vedo. Conosci quelli della Cracking Art? Quelli delle chiocciole, dei conigli colorati piazzati nei posti più strani in città?»

Dio santo, sono scalza a meno venti gradi e meno trenta centimetri dalla sua testa e lui mi parla d'arte. «Sì, li conosco. Hanno piazzato delle rane sui terrazzi del mio palazzo una volta, che voglio dire, meglio dei Babbi Natali appesi alle grondaie...»

«I fenicotteri rosa accanto alle tue scarpe rosse non sembrano una loro installazione?!»

«Non lo ripetere ad alta voce che a Milano trovi un industriale brianzolo che le paga duecentomila euro pur di dire che ha un pezzo d'arte contemporanea in salotto...»

«Ti comunico che avevamo ragione: il fenicottero dal rosa più acceso si sta avvicinando alle scarpe, ora se le mette e va al Plastic!»

Mi affaccio anche io e in effetti l'immagine è surreale, ma di una bellezza abbagliante. Un paio di décolleté rosse giacciono abbandonate su un prato mentre dei fenicotteri lenti e distratti si muovono sullo sfondo con le loro piume rosa, appena illuminate dalla luna. Vasco cerca la mia mano ancora una volta, di spalle, come a chiedermi di essere spettatrice con lui di quella meraviglia. Il fenicottero rosa si infila in una scarpa. Le sue zampe lunghe e dritte che sbucano da una scarpa rossa. Non è buffo, è straniante. Gli sfioro il polso con le dita e riconosco la corda pesante dei bracciali di Lanzarote. E quando penso che il mondo non possa regalarci qualcosa di più strambo di questo fotogramma ubriaco in cui ogni cosa è perfetta nel suo essere fuori posto, il primo fiocco di neve si posa su una scarpa rossa. Poi il secondo più in là, poi il terzo sul mio naso. Uno dei ragazzi dice all'altro: «Nevica! Poveri pavoni!» e non importa che i pavoni in realtà siano fenicotteri, perché è uno di quei momenti in cui potresti mescolare i nomi delle cose, chiamare albero la fontana e casa il cancello, che nessuno ci troverebbe nulla di strano. È uno di quei momenti in cui il bello, la vita, la meraviglia prendono il sopravvento. Vasco mi bacia. E il cuore smette di farmi male dopo tanto tempo. «Questo posto è come te. Dentro c'è un mondo che non ti aspetti, ma per scoprirlo devi riuscire a farti aprire il cancello.» Mi bacia ancora. Ci baciamo in ogni angolo segreto del giardino, tra fontane, cespugli, vasi di marmo e angeli paffuti. Ci dimentichiamo dove siamo, della neve, dei fenicotteri rosa. Delle scarpe rosse. Sento che quel cancello è aperto, con la chiave infilata nella serratura. Se fossi saggia, ora non avrei che da richiuderlo dietro di me, di noi, e respirare questa felicità. Invece non posso saperlo, ma l'ho solo accostato. E la vita ha deciso che in fatto di felicità ho ancora molto da imparare.

«Mamma, perché hai la faccia felice?»

«Perché sono felice Orlando.»

«E che differenza c'è tra avere la faccia felice ed essere felici?»

«Che la felicità vera è in un posto che puoi vedere solo tu.»

«Non è vero.»

«È vero.»

«E allora se la felicità di Petra è nella faccia di Ettore, perché non lo vede solo lei e io non smetto di vederlo così soffro di meno?»

«Ma non hai detto che Petra non ti piaceva?»

«Ma dicevo così, per dire.»

«Ah, dicevi per dire, certo.»

14
Addio mia concubina

Una cosa che mi ha sempre terrorizzato in un amore che comincia è la sindrome del giorno dopo, ovvero quella sindrome che coglie indistintamente uomini e donne – con un'incidenza più seria e significativa nelle donne – per cui sai che il giorno successivo il primo bacio, o la prima notte insieme, tutto quello che tu farai e che l'altro farà assumerà un'importanza immeritata e sovrumana. Io ho spesso rinunciato a iniziare delle storie perché non avevo voglia di sopportare il carico di ansie e di aspettative del giorno dopo. E non sto parlando banalmente di quei «giorni dopo» in cui al sorgere del sole è già chiaro che lui non avrà la minima intenzione di rivederti. Quelli sono facilmente decodificabili e hanno dei sintomi limpidi, che secondo me sono stati erroneamente argomentati con teorie colpevoliste o risarcitorie a seconda dei casi. Sulle colpevoliste mi limito a dire che la storia «se non ti vuole non ti merita» è una gran boiata. Bisogna che le donne se ne facciano una ragione. Se il giorno dopo decide che non ti vuole rivedere, non è necessariamente perché lui è un rifiuto spaziale. Esiste anche la non troppo remota ipotesi che lui non si sia perdutamente invaghito di te, senza particolari colpe, ma semplicemente perché l'amore non è l'interruttore di una piastra per capelli, o addirittura che il rifiuto spaziale sia tu e che quello che merita di meglio sia lui. Riguardo invece la famosa e acclamata teoria risarcitoria secondo la quale «la verità è che non gli piaci abbastanza», e quindi tu saresti una creatura meravigliosa ma, ahimè, lui non è sufficientemente arguto e illuminato per accorgersene, be', dal mio punto di vista questa è valida se la frustrazione perché lui non chiama dura ventiquattro ore. Quando dura di più, quando si sta male per giorni, mesi, anni, piagnucolando: «Povera me, la verità è che non gli piaccio abbastanza!», la questione è sempre un'altra: la verità è che non TI piaci abbastanza. Se il dispiacere per una notte d'amore senza neppure una telefonata il giorno dopo dura un giorno, bisogna lavorare su come fargliela pagare. Se dura un mese, bisogna lavorare sulla propria autostima. Le donne sono troppo intelligenti per non sapere la verità sull'altro. È quella su noi stesse, che ci sfugge troppo spesso.

Sul come superare i traumi con giudizio a causa di amori in cui lui invece non ti richiama dopo un centinaio di notti insieme, sono ancora in fase di studio, ma questo non serve specificarlo.

Ilaria, sui giorni dopo, ha elaborato una teoria filosofica: «Gli uomini sono come i panetti per la ceretta a caldo. O si sciolgono subito, oppure è inutile che te li spalmi addosso: ti fai solo male».

Ivana invece, prima di perdere la lucidità con Tommaso, sosteneva che il giorno dopo è l'unico momento di una relazione in cui lo scambio di sms o messaggi via WhatsApp è di una certa rilevanza. Secondo lei, ci sono espressioni che indicano inequivocabilmente uno scarso interesse. Per esempio, sono da ritenere spie di indifferenza le seguenti frasi o parole via chat o sms: a) «Allora ci aggiorniamo» in chiusura di un qualunque tentativo di programmare un'uscita. Molte donne vengono aggiornate sì, ma su quale località lui ha scelto per il viaggio di nozze con la sua nuova moglie; b) «Baci» e «Bacio», soprattutto quando chiudono una risposta a una domanda che avete appena formulato, perché il loro utilizzo starebbe a dire: «Ti ho risposto, ora non mi scassare ulteriormente le balle». Per intenderci: «Com'è andata allo stadio?». «Bene, grazie, bella partita, baci» vuol dire che il capo ultrà con cui sta andando a cena è una ballerina estone; c) «Yes», «Bien!», «Good» e qualsiasi messaggino in cui un italiano ricorra a espressioni straniere che suonano l'equivalente di «Bella fratello!». La lingua straniera crea una distanza emotiva e quasi sempre Yes col punto esclamativo vuol dire Goodbye con tre punti esclamativi. A rischio anche il «Fammi sapere» (che il più delle volte vuol dire: «Fammi sapere se hai intenzione di regalarmi la tua casa al mare, altrimenti riterrò ogni tua comunicazione molesta e fuori luogo»), ma pure «Sei una persona meravigliosa», e comunque la parola «persona» associata a qualunque aggettivo. Per il medico o la questura sei «una persona». Per un uomo sei meravigliosa e basta. E così via.

Io in questi «giorni dopo» mi sono sempre mossa con una certa agilità. Se capisco che non va, come non è andata con Valerio o con Juan, sto da cani perché tiro le somme dei miei fallimenti, ma poi mi passa in fretta. È «il giorno dopo» di una storia in cui so che lui c'è e io ci sono che mi manda in crisi. E non è che con l'età mi sia impratichita, anzi. Secondo me, col fatto che dopo i trenta si è individui ormai formati, con abitudini e ritmi consolidati, si diventa sempre più goffi e inutilmente prudenti o stupidamente invadenti, perché si pensa di avere a che fare con una persona piena di paletti e rigida come noi. Si ha paura di tutto. Di chiamare in un momento inopportuno, di sembrare troppo appiccicosi, di sembrare scostanti, di fare sentire l'altro sotto pressione, di risultare troppo accessibile, di spaventarlo, di raffreddarlo. Prima c'erano storie che non nascevano perché si aveva paura di soffrire, perché sapevi che poi ti saresti messo in gioco. Oggi ci sono storie che non nascono perché si ha paura di disturbare, perché si sa che ormai quasi nessuno si mette più in gioco, se il gioco non sente di guidarlo.

E allora succede che a trentotto anni ci sia gente come me che crede di andare lontano ricorrendo a una roba che al massimo potrebbe andar bene per il Risiko o per il marketing: le strategie. La sera del comizio e dei baci con Vasco, prima di andare a letto, ho avuto un breve scambio via chat col Gruppo Testuggine. Viola: «Non ci crederete, ma è la prima volta che un uomo resta Sapiens tutta la sera». Anna: «Neanche una piccola involuzione?». Viola: «Niente, a ogni parola riusciva perfino a evolversi». Ilaria: «Vabbe', e ha solo blaterato o s'è evoluta pure la serata?». Viola: «Ci siamo baciati in un giardino coi fenicotteri rosa!». Ivana: «Ti sei innamorata?». Anna: «Sei stata bene?». Ilaria: «Ti sei calata un acido?». Allora ho spiegato un po' com'erano andate le cose, il comizio, le chiacchiere, il cancello e tutto il resto. Questo solitamente è il momento in cui le amiche fanno delle raccomandazioni. Ilaria: «Non ti innamorare subito». Ivana: «Non ci trombare subito». Anna: «Non adottare strategie, non servono». Perché Anna pensa che le cose andranno come devono andare non solo perché è buddista ma anche perché è saggia. E Anna mi conosce nel profondo.

E infatti, quella sera ha abbandonato la chat e mi ha telefonato. «Viola, io sento che questa persona è diversa, per cui ti prego, lasciati andare. Le strategie sono minchiate infantili che ti convincono di avere qualcosa sotto controllo. Perdi solo tempo ed energie.»

«Ma io non ho alcuna intenzione di adottare strategie!»

«No? Gli hai mandato un messaggio per ringraziarlo? L'hai

chiamato per dargli la buonanotte? Gli hai scritto una mail carina dopo una serata così?»

«No.»

«Domani mattina lo chiamerai tu prima che ti chiami lui per augurargli buongiorno?»

«No.»

«No? E perché?»

«Perché, perché non mi sembra il caso.»

«L'unica risposta giusta è "Perché non ne ho voglia" o anche "Perché quell'uomo mi ripugna!", tutto il resto è difesa. Inutile e nociva.»

«Ma poi magari pensa che gli stia addosso e...»

«Viola, stai parlando di un uomo che ti ha aspettato dietro a cancelli e porte di cessi e camerini, ti ha portato regali sotto casa e su un colle sperduto nelle Langhe, un uomo che ti manda sedie che magari potrebbero anche non entrarti nel salotto e ti telefona senza mai porsi il problema di disturbare e non fa il pavido coi messaggini ma si assume il caro, vecchio rischio di rompere i coglioni, e tu hai paura che ti ritenga invadente? Tu hai pensato anche solo per un attimo che fosse invadente?»

«No, mai.»

«Certo che no, e sai perché? Perché ti piaceva. E quando ti piace qualcuno sogni, implori, aneli la sua invadenza. E neppure la chiami invadenza, la chiami "attenzione". È quando te ne freghi che stai lì a misurare di quanti centimetri il suo piede ha sforato il confine tra il tuo e il suo orticello.»

Lo so che Anna ha ragione. Prima di Giorgio non ero così. Non è solo l'età, è lui che mi ha insegnato a essere una che mette gli slanci sul bilancino per alimenti. «Anna, tu hai ragione, ma io ho passato anni a sentirmi dire: "Mi soffochi, non mi forzare, non mi chiamare troppo, non me la sento, non chiedermi, non disturbarmi, non desiderare più di questo..." e...»

«Viola, sai cosa mi fa ridere? Che tu ti comporti come se Giorgio ti avesse lasciato una qualche eredità morale che ora fa da filtro alla tua vita, alle tue esperienze.»

«Non ho detto questo.»

«No? E allora perché dici che ti ha insegnato a essere in un certo modo? Quello stronzo ti avrebbe dovuto insegnare come non si deve essere, se tu fossi stata una buona alunna. E sarebbe stato un insegnamento prezioso.»

«Oh insomma, Anna, è un'esperienza che mi ha scottata, che ci posso fare?»

«Non è un'esperienza, magari. È un'esperienza che si è fatta pregiudizio, Viola.»

«Se fosse come dici tu, con Vasco non ci starei nemmeno provando.»

«Sei sicura che ci stai davvero provando?»

«Anna, sono felice, sono stata bene, penso a lui e sento che c'è un uomo che ha voglia di amarmi.»

«Non è lui che mi spaventa.»

«E dai su, lo diciamo sempre che se chiedi a una donna della nostra età cosa vuole ti risponderà: "Un uomo che sia presente il più possibile" e che se lo chiedi a un uomo della nostra età risponderà: "Una donna che rompa le palle il meno possibile". E stasera hai deciso di farmi la filippica perché non l'ho chiamato per non disturbare?»

«Con quelli di cui non ti frega nulla il messaggio in più lo mandi però.»

«È vero. Perché so che non rischio niente. Fammi prendere le misure, Anna. Devo solo sciogliermi. E poi lo so che stiamo parlando d'amore e non di guerra, ma le piccole strategie non hanno mai ucciso nessuno.»

«No. Ma sappi che ci sono guerre che si perdono per la cattiva digestione del primo ministro, non per come piazzi i carri armati sul confine. Per cui fai attenzione Viola, perché se resti zavorrata al ricordo del male che ti ha fatto Giorgio e pensi di poterti vivere qualcosa così, con la presunzione di prevedere tutto, rischi grosso. Il male aggira l'ostacolo, se gli costruisci muri troppo alti.»

«Anna, sai come si chiama in gergo quello che stai facendo?»

«Dare sani consigli a un'amica?»

«No, gufare.»

«Ok, la smetto.»

«E poi ho trovato un uomo che ha spirito di iniziativa e mi ha regalato una sedia, potrò accomodarmi, riposarmi e far fare a lui, per una buona volta?»

«Sì, ok. Dimmi solo una cosa. Hai intenzione di dirgli che Giorgio è il tuo ex?»

«Non lo so. Cioè, è ovvio che prima o poi ho intenzione di farlo. Credi che sia necessario dirglielo subito?»

«Forse no. Ad ogni modo, se ti ama, al massimo sarà uno shock, non un ostacolo. Buonanotte, Viola. Ti voglio bene.»

«Anche io Anna, saluta Andrea.»

Anna aveva ragione solo a metà. Nei giorni a seguire sono successe due cose importanti: la prima è che tutti i tg hanno mandato in onda la parte di comizio in cui Vasco ha letto la mia «lettera», ne hanno discusso tutti i talk show politici del Paese, compreso quello della Speranza ma io grazie al cielo quel giorno ero assente, e sono usciti fior di editoriali su tutti i principali quotidiani. Gli avversari politici l'hanno liquidata come «un'abile, paracula mossa pubblicitaria». Il famoso giornalista Franco Battisti l'ha definita «una patetica *captatio benevolentiae* con il ridicolo scopo di rosicchiare qualche voto alla vasta fetta di donne che sostengono Mazzoletti», ma il quotidiano «Il Corriere» oggi ha aperto col titolo «Un Martini sorprendente», mentre la nota editorialista Vanna Bonfigli di «Voce libera» ha dedicato quattro colonne alla lettera definendola «un coraggioso j'accuse al maschilismo strisciante che si insinua nelle pieghe del linguaggio». Qualcuno ha cominciato a far girare la lettera sul web, è diventata l'argomento più discusso della settimana su forum e bacheche facebook e #Martiniperledonne è stato trend topic su Twitter subito dopo #justinbiebersposami che ha resistito in prima posizione solo perché quel vigliacco di Bieber ha postato un suo selfie seminudo nel bagno di un hotel ad Atlanta con della senape spalmata sulla sua tartaruga. Mezzucci. Il commento sprezzante di Giorgio, anzi del candidato sindaco Giorgio Mazzoletti, non ha tardato ad arrivare. Sorpreso all'uscita della clinica Mangiagalli dov'era andato a visitare il reparto maternità, con ogni probabilità per mostrarsi ugualmente attento alle questioni femminili, ha risposto alla domanda della giornalista del Tg7 che gli ha chiesto cosa ne pensasse del successo del discorso di Martini con un sorrisino tirato e sarcastico: «Be', visto che non ci ha voluto rivelare l'identità della donna che gliel'ha scritto, presumo si tratti della sua fidanzata che ha quel sito di moda. La classica donna in cui le nostre compagne, mogli, madri non esitano a riconoscersi, no? Peccato che a Milano le donne, nei giorni di pioggia, non sappiano se lasciare la bicicletta per prendere la metropolitana mentre lei al massimo non saprà se rinunciare al trench per prendere l'impermeabile griffato».

«Be', anche supposto che l'abbia scritta lei, la famiglia di Mia Celani finanzia da anni numerose fondazioni e attività benefiche in città, molte delle quali a favore di donne in difficoltà...»

«Io ieri per la festività di Sant'Ambrogio ero alla Caritas con suore e preti ad aiutare i volontari a servire i pasti, forse avrei dovuto ricordare di scrivere una lettera spruzzata di retorica sui senzatetto per guadagnarmi qualche prima pagina, ma ero troppo impegnato a mettere la minestra nei piatti, scusate.»

Orrendo, disgustoso ipocrita. Tu. Tu che quando vedevi i barboni attorno alla stazione dicevi che Milano non dovrebbe tollerare questo ignobile bivacco, che questo era il biglietto da visita della città per chi scendeva dai treni e che con le buone o le cattive li avresti fatti sparire dalle strade. Tu. Ora gli giri le minestre a favore di telecamera, a quei barboni. E pensare che anch'io ho passato anni a elemosinare una minestra alla tua mensa, barbona sentimentale che non sono altro. Fatto sta che l'idea di mettergli i bastoni tra le ruote, senza che Giorgio possa neanche lontanamente sospettarlo è il momento di rivalsa più significativo della mia vita, dopo quel giorno in cui ho messo le extension e sono finalmente riuscita a farmi una coda di cavallo. Vasco, la sera del commento piccato di Giorgio, mi telefona: «Senti, ho un'idea: io dico che la lettera l'hai scritta tu, ti candidi, vinci le elezioni a mani basse e mi eleggi vicesindaco, così è la volta che Mazzoletti si ritira dalla scena politica e si apre un fashion blog».

L'altra cosa che accade nei giorni seguenti è che Vasco mi prende per mano. Lascia che io mi avvicini a lui coi miei tempi, ma lui si avvicina a me nella più totale indifferenza ai miei tempi. Asseconda la mia prudenza, ma quando abbasso le difese, la rovescia con la sua audacia. Sente che sono ferma, coi piedi ben piantati a terra, ma ho le braccia aperte, spalancate e mi viene incontro lui, travolgendomi con irruenza ma lasciandosi accogliere con delicatezza. Io non lo chiamo perché voglio farmi chiamare come la più capricciosa delle donnette e mi telefona lui, allegro. «Tu non sai che meraviglia non essere permalosi, Viola. È una dote che ti permette di insistere e senza sentirti un patetico deficiente.» Faccio fare qualche squillo in più al telefono prima di rispondergli, perché non voglio che pensi che cucino con l'iPhone appeso al collo per non perdere una sua telefonata (anche perché lo tengo direttamente in equilibrio sulla cappa) e lui commenta divertito: «Guarda che anche se rispondi subito, non ti do per scontata come la vescica debole dopo i cinquanta». Lui mi fa: «Stasera sono morto dalla stanchezza, ceno e vado a letto» e io penso che mi stia dicendo che non ha neanche voglia di darmi la buonanotte al telefono, quando invece mi chiama. Al mio: «Ma non andavi a letto?», lui mi risponde rassicurante: «Viola, per piacere non caricare di sottotesti che non esistono ogni mia frase. Vado a letto, ma non vado a letto senza sentirti. Non potrò mai essere così stanco da non avere voglia di chiamarti». Sto incollata alla tv per non perdere un suo intervento o gli aggiornamenti sugli ultimi sondaggi, se esco lo registro e se non lo registro lo cerco su YouTube, ma quando mi chiede: «Hai sentito cosa ho detto oggi a proposito del problema immigrazione?», io, patetica: «Oggi purtroppo ho avuto tantissimo da fare...». Se invece in tv ci vado io e lui quel giorno ha un incontro con due licei, con la comunità dei filippini a Milano, con la Camera della Moda, con l'ambasciatore del Kurdistan e con l'Assolombarda, trova comunque il modo di vedermi, anche un secondo, dal televisore di un bar o da un monitor nel suo ufficio correndo il rischio che qualcuno spifferi a «Vanity Fair» che non perde una puntata delle *Amiche del tè*, e mi manda un messaggio durante la diretta: «Riesci a essere bella anche seduta lì, tra le macerie di Chernobyl». Farfuglio frasi smozzicate, che conclude lui. Che so. Mi dice: «Mi manchi» e io: «In effetti ti ho pensato un po' quando ero a pranzo perché...». «Viola, si dice: "Anche tu", guarda che non è una risposta così compromettente. Sei proprio scema.» «Anche tu! Visto che lo so dire?» E poi tutti i giorni Amir mi aspetta davanti al portone.

«Signorina Viola, fiori strani anche oggi. Apri chiosco in cimitero, dai retta a Amir!» Vasco mi regala solo fresie bianche. Mazzi piccoli, avvolti in una carta verde pesante. «Ho chiesto un fiore profumatissimo senza passato e senza significato, perché il significato glielo daremo noi.» E insomma, Anna aveva ragione. Io parto con le strategie. Non faccio che tirare inutilmente il freno a mano o ricorrere a ridicoli mezzucci per non espormi troppo o per farmi desiderare. Quello che Anna però non poteva prevedere è che Vasco mi smascherasse fin dal primo momento e lo facesse senza mai rimproverarmi o perdere la pazienza. Mi punzecchia con grazia e vive la mia stupida riluttanza con allegria. Non mi chiede mai nulla, ma io so che ha intuito qualcosa. Sente che c'è una ferita, uno spazio oscuro, da qualche parte, ma fa quello che fanno gli uomini veri: sceglie di costruire, anziché di scavare. Per raccontarsi la parte più difficile ci sarà tempo.

E allora, con una velocità sorprendente, succede che le cose iniziano a funzionare. E che tutto, tra di noi, improvvisamente diventa facile. Io dopo qualche giorno comincio ad allentare le briglie ai miei slanci, smetto di contare le ore tra una telefonata e l'altra, non mi domando più chi sia l'ultimo che ha chiamato, gli dico: «Mi manchi», e lascio ardere nel camino il libricino delle regole. Perché poi, alla fine, ci sono anche partenze facili, e non è detto che si debba sempre faticare. Anzi. Quando incontri una persona con il tuo stesso registro, che ride delle stesse cose, che ha i tuoi ritmi, la tua sensibilità e il tuo sguardo sul mondo, non c'è più bisogno di chiedere il permesso. Il problema ora è imparare a camminare in pianura, dopo un amore che mi ha allenato alla salita.

L'unico vero problema tra me e Vasco, adesso, è incontrarci con regolarità senza finire su tutti i tg del Paese. Dopo la notte dei fenicotteri, abbiamo passato dieci giorni a ritagliarci un pezzetto di giornata, anche solo mezz'ora, per vederci. Abbiamo deciso che il posto migliore per non rischiare incontri con cittadini troppo curiosi continuava a essere la Chinatown milanese, quella del primo pranzo a rischio epatite, per cui i nostri incontri all'inizio sono avvenuti in zona Sarpi, in bar o ristoranti dove qualche italiano però lo incrociavamo sempre. Allora abbiamo concordato di spostarci nelle viuzze più interne, dove ci sono praticamente solo cinesi che stanno alla cassa guardando soap opera cinesi e che non dicono ciao neanche se entra Michelle Obama e chiede: «Scusi, è qui che riparate lo schermo del Mac a tre euro e cinquanta?». Tra parentesi, io ogni volta che si sono rotti, ho sempre affidato i miei computer ai cinesi. E non per risparmiare, ma perché so che ignorano la mia identità, mi trovano indubbiamente un cesso e delle mie foto e dei miei video non gliene frega nulla. Nei centri assistenza milanesi ho sempre temuto di lasciare il computer lì e di ritrovare le mie foto in mutande su Dagospia il giorno dopo. Poi chissà. Magari ho una seconda vita da pornostar a Shanghai e non lo so, ma per ora non ho prove. Morale della favola: hanno fatto da sfondo al nostro amore clandestino bar cinesi in cui l'unica cosa commestibile era il porcellino portafortuna, negozi di borse in cui ho perfino acquistato una borsa Vhermès a nove euro e novanta per regalarla a Ilaria e farmi insultare un paio d'ore, negozi di seicento metri quadri solo di cover di telefonini in cui Vasco s'è finto interessato a una per iPhone 5 con apribottiglie incorporato ed è pure andato via esclamando: «Peccato che ho il BlackBerry!». La situazione era surreale, ma io e Vasco ci facevamo un sacco di risate. Lui diceva: «Finirò indagato per contraffazione. Ora, già che ci sono, chiedo se riescono a clonare anche te, così se mi molli ho il doppione nell'armadio». Io gli facevo notare che c'era sempre meno roba tarocca lì che in Parlamento. Ogni volta, al momento di salutarci, rimanevo nel negozio per non uscire insieme e lui mi salutava sulla porta esclamando un teatrale: «Addio, mia concubina!».

Poi un giorno è accaduto l'episodio che ci ha fatto decidere che era ora di chiudere con il nostro amore a Chinatown. Erano le otto di sera, i negozi stavano chiudendo e nei bar c'era troppa gente, per cui Vasco ebbe un'idea geniale: «Lì c'è un parrucchiere ancora aperto, quello con la scritta Xi Yu, non c'è nessuno dentro e io mi devo sistemare le basette, accompagnami». Il giorno dopo, alle dieci del mattino, le foto di Vasco mentre entrava nel suo ufficio campeggiavano su tutte le homepage di siti e quotidiani con titoli come: «Diventerà il primo cittadino o il terzo dei Blues Brothers?». La sera concordai con lui di risolvere la faccenda con ironia e twittai dal suo account: «Giuro che i tagli alla politica mi verranno meglio di quelli alle basette». Il tweet ebbe cinquemila retweet e tutti furono concordi nel dire che Vasco Martini fosse dotato di un'invidiabile autoironia. Era però chiaro che non potevamo andare avanti così. Mancavano poco più di venti giorni alle elezioni e avremmo potuto aspettare, ma ormai eravamo a quel punto in cui vedersi non è solo bello. È un'urgenza.

«Ciao Viola, che fai?»

«Ho appena messo a letto Orlando, tu?»

«Sono appena rientrato a casa.»

«Mi spiace, sarai a pezzi.»

«Ma non è tardi per metterlo a letto? Sono le undici.»

«Orlando voleva vedere *Alien vs Predator*.»

«Un po' violento per un bambino di otto anni, no?»

«Sì, infatti poi ha faticato a prendere sonno.»

«Vedeva i mostri in camera?»

«No, non capiva.»

«Il finale?»

«No, come si fa a fare un film in cui sono tutti cattivi. Diceva che non c'è gusto a tifare per un cattivo se non c'è un buono.»

«Un punto di vista interessante. Digli che nella pellicola Martini vs Mazzoletti questo problema non c'è... E fagli vedere film per bambini!»

«Vasco, lo so che non è un pensiero molto popolare, ma io non credo che ci siano regole per bambini di otto anni. Credo che ci siano regole per il proprio bambino di otto anni.»

«Scusami, non ho figli, sono un po' limitato. Cioè?»

«Ti faccio un esempio. Quando vedo i programmi in cui c'è il logo vietato ai minori con la sagoma del bambino colorata di rosso, penso che ogni bambino è una sagoma diversa e che quel divieto è una scemenza. Mio figlio per esempio trova comico *Venerdì 13*, ma se vede *Big Fish* resta turbato per giorni. Lo spaventa più la perdita delle persone care, di un padre, forse perché ha un papà assente, che un tizio con un'improbabile maschera da hockey e un coltello da arrosto tra le mani.»

«Jason lo fa ridere?»

«Molto.»

«Be', io al posto tuo prima di andare a letto nasconderei i coltelli da cucina. Comunque ho capito. Navighi a vista.»

«Esatto. Le regole le stabilisco giorno per giorno, adattandole ai suoi umori, alle sue necessità, al fatto che stia crescendo e poi lo conosco. Mio figlio le regole se le dà da solo. È più quadrato, più saggio e più organizzato di me. Con lui bisogna lavorare al contrario, togliergli qualche regola, perché è ironico, ma non è leggero.»

«Come te.»

«Io non so cosa siano le regole.»

«Ma non sei leggera.»

«Però sono ironica.»

«E bellissima.»

«Mi manchi Vasco, ho voglia di stare con te senza vedere un calendario cinese alle tue spalle.»

«E io voglio tornare a casa col tuo odore addosso, non con quello di un involtino primavera sulla camicia.»

«C'è rimasta qualche altra villa che possiamo farci aprire? Mi va bene anche una villa con un banale cane, non servono animali esotici ogni volta.»

«Arcore. Se vuoi, chiedo. Il cane c'è.»

«Vabbe', ma lì basta citofonare e ti aprono, hanno sempre aperto a tutti, capirai se si formalizzano.»

«Hai ragione, troppo facile. E troppo viavai. Pensavo di farmi aprire San Siro stasera, che dici? Hai mica il numero del custode?»

«No, al massimo di qualche calciatore.»

Tutututututu.

Non ci posso credere. Mi ha attaccato il telefono in faccia.

«Pronto? Ma te la sei presa? Guarda che...»

«Scherzavo scema!»

«Ma quanto sei stupido, per un attimo ho pensato che potesse darti fastidio qualcosa, ma figuriamoci...»

«Infatti mi dà fastidio e ora i numeri dei terzini li cancelli dalla rubrica, altrimenti io non farò lo stesso con quelli delle svariate giornaliste che mi tampinano giorno e notte...»

«Ora scherzi o dici sul serio?»

«Dico sul serio. C'è tutta una categoria di giornaliste tra i trenta e i quarant'anni che farebbe qualsiasi cosa per portarsi a letto un politico. Non hai idea di quante se ne inventino per incontrare me e immagino anche Mazzoletti. Le interviste, poi, stranamente non vogliono mai farle al telefono, ma sempre di persona "perché le interviste dal vivo vengono meglio". Poi ti mandano l'sms per chiederti se ti è piaciuta. Poi ti mandano l'sms per dirti se vai all'inaugurazione del nuovo centro sportivo, poi...»

«Va bene, basta, ho capito. Niente più interviste. Proseguirai questa campagna con una serie di lunghi e vincenti monologhi scritti da me!»

«Sta già accadendo.»

«E andremo avanti su questa strada.»

«Ah ah ah. Gelosa?»

«Definitivamente.»

«Ma di cosa devi essere gelosa, tu sai tutto di me. Io non so nulla di te. Cioè, di te dal tuo ex marito in poi.»

«Be'... C'è stata una persona, ma è finita da un bel po'.»

«E chi era, uno del tuo ambiente?»

No, del tuo, sto per rispondergli. «No, ti racconterò quando ci vediamo...»

Vasco deve aver intuito che mi sono irrigidita e, come al solito, cerca il modo di ammorbidirmi, ma senza chiedere altro. «Vieni a casa mia, Viola.»

«Ma... e Orlando?»

«Non adesso, domani.»

«E se qualcuno mi vede entrare nel tuo palazzo? Se mi vedono uscire? Mi hai detto che hai i fotografi sotto casa la sera e spesso fin dal mattino presto...»

«Ho pensato a una soluzione. Chiedo a Mia di accompagnarti. Se ti vedono entrare con lei penseranno che tu sia un'amica della mia fidanzata. E Mia sarebbe pronta a confermare.»

«Non so Vasco, stiamo abusando della gentilezza della tua ex...»

«Lascia fare a me.»

«Va bene. Ma devo capire come organizzarmi con Orlando. Al limite chiedo a Ivana se lo può tenere, la babysitter è tornata in Puglia per Natale.»

«Stanotte non dormirò all'idea che domani potresti girarmi per casa, lo sai?»

«Stanotte non dormirò per scrivere il tuo discorso di domani pomeriggio in Monte Nero, lo sai?»

«Dicono che negli ultimi dodici giorni abbia guadagnato tre punti percentuali nei sondaggi, lo sai?»

«Lo so.»

«Sono a un punto da Mazzoletti, che è sceso di due, lo sai?»

«Lo so.»

«Tu però smettila di litigare su Twitter con lui al posto mio, perché ne sta uscendo davvero distrutto. Non è bello infierire sul nemico, quando è a terra morente.»

Non ci penso proprio. Massacrare il mio ex fidanzato su Twitter dall'account di Vasco Martini candidato sindaco di Milano è diventato il mio hobby preferito.

Orlando e la conchiglia

Quando Orlando è tornato dai due giorni al mare col papà, ha portato con sé una conchiglia. Dice che papà l'ha trovata sulla spiaggia e gliel'ha regalata, anche se è di quelle ritoccate con la vernice trasparente, quindi è più probabile che Fabio se la sia messa in tasca in un negozio di souvenir. Fatto sta che Orlando se l'è piazzata sul comodino e ogni tanto se la va a prendere, la annusa, la appoggia all'orecchio. Forse lo fa quando pensa al suo papà che, come da copione, dopo l'exploit ligure, è sparito nel nulla.

«Mamma, perché nelle conchiglie si sente il mare?»

«Credo perché è stato la sua casa per tanto tempo.»

«Vuol dire che ci sono posti che ti lasciano un rumore dentro?»

«Forse. Sì. A volte.»

«A te c'è un posto che ti ha lasciato un rumore dentro, mamma?»

«Certo. Ce ne sono tanti.»
«Me li dici?»
«Dunque, vediamo. Mmmmm. Ah sì. La casa di mia nonna, al mare.»
«Che rumore ti ha lasciato?»
«Il rumore ritmico dei ferri da maglia, quando si toccano, perché lei sferruzzava sempre.»
«E poi?»
«La stradina davanti al mio giardino, quando avevo quattordici anni.»
«Che rumore?»
«Quello della marmitta scassata di un motorino. Era il motorino del ragazzino che mi piaceva. Lo sentivo arrivare da lontano e mi precipitavo davanti alla siepe, dove avevo fatto un buco, per vederlo passare.»
«Posso mettere l'orecchio per vedere se si sente mamma?»
«Certo. Vieni qui.»
«Ma io sento solo il tuo cuore, non i ferri. E neanche il motorino.»
«È perché ci abitano da tanto. Non li senti, ma ci sono. I rumori dell'infanzia imparano a starsene lì zitti zitti.»
«E come fa un rumore a stare zitto?»
«Un rumore sta zitto quando lascia spazio ai rumori che ti abiteranno dentro quando crescerai. Se ne stanno lì, felici e buoni buoni.»
«Be', mamma, meglio che non ti si sente il rumore del motorino, altrimenti quando dormo abbracciato a te mi sembrerebbe di avere il letto nel garage.»
«Giusto.»
«E anche quei posti che non sono felici ti possono lasciare dei rumori dentro?»
«Sì, capita.»

«E cosa fanno i rumori brutti?»

«Quelli sono un bel problema, Orlando. Bisogna ascoltarli con affetto, perché sono come certi tuoi amichetti un po' maleducati, cercano sempre di parlare sopra gli altri. Sopra quelli belli. Però se li perdoni, dopo un po' smettono di fare chiasso e diventano un sottofondo leggero.»

«Gli devi abbassare il volume, come quando mi sgridi perché gioco con la Wii e dici che è troppo alta e ti scoppiano le orecchie?»

«Esatto, proprio così.»

«Mi dici un tuo rumore col volume abbassato, mamma?»

La casa di Giorgio, non ho neanche bisogno di rifletterci. «È un suono di campane.»

«Perché?»

«Perché mi ricorda un posto in cui sono stata molto triste. Una casa. Una casa di fronte a una chiesa.»

«E le campane le hai perdonate?»

«Certe volte penso di sì, certe volte un po' meno.»

«Che casa era?»

«La casa di una persona che mi ha fatto piangere qualche volta. Dai, vediamo se le campane le senti.»

«Non si sentono neanche loro! Si sente solo il tuo cuore.»

«Meglio così. E tu? Ce l'hai un rumore brutto?»

«Mmmm. Sì, forse sì.»

«Dimmi. Che rumore è?»

«Quello dell'astuccio di Petra quando lo chiude. Perché vuol dire che fino al giorno dopo non la vedo.»

«Ma non hai detto che non ti piaceva?»

«Ma infatti non mi piace, dicevo per dire.»

«Va bene, senti. Ti dico un altro posto che mi ha lasciato un rumore dentro. Bello però. È una stanzetta piccola, dentro un ospedale.»

«Che rumore è?»
«C'è un dottore che mi mette un coso che somiglia a una frusta da cucina sulla pancia e si vede un bambino piccolo come uno dei tuoi puffi su uno schermo.»
«E che rumore fa?»
«Si sente il suo cuore che batte.»
«Nella stanza?»
«Sì, nella stanza. Un cuore piccolo come una lenticchia con un battito talmente forte che rimbomba in tutta la stanza.»
«Come se fosse il cuore di Godzilla?»
«Sì, come se fosse un cuore enorme, grosso come un'anguria. E invece sta in un petto piccolo come la mia scatolina degli aghi.»
«Sono io prima che nascevo quel bambino, mamma?»
«Sì, e quella con la pancia grossa la mamma prima di rinascere la seconda volta.»
«Che vuol dire?»
«Vuol dire che quando ho partorito te era come se qualcuno stesse partorendo anche me. Il mondo mi sembrava una cosa nuova. E lo è stato, è sempre una cosa nuova da quando ci sei tu.»
«Come se ti avessi imprestato gli occhi?»
«Proprio così. Come se avessi un secondo paio di occhi.»
«Mi fa un po' impressione questa storia, mamma. Sembra quando Godzilla strappa gli occhi a Biollante.»
«Vieni qui Godzilla, metti l'orecchio sul mio petto, prova a sentire il rumore di quella stanzetta. Vediamo se ora funziona.»
«Ma è sempre il rumore del tuo cuore! Non vale!»
«Vale. Perché il mio cuore è il tuo cuore. Sono la stessa cosa.»
«Allora siamo come le conchiglie, solo che dentro anziché il mare abbiamo l'amore.»

«Già.»

«Per fortuna mamma che non abbiamo il rumore del mare anche noi, che io quando lo sento penso sempre a quella scena che Godzilla esce dall'acqua e rompe il pontile. Non dormirei mai.»

15

Argo

La giornata inizia in maniera sfavillante. Dopo aver lasciato Orlando a scuola, apro velocemente Twitter e scopro che Giorgio ha appena scritto le sue immancabili banalità del mattino. La prima è sui rom, dice che una delle sue priorità da sindaco sarà sgomberare i campi nomadi per restituire decoro alla città e dignità ai rom. Non chiarisce con quali modalità avverrà lo sgombero, ma conoscendolo starà pensando al napalm. In un altro tweet tesse le lodi di una prima a cui ha assistito ieri sera a teatro: «Che bello il *Rigoletto* alla Scala! Bello tutto, ma il mio plauso va al direttore d'orchestra Muti. Immenso!». E da quando Giorgio è un appassionato d'opera? Da quando va alla Scala? Fino a ieri al termine «Rigoletto» associava un biscotto da inzuppare nel latte, ora fa l'esperto. Il suo ultimo tweet, invece, è sulle polemiche dell'ultimo periodo nate tra la sua coalizione e quella di Vasco riguardo la necessità di un ricambio generazionale in politica. «La politica del largo ai giovani è una sciocchezza. L'età è esperienza, non un virus!» Eccolo qui il tweet a cui risponderò. Conosco i punti deboli del mio ex fidanzato e so bene che la questione anagrafica è un nervo scoperto. Quest'anno ha compiuto cinquant'anni e gli brucia non essere più inserito negli articoli sui giovani che potrebbero rottamare il sistema. Gli rispondo subito dall'account di Vasco, che mi ha lasciato campo libero. Non a caso, gli rimproveravano di essere brillante e simpatico ma di avere scarso mordente, da qualche giorno gli riconoscono un'anima più battagliera. «In effetti i nostri politici più anziani hanno dimostrato molta esperienza: in concussione, peculato, truffa, abuso d'ufficio e corruzione.» Otto minuti dopo arriva la sua risposta via Twitter. «Giusto. Largo ai trentottenni con una vasta esperienza nel controllo del traffico aereo!» E poi si vede che gli brucia troppo e scrive un altro tweet. «Martini starà pensando a una giunta formata da hostess e steward?» Lo sapevo. Sapevo che non sarebbe riuscito a fare il superiore. E che sarebbe andato a pescare nel curriculum di Vasco facendo una battuta sul suo passato in torre di controllo. Aspetto un'oretta per fargli montare bene bene la rabbia perché so che, come tutti i narcisisti, sessanta minuti di indifferenza lo uccidono, e scrivo il mio tweet di risposta. «Così sapremo se l'aereo di Stato continua a essere usato dal tuo segretario di partito per andare a vedere la finale di Champions League!» Colpito e affondato. Lo scandalo dell'aereo di Stato utilizzato come un taxi per andare a partite di pallone e gare automobilistiche da amici del presidente del Consiglio è ancora troppo fresco e troppo grosso perché Giorgio possa replicare qualcosa, e il mio tweet sta riaccendendo una polemica sul web che andava lentamente scemando. Un autogol clamoroso, la sua battuta sul traffico aereo. Ovviamente, lo scambio di tweet tra il finto Vasco e il vero Giorgio non sfugge ai giornalisti e viene rilanciato un po' ovunque, con un consenso per le repliche di Vasco quasi unanime. Qui finisce che ci prendo gusto e mi candido sul serio. Solo che finirei indagata dopo una settimana perché mi toglierei tutte le multe e darei sei milioni di euro a Ryan Gosling per una consulenza sull'arredamento del mio ufficio.

Chiudo il computer col petto gonfio come un tacchino e chiamo Ivana. «Amica mi devi tenere Orlando qualche ora stasera, vado a casa di Vasco.»

Silenzio.

«Ivana? Ci sei?» Ivana scoppia a piangere. È il pianto disperato e inconsolabile dei neonati che si svegliano in piena notte e non sai perché. Solo che il perché di Ivana è fin troppo intuibile. «Che succede? Ohi. Mi dici che succede per favore? Ivana calmati, dai! Mi fai preoccupare così. Cosa ha fatto Tommaso questa volta?»

«Lui e Carola si sono lasciatiiiiii» mi dice singhiozzando.

«E scusa, è un secolo che aspetti questo momento, io non ci avrei scommesso neanche un ombretto di Kiko e tu piangi?» Niente, non riesce a parlare. «Ivana, mi spieghi o devo chiamare Tommaso e chiedergli perché piangi quando finalmente s'è deciso a lasciare Carola?»

«Non l'ha lasciata lui! Lo ha lasciato lei!»

Mi venisse un colpo. «Come lei? Carola ha lasciato Tommaso?»

«Sì, sì, gli ha detto: "Mi spiace, abbiamo vissuto anni meravigliosi ma mi sono innamorata di un fornitore di grissini del mio ristorante" e l'ha lasciato!!!»

Lo dicevo io che quella donna mi piaceva. Ha sfanculato Tommaso. Come minimo merita il titolo di Cavaliere della Repubblica. «E vabbe', perché piangi? L'importante è che non stiano più insieme, anche perché se confidavi nella decisione di Tommaso mi sa che diventavi vecchia!»

Ivana riattacca a piangere e io sto cominciando a innervosirmi. «Tu non capisci! Lui ora di me non ne vuole più sapere ed è disperato perché rivuole Carola!!! L'ha raggiunta a Courmayeur nonostante lei ora sia lì col fornitore di grissini e minaccia di suicidarsi se non torna a casa da lui!»

Se avessi avuto bisogno di un'ulteriore dimostrazione della bassezza di Tommaso Gori, questa è la prova regina. Il classico esemplare d'uomo che cornifica la moglie tutta la vita e quando la moglie finalmente lo pianta, piagnucola come un bambino a cui hanno strappato il sonaglietto dalle mani. «E tu piangi? Stappa la tua bottiglia migliore, Ivana. Ora sai che sua moglie non l'avrebbe mai mollata!»

«Certo che ora lo so, è per quello che piango! Perché mi ha tenuta appesa per un anno e mezzo facendo promesse e io non ho visto nessuno, non ho accettato inviti neanche a bere un caffè da altri uomini e ora non mi resta niente, niente!»

«Certo che non ti resta niente. Cosa vuoi che ti resti di una relazione in cui un uomo ti teneva nascosta sotto la botola nel pavimento come un latitante?» E parlo con una certa esperienza, mica sparo frasi a caso.

«Non mi ha mai regalato la dignità della luce del sole, quello stronzo!»

«Senti Ivana, io ora non posso stare al telefono perché oggi pomeriggio mi tocca andare dalla Speranza e devo assolutamente trovare qualcuno che mi tenga Orlando questa sera, ma chiamerò Ilaria, perché se lo lascio con te mi sa che quando torno lo trovo che ti legge una favola a letto per calmarti.»

«Sì, scusa Viola, ma stasera non ce la faccio, stasera voglio solo il mio divano e il mio Lexotan.»

Il Lexotan è utilizzato dai single milanesi tipo collirio: «Ieri non ho dormito bene, stasera mi prenderò due goccine di Lexotan!», «Il finale di *Dexter* mi ha infastidito, mi prenderò due goccine di Lexotan!», «Giuseppe non risponde ai miei messaggi, mi prenderò due goccine di Lexotan!». Il milanese infelice pur di non ascoltarsi mezz'ora al giorno, si stordisce con qualsiasi cosa. Il lavoro, la vita sociale, gli ansiolitici.

«Domani ti raggiungo da qualche parte e stiamo insieme, ok? Ora cerca di calmarti e di pensare all'aspetto positivo della cosa: è finita. Meglio l'amputazione che la cancrena, Ivana, lo sai.»

«Va bene, sta venendo Anna a portarmi via dall'ufficio perché sto troppo male, ciao Viola.»

Ilaria come sempre non ha drammi sentimentali da condividere con me, per cui dopo qualche commento veloce su quello di Ivana («Ce lo siamo tolti dalle palle» è stato il suo contributo alla discussione) e un paio di insulti residui per la borsa Vhermès che le ho fatto recapitare in un pacco col logo di Hermès, si dice felice di tenermi Orlando, per cui alle nove in punto sarà a casa mia. So già che al mio ritorno li troverò a vedere qualche film splatter insieme e lei dirà: «Oh minchia, è già l'una, non me ne ero accorta!», ma va bene lo stesso. Ancora due giorni di scuola e inizieranno le vacanze natalizie. Anzi, ora che mi ricordo dopodomani c'è la recita di Natale a scuola e non voglio finire ad asciugargli il vestito col phon all'ultimo minuto, per cui ora gli stiro il costume da pastorello. È così fiero del suo ruolo. «Ho anche una pecora di cartapesta sulle spalle mamma, è tutta bianca e mi piace perché mi sembra Brian Griffin!» E poi, finito di pensare al suo vestito, devo pensare al mio di stasera. E a quello che metterò sotto al vestito. Sono felice come non mi succedeva da qualche era geologica.

Mia mi sta aspettando in corso Garibaldi, a pochi isolati dalla casa di Vasco, davanti a un bancomat fuori servizio. La mia angelica copertura non è sola. C'è un ragazzo smilzo e con un mucchio di capelli neri accanto a lei. Dalla grazia con cui le appoggia una mano sulla spalla, deduco che sia il famoso nuovo fidanzato di cui Mia mi ha parlato al comizio. «Ciao

Viola. Lui è Ludovico.» Ludovico non ha un'aria particolarmente affabile, ma non credo che l'avrei neppure io se la mia fidanzata mi chiedesse di aiutarla a fornire un alibi al suo ex fidanzato seppure per ragioni chiaramente sentimental-sessuali che non la includono.

Io sono palesemente a disagio. «Mia non so come ringraziarti davv...»

«Ascolta. Ora noi andiamo a casa di Vasco, io mi fermo dieci minuti con voi, mi levo il pellicciotto viola, mi metto il cambio che ho in questo borsone e me ne vado. Ludovico mi aspetta qui in macchina. A mezzanotte e mezzo torno a riprenderti e mi cambio un'altra volta per uscire.»

«Hai preparato anche i passaporti falsi?»

«Eh?»

«No, scherzo, è che mi sembra di essere nel film *Argo*, più che in corso Garibaldi.» Ludovico accenna un mezzo sorriso. Allora non è un khomeinista come temevo. Io e Mia camminiamo in silenzio, come se il patto tacito fosse quello di sbrigare la pratica senza darsi troppe spiegazioni. Imbocchiamo via della Madonnina e un centinaio di metri più avanti, sulla destra, ci fermiamo davanti a un portone di legno, accanto alla vetrina di una pasticceria stracolma di macaron di ogni colore. La pasticceria si chiama DiViole. Odio la fame di coincidenze che ci assale tutti quando ci innamoriamo di qualcuno, come se si dovessero cercare conferme dal mondo, ma non posso non pensare che quel nome, proprio accanto al portone di Vasco, sia una strana coincidenza. Vasco ci accoglie con un calore che allenta subito la tensione che avvertiamo quando, per la prima volta, ci ritroviamo noi tre insieme, da soli, dentro a una casa. Abbraccia Mia prima ancora di salutare me e le dice grazie, stringendola forte a occhi chiusi, con una riconoscenza sincera. Per un attimo invidio quell'affetto sopravvissuto alle macerie. Mi torna in mente la frase di Mia, quando ci siamo conosciute: «Le persone belle non si lasciano cimiteri alle spalle». Poi lei sparisce velocemente in qualche angolo di una casa che le è familiare e riappare imbacuccata in un eskimo verde militare lungo fino alle caviglie e con un enorme cappuccio con la pelliccia intorno. Sembra in partenza per l'esplorazione dell'Antartide. Di sicuro, se c'è un fotografo sotto casa, questa foto la venderà al «National Geographic», più che a «Celebrity Wow». «Così dovrei essere abbastanza irriconoscibile, che dite?»

Vasco la guarda soddisfatto. «Sì, direi che sei perfetta.»

«Be', anche se non lo fossi, tifo per voi, ma il moccolo non ve lo reggo, quindi ciao e fate i bravi. A dopo!»

«Mia!» La chiamo che è già sulla porta. «Desideravo dirti che vorrei un decimo della tua generosità. E anche un terzo della tua magrezza.»

«Ah ah ah, guarda che sono una falsa magra!»

«Ma una vera donna» le rispondo baciandola sulla guancia.

«Sapevo che vi sareste piaciute» mi dice Vasco venendo verso di me, quando si chiude la porta. Mi bacia prima che possa abbozzare uno straccio di risposta. A questo punto vorrei perdermi in accurate descrizioni della sua casa, dei suoi avvincenti racconti su targhe e souvenir sparsi sui mobili, delle chiacchiere che precedono altro, dei bicchieri di vino versato, dei miei interventi furtivi sull'illuminazione della camera e perfino di come eravamo vestiti, ma la verità è che abbiamo fatto l'amore subito, senza prefazioni e danze propiziatorie. Il bacio cominciato davanti alla porta appena Mia ci ha salutati non si è più fermato. Ci siamo spogliati come adolescenti, ma abbiamo fatto quell'amore pieno e maturo, in cui ci si aspetta e ci si cerca, in cui ci si riempie la bocca del piacere dell'altro e poi ci si guarda famelici e riconoscenti e si ricomincia daccapo, mescolando parole e silenzi e dita tra i capelli, sulle labbra, sul seno, sul corpo teso e poi arreso. Mi ha detto: «Ti amo», appena dentro di me e gli ho detto: «Ti amo», prima che iniziasse a muoversi, persi e immobili in un momento immortale che ha dato un ordine nuovo alle cose buttate per terra. Ci siamo detti, ci siamo goduti, ci siamo saziati, riempiti, esauditi. Ci siamo amati. Ci siamo sorpresi e poi riconosciuti, come due persone che non si vedevano da tanti anni. Vasco non ha mai smesso di dirmi quanto fossi bella e io non ho mai avuto il timore di non esserlo, neppure quando ha accarezzato le mie smagliature sulla pancia, con la testa appoggiata sul mio grembo. «Mi piacerebbe che ne avessi qualcuna in più, tra un po' di tempo.»

«Non ti bastano quelle?»

«Vorrei che ne avessi di nostre, vorrei la tua pelle tesa per darci nostro figlio.»

E io deglutisco. E non cerco un paletto da conficcare nel terreno per dire: «Qui non si passa». Ce ne stiamo in silenzio per un po', in quei silenzi dopo l'amore che hanno il sapore della resa e delle incognite. E poi ci viene quella frenesia degli innamorati che hanno appena scoperto la magia dell'altro. La fame dei corpi diventa fame di sapere. Tutto, l'uno dell'altra.

«Ok, sei nato a Mombaruzzo...»

«Mombaruzzo, dove fanno gli amaretti.»

«Tu però non hai nessun retrogusto amaro.»

«Solo quando sto con te, altrimenti sì. Quando sto con te sono una meringa dolciastra, faccio schifo.»

«Dove sei nata?»

«A Vasto.»

«Lo sapevo già. Ho imparato a memoria anche le note della tua biografia su Wikipedia.»

«Scemo.»

«È vero. E cosa si mangia lì?»
«Il brodetto alla vastese.»
«Me lo cucini?»
«Non so cucinare.»
«Ti amo lo stesso.»
«Facile a dirsi. Non hai ancora assaggiato la mia cucina.»
«E Orlando com'è sopravvissuto fino a oggi?»
«Con roba che scongelo. Però lì vado forte. Ho tre stelle Michelin in surgelati.»
«E il tuo ex marito che tipo è?»
«L'anello di congiunzione tra un delinquente e un calciatore.»
«Cioè?»
«Uno che avrebbe voluto fare o il calciatore o il delinquente ma non aveva talento per nessuna delle due cose e allora va a cercare calciatori in posti in cui diventa amico di un sacco di delinquenti.»
«E perché l'hai sposato?»
«Perché ero distratta.»
«Ci si sposa per distrazione?»
«A volte.»
«Mi presento con un prete mentre sei in un negozio di scarpe e ti sposo a tradimento.»
«Potresti farcela. Fabio l'ho sposato quasi subito.»
«E quindi l'hai sposato perché non lo conoscevi bene?»
«No, perché non mi conoscevo bene. Capita.»
«Ma ti risposeresti?»
«No.»
«No? Come sarebbe a dire no?»
«Non lo so, per me l'amore è un biglietto con cui poter viaggiare senza sosta e salire su tutti gli autobus che vuoi. Sposarsi è obliterare. Decidere che la tua corsa è limitata a quell'autobus, a quel tempo, a quel percorso.»

«Non è l'autobus che decide il tuo viaggio, Viola. E neanche il biglietto. Sei tu, siamo noi.»

«Se scendi dall'autobus il viaggio finisce.»

«No. Sai cosa diceva Saramago?»

«Eccolo lì che comincia a citare il suo comunista di riferimento.»

«Diceva: i viaggi non finiscono mai, sono i viaggiatori che finiscono. Bisogna vedere quel che non si è visto, vedere di nuovo quel che si è già visto, vedere in primavera quel che si è visto in estate, vedere di giorno quel che si è visto di notte, con il sole dove la prima volta pioveva, vedere le messi verdi, il frutto maturo, la pietra che ha cambiato posto, l'ombra che non c'era. Bisogna ritornare sui passi già dati, per ripeterli, e per tracciarvi a fianco nuovi cammini. Bisogna ricominciare il viaggio. Sempre.»

«Ma la sai a memoria?»

«Sì. *Viaggio in Portogallo* è uno dei miei libri preferiti.»

«Io non ho nulla da recitarti a memoria, a parte la poesia di Natale di mio figlio. Ma te la risparmio. E comunque la citazione era bella, ma non ti sposo lo stesso.»

«Vedremo. Ma suo padre, lo vede Orlando?»

«Nelle foto sull'iPhone che gli mando io, sì.»

«E Orlando lo odia per la sua assenza?»

«No, lo ama follemente.»

«È un ottuso sentimentale come me. Quindi un bambino adorabile.»

«Lo è. Solo che lui non è ricambiato. Petra non lo ama.»

«Lo amerà. Io ti ho presa per sfinimento. La sfinirà anche lui. Mi sembra caparbio. E poi ama Godzilla e Godzilla non molla mai, gli devono sparare per fermarlo.»

«Potresti dargli qualche dritta sentimentale.»

«Sì, potrei suggerirgli il metodo guardia svizzera.»

«Cioè?»
«Piantona ogni singola porta che Petra attraverserà da oggi alla prima liceo.»
«Per carità.»
«Con te ha funzionato.»
«Hanno funzionato fiori e regali, sono una materialista.»
«E va bene, allora continuerò, tanto te li compro coi rimborsi della Regione.»
«Certo, come no.»
«Lo so, non sono credibile. Ma è solo perché non sono ancora potente. Il potere mi corromperà. Intanto però col mio onesto stipendio ti voglio portare a Lanzarote.»
«Perché?»
«Perché è come te l'ho descritta, la ameresti. Tu sei come me. Non ti piacciono i posti pettinati. Le persone pettinate.»
«È vero. Infatti in questo momento hai dei capelli ad ananas inguardabili, ma ti amo lo stesso.»
«Scema.»
«Ora ti faccio una foto e la metto su Twitter così vediamo come commentano sui social... Già mi vedo i titoli: "Cosa si è messo in testa Martini? Un gatto siberiano o di battere Mazzoletti?"»
Ridiamo. Ci baciamo.
«A Lanzarote ti bacerò sugli scogli di Los Hervideros, davanti all'oceano più incazzato che tu possa immaginare.»
«Non ci vengo a Lanzarote. Lì ci sei stato che stavi ancora con Mia.»
«Sai che io e te siamo destinati a funzionare?»
«Cosa ti dà tutta questa sicurezza?»
«Viola. Si dice che perché una storia funzioni uno dei due debba avere un carattere di merda e quel qualcuno non sono io.»

«In effetti David e Victoria Beckham vanno avanti da quindici anni e quel qualcuno non è David.»

«Vedi, è la regola!»

Ci baciamo ancora. Vasco si alza per andare a prendere una bottiglia d'acqua. Guardo la sua camera, in penombra. Ci sono delle foto di quando giocava a basket, belle, in bianco e nero, un modellino di un aereo su una mensola in alto, una poltrona di velluto e libri ovunque, alcuni perfino per terra, torri di libri appoggiate alle pareti. Cerco il telefono nel groviglio di vestiti per terra, non ricordo dove l'ho lasciato. È nella borsa. Lo prendo velocemente per vedere se a casa è tutto ok. C'è un lungo messaggio di Ilaria: «Qui tutto bene. Stiamo vedendo *Nightmare 5* e tuo figlio ha appena finito di tracciare il profilo psicologico di Freddy dicendo che è l'unico cattivo ironico e che il suo equivalente ironico tra i supereroi buoni è Iron Man o al massimo Jack Sparrow, gli altri sono tutti cattivi e basta o buoni e basta. Allora gli ho spiegato cos'è l'acido ialuronico per far vedere che so qualcosa pure io. Tu? Almeno a letto le mantengono le promesse 'sti politici?»

Vasco entra in camera con la bottiglia d'acqua e si accorge che ridacchio consultando il cellulare. «Non mi dire che sei una di quelle donne che non campa se non controlla il cellulare ogni cinque minuti.»

«Ti sottovaluti, è passata un'ora e mezzo da quando l'ho controllato l'ultima volta...»

«È durato così poco? Solo perché la campagna mi sta sfiancando, appena finisce non ti do tregua, sappilo.»

«A proposito. Finirete al ballottaggio. Ma ormai siete praticamente in una situazione di parità. Sei ancora convinto di perdere?»

«Viola, sai chi è il santo patrono di Asti?»

«No.»

«San Secondo. Ecco. Nella mia vita sono arrivato spesso secondo. Perfino l'anno in Nba la mia squadra è arrivata seconda dopo il San Antonio Spurs. Ma tanto io ero già finito.»

«Questo pessimismo non è da te.»

«Infatti non ho detto che penso di perdere. Dico che ho paura di arrivare secondo anche questa volta. Ma voglio vincere e ci sono buone possibilità. Tu sei l'unica sfida che ho vinto senza dovermi battere con nessuno, a parte la tua ritrosia iniziale.»

Vasco dice tutto con una genuinità disarmante. Non sa che Giorgio è sempre stato il nemico da battere, anche con me. E sento che questo preciso momento segna un punto di confine. Quello tra il non detto e la menzogna. Adesso, se non gli confesso la verità su Giorgio, non sto più omettendo. Lo sto ingannando. «Vasco, mi dici perché dopo il basket sei finito a fare il controllore del traffico aereo? Mi sembra così singolare...» Ho fatto la mia scelta. Lo inganno, parlando d'altro.

«Non è che ci sia stato dietro chissà quale ragionamento. Avevo ventiquattro anni e un ginocchio rotto. L'Nba era stato il sogno della mia vita da ragazzo e tutto era andato storto. Sono arrivato a New York nel '98 in una squadra con campioni come Ewing e Johnson e in quella stagione ci fu il primo lockout della storia dell'Nba.»

«Cosa diavolo è un lockout?»

«Una specie di sciopero dei giocatori, per via dei contratti.»

«Destinato ad avere a che fare coi sindacati pure da giocatore di basket milionario, incredibile!»

«Sì, in effetti c'è qualcosa che somiglia a un disegno, nella mia vita, anche se il lockout non ha molti punti di contatto con le lotte operaie... Mio padre è sempre stato un convinto attivista nel sindacato della vetreria in cui ha lavorato per cinquant'anni, conosco le differenze tra un umile vetraio astigiano e una star del basket americana. Comunque, quell'anno, a causa del lockout, il campionato iniziò a febbraio anziché a ottobre, quindi già partì male. Eravamo sfavoriti, ma piano piano cominciammo a vincere e a vincere ancora. Io mi infortunai al ginocchio due settimane prima della finale, durante un allenamento. Si infortunarono pure Ewing e Johnson, tra l'altro. Solo che loro poi si rimisero in piedi. Io invece una settimana dopo ero già stato visitato da tutti i migliori specialisti d'America. Il verdetto fu unanime: carriera conclusa. Mia madre lo seppe dal telegiornale e due giorni dopo prese un aereo senza neppure chiamarmi.»

«Questa parte la so, l'hai raccontata al comizio. Mi sono commossa.»

«Tu commossa?»

«Giuro.»

«Se ho intortato anche te allora come politico ho stoffa. Insomma, cinque giorni dopo, la portai in aeroporto e la misi su un aereo per farla tornare in Italia. Al ritorno, in macchina, raccontai al telefono quello che era successo a Ben, un mio compagno di squadra. Gli dissi che mia mamma aveva preso quell'aereo per me, lei che a malapena era salita su un treno in tutta la sua vita. Mi chiese su che volo fosse e con che compagnia volasse. Non capii perché volesse saperlo. Dopo un po' Ben mi chiamò. "Ehi, volevo dirti che tua mamma in questo momento è sul suo volo Twa bella tranquilla a 14.500 piedi e sta sorvolando un'area più o meno all'altezza di Bayport. Le condizioni meteo sono buone e troverà un leggero vento sull'Atlantico tra circa trentadue minuti." Gli chiesi come facesse a saperlo. Suo fratello lavorava alla torre di controllo dell'aeroporto Kennedy e lui gli aveva chiesto informazioni sull'aereo di mia madre. Voleva farmi sentire meglio, con una piccola attenzione. Mi sembrò un gesto speciale. Quando tornai in Italia, venti giorni dopo, decisi che non mi sarei riciclato nel basket. Avevo chiuso con lo sport. Non sapevo che fare, avevo sempre avuto un pallone in mano e per me a quel punto un lavoro valeva l'altro. Potevo fermarmi un po', avevo i soldi per potermi prendere una lunga vacanza, ma i miei mi avevano inculcato la cultura del lavoro. Così feci selezioni, test e poi corso di formazione per controllori del traffico aereo. Finii a Linate. Non mi sono mai più mosso da Milano.»

«Quindi se il fratello di Ben avesse fatto l'allevatore di struzzi, tu avresti fatto l'allevatore di struzzi?»

«Forse. Non avevo alcuna aspirazione in quel momento. Però se non avessi lavorato su una torre di controllo non avrei fatto politica. Noi controllori avevamo problemi enormi con gli orari di lavoro, turni massacranti, responsabilità immani. Cominciai a pensare che quel lavoro somigliasse alla politica: avevo in mano la vita di milioni di persone, e in piccola parte avevo a che fare anche con i bilanci delle compagnie. Se facevo volare due aerei troppo vicini potevo far morire della gente, se sbagliavo la traiettoria e sceglievo quella più lunga, facevo buttare un sacco di soldi di carburante alle compagnie aeree. Che si incazzavano. Gli interessi del pubblico e del privato erano incredibilmente vicini, così come quelli dei singoli e della collettività. Diventai portavoce del sindacato dei controllori del traffico aereo. Poi lasciai quel lavoro per laurearmi e impegnarmi in politica. Il resto un po' si sa.»

«E controllavi anche tu che i viaggi delle mamme dei tuoi amici andassero bene?»

«Sempre. Di mamme, amici, fidanzate di amici. Mandavo anche le foto del monitor, con tutte le sagome degli aerei sparse sullo stivale, nelle loro posizioni in tempo reale.» Vasco ha questa capacità strabiliante di raccontare le cose e trovare un senso a tutto. Io non ne sono capace. Io fatico a sbrogliare le matasse. Vorrei raccontargli la mia vita e chiedergli di spiegarmi perché Fabio, perché Giorgio, perché un lavoro che mi fa schifo, perché siamo nel suo letto dopo aver fatto l'amore e lui è capace di raccontarmi la sua vita, col cuore spalancato, e io non riesco a dirgli l'unica verità che gli devo.

«Non ho neanche visto la tua casa» gli dico stringendomi a lui.

«Prima che arrivi Mia giuro che ti faccio alzare dal letto.»

«Mi sembra bella.»

«L'ha arredata Mia, c'è il suo gusto. E il gusto di Mia non si discute.»

«Ti avviso che alla prossima frase enfatica sul gusto di Mia ti lascio.»

«Hai ragione, scusa. Anche se non so quante ex fidanzate si sarebbero infilate un eskimo per depistare i fotografi e fornirci una copertura.»

«E poi dicono che le fashion blogger sono delle stronze.»

«Già.»

«A proposito, tra quarantacinque minuti Mia sarà qui. Mi fai vedere casa o no?»

«No, per mostrarti gli sgabuzzini c'è tempo. Ho ancora voglia di te.»

Ci amiamo di nuovo, in modo diverso, con la fame di chi sa che sta per separarsi.

«Che fai a Natale?» mi chiede Vasco accarezzandomi la fronte sudata mentre ci rivestiamo in fretta.

«Resto qui, con Orlando. Vengono le mie amiche dopo cena a portare i regali al bambino. I miei restano a Vasto perché mia mamma ha l'influenza e io lavoro già a Santo Stefano, non posso muovermi.»

«Venite con me ad Asti. Ho una casa lì, i miei li passo a salutare il 25. È una casa piccola, ma c'è il camino e c'è una stanza per Orlando, con il soffitto basso e le travi a vista. Gli piacerà.»

«Forse è un po' presto, Vasco...»

«Non dobbiamo fare i fidanzatini davanti a Orlando. Posso resistere più di venti ore senza saltarti addosso, giuro. E comunque: ha il sonno pesante questo bambino, sì?»

«Scemo.»

«Viola, io ti amo, voglio che la nostra vita insieme inizi il prima possibile.»

«Sto solo dicendo di aspettare un attimo...»

«Ma aspettare cosa? I risultati delle analisi si aspettano. Io non ti voglio aspettare. Io ti voglio cominciare.»

«C'è Orlando di mezzo, non lo so, vi siete visti una volta...»

«Facci conoscere. Potremmo piacerci. Ho l'altezza di Godzilla, parto con un netto vantaggio.»

«E la gente? Se ci vedono in giro?»

«Non dobbiamo fare lo struscio nel corso principale. Nessuno mi cercherà ad Asti.»

«Non lo so.»

«Cos'hai, me lo dici?»

«Boh, forse un po' di paura.»

«Non ti ci mettere anche tu, Viola, ti prego. Paura. La paura è il male del secolo. Tutti con questa maledetta paura di buttarsi, di investire, di provare. Ma paura di che?»

«Non lo so Vasco, anche di invadere i tuoi spazi...»

«La casa è settantacinque metri quadrati, ne ho venticinque a disposizione tutti per me. Calpestabili. Ho spazio a sufficienza. Altre paure?»

«Quella di non poter prevedere come andrà.»

«Ah, di stare al mondo insomma.» Già. «Senti, parliamo di cose serie. Ci aspettano la neve e un giardino, Orlando si divertirà, potremmo perfino fare un pupazzo di neve e poi incazzarci perché la notte qualcuno è entrato in giardino e l'ha rotto tutto, non è un'idea irresistibile?»

«D'accordo.»
«Quindi è un sì?»
«È un sì.»
«È più facile convincere un novantenne milanese di Azione Cattolica a votarmi che te a smollarti, ma sono felice.» Poi appoggia la sua testa al cuscino, guardando il soffitto. «Dio quanto ti amo, Viola. E se lo dico anche adesso con l'ormone ammansito, devi crederci.»
«Anch'io ti amo, Vasco.»
«Sai cosa penso alle volte? Che tu hai paura delle cose semplici. E invece sono bellissime le cose semplici. Ma bisogna esserne all'altezza.»

Orlando e la letterina di Natale

«Mamma, mi aiuti a scrivere la letterina a Babbo Natale?»
«Amore, è l'una di notte, tu e Ilaria avete visto *Nightmare 2*, *4* e *5*, per favore, a letto!»
«Mamma, dai. Tra pochi giorni è Natale e non hai mai avuto tempo.»
«Va bene, dai, scriviamola.»
«Allora. Caro Babbo Natale, intanto speriamo che quest'anno stai bene...»
«Che vuol dire, ti risulta che Babbo Natale sia stato male?»
«Sì mamma, non ti ricordi l'anno scorso cos'è successo?»
«Cos'è successo?»
«Che il primo regalo che ho scartato sotto l'albero era quello grosso grosso e quando l'ho aperto era una scopa elettrica, mentre alla zia gli aveva portato il Lego Perla Nera?»
Ah, sì. In effetti l'anno scorso il giorno della vigilia sono

entrata leggermente del pallone. Avevo finito di registrare lo speciale Capodanno delle *Amiche del tè* la mattina del 24 dicembre e tra trenini, finto countdown, spumante, cotechino e lenticchie consumati alle undici del mattino del giorno della vigilia, a mezzogiorno ero ufficialmente ubriaca. Il risultato è stato che ho preso tutti i regali insieme all'ultimo minuto facendoli incartare nei negozi e quando s'è trattato di distribuirli, non ricordavo per chi fossero i pacchi giusti. A Orlando, tutto sommato, è andata anche bene. È andata meno bene al produttore esecutivo delle *Amiche del tè* che la sera della vigilia ha scartato davanti a sua moglie e ai suoi quattro figli il regalo destinato ad Anna, ovvero una coppetta mestruale ecosostenibile accompagnata dal biglietto: «Visto che la volevi tanto, eccola qui. Mi raccomando, non ci fare il brindisi di mezzanotte!». Lui non mi ha salutato per almeno un mese, in compenso Anna ha ricevuto dei gemelli in argento bellissimi.

«Ah, già Orlando, ora ricordo. In effetti sì, Babbo Natale aveva la pressione bassa lo scorso anno, ma ha un'età, capita. Comunque, vai avanti.»

«Allora. Intanto vorrei il Lego Jabba's Sail che mi piace tanto, poi...»

«No, aspetta, alt. Quanti pezzi ha 'sto Lego Jass...»

«Jabba's Sail. Ottocentocinquanta!»

Ho un improvviso mancamento. «Non se ne parla proprio! Scordatelo.»

«E perché?»

Perché non è mia intenzione trascorrere le feste smadonnando in lucano perché non riesco a montarti il tuo Jabba, con le solite sceneggiate in cui io vengo colta da crisi isterica e ripeto: «Manca un pezzo, si sono dimenticati di mettere un pezzo!», e piango e tu allora smonti tutto e zitto zitto, pagina dopo pagina, monti tutto e io mi sento un'inetta. «Scusa Orlando, non ne puoi ordinare uno più piccolo, Babbo Natale è anziano, quello pesa!»

«I Lego sono leggeri, mamma!»

«Ma costa un sacco di soldi...»

«Mamma, ma mica lo devi pagare tu!»

Eh no certo, lo paga Fabio, che l'anno scorso mi ha detto: «Allora facciamo a metà», solo che io pensavo intendesse dire con le spese per i regali di Orlando e invece a mezzanotte s'è presentato a casa, s'è mangiato metà panettone e ha salutato.

«Va bene, andiamo avanti. Poi?»

«Poi, caro Babbo Natale, volevo il dvd *Godzilla ai confini della realtà* del 1973, anche se lo so che non è tanto bello, infatti agli americani è piaciuto, invece ai giapponesi che ci capiscono di più di mostri non è piaciuto e...»

«No no no, alt. Questo lo sai che è introvabile!»

Me l'ha chiesto per il compleanno, poi per Pasqua, poi per la pagella con tutti dieci, poi quando ha avuto la febbre. Gliel'ho cercato ovunque, in Italia è stato ritirato dal mercato quasi subito perché pare sia una ciofeca di dimensioni abissali, un tizio americano me l'ha venduto su eBay a una cifra immorale e quando ho aperto il pacco dentro c'era il dvd *The Best of Liza Minnelli*, infine, sempre su eBay, ho trattato per un mese con un giapponese che possedeva la versione coi sottotitoli in italiano al quale ho promesso in cambio qualsiasi cosa, dall'usufrutto del mio appartamento all'invio di uno stock di sedici pezzi di mie mutande usate ma nulla, ha cambiato idea e non lo vendeva più. Finché un giorno mi ha scritto che se continuavo a molestarlo dava il mio indirizzo a suoi amici della Yakuza che erano in Italia per affari. Ho dovuto desistere.

«Scusa mamma, perché ti impicci? Babbo Natale trova qualsiasi cosa, non è che compra i regali su eBay. Lui passa per il Giappone e me lo prende!»

Basta. Ora gli dico che Babbo Natale non esiste e metto fine a questa recita che si protrae da otto anni. Ma poi che razza di età è questa, in cui sanno fare le divisioni a due cifre e allo stesso tempo credono ancora a Babbo Natale? Si decidessero Dio santo, o adulti o bambini. O la matematica o le renne che volano.

«Sì, però ora non è che Babbo Natale è proprio infallibile, hai visto l'anno scorso con la scopa elettrica cosa ha combinato, no? Non carichiamolo di responsabilità eccessive.»

«Mamma, in quel film Godzilla fa il calcio volante, è una mossa che la fa solo lì!»

«Va bene, ho capito, tu chiediglielo, poi vediamo che succede.»

Potrei affittare un costume da Godzilla e farmi riprendere con la telecamera dalle mie amiche a Quarto Oggiaro o a Rozzano, che hanno un po' quell'atmosfera postatomica, tanto quei film sono una tale cagata che Orlando neanche se ne accorgerebbe.

«Poi vorrei la Wii nuova ma per favore, Babbo Natale, già montata perché mia madre non è capace di farlo.»

Se non esistesse il piccolo particolare che Babbo Natale sono io, questa gliel'appoggerei.

«No scusa, Orlando, abbi pazienza, ma non è che Babbo Natale può parcheggiare le renne in ogni salotto, montare la Wii, sintonizzare i telecomandi...»

«Si dice sincronizzare.»

«Sincronizzare, sì, e magari fare una partitella di prova con *Dante's Inferno*.»

«Ok, allora gli chiedo se può solo attaccare i fili.»

Capisco la ragione della richiesta. Quando ho provato a montare la vecchia Wii, ho collegato un filo che partiva dalla Wii al decoder di Sky e per un attimo è apparso Super Mario

Bros sul palco di *X Factor*. Vabbe', questo è un problema che posso risolvere, chiederò a Ilaria di aiutarmi a montarla.

«Poi vorrei anche...»

«Orlando, ancora? È una letterina a Babbo Natale, non una lista di nozze!»

«Questo è importante mamma. Caro Babbo Natale, più di tutto tutto, per Natale, puoi far resuscitare Brian Griffin?»

«Amore, è Babbo Natale, non è lo sceneggiatore dei *Griffin*...»

«Va bene, allora Babbo Natale per favore puoi non portare regali al figlio dello sceneggiatore dei *Griffin*?»

«Ma questo è ingiusto e sadico!»

«Perché, far morire un cane buono come Brian cos'è?»

«Giusto. Ci sono colpe dei padri che devono ricadere sui figli a volte. Seth MacFarlane deve pagare. E se non ha figli non li porterà ai suoi nipoti. Ora abbiamo finito?»

«Un'ultima cosa. Caro Babbo Natale, questo lo so che è un po' difficile, ma puoi togliere solo per poco il libero artribio a Petra e fare che si innamora di me?»

«Questo è un desiderio tosto, Orlando. Ci sono cose un po' complicate da far accadere...»

«Più complicate di leggere due miliardi di letterine in tutte le lingue e portare i regali a tutti i bambini del mondo con una slitta e due renne in una notte sola?»

«No, è vero. Magari Babbo Natale ci riesce.»

«Lo vorrei tanto, mamma.»

Finalmente ha confessato anche a me il suo amore non ricambiato.

«Ma poi mettiamo la ciotola dell'acqua per le renne sotto l'albero come l'anno scorso?»

«Certo.»

«Lo facciamo ora?»

«Senti amore, volevo dirti una cosa. Sai Vasco, il signore alto che ti ha regalato il Godzilla che gioca a basket?»

«Quello che vuole comandare Milano, sì.»

«Ecco. Mi ha chiesto se vogliamo passare il Natale nella sua casa che è in una città non tanto lontana da Milano. È una casa piccolina, ma mi ha detto che c'è una stanza per te con il soffitto basso, come se fosse una soffitta. E poi lì c'è il giardino pieno di neve, qui a Milano già si è sciolta tutta, possiamo fare un mega pupazzo, che dici?»

«Sììììì!»

«Allora la ciotola con l'acqua per le renne la mettiamo lì, ok?»

«Sì, però mamma, tu poi a Vasco gliel'hai spiegato che la maglietta di Barbie non era colpa mia?»

«Certo Orlando, mi sono attribuita ogni colpa.»

«Mi posso portare i dvd di Godzilla?»

«Sì.»

«Ma poi Babbo Natale come fa a sapere che sono lì e non sono a casa? Se mi porta i regali sotto l'albero sbagliato?»

«Ma no, Babbo Natale sa tutto!»

«No mamma, Babbo Natale non sta tanto bene, è meglio se gli lasciamo sotto l'albero una foto di Google Maps con la strada che deve fare.»

«Ma tu che ne sai di Google Maps?»

«Tu quando ci perdiamo dici sempre: "Maledetto Google Maps non capisco mai un caz..."»

«Ah sì sì, ho capito. Va bene, domani faccio una stampata di Google Maps con le indicazioni stradali per Asti e gliela lascio sotto al nostro albero. Ok? Ora possiamo andare a dormire o a Babbo Natale gli devo lasciare pure un buono benzina?»

«Mamma, non vedo l'ora che è Natale.»

«Anch'io, piccolo mio. Anch'io. Vieni qui, abbracciami.»

«Mamma.»
«Ehhhhhhh?»
«Io l'avevo capito che un po' ti piaceva Vasco.»
«Un pochino, è simpatico.»
«Solo?»
«Senti Orlando... devo... devo mandare una mail.»
«Già lo sapevo. Ti voglio bene, mamma.»

16

L'imperdonabile

Ommmmmm.

«Pronto Fabio, come va?»

«Che vuoi?»

Vedo che il mio ex marito è permeato dallo spirito natalizio, bene. «Volevo dirti due cose. Ti ricordi che domani c'è la recita di Orlando?»

Silenzio siderale.

«Sto a Lugano per una cosa di lavoro, non so se ce la faccio.»

«Fabio, non è che stai combinando qualche casino, no? Non so perché, ma la parola Lugano in bocca a te mi spaventa.»

«Sto entrando in società... con uno che c'ha...»

«Un bordello?»

«Ma no, che c'ha la residenza...»

«Fiscale alle Cayman?»

«Ma no, ha la residenza a Lugano. Stiamo aprendo una società fiduciaria per gestire capitali di calciatori e...»

«No, scusa Fabio, fammi capire: tu non sei in grado di gestire una cartella spam e ora vorresti gestire i capitali di qualche calciatore milionario?»

«E quindi? Cosa te ne frega a te?»

«Mi frega perché Orlando mi ha detto che frequenti un

calciatore che si vende le partite o scommette o qualcosa del genere...»

«Ma che, sei scema?»

«Ad avere sospetti?»

«No, a dirli al telefono!»

«Mi ha anche detto che con te c'era quella brasiliana che ti sei portato dal tuo ultimo viaggio di "lavoro" e che gli ha raccontato delle favole, cos'è questa storia?»

«E allora? Si chiama Estela ed è una brava ragazza. E poi gli ha raccontato delle favole, mica gli ha passato il pippotto col crack.»

«Ah, allora è andata anche bene...»

«Poi ti lamenti che vedo poco Orlando, ogni volta che lo vedo mi rompi i coglioni per una settimana.»

Ommmmmm.

«Certo, ora è colpa mia se sei assente. Comunque, mi pare di capire che non verrai alla recita, come sempre. Invece, per quel che riguarda la sera della vigilia... Noi non siamo a Milano, quindi se vuoi venire a salutare Orlando puoi venire il 25 sera a casa.»

«Dove andate?»

«Ad Asti, da amici.»

«Da amici o da un amichetto?»

Orlando spiffererà tutto appena lo vede, quindi tanto vale dirgli la verità.

«Sì, da un mio amico, non da un amichetto. È una brava persona.»

«Non mi va che metti mio figlio in casa di uno la vigilia di Natale.»

«Non è la casa di Barbablù, e poi fammi capire, porti tuo figlio a casa di narcotrafficanti o non so cosa e mi fai storie perché viene con me ad Asti?»

«Narcotrafficanti? Vacci piano con le parole, stronza!»
«Perché, cosa importa dal Sudamerica il tizio da cui siete andati a giocare a poker, dimmi, costumi da ballerina di samba?»
«Senti, smettila di rompermi le palle, allora ci vediamo il 25 sera. Porto un panettone e i mandarini.»
«Sì, e io finirò per portarti le arance.»
«Tanto il genitore perfetto Orlando già ce l'ha, cosa te ne frega se finisco in galera!»
Tutututututu.
Mi chiedo se io e Fabio riusciremo mai a incontrarci a metà strada. Forse no. E comunque lui mi metterebbe sotto con la Porsche. Ah, no. Se l'è giocata a poker. O forse l'ha riscattata coi soldi guadagnati col calcioscommesse, non lo so.
Accendo il computer e controllo le discussioni del giorno su Vasco. Il discorso di ieri in Monte Nero è stato un successo. Dicono che ha parlato come se ci vivesse. E in effetti è stato il primo posto in cui ho vissuto quando sono arrivata a Milano. Lo amavo. Poi sono dovuta scappare via perché per trovare parcheggio la sera dovevo asfaltare le aiuole, ma me ne sono andata a malincuore. Mi sposto su eBay. Faccio l'ennesimo tentativo: «Dvd *Godzilla ai confini della realtà*». Non ci posso credere. L'utente giapponese Shoichi Akuzi, quello che ha minacciato di scatenarmi contro la Yakuza se continuo a molestarlo, lo ha rimesso in vendita. Qui le cose sono due: o questa inserzione è un messaggio in codice alla Yakuza e ogni volta che appare vuol dire qualcosa tipo: «Alla dogana tutto tranquillo», o questo bastardo non lo vuole vendere a me. Ci riprovo. Faccio l'offerta e vediamo cosa succede. Al massimo finisco in tranci servita con della salsa di melograno in un sushi milanese.
Ora però devo andare a comprare gli altri regali a Orlando, quelli al Gruppo Testuggine e devo pensare a cosa regalare a

Vasco. Il tutto in meno di due ore perché oggi, alle *Amiche del tè*, sarò l'opinionista di punta di uno speciale annunciato da settimane. Esco dalla porta vestita a caso, incrocio il vicino fancazzista sulle scale che come al solito mi saluta con un grugnito e sul portone trovo Amir ad aspettarmi. «Oggi fiori ancora più grandi! Giorno di suo compleanno i fiori li scaricano con gru!» C'è un mazzo enorme di fresie che sta invadendo il cortile con quel profumo intenso e unico. Stacco il biglietto dalla carta: «Dopo ieri notte ho deciso che significato dare a questo fiore: l'amore che non può aspettare. Fammi sapere se ti piace e, se non ti piace, ne cerchiamo un altro. Le fresie meritano il meglio. Ti amo. V.». Nella fretta gli mando un sms, trasgredendo la regola che ci siamo dati: messaggi solo se strettamente necessari, altrimenti ci si chiama. «Anche trenta secondi ma si comunica a voce, come la gente che si ama, non come pr di locali» è il punto fermo di Vasco. E visto che lui non ha WhatsApp, non è su facebook e il suo account di Twitter al momento glielo gestisco io, mi restano solo gli sms e le mail. Ecco perché tra noi funziona: con la voce che accompagna i pensieri, non c'è nessun fraintendimento. «L'amore che non può aspettare mi piace. Le fresie ne saranno orgogliose. Non so quale sia l'ente incaricato per la registrazione del significato dei fiori, ma sono certa che oggi in Regione prenderai le dovute informazioni. Ti amo. Viola.»

Giusy Speranza è in fibrillazione. Credo di non averla mai vista così eccitata neppure quando fece la puntata «Speciale escort» con un parterre popolato dalle principali protagoniste degli scandali sessuali degli ultimi dieci anni. Alcune dovettero sedersi tra il pubblico perché sulla pedana tutte non ci stavano. Una rivelò addirittura di essere stata un uomo ed ex generale dell'esercito, ma che nessuno dei suoi clienti se n'era mai accorto. Il famoso scrittore e filosofo Leandro Venturi, che era lì a commentare seduto accanto a me, ebbe stranamente un malore.

Oggi invece *Le amiche del tè* ha un'ospite di fama mondiale. È la famosa veggente e sensitiva Lea Biscotto, un'italoamericana venuta direttamente da Dallas. Lea Biscotto è famosa per i suoi show in cui coinvolge le persone del pubblico, dichiara di entrare in contatto con angeli, fantasmi, persone defunte e talvolta anche oggetti legati alla storia del malcapitato. Ha venduto milioni di copie in tutto il mondo col suo bestseller *Vedo cose, vedo gente*.

La hostess biondo platino mi fa strada in camerino. «Mi spiace, ma oggi gli opinionisti sono tanti, quindi vi abbiamo dovuto dare dei camerini in comune.» Alzo lo sguardo per leggere i nomi sulla mia porta: «Viola Hagen-Gaia Fabi-Lucas Conti». «Eh no, questo non dovevate farmelo!» esclamo guardando i nomi. «Ah, mi scusi, provvedo subito a farle togliere l'acca dal cognome, non me n'ero accorta!» Chi se ne frega dell'acca in più nel mio cognome, che tra l'altro mi ricorda la prima volta che ho visto Vasco e lui che la cancella a penna. Io non voglio condividere quel loculo di camerino con la regina delle sciampiste e il re della ceretta a caldo. Ed entrambi gli appellativi sono rivolti a Lucas Conti, sia chiaro. «Violaaaaa, ciao bellissima! Come stai?» Oh-mio-Dio. Cosa è successo a Gaia Fabi? È incredibilmente diversa dal solito. Non ha il consueto vestitino acrilico in colori fluo tipo corista di Mariah Carey acquistato al mercatino di viale Papiniano, ma una camicia di seta che giurerei di aver visto in vetrina da Burberry e un paio di pantaloni neri a sigaretta impeccabili. Ma poi chi è il tizio mechato con in braccio il chihuahua Wonder orfano del fratello Bra che mi guarda impalato? «Viola, ti presento Marco! Lui viene da un paesino vicino al lago di

Gardaland...» «Garda.» «Sì, di Garda, è uguale, ma ha vissuto a Losangelè...» «Los Angeles.» «Ed è il mio nuovo assistente e stylist gay. Solo che lui è davvero gay-gay, sono stata a casa sua per verificare e gli ho trovato un cd originale autografato da Barbara Stesan.» «Barbra Streisand» la corregge lui per l'ennesima volta, ma con discrezione. «Ah, piacere, Viola!» «Piacere, Marco. Comunque lei non se lo ricorda ma noi ci siamo conosciuti molto tempo fa a una prima cinematografica qui a Milano, io ero lì perché per un paio d'anni sono stato lo stylist di Cate Blanchett.» Poi si gira verso Gaia. «Tesoooo sei bellissima, ferma così che la camicia qui ha una piega che non mi piace, te la faccio stirare.»

Fermi tutti. Questo è visibilmente un assistente gay doc, uno yes-gay incrollabile e l'ex stylist di un'attrice australiana famosa per stile ed eleganza. E conoscendo il tariffario degli assistenti gay 2013, al netto della crisi, non può costare meno di diecimila euro al mese. Dove li prende questi soldi Gaia Fabi, che alle *Amiche del tè* viene pagata con un rimborso taxi, girava con finti assistenti finti gay e acquista le borse false dalla nota taroccatrice di borse false che grazie alle wannabe milanesi s'è comprata un attico in San Babila? Cerco con lo sguardo la sua borsa. È sulla sedia. Ed è una Birkin di Hermès in coccodrillo palesemente originale. Deve essere subentrata una novità nella sua vita e quella novità deve avere un conto in banca con parecchi zeri e probabilmente un catetere. Oppure potrebbe essere un calciatore, se non fosse che i calciatori le finte ripulite non le vogliono, ma prediligono le vere strappone. Mentre sono assorta in pensieri di commovente spessore irrompe in camerino pure l'amato Lucas Conti, come se il mio stato d'animo in questo momento non fosse già sufficientemente provato. «Guarda chi abbiamo qui, Viola Agen! Ti vedo bene cara, sei radiosa. È stato merito della spa o finalmente ti sei trovata un uomo che ti rilassa un po'...?» mi dice lasciandosi dietro una scia di profumo che neanche Ava Gardner ai bei tempi. «E tu con chi stai adesso Lucas, con Angela favolosa cubista?» interviene Gaia con una battuta da autentico gigante. Lucas si scruta allo specchio senza degnarla di uno sguardo, inumidisce la punta degli indici con la saliva e si dà una lisciatina madida alle sopracciglia. Poi si volta, fissa Gaia Fabi dritto negli occhi e sibila velenoso: «Ciccia, non so chi ti fai adesso, ma pure con la camicia di seta resti sempre una cafoncella di Latina. Io tra un po' cambio vita, tu qui a fare l'opinionista dei poveri ci marcisci». Ed esce dal camerino sculettando come una finalista di Miss Latina.

«Per favoreeeeee. Silenzio in studio!»

«Se nel Paeseeee la crisi avanzaaaa, chi ti conforta è Giusyyyy Speranzaaaa. Sei triste e soloooo e manovalanzaaaa, non stare affrantooo, c'è la Speranzaaaa... Accendi la tv... che al centro ci sei tu... Non esser *choosy*, scegli la Giusyyyy!»

Mentre l'agghiacciante sigletta delle *Amiche del tè* mi rovina l'umore faccio un rapido censimento degli opinionisti del giorno. A parte me, Lucas e Gaia Fabi, ci sono un criminologo con la faccia da serial killer, un neuropsichiatra con la faccia da psicopatico, una pornostar con la faccia da madre badessa, un frate francescano con la faccia da consumatore compulsivo di doppi McBacon e un ex ministro dell'Economia con la faccia da ex ministro dell'Economia. Se sopravvivo a questa puntata, posso sopravvivere al prossimo film di Von Trier.

«E benvenuti a questa puntata pazzesca delle *Amiche del tè*, amici da casa! Oggi la vostra Giusy Speranza è orgogliosa di avere qui in esclusiva nazionale, che dico nazionale, europea, che dico europea, mondiale, un'ospite incredibile, celebre in ogni angolo del globo. Accogliamo con un applauso bello bello bello la sensitiva, guaritrice, medium, rabdomante Lea Biscotto!»

Fa il suo ingresso in studio, accolta dalla colonna sonora di *Twin Peaks*, una minuta signora di mezza età, dall'aria sorridente e pacifica, con un golfino color aragosta, una gonna larga a pieghette e una vistosa collana di pietre grosse tagliate in ogni forma della geometria euclidea. La tizia, per capirci, ha il physique du rôle della venditrice di batterie di pentole alle signore anziane su un pullman diretto a San Giovanni Rotondo, ma a quanto pare chiacchiera coi morti come fossero dal parrucchiere sotto il casco, per cui sono molto ansiosa di assistere al suo show. «Cari signori e signore italiani, sono tanto felicce di essere qui con voi ogi, italiani sono anime belle!» E intanto mi domando come possa azzeccare il nome del mio angelo guida una tizia che non è riuscita neanche ad azzeccare la pettinatura. Ha un taglio corto scalato che sembra Stephanie Forrester dopo un'alopecia. «Intanto vi chiede a voi opinionisti di abraciare forte la persona a vostra destra e darle taaaaanto amore!» Alla mia destra è seduto Lucas Conti, che abbraccio trattenendomi dal dargli un calcio taaanto forte nelle palle.

Le luci in studio si abbassano e riparte la musica di *Twin Peaks*. Ho avvertito più pathos mistico nella casa dell'orrore al luna park con Orlando, ma faccio finta di crederci. «Sentoooo molte presenze qui, molta energia celesti. C'è persona quiii. Una donna. Una donna che soffri molto, vedo persona acanto a lei. Persona, marito, che non riesce a staccarsi, suo spirito sempre accanto lei...» Una signora con una camicia a fiori alza la mano. «Io io!» Lea Biscotto si lancia sulla preda con la rapidità del cobra. Le prende le mani, gliele stringe. «Come ti chiami?» «Cristina.» «Cristina, libera tua anima, non essere tristi, è successa cosa molto brutta a tuo marito, vero?»

«Sì, Lea!» «Vita va avanti, tuo marito lo porti nel cuore, è sempre con te, non si separa mai, vero?» «Sì, è ai domiciliari da agosto. Ma io vorrei che tornasse in carcere perché a casa sta sempre su facebook e litiga con mio figlio!»

Il frate obeso scatta in piedi. «Questa donna è una cialtrona! Il marito della signora non è morto! Questo è abuso della credulità popolare!» Non vola una mosca. La Speranza è troppo furba per spezzare la tensione tra i due e non proferisce parola. Lea sorride al frate con velenosa dolcezza, poi attraversa lentamente lo studio fissando un punto preciso alla sinistra del sacerdote e nel silenzio più totale sussurra: «Vedo un bambino acanto a te. Un bambino che piange, avrà diecci anni...». Il prete avvampa all'improvviso. «Come? Che che cos...» Lea lo interrompe subito. «È un bambino che scappa, un bambino che provi vergogna, che ha pauri...» Oh mio Dio, no. Lo studio è nel panico. Giusy Speranza si vede già sulla prima pagina di tutti i quotidiani di domani. Il frate comincia a balbettare. «Ma cosa sta dicendo, non so di cos...» «C'è persona molto cativa che gli fa del male e lei conosce bene, mooolto bene questa persona, vero?» Il prete ora ha smesso di parlare. È paonazzo e fissa il pavimento mentre Lea Biscotto lo guarda, a un palmo da lui, appoggiandogli una mano sulla spalla. Buona parte del pubblico in studio ha già divelto i seggiolini per lapidare il grasso frate pedofilo. Poi Lea gli appoggia anche l'altra mano sulla spalla e dice: «Quel bambino sei tu, da piccoli. La tua obesità ti ha fato molto soffrire, c'era compagno mooolto cattivi con te, che ti prendeva in giro, vero?». «Sììì, è vero!» Il frate esplode in un pianto infantile e disperato. Il pubblico ripone deluso i seggiolini al loro posto e la Speranza si sgonfia come un pallone al sole. Peccato, niente scandalo su Chiesa e pedofilia. «Grazie Lea, grazie! La voce del Signore talvolta si nasconde anche dove mai ce l'aspetteremmo!» singhiozza il frate ciccione.

Poi Lea si avvicina trionfante alla pornostar: «Tuuu, vedo persona cara morta acanto a te. Una donn...», «Un uomo!» la corregge Nina Tsunami. «Ah sì, un uomo, un uomo. Un uomo anzian...» «Giovane!» «Giovane, sì, molti giovane!» «Insomma, trentasei anni.» «Mediamenti giovane sì.» «È tuo... tuo... fratello!» «No, è un mio collega, John Beautiful Dick... morto giovane, era un imprudente...» «Ah sì, morto di incidente dopo curva veloce...» «No, di Hiv dopo aver battuto il record di gang bang in sette giorni. Poverino, una tragedia.» È il turno dell'ex ministro. Lea gli afferra la mano. Chiude gli occhi, si concentra. «Questa è mano grandi di persona che ha stretto tante mani nella vita!» Sì, e che ha stretto un sacco di mazzette nella vita. E qui non serve vedere il futuro, basta dare una letta alle cronache passate. Ora è davanti a Lucas. «C'è signora anziana che ti accarezza i capelli!» Oh, questa è una notizia. Non le vuole più vecchie, ora è passato direttamente alle morte. Al momento questa mi pare l'unica dimostrazione di doti medianiche assolutamente credibili. «Mia nonna Rosa, ero il suo nipote prediletto!» replica Lucas fingendo commozione. Ah, però. E se lui era il prediletto, gli altri nipoti chi erano, Gaetano e Totò Riina? «Tu non l'hai mai abbandonata, fino a suo ultimo respiro in mondo!» E certo, figuriamoci se mollava la vecchia. Quando non era più cosciente si sarà fatto intestare l'appartamento. È il momento di Gaia Fabi. «Tu sei un ragazza very very intelligente e sveglia!» Sì, come no. E tu sei una sensitiva very very alcolizzata. La Fabi sorride annuendo senza rendersi conto del fatto che il pubblico ridacchia senza ritegno. «Ma vedo una ombra sul tuo viso...» «Lo so, gliel'avevo detto a quella incapace della truccatrice che non mi aveva spalmato bene il fondotinta, guardi, lasci stare...» Lea Biscotto è imperturbabile. «No, ombra di sofferenza. Un uomo ti ha delusi!» «Sì, è vero, brava!» La Biscotto si gasa e rincara la dose di minchiate. «Un uomo che ti ha fatto molto male, che...» «Sì! Preciso! Quel deficiente del mio chirurgo estetico, è la terza volta che mi deve rioperare le tette perché quella destra mi si sposta tutta di lato, tra un po' mi finisce sotto l'ascella, guardi, una tragedia!»

Lea Biscotto intuisce che l'unica cosa morta che aleggia su Gaia Fabi è la sua attività cerebrale e molla la presa. La sua attenzione ora cade su di me, che intanto sto pregando san Michele Arcangelo patrono di Vasto perché Vasco oggi pomeriggio sia lontano da qualsiasi schermo televisivo. Se assiste a questo scempio sarà il secondo candidato sindaco a mollarmi per concorso in omicidio del decoro del Paese. «Tu hai fantasma vicino...» Che scoperta. Si chiama Giorgio Mazzoletti, candidato sindaco, e mi scassa le balle da due anni. «Vedo problemi di cuore.» Sì, un tantino eufemistico e comunque penserei di averli risolti. «Mah, nulla di che, sono single come tante donne...» mento. «Problemi di cuore in senso di infarto o cardiopatie...» «Io?» «No, suo parente!» Dopo il ridicolo scempio della credulità a cui ho assistito, non ho alcuna voglia di assecondare questa ciarlatana. «Mah, guardi, se ripasso il mio albero genealogico da metà Novecento a oggi uno zio cardiopatico lo trovo sicuro, come del resto Gaia Fabi, Lucas Conti, Nina Tsunami e tutti gli altri.» «A me Bra m'è morto di infarto per ave' mangiato i fili elettrici!» interviene la Fabi. La Speranza mi guarda annuendo con discrezione, nella sua classica espressione: «Scateniamo l'inferno!». Lea Biscotto resta impassibile. «Tu sei donna con cuore molto chiusi per colpa di uomo.» «Sì, e lei è donna con portafogli molto aperto grazie a tanti uomini e donne creduloni, signora Biscotto. Io anche vedo una persona accanto a lei. È un bravo manager. Quanti soldi ha guadagnato facendo leva sul dolore della gente? Vuole che lo faccia io il giochino?» Mi alzo in piedi colta dalla nota sindrome del giustiziere tv. «Vedoooo vedooo accanto a ogni singola donna del pubblico un uomo che l'ha fatta molto soffrire! Alzi la mano chi conferma!» Tutta la fetta femminile del pubblico alza la mano, e a dire il vero la alzano anche una decina di uomini. «Visto? Sono veggente! Da domani mi apro un numero a pagamento e non esco di casa senza mettere la palla di vetro in borsa!» Il pubblico ride divertito e la Speranza è così soddisfatta che pare irradiata da luce divina. Mi faranno presidente del Cicap entro sera. Lea Biscotto assiste alla mia scenetta senza battere ciglio. Poi scuote la testa in segno di compatimento e sentenzia feroce, puntando l'indice verso di me: «Tu hai ancora tanti rabbia dentro, questa rabbia ti creerà problema molto grande in tua vita!». «La ringrazio maestro Yoda, ora mi lascia in santa pace col mio lato oscuro o per mandarla via devo sfoderare la spada laser?» le rispondo sarcastica provocando una rumorosa risata dell'ex ministro dell'Economia.

Lea Biscotto finalmente mi molla e passa a conversare con fantasmi altrui, andando avanti per una buona mezz'ora a fiutare prede tra il pubblico, con una netta predilezione per signore anziane che almeno un gatto defunto tra i parenti stretti devono averlo per forza. Finita l'agonia con una sonora marchetta della Speranza al libro della sedicente sensitiva, avrei solo voglia di scappare in camerino e chiamare Vasco, ma oggi la mia performance battagliera ha riscosso un tale successo tra gli scettici, che vengo sottoposta allo straziante rito delle foto da almeno cinquanta persone del pubblico. «Grande Viola! L'hai proprio smascherata quella santona!», «Sono una di quelle che ha alzato la mano quando hai detto di farlo se un uomo ci aveva fatte soffrire! Ti stimo tanto!», «Sei una grande donna, Viola Agen, ti posso passare al telefono mia madre che s'è rotta il femore e sta in ospedale e ti voleva salutare?», «Possiamo fare una foto insieme? Oddio aspetta, mi sa che ho la memoria piena. Non so se cancellare questa foto o quest'altra. Che dici, stavo meglio qui al concerto di Katy Perry o qui in macchina?», «Io gli autoscatti in macchina con le cinture allacciate li vieterei per legge.», «Ah giusto! Allora levo quella!»

Insomma, quindici minuti della mia vita se ne vanno così. Quando finalmente arrivo in camerino, Gaia Fabi sta trafficando col suo telefonino, seduta davanti al ripiano sotto allo specchio cosparso di trucchi, spazzole di ogni dimensione, piastre per capelli e ciuffi di extension abbandonati lì come dopo uno scalpo sommario. Approfitto del suo insolito silenzio per consultare anch'io il mio cellulare. C'è un messaggio di Vasco. «Io vedooo vedooo un uomo biondo con due bracciali ridicolmente giovani che ti ama spudoratamente. Se perdo le elezioni mi apro uno studio da cartomante, che dici?» Miseria ladra, mi ha vista. Sto per rispondergli che lui vede cose che gli altri non possono vedere solo perché è alto venti centimetri più della media, quando Gaia comincia a blaterare, inanellando una raffica di considerazioni inutili sul suo ruolo limitato all'interno delle *Amiche del tè*. In effetti, quanto sia sottostimata Gaia Fabi nello showbiz è uno di quei problemi di cui il Paese si occupa davvero troppo poco. Devo inserire la questione nel prossimo comizio di Vasco.

Mi infilo un maglione pesante e un paio di jeans, comincio a raccogliere la mia roba mescolata a quella di Gaia mentre lei è in bagno a riattaccarsi un'extension, quando sul suo cellulare arriva un messaggio che fa vibrare il mascara lì accanto. Con la coda dell'occhio vedo che sul suo iPhone appare una foto. Afferro il mio rossetto effetto lucido spostando subito lo sguardo e, in quella frazione di secondo, sento un tuffo al cuore. Il rossetto mi cade dalle mani. So cosa ho visto. Lo so prima ancora di prendere in mano quel telefono per essere certa che le mie ossessioni non siano diventate visioni. Tremo come se una finestra si fosse spalancata all'improvviso.

Sorride. Ammiccante. Nudo come un verme. Davanti a quell'armadio a muro con le ante scorrevoli in cui tante volte ho appeso i miei vestiti. Giorgio. Nudo. Sul telefono di Gaia Fabi. Nudo con una mano sul suo membro eretto. C'è un'anteprima di testo: «Non posso guardarti senza riuscire a non toccarmi, anche quando sei in tv come ora... Ti voglio prendere dapp...». Provo ad aprire il messaggio. C'è un codice pin. Sudo. Ho freddo. Mi fa male il cuore e tutto ciò che lo contiene. La cassa toracica. I muscoli. La cartilagine. E poi non so perché in questo stato di semi incoscienza faccio quello che sto facendo, ma prendo la mia borsa e ci infilo dentro il telefono di Gaia. Che in quel momento spalanca la porta del bagno giuliva. Io faccio un passo indietro, sconvolta. Stralunata. Ho le orecchie ovattate, come se fossero state appena penetrate da un volume troppo alto. La sento dire qualcosa, da un pianeta lontano. «Viola, tesoro, ma che è quella faccia preoccupata? Ti s'è spezzata un'unghia?» Ansimo. Lei va avanti a parlare. «Senti, ma secondo te su Twitter, nella mia biografia va bene "Gaia Fabi, maggiorata" o ci devo mettere anche "esperta di zumba"?» Parla cercando qualcosa sul ripiano dei trucchi. Forse il suo telefono. «Tu che questo internet lo conosci bene, non mi puoi consigliare?»

Il tappo magmatico salta. Esplodo. «Tu non sei una maggiorata, tu sei una minorata Gaia Fabi. Ha ragione Lucas quando dice che sei solo una cafoncella, una cafoncella idiota e arrivista che arranca da anni sperando di farsi ingravidare da qualche calciatore analfabeta e ora ha capito che conviene cambiare rotta e puntare più in alto, perché coi calciatori arrivi alle *Amiche del tè*, con i politici arrivi dappertutto, magari pure in Parlamento, tanto lì non sfigurerebbe neanche una povera deficiente come te!» Gaia mi guarda frastornata e muta, investita da una furia volgare e denigratoria che non sospettavo di possedere. Non riesco a fermarmi. «Ma tanto cosa credi, che sfilerete insieme sottobraccio a qualche evento della Milano bene? Ti sta solo usando finché gli va, poi tira lo sciacquone del cesso e tu finisci nel gorgo delle zoccole che hanno imputridito questo Paese assieme a tutte le altre povere disperate come te!»

Gaia ritrova il dono della parola e, stordita come dopo una violenta testata, inizia a balbettare. «Ma... ma... ma sei-sei impazzita? Io non so che ti ho... ho... fatto, io, io, io...»

Prendo il mio cappotto, la spingo via con la mia borsa aperta, spalanco la porta del camerino e travolgo Lucas Conti che sta entrando in quel preciso istante. «E vaffanculo pure te!» Lui non fa neppure in tempo a vomitarmi una risposta delle sue, che sparisco dietro a un angolo del corridoio piangendo lacrime di dolore e rabbia.

Guido fino a casa in uno stato confusionale che mi impedisce di chiamare chiunque. Vasco mi telefona due volte, una delle quali quando sono finalmente sotto al mio palazzo dopo aver sbagliato due volte incrocio ed essermi asciugata le lacrime a ogni semaforo. Non gli rispondo. Non rispondo a mia madre che a settant'anni è da tre giorni a letto con trentanove di febbre. Salgo le scale barcollando, come dopo un aperitivo troppo lungo. Mi ricompongo alla buona prima di girare la chiave nella toppa e mettere in piedi la recita della mamma che torna allegra dal lavoro.

Orlando mi butta le braccia al collo. Io lo stringo senza calore e lui se ne torna a giocare col suo Godzilla, troppo distratto dal gioco per intuire qualcosa. Ha infilato il suo lucertolone preferito nel presepe. Sta uscendo dal laghetto e nella zampa sollevata in aria stringe la Madonna. Francesca, la nipote della mia vicina di casa che si offre di tenermi Orlando nei pomeriggi in cui Sara non può, si accorge che qualcosa non va – perché le donne sanno riconoscere un trucco pasticciato dalle lacrime – ma non dice nulla. «Orlando ha già mangiato» mi dice mentre si infila il cappotto in un silenzio carico di imbarazzo. «Tieni, questo è per te, auguri» le dico senza alcuna intonazione nella voce, porgendole il regalo che le avevo preso stamattina. Lei mi dà un bacio veloce ed esce di casa con la fretta di chi non può più sopportare il silenzio teso delle cose non dette. Mi siedo sul divano. Godzilla ora sta mangiando una pecora e il pastore fugge sulla montagna bianca di farina. «Uaaaaaaaa!!!» «Beeeeeee beeeeee.» «Aiutoooo!» «Uaaaaaaaa!!!» «Presto scappate!» Mi siedo sul divano e tiro fuori il telefono di Gaia dalla borsa. Ho in testa, indelebile, la fotografia di Giorgio. Avverto ancora quella fitta. Solo che ora a ripensarci Giorgio mi sembra così ridicolo in quella foto da gigolò attempato che il dolore si placa per un attimo e lascia spazio a un sorriso sprezzante. A una rabbia più amara. Che monta in un attimo, di nuovo, e torna ad aggredirmi. «Godzilla ha mangiato la mia pecoraaaa, ci ucciderà tutti!» «Uaaaaaaaa!!!» «Ora ha preso il cammello!» «Uaaaaaa!!!» Ecco perché lei era così elegante. Ecco chi le paga lo stylist che la imborghesisca un po' e le tolga quell'aria da burina di dosso. Regala la Birkin alla cafoncella che la sognava da una vita. A me non regalava mai nulla e controllava la data del mio compleanno su Wikipedia. Suona il telefono. È ancora Vasco. «Uaaaaaaaa!!!» «Il bambinoooooo. Nascondete Gesù bambinooooo!» «Uaaaaaaaaaa!!!» Io non ero alla sua altezza e si scopa Gaia Fabi. Sotto elezioni. «Ha preso il bambinoooooo!» «Uaaaaaaaa!!!»

Voglio telefonare a Giorgio. Voglio dirgli che so. Voglio urlargli la mia rabbia. Scatto in piedi posseduta da una collera cieca. Infilo il telefono di Gaia nella mia borsa. «Orlando, a letto!» Orlando si volta di scatto con la sorpresa dipinta sul volto. «Sbrigati, vai a lavarti i denti e subito a letto.»

«Ma mamma, sono le otto!»

«E quindi? Il mondo è pieno di bambini che vanno a letto alle otto e tu sei abituato male!»

«Ma sto giocando con Godzilla che entra nel presepe!»

«Ecco, è un gioco stupido. Non si fa entrare gente cattiva nel presepe, levalo da lì!»

Orlando mi guarda abbattuto. Il labbro superiore gli trema leggermente. «Godzilla non è cattivo. È solo arrabbiato» mi dice con gli occhi gonfi di lacrime. Poi abbandona il Godzilla di plastica nel laghetto del presepe, afferra quello di peluche e se ne va di là.

Sento il rumore dell'acqua che scorre. Si è lavato i denti. Ha aperto la porta della cameretta. Mi alzo per metterlo a letto e dargli la buonanotte, ma si è già infilato nel suo lettino, al buio. Lui, che ha paura del buio e chiede sempre di lasciargli una lucina accesa, «che i mostri se li vedi fanno meno paura mamma!». Mi avvicino per dargli un bacio, ma si ritrae. Infila la testa sotto le coperte. «Sei arrabbiato? Peggio per te!» e accosto la porta.

Rimango per qualche minuto in stato catatonico, in piedi, appoggiata al tavolo della cucina. Il mio telefono vibra senza sosta. Deve essere Vasco che non si rassegna. Lo afferro senza alcun interesse per Vasco e per le domande che si starà facendo. E invece sul mio telefono ci sono otto chiamate, ma sono di Giorgio. Gaia avrà trovato il modo di avvisarlo che ho scoperto tutto. Non vedevo la scritta «Giorgio» sul mio telefono da due anni e solo nel leggere quelle sette lettere, sento un dolore intenso, è una specie di riflesso pavloviano, che riporta a galla ricordi e ferite. Voglio chiamarlo, ma non desidero che Orlando mi senta urlare o singhiozzare, per cui gli telefonerò dal pianerottolo. Entro nella cameretta di Orlando per assicurarmi che si sia addormentato. Dorme, con la bocca semiaperta a pesce e i capelli di Thor sparsi sul cuscino. È stretto al suo Godzilla, che è girato a testa in giù con la coda squamosa che gli sfiora il nasino piccolo, identico al mio. Prendo la borsa per non cercare neanche le chiavi che sono lì dentro, accosto lentamente la porta di casa e la chiudo. Mi siedo sullo zerbino, come una mendicante. Sto per mendicare attenzioni, in fondo. Chiamo Giorgio con la mano che trema per quel misto di rabbia e paura che non ho mai conosciuto davvero prima di oggi. Giorgio risponde al primo squillo. «Viola ascolta, so quello che hai creduto di vedere ma...»

«Stai zitto Giorgio. Tu ora devi stare zitto. Io ho creduto di vedere molte cose, è vero. Ma quando stavamo insieme. Oggi non ho creduto di vedere un bel niente, ho visto te e il tuo patetico pisello esibito come una coppa, anzi scusa, come un gagliardetto, sullo schermo del cellulare di quell'essere pietoso che evidentemente ritieni all'altezza delle tue tresche da uomo squallido e disgustoso...»

«Aspetta un attimo, è stata una follia, sai bene che ho altri gusti Viola... io non...»

«Oh no, a me hai fatto sempre credere di avere altri gusti, di cercare qualcuno di non contaminato dalla monnezza catodica in cui io invece affondavo e poi te la fai non solo con chi mi si siede accanto, ma con la persona più ignorante, vomitevole e impresentabile che io conosca! Ho passato due anni a recuperare l'autostima che mi hai disintegrato, grandissimo stronzo che non sei altro. Vai a fare in culo tu e i tuoi comizi e le tue interviste sull'importanza dei valori e...»

«Ecco Viola, senti, a proposito di questo, ascolta, mi spiace quello che stai dicendo perché io invece ti ho voluto bene, credimi, e quando stavo con te ero sincero, ma per piacere, mi auguro che questo resti un segreto tra noi perché per me è un momento davvero delicato e una cosa del genere potrebbe...»

«Tu non sai che immenso godimento sentirti in difficoltà, Giorgio. Non ho mai avuto il coltello dalla parte del manico con te. Hai paura che ti sputtani? Giorgio Mazzoletti se la fa con un personaggetto del sottobosco televisivo che campa di scandaletti da due soldi! Bravo, fai bene, perché ora potrei dare questo telefonino a chiunque, a un giornalista, a un avversario politico, a un passante e stai sicuro che il tuo messaggio e soprattutto la tua bella foto farebbero il giro del web andata e ritorno in due minuti netti. E sai che ti dico? Credo proprio che lo farò!»

«Aspetta Viola, ascolta, parliamone un attimo, potremmo trovare un... un accordo... sono sicuro che vuoi garantire un futuro sereno a Orlando...»

«Ah ah ah. Mi vuoi pagare? Vuoi pagare il mio silenzio come hai fatto con quel paparazzo che ci aveva fotografati? Oh no, caro mio, la foto del tuo pisello vale molto di più che quella mia e tua davanti a un negozio di slitte d'epoca!»

«Non ho problemi di cifre, se è questo il punto...»

«Mi spiace, coi soldi ci paghi lo zoccolame che evidentemente ti piace tanto, non ci paghi me. E sai cosa mi stupisce? Che tu faccia una cosa così ridicola e rischiosa durante una campagna elettorale, come l'ultimo dei puttanieri che hanno popolato la politica in tutti questi anni. Tu, l'integerrimo, Giorgio Mazzoletti...»

«Dove sei Viola? Vediamoci un attimo dai, troviamo un accordo, tu mi ridai quel telefono e questa storia non...»

«Devi passare sul mio cadavere!»

«Dove sei Viola?»

«Sono a casa, stai tranquillo, ma domattina consegno tutto a quello di Dagospia, voglio vedere quanti voti vale il tuo pisello. Ho paura che perderai qualche voto femminile, sai? L'elettorato femminile ha delle aspettative molto alte nei tuoi confronti. E poi fammi capire, cosa credevi? Che queste foto non sarebbero finite comunque su qualche sito o giornale? Almeno io le do gratis mentre il soggetto che ti sei scelto non è dei più affidabili, per un po' di soldi e pubblicità si venderebbe sua madre, figurati se non si vende la tresca col quasi sindaco di Milano...»

«Senti, te l'ho già detto, non mi era mai capitata una cosa del genere, lui è stato solo un colpo di testa, ora fammi venire da te un attimo a prendere quel telefono, per favore Viola, ragioniamo...»

«Lui?»

«Sì, lui mi ha annebbiato la ragione... non ero lucido, io non sono così...»

Quel «lui» è prima un sibilo, poi una fucilata in pieno petto. Mi manca il fiato. «Come sarebbe a dire lui?»

Giorgio rimane in silenzio per un istante. «Lui, perché, cosa... di chi stavi parlando tu... cioè...»

«Io parlavo di Gaia Fabi, perché tu di chi stavi parlando?» gli chiedo con la voce strozzata dall'ansia. «Giorgio, di chi cazzo stavi parlando? Di chi cazzo è questo telefono?»

Un sospetto osceno si sta facendo largo nella mia mente. Giorgio non risponde. Allora attacco e dalla borsa buttata in terra, tiro fuori il telefono che ho portato via con me dal camerino in cerca di un qualunque indizio. È un iPhone, un anonimo iPhone 5 senza cover, senza fronzoli, senza sesso. Riprendo il mio cellulare e faccio l'unica cosa che mi resta da fare per conoscere la verità: chiamo Gaia Fabi. Il suo telefono squilla, ma l'iPhone 5 senza fronzoli che tengo stretto nella mano sinistra tace. Non è il suo. Questo è il primo assaggio di verità che mi prende a schiaffi. Ho l'affanno.

«Pronto?»
«Gaia sono Viola.»
«Ecco guarda, proprio a te ti volevo. Mi spieghi che cosa ti ha preso oggi? No perché mo' finché facciamo finta di litigare in tv vabbe', io non sono permalosa, ma poi però nella vita ti pare il caso di...»
«Gaia, c'era un telefono in camerino. Un iPhone. L'ho portato via per sbaglio. Era il tuo secondo telefono?»
«Lo sapevoooo. Io lo sapevo che te l'eri portato via te per sbaglio! Quello se l'è presa con me, diceva che gliel'avevo rubato, che mi sono messa a rubare, ecco perché ora mi vesto di marca, ma io gli ho spiegato che eri uscita prima tu dal camerino e io mi vesto elegante perché è solo che ora voglio fare l'attrice e mi hanno detto che per fare l'attrice devi toglierti l'aria da cafona perché "Vanity Fair" ti mette in copertina solo se sei una cafona ripulita e dici di fare l'attrice e allora ho chiesto un prestito a mio padr...»
«Gaia, quello se l'è presa con te chi? Chi è quello?» Conosco la risposta, ma ora ho solo bisogno di un pugno in faccia.
«Lucas! Quell'idiota di Lucas Conti!»
Sento il rumore del mio naso che si rompe. Giorgio non era solo un bastardo. Giorgio stava con me ed era gay. Giorgio non era solo gay. Giorgio se la fa con una feccia d'uomo. «Grazie Gaia, scusami, scusa per tutto quello che ti ho detto oggi. Ciao.»
Ora, non saprei ricostruire l'ordine esatto con cui i pensieri più disparati aggrediscono la mia testa, ma so che ogni singolo pensiero è intervallato dalla domanda: «Come ho fatto a non accorgermi di nulla?». Gli piacevano le donne. Le guardava. C'erano state delle fidanzate prima di me. Facevamo l'amore. Forse meno, nell'ultimo periodo, ma chi non fa meno l'amore quando c'è puzza di estrema unzione? Mi ha tradita. Io so,

sono certa che mi abbia perfino tradita. Già, ma con chi? Con una donna? Con un uomo? Mi nascondeva a quelli dell'Opus Dei o a quelli di Grindr? È arrivato a cinquant'anni senza moglie e figli perché è egoista e allergico agli impegni o perché è allergico alle donne? L'ha sempre saputo o l'ha scoperto da poco? Come ho potuto non accorgermi di nulla?

Ora ho capito il perché delle battutine di Lucas Conti. Lui sa di me e Giorgio. O forse no. Ora ho capito il suo «Ho fatto il colpaccio» e l'aria sorniona degli ultimi tempi. Io non volevo, non avrei mai potuto dare quel cellulare a nessuno, volevo solo spaventarlo, se non l'avessi minacciato di farlo, sarei ancora convinta che se la facesse con Gaia Fabi e forse adesso non starei così. Così. Così. Devastata. Lo odio. Voglio lanciargli questo maledetto cellulare. Voglio andare da lui, ridarglielo, togliermi questo schifo dalle mani e guardarlo un'ultima volta come non sono mai riuscita a guardarlo: sentendomi migliore di lui.

Lui ha messo in piedi una recita. Giorgio è gay. Giorgio è gay. Giorgio è gay. Mente a tutti. Lui che la famiglia «è un uomo, una donna e un bambino!». Lo dice in tv. Nelle piazze. Nelle interviste. Come ho potuto non accorgermi di nulla? Apro la porta di casa. Vado in camera a controllare di nuovo Orlando. Dorme. Ha cambiato posizione, ora abbraccia il suo cuscino con la federa di *Star Wars*. Godzilla è caduto per terra e giace ai piedi del letto. Lo lascio lì. Accosto di nuovo la porta. Poi attraverso il breve corridoio che conduce in salotto stando attenta a non fare rumore, spengo le luci e faccio quello che non ho mai fatto in quasi nove anni. Mai. Neppure nel pieno di un'urgenza, di un'emergenza, di una necessità dell'ultimo minuto. Esco. E non per rimanere sul pianerottolo con l'orecchio attaccato alla porta. Per allontanarmi da casa.

Da questo momento i ricordi si fanno confusi. Do qualche

giro di chiave e scendo le due rampe di scale che mi separano dal portone, con la mente offuscata dallo shock, ma con la faccia asciutta. Non ho più lacrime, solo voglia di grida e di occhi da sfidare. In macchina provo a chiamare Anna, o così mi sembra di ricordare, ma non risponde. Forse sta cenando. Vasco mi ha mandato un messaggio. «Così mi fai preoccupare.» Guido piano, percorrendo la strada che collega il mio quartiere a quello di Giorgio, come se avessi continuato a percorrerla tutti i giorni, anche in questi due anni in cui non ci siamo mai più incontrati. Lungo la strada incrocio nove manifesti di Vasco e tredici di Giorgio. Li conto, anche se contarli non ha alcun senso logico. O forse è solo un gioco scemo che mi fa aggrappare a dei numeri in una notte di caos.

Abbandono la macchina davanti a un McDonald's e cammino facendo attenzione alla neve che nei giorni s'è fatta ghiaccio, un ghiaccio lurido e scivoloso sul marciapiede. Scorgo la basilica di Sant'Eustorgio e il palazzo elegante in cui vive Giorgio, di fronte. Quello del nostro amore acquattato. Stringo il telefono di Lucas in mano. Cerco il suo nome sul citofono, o meglio, quello di sua madre, la signora Suardi, che è la vera proprietaria dell'appartamento. Eccolo: «Signora S.». Ho un flash. La suite al relais di fianco a quella in cui dormiva Lucas era stata prenotata da tale «Signora S.». Si era fatto registrare così. Avrei potuto incontrarlo in sauna col suo amante, anche se probabilmente non si sono mai incontrati se non in camera. Suono il citofono una, due, tre volte. Non è in casa. Comincio a girare attorno alla piazza come uno zombie, senza sapere che fare, senza neppure avere più voglia di vedere Giorgio. Ci sono lucine natalizie dappertutto, attorno alle porte dei ristoranti, nelle vetrine dei negozi, perfino sul campanile della chiesa. Ricordo che nel periodo natalizio guardavo corso di Porta Ticinese addobbata a festa dalla finestra della sua camera senza poter scendere con lui e mescolarmi alle coppiette che passeggiavano mano nella mano, e pensavo che il Natale sembrava una festa a cui non eravamo stati invitati.

Mi siedo su una panchina, certa che il dolore brutale di questa sera abbia conosciuto il suo picco. Ora devo solo lasciare che l'ira si plachi un po', devo calmarmi.

Respiro forte, accogliendo l'aria gelida nei polmoni. Chiudo lentamente gli occhi.

E in quel momento, in quel preciso momento in cui i miei occhi si chiudono, quelli di Orlando si aprono. Li spalanca, come quando ti sveglia un rumore forte o una consapevolezza improvvisa.

C'è un vecchietto che passeggia col cane, sembra un cane molto anziano, cammina a fatica. «Ronny, vieni qui!» Sono teneri i signori anziani con i cani, sembrano farsi coraggio a vicenda, penso mentre li guardo allontanarsi.

Orlando mi chiama. «Mamma!» Non sente il volume della tv abbassarsi, non sente il rumore dei miei passi nel corridoio.

Mi alzo dalla panchina. Fa freddo e mi si stanno gelando le mani. Sono uscita senza neanche prendere i guanti. Non si esce senza guanti di 21 dicembre a Milano. E poi queste lucine a intermittenza montate sul grande albero in mezzo alla piazza mi danno fastidio agli occhi.

Orlando cerca con gli occhi la sua lucina a forma di pirata vicino alla scrivania, ma c'è solo tanto buio. «Sembra quando Minilla è chiuso nel container e Godzilla lo cerca» pensa. Mi chiama di nuovo. Poi mi chiama più forte. Ancora più forte.

«Mamma!» «Mamma!» «Mammaaa!» Silenzio. Allora gli succede una cosa che non gli succede quasi mai: ha paura.

Il mio telefono è spento. Provo a riaccenderlo, ma non accade nulla. Premo di nuovo il tasto. Continuo a premerlo nervosamente, ma lo schermo rimane nero. Deve essersi scaricato a furia di ricevere telefonate di Vasco. E di Giorgio. Forse di mia madre. Delle mie amiche. Devo tornare verso la macchina. Devo tornare a casa. Prima però infilo il telefono di Lucas Conti nella cassetta della posta di Giorgio. Lo nascondo sotto al volantino di un'agenzia immobiliare. Non voglio vendetta. Non voglio più niente.

Orlando cerca il suo peluche di Godzilla per abbracciarlo forte e rifugiarsi sotto le coperte, come quando sente il vento forte che fa scricchiolare la finestra. La sua manina cerca sul piumone e tra le lenzuola che gli piacciono tanto, quelle con la principessa Leila sulla Falcon assieme ad Han Solo. Non lo trova. Dove sono la mamma e Godzilla?

Vedo la mia macchina mezza sbilenca, dall'altro lato della strada, con la ruota davanti sul marciapiede. Qualcuno ha drizzato le spazzole sul parabrezza, per darmi efficacemente dell'incivile. Sto per attraversare, quando il giallo diventa rosso. Una signora con uno zuccotto di lana grossa si blocca sulle strisce pedonali, non sapendo se continuare ad attraversare o tornare indietro. Le macchine cominciano a suonarle.

Orlando allora si alza in piedi, con le gambe che gli tremano dalla paura. Fa uno scatto veloce verso la porta, per tagliare il buio più in fretta possibile. La apre e attraversa il corridoio illuminato da una luce fioca. Dice: «Mamma!» con la vocina flebile di chi ha paura di scoprire qualcosa di brutto. Ora è in salotto. Vede le lucine del presepe accese. Quella della pescheria col pescivendolo che urla con la mano vicino alla bocca. Quella della locanda accanto allo stambecco dritto sulla roccia. Quella della cometa tutta storta, sopra la capanna. Vede Godzilla riverso nel laghetto. Non è cattivo, è solo arrabbiato, pensa.

Scatta il verde. Devo sbrigarmi, devo tornare a casa. Attraverso la strada a passo veloce, con la rabbia ormai attutita dal freddo e da quella stanchezza rassegnata che arriva dopo un istinto fuori controllo. Quando sono ormai dall'altro lato della strada, proprio di fronte alla mia macchina, non mi accorgo di una lastra di ghiaccio, alla base del marciapiede. Perdo l'equilibrio. Mi aggrappo al manubrio di una bicicletta legata al palo con la catena stretta. Riesco a rimanere in piedi, miracolosamente. E salgo in macchina, col cuore a mille.

La mamma forse è scesa a buttare l'immondizia. O si è dimenticata qualcosa in macchina, come quella volta che è scesa a vedere se le chiavi del garage erano cadute nel bagagliaio e io l'ho aspettata qui, pensa Orlando. Guarda di nuovo il presepe. Quel pescivendolo con la lucina azzurra sulla faccia e la bocca aperta gli fa paura. Non sembra uno che strilla i prezzi del pesce. Sembra uno che ha visto qualcosa di brutto. Orlando allora va verso la porta di casa. Mette la manina sulla maniglia fredda e la apre. Si affaccia sul pianerottolo. Qui non c'è più il parquet caldo di casa. Qui c'è un pavimento gelido e liscio. Ho freddo ai piedi, pensa. Ora scendo e guardo fuori dalla porta a vetri se la mamma è nel cortile. Aspetto lì che torna. Nella casa c'è troppo buio e troppo silenzio. Orlando mette un piedino sul primo gradino. Poi sul secondo. Poi sul terzo. Finisce la prima rampa. È sul pianerottolo davanti all'ultima discesa di scale. Solleva lo sguardo per osservare il cortile illuminato e sentirsi un po' più al sicuro. Appoggia il piedino sul secondo gradino, senza mai smettere di guardare fuori. Ora arriva la mamma ora arriva la mamma ora arriva la mamma, pensa. Mentre lo pensa forte, per avere meno paura, quel piedino si appoggia sul nulla, nello spazio vuoto tra un gradino e l'altro. E Orlando cade giù. Solo, sul pavimento freddo.

Le luci blu dell'ambulanza sono la prima e unica cosa che vedo quando svolto nella via stretta davanti casa. Il presentimento è un'onda calda, che mi investe bruscamente mentre le mani stringono forte il volante. Da quel momento in poi, io non vedo più nulla. Mi hanno raccontato, ore dopo, di avermi visto fare delle cose, ma il ricordo di quelle cose ora sta dormendo, in qualche posto buio della memoria. Dicono che abbia accostato la macchina subito, all'inizio della via, senza neppure arrivare davanti al portone. Dicono che sia scesa senza spegnere le luci, lasciando lo sportello aperto e l'allarme che suonava. Dicono che l'ambulanza avesse già i portelloni dietro spalancati. Che ci fosse confusione nel cortile. Le luci accese sui terrazzi delle case di fronte, gente affacciata. Quella curiosità macabra che quando c'è odore di sangue ci possiede tutti. Qui la memoria si apre un varco: la vicina che colleziona piante grasse piange forte mentre il marito la abbraccia. «Calmati Ester, calmati.» Poi torna il buio. Dicono che abbia afferrato il braccio a un ragazzo con una tuta arancione che correva verso la porta a vetri del palazzo, che gli abbia chiesto: «Cosa è successo?». «Un bambino, è caduto un bambino dalle scale.» Dicono che il ragazzo mi abbia risposto senza neppure guardarmi. E qui si fa spazio un altro ricordo nella mia memoria a intermittenza. Altre voci. «Eccola, è arrivata la madre, fate passare la madre!» «Ma è Viola Agen!» «Sì, è lei!» «Oddio, poverina!» Poi la porta a vetri. Le tute arancioni che intravedo oltre il capannello di gente che è rimasta fuori. Mi dicono che Amir mi sia venuto incontro. «Signorina Viola!» Dicono che Amir abbia chiesto alla gente di spostarsi, che qualcuno abbia alzato la voce per i modi bruschi con cui ha detto: «Levatevi!». Dicono che io sembrassi un fantasma. Che la mia anima non sembrasse lì. E che quando ho visto Orlando, per terra, in mezzo al suo sangue, abbia fatto un passo indietro. Da qui in poi, il ricordo è preciso e spietato. «Eccola, è arrivata la madre!» dice Amir. Orlando è immobile, scalzo, nel suo pigiamino con la famiglia Griffin e il cane Brian col bicchiere di Martini in mano. Ha gli occhi chiusi, un collarino bianco attorno al collo e i suoi lunghi capelli intrisi di sangue, un sangue di un rosso così acceso da parere finto. Rosso come il Martini di Brian. Ci sono quattro infermieri con delle tute arancioni attorno a lui. E Francesca, la nipote di Ester, che poco più di un'ora fa gli ha cucinato la pasta col ragù. Che piange, piange come una fontana, asciugandosi il naso con la manica del suo maglione rosa. Penso che deve essere venuta qui di corsa, abita nel palazzo accanto, perché non s'è infilata neppure un giacchetto e ha delle ciabatte pelose con la faccia di Betty Boop. Ha diciassette anni, Francesca. È chinata per terra. Alza lo sguardo e incrocia i miei occhi vuoti. «Dov'è andata? Perché l'ha lasciato solo? Perché ha spento il telefono?» Lo mettono su una barella. Lo vedo che si muovono lentamente, lo vedo che non c'è concitazione. Lo so che è finita. Non faccio un passo. Non piango, non parlo. Riesco solo a pensare una cosa: Orlando è morto. Ed è morto accanto a una ragazzina con le ciabatte di Betty Boop e i compiti di matematica da fare durante le vacanze mentre sua mamma aspettava un ex fidanzato sotto casa. Sollevano la barella. La signora con la tuta arancione si volta verso di me. «Lei è la madre?» Annuisco. «Non era qui al momento dell'incidente?» «No.» «Io sono la dottoressa. Quindi a parte il signore non c'è nessuno in grado di ricostruire la dinamica dell'incidente?» «Quale signore?» La dottoressa mi indica un uomo in cima alle scale, che osserva la scena dall'alto, con le braccia conserte. È Mandelli, il mio vicino ostile. Mi sta fissando. «Non c'ero. Io non c'ero, non c'ero...» le ripeto a cantilena. «Va bene, queste sono cose che chiarirà dopo. Suo figlio è presumibilmente caduto dalle scale. Ha un sospetto trauma cranico ed è stato trovato dal suo vicino già privo di conoscenza. L'entità del trauma non è al momento valutabile, c'è un rallentamento del polso, è normale, ma il bambino respira bene. Potrebbe avere qualcosa di rotto, ma non possiamo saperlo finché non gli facciamo tutti gli esami. Può salire con noi in ambulanza, andiamo al Fatebenefratelli.»

Non è morto. Orlando non è morto. Sento le lacrime allagare la mia faccia all'improvviso. Allungo una mano per toccare la manina di mio figlio, che ora mi sta passando davanti sulla barella. Non ho più paura di toccarlo, di sentire la sua carne fredda. Mentre gli sfioro il polso sottile una luce inattesa mi acceca, scippandomi l'ultimo fotogramma del viso di Orlando, prima che gli infermieri escano dalla porta portandoselo via. Poi un altro bagliore. Dei clic familiari. Allora capisco. Mi guardo intorno. C'è un ragazzo giovane che sta scattando delle foto col telefonino. Una ragazza dietro di lui tiene il suo smartphone in alto, sopra le teste, spostandolo da destra verso sinistra. Sta facendo un video, riprende il sangue per terra. C'è perfino un signore distinto che scatta delle foto da lontano, cercando di non dare troppo nell'occhio. Lo riconosco. È il marito di Ester. Il ragazzo continua a scattare foto alla barella che si allontana e poi a me che piango, piango talmente tanto da vedere il suo volto da sciacallo appannato. Mi avvento su di lui afferrandolo per un braccio, quello che tiene sollevato per scattare. Grido qualcosa, lui nasconde il telefonino dietro la schiena. La gente dice: «Ha ragione, smettila!». Lo lascio. Salgo sull'ambulanza. E mentre il portellone si chiude, sento un'ultima voce. È la voce di una donna. «Chissà questa dov'era andata. Sarà stata in tv, come sempre.»

L'hanno saputo tutti dalla televisione. Dalle radio. Da internet. Quindici minuti dopo l'incidente, le mie foto in lacrime, quelle di Orlando con qualche pietoso pixel sulla faccia e quelle del sangue sul marmo dell'androne erano già su Twitter, per poi passare su facebook, per poi finire su tutte le homepage dei siti del Paese. Sky tg24 ha aperto con la notizia del tragico incidente accaduto al figlio di otto anni della nota opinionista Viola Agen. L'unica persona che ho avvisato io è stata Fabio. Ho chiesto il telefonino a un infermiere sull'ambulanza. «Non si preoccupi, ho un figlio piccolo anch'io, chiami pure.» È anche l'unico numero di telefono che ricordavo a memoria, non avrei potuto avvertire nessun altro neppure se lo avessi voluto. «Fabio, sono su un'ambulanza, Orlando ha avuto un incidente.» Sento qualcosa che somiglia a un urlo soffocato. «Cosa? Cosa? Un incidente? Orlando? Cosa stai dicendo? Viola che dici?» Per la prima volta da quando è nato nostro figlio, non sento la voce del mio ex marito. Sento la voce del padre di Orlando. Allora comincio a singhiozzare come non ho fatto neppure davanti a mio figlio che credevo morto. Gli dico che deve venire subito. Che andiamo al Fatebenefratelli. Sento dire Lugano. Sento dire: «Ci metterò un'ora». Poi ripeto è colpa mia, tossendo fino quasi a vomitare. La dottoressa ripete si calmi. Non lascio la manina di Orlando che non apre mai gli occhi finché non arriviamo in ospedale e il mio bambino sparisce dietro a una porta assieme alla dottoressa con la tuta arancione. E quando Orlando sparisce, mi piomba addosso la paura di non vederlo più vivo.

L'ora seguente il ricovero di Orlando è un vortice di pensieri e timori e sprazzi di lucidità alternati a ragionamenti senza alcun senso. Ilaria, Ivana e Anna arrivano quasi subito. La prima a sbucare nel corridoio verde dell'ospedale è Ivana. Ha la faccia stravolta, mi viene incontro senza dire una parola. Mi abbraccia, capisco che si sforza di non piangere, che parla trattenendo la paura in gola. «Come sta?»

«Sta facendo gli esami» le rispondo senza riuscire a guardarla.

«Cos'ha?»

«Ha sbattuto la testa, quando sono arrivata non era cosciente, c'era tanto sangue e...» Non riesco a finire la frase. Mi metto le mani sulla faccia.

«Che vuol dire quando sei arrivata?» mi interrompe Ivana sbigottita.

«Io non c'ero quando è caduto, ero uscita, l'ho lasciato a casa solo pensando che dormisse. Deve essersi svegliato ed è uscito a cercarmi... Non so come ha fatto a uscire, io ricordo di aver chiuso la porta a chiave ma, ma... ma ero confusa e forse...»

«Ma dov'eri Viola? Io ti conosco, tu non lasci Orlando da solo, non lo farcsti mai...»

«E invece non mi conosci.»

«Eri andata da Vasco?»

«No.»

«Dov'eri?»

«Ero andata da Giorgio.»

Ivana tira indietro la testa, fa un lungo sospiro. Non dice più nulla. Si mette a camminare lungo il corridoio, facendo avanti e indietro, incrociando medici e infermieri che mi passano davanti e mi guardano un po' più a lungo, talvolta voltandosi dopo avermi riconosciuta. Alcuni ripassano più volte, penso che lo facciano per avere qualcosa da raccontare quando torneranno a casa. Poi Ivana torna da me e mi dice che non vorrebbe dirmelo adesso, ma i telegiornali parlano di «incidente avvenuto in circostanze poco chiare», che tutti si domandano come mai dalle foto già on line Orlando sembrerebbe indossare un pigiama mentre la versione ufficiale è che io e lui stavamo uscendo insieme.

«Non c'è nessuna versione ufficiale perché io non ho parlato con nessuno, solo con la dottoressa e le ho detto la verità. E comunque non mi importa Ivana, è colpa mia. Dirò tutto. Ora l'unica cosa che conta è che Orlando riapra gli occhi e mi chieda cosa c'è per cena e mi parli di Godzilla che in ogni film ha un verso nuovo o di Petra che non lo ama o di trame di film orrendi che faccio finta di ascoltare mentre cucino... Voglio che mi sgridi perché mi sono dimenticata di asciugargli i vestiti o...»

Ricomincio a piangere, i singhiozzi arrivano fino in fondo al corridoio, perché Ilaria e Anna, che si sono affacciate in quel momento, cominciano a correre e gridano: «Viola!», pensando al peggio, pensando che il loro piccolo nipotino in multiproprietà se ne sia andato via. «Stava giocando col suo Godzilla, l'aveva messo nel presepe e io l'ho sgridato, gli ho detto che Godzilla è cattivo e lui si è messo a letto, al buio, da solo. Non gli ho dato neanche la buonanotte, l'ho lasciato al buio e Orlando ha paura del buio, deve essersi svegliato terrorizzato e io non c'ero... C'era una ragazzina di diciassette anni accanto a lui, una ragazzina di diciassette anni...»

Le mie amiche mi abbracciano, ci stringiamo forte. Quando accade qualcosa di tragico, si è così frastornati dalla deflagrazione, che sono più gli altri alle prese col loro dolore che la nostra mente confusa a darci l'idea della gravità di quello che stiamo vivendo. Io per esempio non avevo mai visto Ilaria piangere. Il suo pianto rumoroso mi spezza le gambe, devo sedermi. Mi è tornata la paura. Il pianto di Ilaria mi racconta come siamo diversi e imprevedibili di fronte al dolore. Il dolore è una musica dentro di noi che non conosciamo, finché la vita non decide di suonare quelle corde. Anna mi fa parlare al telefono con i miei genitori, che l'hanno chiamata nel panico, non riuscendo a mettersi in contatto con me. Mio padre strappa il telefono a mia madre quasi subito, lui riesce a mantenere la calma, come sempre, mentre lei è sconvolta. Era in piedi su una sedia, stava mettendo il puntale sull'albero nonostante la febbre alta, mia mamma, quando il tg ha dato la notizia. Ha visto la foto di Orlando sulla barella e il puntale le è caduto dalle mani. Prenderanno un aereo domattina da Pescara, dopo una notte insonne, con la paura che squilli il telefono e qualcuno gli dica che nessuno li chiamerà più nonni. Una vita senza Orlando io non l'ho mai immaginata. È un'idea veloce che prima o poi sfiora tutti i genitori, quella di perdere un figlio, ma è qualcosa di troppo aberrante e disumano perché quell'idea possa prendere una forma. L'idea di perdere un figlio non è un fantasma, non è paura, non è un'ombra. È semplicemente un pensiero che non c'è. Un pensiero negato. È l'inaccettabile.

Poi la dottoressa senza più la tuta arancione mi viene incontro. Non ho il coraggio di cercare il verdetto nel suo sguardo. Fisso il pavimento ascoltando il rumore dei suoi passi. Li conto. Uno due tre quattro cinque sei sette otto nove dieci undici dodici tredici quattordici quindici. Mi credevo più coraggiosa. Più solida. «Signora Agen.» Alzo la testa. Aspetto la pistola in fronte e poi lo sparo. «Suo figlio non è in pericolo, ma soprattutto, ed è l'elemento più importante, non ha lesioni al cervello. È una commozione cerebrale che ha causato la momentanea perdita di coscienza. Lo terremo comunque sotto osservazione per ventiquattro ore per valutare ogni eventuale sintomo. Abbiamo dovuto dargli dei punti di sutura perché la ferita alla testa era abbastanza profonda. Dalle radiografie è emersa una frattura del radio con trauma distorsivo del polso sinistro. Ora è fasciato, ma, tra domani e dopo, gli faremo una doccia gessata che dovrà portare per una ventina di giorni. Direi che le condizioni generali sono comunque buone e che, considerate le circostanze, Orlando è stato molto fortunato. Si è svegliato dieci minuti fa e chiede di lei. La avverto, non ricorda nulla dell'incidente, ma questo è normale. Può seguirmi.»

Le mie amiche sorridono, gridano dalla gioia, piangono lacrime di sollievo mentre tentano di abbracciarmi, ma io riesco solo a dire: «Grazie dottoressa» e le vado dietro senza neppure guardarle. La paura ora sta lasciando spazio al senso di colpa.

Orlando è in un letto d'acciaio, con le braccia piccole che sbucano fuori da una coperta azzurra. Ha il braccio sinistro fasciato fino al gomito e guarda in direzione della finestra, da cui si intravedono dei grattacieli illuminati, quelli nuovi, vicino alla stazione. Un'infermiera di colore gli controlla il sacchetto della flebo accompagnando i suoi gesti a spiegazioni sussurrate, come si fa per tenere tranquilli i bambini quando gli si fanno cose da grandi. «Ora facciamo scendere queste goccioline un po' più veloci così tu ti...»

«Orlando!»

Quando mio figlio si gira verso di me, sento una botta fortissima al cuore. I capelli. Sul lato destro della sua testolina piccola, non ci sono più i suoi capelli lunghi da Thor.

Gliel'hanno rasati per chiudergli la ferita con una lunga fila di punti. Ha una grossa benda e le radici dei capelli sopravvissuti ancora piene di sangue ormai seccato. «Mamma!»

Deglutisco forte per non piangere, mi mordo il labbro fino a farlo sanguinare. Non voglio che mi veda spaventata. È sempre stato lui quello più saggio dei due, ora tocca a me. «Piccolo mio, sono qui. La mamma è qui.» Lo abbraccio delicatamente, facendo attenzione ad accarezzargli la testa lontano dai punti. Respiro il suo odore, gli riempio le guance di baci. Orlando mi guarda con gli occhi lucidi e un po' meno adulti di come li ricordavo. «Come ti senti?» gli chiedo sottovoce.

«Mi fa male il polso, mamma.»

«Lo so. Hai un ossicino rotto ma torna a posto in fretta, sai?»

«Mi sembra che ho il braccio di una mummia.»

«Sì, è vero, sembri un po' una mummia, ma una mummia carina. La testa ti fa male?»

«Mi sento tirare tutto da questa parte ma mi hanno detto i dottori che non mi devo toccare.»

«Ti hanno messo dei punti.»

«Perché mi hanno messo i punti?»

«Perché avevi un taglio e dovevano chiuderlo.»

«Ma io mi sono già tagliato tante volte, perché non hanno aspettato che si chiudeva come facciamo sempre noi mamma dopo che mi metti l'alcol?»

«Perché, perché questo era un taglio un po' più profondo e bisognava cucirlo.»

«Sennò morivo?»

Cerco un po' di saliva da mandare giù. «Ma no amore, non morivi, bisognava solo aiutare la ferita a richiudersi.»

Orlando libera la sua mano calda dalla mia, si sposta la frangetta dagli occhi. «Mamma, come ho fatto a cadere?»

Me lo chiede ficcando i suoi occhi marroni nei miei, come fa lui quando cerca risposte da grandi. Solo che non è come le altre volte, che mi sono dimenticata di asciugargli il vestito della recita o gli ho messo sotto l'albero il regalo sbagliato. È arrivato il momento di dirgli che non ha una mamma distratta. Ha una mamma irresponsabile. «Tu avevi giocato col presepe e poi eri andato a dormire. Allora io quando pensavo che dormissi, sono uscita per parlare con una persona. Tu invece ti sei svegliato, non mi hai trovato e sei uscito a cercarmi sul pianerottolo. E nello scendere le scale sei inciampato in un gradino.»

Orlando riflette un attimo, poi si volta verso la finestra. È un silenzio lunghissimo, in cui mi pare di sentire il rumore delle domande che affollano la sua mente. «Era una cosa importante, mamma?»

«Cosa?»

«La cosa che dovevi dire a quella persona.» È allenato questo piccolino. È allenato a trovare alibi alle mancanze troppo grandi. Ti inchioda al muro per le sciocchezze, ma quando la verità gli fa male, ti lancia un salvagente. Come fa sempre col papà e le sue assenze.

«Non conta se era importante. Ho sbagliato comunque a lasciarti solo, non si lascia un bambino da solo mentre dorme» gli rispondo facendo sempre più fatica a non piangere, a non crollare su questa coperta ruvida e a chiedergli di prendermi a pugni come fa con le costruzioni quando vuole smontare il galeone o la navicella spaziale per ricostruire tutto daccapo.

«Me lo ricordo quando giocavo col presepe. Perché hai detto che Godzilla è cattivo?»

«Perché sono una sciocca.»

«Forse perché eri arrabbiata, come Godzilla.»

«Forse. Ma non lo penso davvero. È sempre stato simpatico anche a me quel lucertolone.»

«Mamma, gli hanno tirato una bomba atomica, certo che è arrabbiato, tu ti arrabbi con quelli della televisione se ti dicono le cose a voce alta, pensa se ti tirano una bomba atomica!»

Ci mettiamo a ridere immaginando un ospite che tira fuori una bomba atomica dalla tasca e allora io dico: «Pensa se prende in pieno Giusy Speranza» e allora Orlando ride forte e io lo abbraccio con le lacrime che mi scendono e me le asciugo prima che se ne accorga. Allora capisco che Orlando non ce l'ha con me. Capisco che lui mi ha già perdonata e che il perdono più difficile sarà quello che dovrò concedere io a me stessa.

«Mamma, solo una cosa non ho capito. Perché io non mi ricordo niente?»

«Perché quando si sbatte la testa forte certe volte si sviene come è successo a te e si dimenticano delle cose.»

«E dov'ero quando non c'ero?»

«Non lo so, Orlando. In un posto che somiglia al sonno, credo.»

«Forse mi ha dato la sua energia Fire Rodan.»

«Chi?!»

«Ma mamma come, non lo sai?» Sta meglio, comincia a cazziarmi come ai vecchi tempi. «In *Godzilla vs Mechagodzilla 2* Godzilla muore. Ma poi resuscita perché Fire Rodan si sacrifica e gli dà la sua energia.»

«Ma tu eri solo addormentato. Ti sei svegliato.»

«Va bene, ma domani alla recita posso dire ai miei amici che sono resuscitato?»

So che gli sto per dare un dispiacere. «Amore, domani non puoi andare a scuola.»

«Perché?»

«Perché domani devi rimanere qui. Ti devono mettere il gesso e poi devono controllarti ancora un po'.»

«E la recita? Io domani ho la recita di Natale!»
«Mi spiace amore, devi rimanere qui.»
«Ma io ho la parte principale, sono il pastore narratore, non la possono fare senza di me!»
«La farete tutti insieme quando torni a scuola.»
«Ma dopo Natale la recita di Natale non vale più!»
«Mi dispiace amore. È colpa mia. È tutta colpa mia.» Allora penso al suo vestitino da pastore stirato bene, appoggiato sulla sedia in cameretta perché quest'anno gliel'avevo preparato in anticipo per farlo contento e non farmi rimproverare e comincio a piangere. Orlando mi guarda allibito. «Scusami amore, non ho niente, mi sono solo un po' spaventata per il tuo incidente ma ora non piango più, guarda, mi sta già passando...»

Continuo a parlare, ma lui ha smesso di protestare alla mia prima lacrima. «Non fa niente, mamma. E poi il pastore col braccio fasciato sembra che l'ha morso una pecora, facevo una figuraccia con Petra...» Ricominciamo a ridere, io rido e piango e lo abbraccio, e poi entra Fabio. È dietro di me. Lo so prima ancora che dica ciao perché riconosco gli occhi raggianti di Orlando quando vede il papà. «Papààààààà!» Lo saluto anch'io, asciugandomi gli occhi con un lembo del lenzuolo. Lui neanche mi guarda. C'è la sua fidanzata brasiliana, Estela. Lei mi fa un cenno con la mano, resta sulla porta. Orlando e il suo papà si stringono forte. Si guardano. «Cosa abbiamo qui, i punti come Capitan Harlock?» «Sì però ci crescono i capelli sopra papà, niente benda!» È la prima volta che vedo Fabio con uno sguardo adulto e Orlando con uno sguardo bambino, e non il contrario. Sto per dire al padre di mio figlio che sono felice che sia arrivato, quando lui mi gela. «Devi uscire, ti vogliono.»

E a volermi, in effetti, erano in tanti. Gli amici, i giornalisti infiltrati ovunque, pure nel corridoio, i fotografi, le telecamere davanti all'ospedale, Vasco («S'è procurato il mio numero e mi ha telefonato dieci volte, chiede se puoi chiamarlo anche solo per un secondo» mi dice Ivana), i curiosi, ma soprattutto, qualcuno a cui non avevo ancora pensato: la polizia.

Domenica 22 dicembre 2013, h 00,09
Da: vasco.martini@gmail.com
A: viola.agen@yahoo.com

Ivana mi ha detto che Orlando sta meglio. Dimmi solo che vuoi che ci sia e io sono da te. In qualunque modo. Ma ho bisogno di un tuo cenno. Ti amo.
V.

17

Deve stare con me

«Sei formalmente indagata per abbandono di minore.» Il mio avvocato emette la sentenza senza preamboli. Appoggia la sua borsa Louis Vuitton sul tavolo di marmo della grande sala in cui l'aspetto da mezz'ora e si siede proseguendo con un «Allora» che non promette nulla di buono. «Viola, nel caso di abbandono di minore, ci sono tre aggravanti serie: le lesioni personali derivate dall'abbandono, la morte del soggetto abbandonato e il fatto che chi abbandona abbia un legame di parentela con la persona a cui ha negato cure e attenzioni. Orlando per fortuna è vivo, ma le lesioni, anche se non gravi, e il grado di parentela ci sono, quindi rischi una condanna da uno a sei anni più un possibile aumento di pena perché sei la madre.»

«Mi stai dicendo che Berlusconi se l'è sfangata e io andrò in galera?»

«Berlusconi ha ormai ottant'anni.»

«E io sono invecchiata di cinquanta negli ultimi due giorni.»

«Dato che sei incensurata non credo che andrai in galera, però noi ora dobbiamo trovare delle attenuanti e dimostrare che almeno non c'è dolo. Cosa hai raccontato alla polizia?»

«La verità. Che ho lasciato Orlando che dormiva, ho chiuso la porta a chiave e sono andata in zona Ticinese.»

«Che tu sia stata in Ticinese lo sta confermando un sacco di gente che ti ha visto da quelle parti quella sera, ma purtroppo che tu abbia chiuso la porta a chiave è una tua convinzione, la porta era aperta, altrimenti Orlando non sarebbe uscito sul pianerottolo.»

«Può essere, ero molto confusa, forse ero solo convinta di averlo fatto.»

«Perché sei andata in Ticinese?»

«Isabella, su questo non ho detto la verità alla polizia. Ero andata dal mio ex fidanzato perché... perché avevamo litigato al telefono. Ho detto che sono andata a comprare delle decorazioni natalizie convinta che i negozi chiudessero alle venti e trenta.»

«Un futile motivo vale l'altro. Però a questo punto ti conveniva dire la verità. Il tuo ex fidanzato potrebbe avere interesse a rivelare che invece eri da lui? Magari per farsi un po' di pubblicità... per smania di protagonismo...»

«Oh no, lo escludo proprio.»

«Ok. Comunque, il futile motivo non aiuta. Se fossi andata a comprare una medicina perché stavi male sarebbe stato meglio. Quanto tempo sei stata fuori?»

«Cinquantatré minuti.»

«Il breve lasso temporale è sicuramente un'attenuante. In casa ci sono terrazzi?»

«Sì, due. Ma le tapparelle erano abbassate e le ringhiere sono altissime. E Orlando ha quasi nove anni e un senso del pericolo che io mi sogno.»

«Ok, le tapparelle chiuse sono una buona cosa, i vicini eventualmente lo testimonieranno. Ma com'è Orlando lo sai tu, i giudici non vivono con lui.»

«Certo, quindi saranno portati a pensare che quando ha paura si lanci dal terrazzo aiutandosi con la catapulta che ho montato accanto alla caldaia.»

«C'erano armi, oggetti pericolosi in giro?»
«Come no. Tengo sempre un Rpg nel portaombrelli.»
«Viola, per piacere, il tuo sarcasmo non aiuta.»
«Va bene. No, non ho niente. Neanche i coltelli. Mi scivolano sempre sul fondo della lavastoviglie e ne avrò una ventina lì sotto da recuperare.»
«L'avevi mai lasciato da solo prima di quest'episodio?»
«Mai. Al massimo sono scesa a buttare l'immondizia.»
«Pensi che Orlando confermerà che non lo lasciavi mai da solo?»
«Certo che lo confermerà. Ma poi a chi dovrebbe dirlo?»
«Alla polizia, agli assistenti sociali, agli psicologi...»
«Mi stai dicendo che lo interrogheranno e faranno quelle cose tipo scavare nella nostra vita in cerca di qualche indizio che confermi che sono l'ultimo discendente diretto di Erode, così il caso è risolto?»
«Mentre siamo qui a discutere lo stanno già facendo, credo.»
«Cosa?»
«Senti Viola, ho parlato con l'avvocato di Fabio e...»
«L'avvocato di Fabio??? Da quando Fabio ha un avvocato?»
«Da ieri.»
«Da ieri? Ieri io sono stata tutto il giorno in ospedale e lui anziché stare accanto a suo figlio era dall'avvocato? E poi non era quello che: "Gli avvocati non me li posso permettere, divorziamo senza tanti casini, quando ho dei soldi da darti per Orlando te li do"?»
«Ascolta Viola, ora è inutile stare qui a fare recriminazioni...»
«È inutile? Lui in tutti questi anni si è preoccupato di abbeverare la sua cazzo di Porsche e mai di sfamare suo figlio, e ora trova i soldi per un avvocato?»
«Quello che sto per dirti non ti piacerà. Orlando stamattina lascerà l'ospedale.»

«Lo so, vado a prenderlo appena esco di qui.»

«No, Viola. Orlando stamattina lascerà l'ospedale col papà, il tribunale dei minori si è mosso con urgenza, è stato momentaneamente affidato a lui in attesa di approfondire meglio l'accaduto e il vostro equilibrio familiare. I termini e le modalità di visita sono da stabilire, io farò di tutto per riottenere l'affidamento e farti avere una condanna più mite possibile, ma per ora restiamo in attesa.»

«No, Isabella, no. Non scherziamo, per favore, Orlando non può andare a vivere col papà...»

«Viola, non possiamo fare nulla al momento, fai finta che trascorra le vacanze col papà, poi a gennaio ci batteremo perché...»

«Ci batteremo? Io mi sono sempre battuta perché Fabio vedesse suo figlio almeno una volta al mese e ora, pur di farmi la guerra nell'unico momento in cui sono vulnerabile, lo vuole con sé tutti i giorni? E come pensa di crescerlo? Chi gli farà la cena? Chi lo seguirà nei compiti? Chi lo accompagnerà a scuola la mattina? Chi lo andrà a riprendere?»

«Viola...»

«Perché non chiedono alle maestre di raccontare della giapponese che ha mandato fuori da scuola a prendere suo figlio l'ultima volta, eh? Un porno manga c'ha mandato!»

«Le maestre, se è per questo, hanno parlato poco fa, ho sentito un'intervista a Radio 21 mentre venivo in macchina, credo le abbiano aspettate fuori dalla recita il giorno dopo l'incidente.»

«E che hanno detto?»

«Che ti hanno sempre trovato una madre piuttosto eccentrica.»

«Eccentrica? E il sottotesto dell'aggettivo eccentrica qual è? Una povera pazza? Poi cos'hanno detto, anche "moderna" per non dire "puttana" o si sono fermate lì?»

«Hanno aggiunto che Orlando ha una saggezza che non è tipica della sua età, che hanno sempre pensato che fosse la spia di qualcosa.»

«Sì, della loro stronzaggine! Isabella, tu lo conosci Orlando. Orlando ha imparato a dire "giusto" e "sbagliato" prima di sì e no. Prima ancora di pappa. La sua saggezza è la spia di quanto l'anima dei nostri figli ci venga consegnata in un pacco già bella e pronta, un pacco su cui noi genitori possiamo mettere al massimo due nastri e una coccarda, e chi lo nega non capisce un bel niente di bambini.»

«Lo so che Orlando è sempre stato così, ma siamo nella fase in cui tutto potrebbe essere la spia di qualcosa...»

«Certo, magari ora chiameranno un team di psicologi per analizzare i suoi disegni come nei film horror di serie B.»

«In effetti pare che in ospedale abbia disegnato e che la psicologa non abbia trovato i suoi disegni particolarmente rassicuranti...»

«Oh, certo. Cosa ha visto? Godzilla che distrugge il Duomo e mastica il vescovo che celebra messa come fosse un chewing gum? Freddy Krueger che pianta i suoi artigli nella schiena di una cheerleader? Gli piacciono i film splatter, cosa vogliamo fare, inserirlo nella lista dei serial killer più spietati del secolo? Io da piccola disegnavo puffi, sempre e solo puffi, poi non ho messo su casa in un fungo e non scappo quando vedo gente pelata in compagnia di un gatto roscio. Dio santo, detesto questa psicologia spiccia.»

«Viola, non devi convincere me, io lo so che Orlando è un bambino equilibrato, ma hai commesso una grossa sciocchezza.»

«Lo so e non ho mai detto che non devo pagare. Mi sta bene la gogna pubblica, mi merito un processo, mi merito l'astio del mio ex marito che comunque partiva già da un'ottima base, ma non che mi tolgano mio figlio. Orlando deve stare con me, ho sbagliato, ma ho fatto anche un sacco di cose giuste e...»

«Viola, tu non sei una persona qualunque. Sei un personaggio pubblico, sei una donna, sei single, sei avvenente, sei in carriera e il fatto che tu sia tutte queste cose ti espone al giudizio e anche a un sacco di pregiudizi. Ci sono e ci saranno un sacco di notizie fuori controllo in giro e i processi sommari in tv non ti aiutano.»

«Lo so, questo lo so Isabella.»

«E poi sai che eri molto amata dal pubblico femminile e che il pubblico femminile è composto da molte mamme. Questa cosa ha spiazzato... L'opinione pubblica è molto suscettibile ai cambiamenti, sai come funziona, ora poi la cosa è fresca, c'è l'onda emotiva...»

Ascolto Isabella e penso che no, non lo sapevo come funzionasse. Questo non è un lavoro come gli altri, in cui le conseguenze del successo te le spiegano in qualche clausola. E ancor meno potevo anche solo lontanamente immaginare di passare dall'altra parte. Da commentatrice a commentata. E non in un salottino in cui si discute di corna o di chirurgia estetica, ma nel bel mezzo di un dibattito che infiamma il Paese. Che lo sta appassionando e dividendo, sospinto da un'onda emotiva che ha travolto un po' tutti. E l'onda emotiva, prima ancora che io sia riuscita a realizzare in che razza di guaio mi sono ficcata, è già diventata uno tsunami.

18

La lettera scarlatta

Ora lo so. La popolarità è un villaggio bellissimo. Ma è di terracotta, per cui devi sperare che splenda sempre il sole perché, non appena ci piove sopra, diventa una palude fangosa che ti insozza e ti risucchia. Sul mio villaggio c'era sempre stato il sole a picco, per cui m'ero goduta il caldo e la luce, senza sospettare il maltempo in agguato. Dopo la sera dell'incidente, ho scoperto un sacco di cose. Intanto che le persone famose non vivono. Lasciano tracce, indizi, segnali, che la gente annota e registra, attendendo con impazienza il momento propizio per tirarli fuori. Io, per esempio, andavo spesso a fare la spesa al supermercato sotto casa portandomi dietro una shopper in cotone ecologico blu, perché ogni volta che la vaschetta del prosciutto o il latte bucavano la busta biodegradabile, mi ritrovavo a imprecare rincorrendo mandarini sulla scala mobile. Ebbene, dopo l'incidente di Orlando, ho scoperto che quella shopper blu destabilizzava i dipendenti del supermercato. Alcuni giornalisti di quotidiani e tv sono venuti nella mia zona per intervistare chi mi conosce o mi vede in giro, e una cassiera del supermercato ha dichiarato guardando dritta in camera come una professionista consumata: «Sì, Viola Agen viene spesso a fare la spesa qui, sempre gentile eh, per carità, però si aggira sempre per gli scaffali con una strana busta di tela blu...». Il giorno dopo il programma mattutino *Buongiorno italiani* ha dedicato un talk show al mio caso dal titolo «Viola Agen e il mistero della busta blu» in cui uno psicologo sosteneva che il blu è il colore dei depressi per cui io stavo prendendo sicuramente degli psicofarmaci e la direttrice di «Vogue» sosteneva che il blu è il colore moda dell'anno scorso, per cui io stavo prendendo sicuramente una cantonata. Ma, a quanto pare, l'incauto utilizzo della busta blu, non è l'unica prova della mia scelleratezza.

Improvvisamente qualsiasi persona mi abbia incrociato negli ultimi anni ha notato qualcosa di insolito. La mia parrucchiera ha dichiarato a «Donna più» che talvolta, quando vado a farmi la piega, porto con me Orlando e «in effetti il bambino continua a ripetere durante l'attesa: "Mamma quando andiamo?"», per cui sotto l'intervista alla parrucchiera, c'è un editoriale della nota psicoterapeuta Viviana Rotella dal titolo «Il dramma dei bambini parcheggiati». Io ricordo le attese nei negozi in cui mia madre si provava i costumi per l'estate come una rottura di coglioni colossale, non come un dramma, ma mia madre non era il mostro del momento, per cui va bene così. Poi c'è un nutrito gruppetto di tirapiedi/mitomani/sciacalli che ha deciso di strumentalizzare qualsiasi cosa venga loro in mente pur di partecipare al gioco del momento, «Sputtana Viola Agen!», e fanno il giro di tutte le trasmissioni televisive compiendo la naturale evoluzione dell'ospite tv: da candido sprovveduto a feroce macchina da guerra in sole due apparizioni. Lucrezia, la mamma di Filippo, un compagno di classe di mio figlio, è partita con un'intervista di trenta secondi al Tg2 in cui ha balbettato qualcosa con un mollettone di plastica in testa, e dopo sedici ospitate su tutti i canali del Paese, ora è seduta accanto al sottosegretario di Stato e al presidente del Moige, vestita, truccata e disinvolta come Tyra

Banks. La sua teoria inaffondabile è che io sono una cattiva madre perché lei a Filippo fa vedere solo i *Pokemon*, mentre io a Orlando faccio vedere i *Griffin* che in campo pedagogico sono il *Mein Kampf* e i bambini di quell'età non dovrebbero sapere cosa siano sesso e violenza, tantomeno da un cartone animato. Peccato che a pagina 34 del libro di storia di Orlando, circa un mese fa, abbia trovato scritto a matita: «Se Ettore si fa Petra lo picchiamo?», e il messaggio fosse firmato «Filippo». Ma la lista dei mitomani è piuttosto lunga e riserva delle sorprese. I miei vicini di casa accumulatori seriali di piante grasse stanno diventando accumulatori seriali di ospitate tv anche loro. Devo confessare che da Ester ed Erminio non me lo sarei mai aspettato. Sembravano così miti e pacificati nel loro ménage coniugale, che vederli sguazzare nei gallinai catodici mi provoca un certo imbarazzo. Anche loro forniscono alla nazione prove schiaccianti della mia sociopatia e attività criminosa. La signora Ester dice che non vado mai alle riunioni condominiali e che nel 2013 sono stata l'unica inquilina a non aver partecipato alla votazione per l'acquisto di ghiaia destinata alle aiuole del cortile. Il marito le dà manforte sostenendo che sono l'unica nel palazzo ad avere le tende beige anziché marrone scuro, per cui nascondo un'anima sovversiva e comunque «sono sempre stata un tipo strano». Dicono anche che Orlando sembra un bambino tranquillo, ma è sempre vestito leggero, che una volta pioveva e non aveva il cappello. Suppongo che questo mi costerà la patria potestà e Orlando verrà affidato a una coppia marchigiana di organizzatori di pellegrinaggi. C'è perfino un medico che dichiara di aver ricevuto una telefonata in piena notte perché avevo assunto del Viagra maschile, ma questa storia è parsa a tutti talmente surreale che non ci ha creduto nessuno e il medico è stato liquidato dalla stampa come un megalomane narcisista.

In effetti è una storia a cui hanno stentato a credere anche le mie amiche, quando l'ho raccontata. Stranamente, l'unica persona coinvolta a non aver rilasciato dichiarazioni è il signor Mandelli, il mio vicino di casa ostile, che poi è anche quello che ha chiamato per primo i soccorsi. I miei genitori, invece, sono arrivati all'aeroporto di Linate con il primo volo possibile e ad aspettarli al gate c'erano tanti di quei fotografi e giornalisti che per un attimo si sono convinti che sul loro aereo viaggiasse papa Francesco. Quando hanno capito che la stampa era lì per loro, mio padre ha ascoltato immobile un giornalista che gli poneva la brillante domanda: «Come si sente all'idea che suo nipote sia in ospedale?», ha sorriso guardando in camera e poi ha risposto serafico: «*A ògne ttèrre c'è na usanze a ògne mmijicule c'è na pànze*», che è un proverbio abruzzese che non c'entra nulla ma ha convinto tutti che i miei siano due allevatori di pecore analfabeti e a quel punto i giornalisti li hanno lasciati stare. Mio padre ha tre lauree ed è un fisico nucleare al Laboratorio del Gran Sasso e mia madre traduce testi sacri dall'arabo. Interessante poi la teoria degli avvistamenti nella sera in cui ho lasciato solo Orlando e sono stata cinquantatré minuti fuori casa. Mi hanno avvistata talmente in tanti che temo di finire vivisezionata nell'Area 51. A parte i pochi testimoni lucidi che dichiarano di avermi notata in piazza Sant'Eustorgio con un'aria sconvolta, c'è una coppia di Ferrara che intorno alle ventuno afferma di avermi vista all'autogrill Roncobilaccio Ovest mentre chiedevo due Gratta e Vinci Quadrifoglio d'argento. Poi c'è un cantante neomelodico, tale Tony Ascello, che quella sera garantisce di avermi avvistata a un suo concerto a Scafati e aggiunge che, finito lo show, lo aspettavo in camerino nuda, in un cesto di pummarola, cantando *Non dirgli mai*. Ma c'è anche chi giura di avermi vista a Tampa, in Florida, mentre giocavo a minigolf con una mazza zebrata e chi sostiene che a quell'ora ballavo la pole dance su una guglia del Duomo, che ha girato anche un video col telefonino solo che è venuto scuro. Non è tutto, perché la mia popolarità ha varcato i confini italiani esattamente come quella di Laura Pausini e Andrea Bocelli. Canal Plus ha dedicato alla sottoscritta uno speciale dal titolo *Che fine hanno fatto le mamme italiane?*, a cui sono stata tentata di rispondere con un video su YouTube dal titolo *E che fine ha fatto Carla Bruni dopo l'Eliseo? È stata risucchiata da un nodo temporale?*, ma preferisco che i nostri conflitti con la Francia si limitino a nouvelle cuisine vs cucina mediterranea. O al massimo a Cassel vs Garko.

L'apoteosi dello sputtanamento, però, si sta consumando nel luogo principe di tutti gli sputtanamenti, nel tribunale italiano in cui si celebrano più processi sommari che in Corea del Nord, grazie alla nostra Kim Jong-un del tubo catodico: Giusy Speranza. La Speranza sta adottando la sua nota tecnica «Io non c'entro niente» che consiste nel far massacrare dai suoi ospiti, giorno e notte, un personaggio protagonista di qualche fatto di cronaca restio ad andare in tv, ma senza mai prendere una posizione o magari commentando le dichiarazioni più forti che lei stessa ha suggerito agli ospiti in camerino con dei neutrali: «Purtroppo non possiamo sentire l'altra campana» o «Io mi dissocio da queste dichiarazioni». Dopo una settimana circa di massacro mediatico, di norma l'imputato cede e accetta l'invito alle *Amiche del tè* «per raccontare la sua verità». Io al momento non ho ancora ceduto, nonostante la Speranza mi telefoni e mi abbia fatto telefonare da tutta la dirigenza di Tele9 e io non abbia mai risposto. Allora sono passati ai messaggi e alle mail contenenti offerte di cachet con cui potrei comprarmi una casa in montagna e garanzie di «un dibattito civile con ospiti autorevoli disposti a spendersi in accorate arringhe in tua difesa». Ovviamente, se accettassi, mi ritroverei in mezzo a tronisti, nonnette incazzose e Miss Magliette bagnate che mi urlerebbero sgualdrina appena si accende la luce rossa della telecamera. Ho calpestato troppo a lungo la pedana in plexiglas di quel programma per non conoscere le regole del gioco. In soli due giorni, intanto, la macchina del fango della Speranza ha prodotto i seguenti risultati: un vigile urbano in pensione ha raccontato che un nipote, anche lui vigile urbano, gli ha rivelato che nell'ultimo anno ho preso cinquantaquattro multe, la metà delle quali ancora non pagate. Che è una falsità. In realtà sono cinquantasette. Ma è anche emerso che non pago l'abbonamento alla tv di Stato da tre anni, che ho un contenzioso aperto con eBay a causa di un'asta per un tapis roulant da camera, che il mio master in agopuntura è falso, che devo tre euro alla società autostrade per non aver pagato un pedaggio sei anni fa causa problemi col bancomat, che non ho la Cresima, che l'hotel di Ponza in cui ho trascorso le vacanze ha un gazebo abusivo, che le mie extension sono capelli strappati a una contadina ucraina di quindici anni e che nel '94 ho votato Berlusconi. Sempre dalla Speranza, un mio ex fidanzato del liceo ha dichiarato che a letto ero un incrocio tra un boiler e un blocco di marmo rosa, un ex fidanzato dell'università ha dichiarato che a letto ero un incrocio tra una tigre della Malesia e Sasha Grey, un ex fidanzato di Gaia Fabi ha dichiarato che facevamo cose a tre, io, lui e Gaia Fabi e che talvolta si è unito a noi Michael Douglas.

In realtà, quello che dicono di me in tv, a parte il voto a Berlusconi nel '94, mi lascia piuttosto indifferente. Sarà una questione di deformazione professionale, ma sono abituata a pensare che qualsiasi cosa esca da quel contenitore sia fuffa. E poi l'unica cosa di cui mi importa adesso è Orlando, la mia reputazione se ne può tranquillamente rimanere riversa in fondo alle scale. Quello che invece mi sconvolge davvero è la reazione della gente che mi incontra per strada. Ero abituata all'idolatria femminile, alle lodi sperticate di signore e adolescenti, ai «Sei un mito» e «Ti stimo tanto» o «Vorrei essere come te», e ora la musica è radicalmente cambiata. Tutti i testimoni che erano lì a soccorrere Orlando, quella sera, hanno raccontato con dovizia di particolari (anche fantasiosi) che io non ero in casa e che l'avevo lasciato solo per andare chissà dove e in realtà ci sono state anche numerose indiscrezioni su quello che ho dichiarato alla polizia e ai medici, per cui per l'opinione pubblica, a oggi, sono ufficialmente una madre snaturata e irresponsabile, troppo rampante e ambiziosa per badare a un figlio.

Quando stavo andando allo studio del mio avvocato, che è in via Sant'Andrea, e avevo un passo veloce perché pensavo di finire in fretta e di tornare in ospedale da Orlando per riportarmelo a casa, davanti alle vetrine di Costume National ho urtato incidentalmente una signora, che era in compagnia della figlia adolescente. La signora lì per lì non mi ha riconosciuta, per cui quando le ho detto: «Mi scusi», ha risposto serenamente: «Non si preoccupi». Poi mi ha guardata meglio mentre io le sorridevo per scusarmi ulteriormente e ha fatto una strana smorfia. Anche la figlia ha cominciato a fissarmi sorpresa. Mi ero appena girata per proseguire verso lo studio pronunciando un timido «Arrivederci», quando ho sentito la signora che diceva: «Ah, ma lei è quella della tv. Quella che ha lasciato suo figlio da solo?» e la figlia chc rispondeva: «Sì, Viola Agen. Questa c'ha il figlio in ospedale e va a fare shopping». Mentre parcheggiavo sotto casa invece ho sentito una tizia che avrà avuto la mia età sussurrare al marito: «E poi ci sono donne meravigliose che non riescono ad avere figli!» e lui che commentava: «Povero bambino, con una madre così!».

A tutto questo si aggiungono gli sguardi addosso, arcigni e carichi di biasimo. Prima entravo in un posto e dopo un attimo di silenzio la gente cominciava a commentare la mia presenza ad alta voce, con un tono benevolo o allegramente pettegolo. Ora è tutto un bisbigliare, gomitate furtive, sorrisini sarcastici. Un paio di signore anziane che ho incrociato nella tintoria hanno avuto il coraggio di spiattellarmi chiaro e tondo quello che pensavano: «Io glielo devo dire, lei mi piaceva tanto, ma mi ero sbagliata. Gliel'ho detto anche a mia nipote: se vuoi fare la donna in carriera, non mettere al mondo delle creature che poi ci rimettono loro!», «Quanto hai ragione, Adele. Sempre detto io! C'è anche il proverbio. I gran personaggi o non hanno figliuoli o non son saggi!». Insomma, la mia vita si è trasformata in un incubo. Ho una lettera scarlatta cucita sul petto e per la comunità sono un essere abietto e socialmente pericoloso. Da modello di donna vincente, sano, da imitare, sono diventata tutto quello che fa più paura nelle donne di oggi: l'emancipazione a discapito degli affetti familiari, il carrierismo isterico, la donna anaffettiva che somiglia sempre più all'uomo e ansiosa di conquistare le vette del potere. Il tutto aggravato dal mio lavoro e dagli stereotipi che si porta dietro: la superficialità dello showbiz che finisce per impregnare chiunque ci nuoti dentro, la smania di apparire a costo di sacrificare gli aspetti più genuini della vita, il narcisismo che fa scivolare gli affetti, i mariti, i figli in secondo piano. Da paladina delle donne, sono diventata donna e madre degenere. Perfino la mia, di mamma, ha faticato a capire. I miei genitori mi sono stati vicini, ma ho chiesto loro di ripartire il giorno dopo perché non sostenevo lo sguardo di mio padre e gli argomenti di mia madre. Continuava a dirmi che quello che avevo fatto non era da me, che avevo troppo poco aiuto, che mi ero messa in testa di farcela da sola e che un tempo i figli li tiravano su le grandi famiglie, se non c'era la mamma c'era la zia o la nonna o la suocera perché si viveva vicini, a volte perfino nelle stesse case, e che invece oggi siamo tutti così soli e così presuntuosi in città fatte di conoscenti. Mi ha detto che una madre che corre sempre prima o poi inciampa. E che la maggior parte delle volte ci si fa male da sole, ma altre si cade addosso ai propri figli. Abbiamo discusso, io le ho detto che non corro sempre, che è la vita che corre e che senza l'aiuto di Fabio ho tirato su un bambino splendido e che comunque lei è di un'altra generazione che poteva permettersi di andare più lenta e, insomma, abbiamo finito per dirci quelle cose che si dicono madri e figlie quando ognuna sgrida l'altra per non essere stata la madre perfetta e la figlia perfetta, e poi ci si assolve al primo abbraccio.

Chi non ha alcuna intenzione di assolvermi invece è Fabio. Oltre ad avermi scatenato contro il suo avvocato e ad aver scoperto una vocazione paterna di cui non si era mai accorto, con me ha deciso di accantonare momentaneamente il turpiloquio, per passare alla fase sprezzante. Quando ho lasciato lo studio dell'avvocato, mi sono diretta verso casa arresa alle circostanze. Non potevo andare in ospedale e fare una piazzata pirotecnica strappando Orlando dalle mani di Fabio e della sua amica brasiliana né incatenarmi al cancello del pronto soccorso. Per il ruolo della povera martire in questo momento sono decisamente fuori parte. Devo far credere a Orlando che le vacanze col papà siano una decisione maturata tutti insieme e che sarà, come spero, un allontanamento momentaneo. In fondo sono abituata a raccontargli la realtà col Photoshop, solo che questa volta il filtro serve ad abbellire la mamma, non il papà.

Maturate queste convinzioni, oggi ho trascorso buona parte della mattina della vigilia di Natale a preparare una valigia con le cose di Orlando, visto che a casa del papà non ha mai avuto neanche un paio di calzini. Credo di aver pianto ininterrottamente da quando ho aperto la cerniera del trolley a quando l'ho richiusa due ore dopo. Gli avevo preparato valigie per la settimana al mare col papà, per il weekend con i nonni, per la gita a Scuola Natura, per il fine settimana a casa di Ettore, ma sapevo il giorno e l'ora esatti in cui l'avrei riabbracciato. Ora non ho neppure idea del mese in cui lo rivedrò. Del luogo e delle circostanze in cui lo riavrò sulle mie ginocchia. Forse lo rivedrò solo in presenza del padre, con la sua amica brasiliana sullo sfondo a controllare l'orologio. Forse lo rivedrò con un vetro in mezzo e un secondino che mi guarda storto, nel carcere in cui mi sbatteranno dopo il processo. Forse io e Orlando ci riabbracceremo in un istituto, alla presenza di due assistenti sociali di mezza età che prenderanno appunti ogni volta che alzerò un sopracciglio e mi sequestreranno i regali per Orlando perché «in questo momento il bambino deve stabilire nuovi legami affettivi e non possedere feticci». Forse un giorno girerà canale durante la sigla dei *Griffin* e sentirà quello che dicono in tv di sua mamma e non avrà più voglia di rivedermi. Forse andrà dalla Speranza a parlar male di me. Non riesco a evitare i pensieri più catastrofici mentre piego bene i suoi vestitini nella valigia. Ho scelto gli indumenti più pesanti perché dicono che nevicherà ancora. Il maglioncino grigio col teschio, i pantaloni di velluto nero, la sua tuta morbida con la toppa di Jack Sparrow, il chiodo imbottito, il cappottino da piccolo ussaro, i calzini con SpongeBob. E poi i suoi dvd, *Godzilla* del '54, i *Griffin*, *Nightmare*, *La guerra dei mondi*, *Ted*, *Star Wars*, *Frankenweenie*, *Up*, *Iron Man*. E *Big Fish*. «Mamma tu ci guarderesti dentro all'occhio di vetro della strega?» «No Orlando, non lo voglio sapere come morirò.» «Io invece non vorrei mai sapere come vivrò, quello sì che sarebbe rovinarsi la sorpresa.» Ho infilato dentro i suoi pupazzi preferiti, Godzilla e Brian, pensando a tutte le volte che glieli ho cercati sul fondo del letto e li ho trovati arrotolati tra le lenzuola, come se durante la notte avessero giocato a nascondino. Il peluche di Godzilla ha il suo odore, l'odore della fronte sudata di Orlando quando ha la febbre o salta sul letto o si addormenta sul divano vicino al calorifero e allora gli cambio il pigiama zuppo infilandogli la maglietta asciutta nelle sue braccette stanche da bambola di pezza. Il libro di *Lo Hobbit* glielo metto nella tasca esterna, assieme a una busta con dentro dei Lego di tutte le forme e alle scarpe da ginnastica. Penso che avrei dovuto insegnargli a fare il doppio nodo, gli si slacciano di continuo e lui mi rimprovera sempre perché gli dico: «Te lo insegno domani!» e poi mi scordo. Prendo un cardigan di lana ma ci ripenso, ormai gli va piccolo. All'improvviso mi viene un pensiero terribile: forse la prossima volta che lo rivedrò questi vestiti gli staranno troppo piccoli, Fabio me li ridarà appallottolati in una busta del supermercato e io li metterò via assieme agli altri. È una cosa straziante mettere via i vestitini dei propri figli, quando sai che non gli entreranno più. Ogni maglietta, ogni pantaloncino è la fotografia di un momento. Allora ritiro fuori i vestiti di Orlando dalla valigia e scombino di nuovo tutto. Il gilet azzurro. Questo mi ricorda quando ha vinto il pesce rosso al luna park. I pantaloni verdi, invece, quando spingeva Petra sull'altalena. Questo piumino nero quei due giorni in montagna in cui è caduto dagli sci e non ci è voluto risalire più e diceva che la neve è cattiva. Questi sono i calzini che aveva quel giorno in cui mi ha accompagnata alle *Amiche del tè* e ha detto che in tv sembra che la Speranza ha meno rughe e il cameraman ha sentito e s'è messo a ridere. Questa è la canottiera che aveva quella mattina in cui ci siamo accorti che s'era preso la varicella perché era pieno di bolle. Ripiego tutto tra le lacrime, aggiungo il vestitino da pastorello così sa che era pronto e che la mamma quest'anno gliel'aveva preparato in anticipo e faccio l'ultima cosa che mi resta da fare: prendere il suo Godzilla Bandai dal presepe. È ancora lì, sdraiato su un fianco, in mezzo al laghetto, dove l'aveva lasciato Orlando prima di andare a dormire. Prima di cadere dalle scale. E realizzo all'improvviso che sarà il mio primo Natale senza mio figlio.

Quando Fabio entra in casa per prendere la valigia di Orlando, capisco subito che è stato accuratamente imbeccato dal suo avvocato. Non mugugna, non grugnisce, non mi seppellisce di insulti. «C'è solo questa valigia?» mi chiede indicando il trolley rosso sulla porta con un abbozzo di buffa, seriosa autorevolezza.

«Sì, ho messo le cose più importanti.»

«Guarda che non stiamo andando in gita, per cui dammi più cose possibili, perché non ho nessuna voglia di tornare qui tra una settimana...»

«Be', potresti cominciare a comprargli qualcosa tu, i negozi per bambini non sono Atlantide o Topolinia, esistono sul serio, sai?»

«Forse non ci siamo capiti. Dopo quello che hai fatto, tu ora questa superiorità con me non te la puoi più permettere. Io fino a oggi non sarò stato molto presente con Orlando, ma quando ci sono stato non l'ho lasciato in casa per andare a comprare gli addobbi natalizi. Che poi questa è la versione che hai raccontato agli altri, ma io non me la sono certo bevuta.»

«Fabio, ho sbagliato e te l'ho detto fin dal primo momento, ma non venirmi a fare la morale per favore, perché io sarò stata assente dalla sua vita cinquantatré minuti, tu sei stato assente otto anni.»

«Alla fine non conta quanto stai con i figli, ma come ci stai.»

Questa gliel'ha scritta a penna l'avvocato sul post-it «Argomenti da sparare a caso con la tua ex moglie».

«Ah certo, ora mi tiri fuori la vecchia storia della qualità del tempo che conta più della quantità. Minchiate. Contano entrambe e mi spiace, ma non c'è qualità senza quantità, perché per quanto tu possa darti da fare quelle tre ore al mese in cui lo vedi, ti sei perso troppi passaggi e i figli non crescono a scatti, crescono un po' tutti i giorni. Perché la quantità comprende anche la febbre alta, il brutto voto a scuola, il capriccio scemo o un giorno di noia perché fuori piove, ed è esserci anche in quei momenti lì che vuol dire fare i genitori, non portarli al museo di storia naturale il sabato pomeriggio.»

«È esserci quando dormono nel loro letto, non andare a fare la deficiente in giro.»

«Non stavo facendo la deficiente in giro!» E invece sì, stavo facendo la deficiente in giro. Stavo smaniando per fare una piazzata a un ipocrita che non è più il mio fidanzato da due anni.

«E comunque mi pare che al momento la legge stia dando ragione a me, quindi le tue lezioncine valle a fare alle *Amiche del tè*, sempre se qualcuno riesce ancora a crederti.»

«Oh no, non ti preoccupare, con le lezioncine in tv ho smesso.»

«Smettila anche con quelle fuori dalla tv allora, perché non sei più la superdonna che poteva permettersi di salire in cattedra quando mi vedeva.»

«Fammi capire, Fabio, tu improvvisamente credi di poter fare il padre? Così, coi muscoli freddi, senza neanche cinque minuti di allenamento?»

«Alle volte bisogna entrare in fretta e a partita iniziata.»

«Sì, ma la partita è iniziata da otto anni. Cosa ne sai tu di cosa ha bisogno Orlando, delle sue abitudini, di cosa mangia, di quando va a dormire, di quando va a calcio, di come fa con la faccia quando sta per piangere? Come farai a stargli dietro? Come farai con i tuoi viaggi in giro per il mondo? Smetterai di cercare calciatori e ti metterai a cercare tartufi ad Alba?»

«Vedremo, c'è anche Estela, ci saranno i miei. E comunque queste sono cose che al momento mi sbrigherò io, poi si vedrà.»

«Ah certo, c'è Estela. E poi tra una settimana c'è Lorena, tra un mese c'è Asha, tra un anno c'è Karina e così via. Fabio, lo sai che non ce la puoi fare, stai imbastendo tutto questo casino per fare un dispetto a me, per avere un ruolo nella mia vita, non in quella di tuo figlio!»

«Cazzate. Sto facendo tutto questo perché non mi fido più di te. Buone feste, ciao Viola.»

Fabio è già sul pianerottolo che si trascina dietro il trolley rosso. Resto sulla porta, col cuore spezzato all'idea che con quel trolley se ne vadano tanti pezzettini di Orlando e della nostra vita insieme. «A colazione vuole il latte tiepido e una merendina al cioccolato. Ha un sacco di compiti di storia per le vacanze, deve studiare le ere geologiche. Dorme col peluche di Godzilla. La vitina dell'apparecchio gli va girata una volta al giorno. Dentro la valigia ci sono anche dei regali che gli avevo preso, sono già incartati. Faglieli trovare la mattina sotto l'albero, crede ancora a Babbo Natale. Ciao Fabio.» E Fabio sparisce in fondo alle scale, lasciandosi dietro una scia di ostilità e un po' di ragione.

Ora è rimasta una sola persona con cui fare i conti: Vasco. Se non fosse successo tutto questo, oggi saremmo ad Asti. Lui starebbe tirando fuori le coperte per la notte, Orlando starebbe facendo il suo pupazzo di neve e io starei scongelando qualcosa per cena. E invece, dalla sera dell'incidente, io e Vasco non ci siamo più parlati. O meglio, io non gli ho più parlato, perché Vasco non ha mai smesso di cercarmi. Mi ha chiamata, mi ha scritto messaggi, mail e addirittura un messaggio privato su Twitter spezzettato in sedici messaggi perché probabilmente non aveva capito che con quella lunghezza mi sarebbe arrivato a pezzi. Si è procurato non so come il numero di telefono di Ivana nonostante le informazioni su di lei in suo possesso fossero «Ivana/agenzia pubblicitaria», chiave di ricerca che a Milano fornirà circa 219.848.136 risultati. Le ha chiesto notizie su Orlando fino a notte fonda, le ha domandato come stessi io, come avesse reagito Fabio, in quale ospedale fossi, se avessi bisogno di qualcosa. Le ha detto che gli bastava sentirmi un minuto, che non voleva essere inopportuno con la sua presenza in un momento così delicato, ma che se gliel'avessi chiesto, lui avrebbe trovato il modo di esserci. Che il modo in fondo gli importava poco. «Viola, so quello che stai passando, ma non tenerlo fuori dalla tua vita in questo momento, perché io un uomo così attento e determinato non l'ho mai incontrato. Non l'ho mai visto, ma mi è bastato sentire come parla al telefono. Ti ama. E pure tanto.» Per fortuna Ivana mi ha risparmiato: «Se fai così lo perderai», perché altrimenti le avrei chiesto di lasciare il suo lavoro di pr per scrivere i testi a Brooke Logan.

La verità è che il dolore per l'incidente e per l'affidamento di Orlando a Fabio mi ha annientata. Vorrei rimandare all'infinito il tempo delle spiegazioni e so che ora Vasco mi inchioderebbe al muro. Ma so anche che credevo di amarlo e invece, appena Giorgio si è riaffacciato alla mia vita, è riuscito a raderla al suolo con una potenza devastante, a diventare più importante di ogni altra cosa. Del sonno sereno di Orlando e di quell'assaggio di felicità che stavo vivendo con Vasco. La mia vita è sempre stata un cubo di Rubik: quando finisco una faccia con tutti i quadratini dello stesso colore, scombino ancora di più le altre facce e devo ricominciare tutto daccapo. E poi tra poco ci saranno le elezioni e finirei solo per danneggiarlo. Non sono più in grado di scrivere neppure il mio nome su un biglietto di auguri, figuriamoci un tweet o un discorso. Se gliene scrivessi uno adesso, sembrerebbe l'orazione funebre di Pericle ai caduti e probabilmente gli darebbero da amministrare il Cimitero Monumentale, invece che la città di Milano. Figuriamoci poi se mi mettessi a utilizzare il suo account di Twitter per litigare con Giorgio. Domani Vasco sarebbe su tutti i giornali: «Schermaglie politiche sempre più accese, sui social network. Su Twitter, Vasco Martini chiede a Mazzoletti se eventualmente, da sindaco, il nastro intenderà tagliarlo o portarlo tra i capelli con la coroncina di Barbie Gran Ballo». O anche: «Vasco Martini chiede a Giorgio Mazzoletti perché tra i preferiti, anziché il tweet del papa sull'orrore dell'aborto, non ci mette l'ultimo selfie al mare di Ricky Martin». So che ne sarei capace, e infatti per prudenza ho disattivato l'account di Vasco dal mio computer. Inoltre c'è da dire che la sciagurata profezia di Giorgio in qualche modo si è avverata. Adesso la mia presenza in qualità di fidanzata sarebbe in grado di affossare la reputazione di chiunque. Perfino quella di Paris Hilton, che voglio dire, è sopravvissuta a calamità di una certa portata. Se Vasco dovesse vincere, ipotesi che non sembra più così remota, alla nostra prima uscita pubblica probabilmente scoppierebbero le Cinque giornate di Milano e moti insurrezionali fino a Sesto San Giovanni, per costringerlo ad andare via. E io voglio che Vasco vinca e rappresenti la parte più bella e pulita di questa città che amo, con tutti i suoi difetti. Voglio che non arrivi secondo, questa volta. Voglio che non lo tradisca di nuovo il ginocchio nel suo momento migliore. Però so che la verità gliela devo. Così, dopo una serata a leggere cosa dicono di me sul web per finire di farmi del male, apro la mia casella di posta elettronica e trovo la mail di Vasco. No, non posso più tenerlo appeso.

Martedì 24 dicembre 2013, h 23,19
Da: vasco.martini@gmail.com
A: viola.agen@yahoo.com

Quando sono arrivato ad Asti, aveva nevicato da poco. Nel giardino della mia casa c'era una neve soffice che mi arrivava a metà caviglia. Ho immaginato Orlando correrci dentro come in un campo di grano candido e le tue orme lungo il vialetto. E invece è rimasta com'era, una coperta inanimata che mi tiene freddo nella notte di Natale più fuori luogo della mia vita. Ero abituato agli imprevisti lungo il cammino, alle carte che si sparigliano, ai venti che girano. La vita mi ha curvato la schiena, pensavo che nulla potesse più cogliermi impreparato. E invece c'era una piega del dolore in cui non mi ero ancora infilato. La distanza da chi si ama può essere una tortura, ma la distanza da chi si ama e sta soffrendo è un braccio mutilato, che fa male anche da lontano, staccato dal corpo. Non so perché mi vuoi distante, quando vorrei solo tenerti stretta a me e proteggerti dalla ferocia del mondo. Non lo so, Viola. Però so che ho lottato tanto per ottenere la fiducia dei cittadini e oggi baratterei tutto pur di avere la tua, solo la tua. Perché se tu me la concedessi, ora, sapresti che indietro non posso tornare. Che da quando ti conosco sono pronto a osare e scombinare ogni piano, senza che sia la vita a chiedermelo, urlandomi nelle orecchie come ha sempre fatto. Sono io, ora, quello che fa la voce grossa. Nulla è più come prima. E non sono cambiati solo i miei passi. È cambiata la strada su cui camminavo. Questo so Viola, da quando ti conosco: amare è ridisegnare le carte geografiche.

Sono qui, sempre.
Ti aspetto, per un po'.
Poi vengo a prenderti.
V.

Ho imparato a conoscere Vasco e la sua determinazione, so che non mente: prima o poi verrà a prendermi. Afferro il telefono come un automa. Cerco di rimuovere il pensiero di quello che ho appena letto. Le sue parole. Il suo amore tenace, che non smette di avvolgermi nonostante mi neghi al suo abbraccio. Non sono riuscita a salvare me e mio figlio, voglio salvare lui e il suo sogno.

«Ciao Vasco.»

«Viola, come stai?» La sua voce è più calma del solito, ma è quella calma triste, che racconta giorni difficili.

«Sto come merito di stare.»

«E Orlando?»

«Sta come non merita di stare.»

«Per favore, non dire così. Non so neppure da dove cominciare. Forse solo col dirti che mi manchi. Che mi è sembrato di impazzire senza poterti stare vicino.»

«So che c'eri, non ti preoccupare.»

«Ho chiesto a Ivana, sono stato in contatto con lei...»

«Me l'ha detto. Poi un giorno mi dirai come l'hai trovata.»

«Ho spulciato i 979 nomi che segui su Twitter. Non ero mai stato così tanto su un social network in vita mia.»

«Senti Vasco, io vorrei spiegarti come sono andate le cose. Non ti ho raccontato tutto di me.»

«Vediamoci.»

«No, devo dirtele ora, non voglio più aspettare.»

«Neanche io. Vengo da te. Parto adesso, tra un'ora e mezzo sono a casa tua.»

«No, questo non potevamo permettercelo prima, figuriamoci ora.»

«Che vuol dire figuriamoci ora?»

«Vuol dire che se qualcuno ci vedesse ora, non sarei una gran pubblicità per te. Sono un'appestata, meglio girare alla larga, fidati.»

«La smetti di dire idiozie?»
«Non sono idiozie, lo sai che è vero.»
«L'unica cosa vera è che ho un disperato bisogno di baciarti e di sentire quello che mi devi dire guardandoti negli occhi, come fanno le persone sane in questo cazzo di mondo di linee che cadono e di digitazioni in corso.»
Io invece adesso ho bisogno di distanza e di assenza, per riuscire a dirgli la verità. «Ascolta Vasco, io e te non possiamo più vederci.»
«Non dire cazzate, per favore.»
«Non sono cazzate, ho deciso così.»
«Bene, allora mi devi la dignità dello sfanculamento vis-à-vis, perché io ora vengo da te e voglio vedere se i tuoi occhi dicono la stessa cosa.»
«Vasco, per favore!»
«Ma per favore cosa? Mi lasci al telefono? Sono un uomo, non la disdetta di un abbonamento telefonico.»
«Hai ragione, ma ora preferisco così, sto troppo male per affrontare chiunque e...»
«Affrontare? Viola, ma come diavolo sei stata abituata? Da dove arrivi? Perché dovresti affrontarmi? Io ti amo, sono qui che ti aspetto a braccia aperte in un giardino pieno di neve, non in trincea. Pensi che ti farò il processo? Io non ho bisogno di leggere i giornali per sapere chi sei e che madre sei.»
«Faranno il processo anche a te, se verrà fuori che mi frequenti. Sei a un passo dal diventare sindaco. E io voglio che tu vinca.»
«E quindi vuoi lasciarmi? Sarebbe una vittoria monca senza di te, e io le vittorie le voglio integre.»
«Anche le verità, suppongo.»
«Certo.»

«Ecco, io con te non sono stata sincera. Vasco, la sera dell'incidente ho lasciato solo a casa Orlando perché stavo andando da una persona.» Rimaniamo per un attimo in silenzio, entrambi annientati dal timore di quello che sta per accadere.

«Da chi stavi andando, Viola?»

«Da Giorgio.»

«Giorgio?»

«Mazzoletti.»

«Da Giorgio Mazzoletti? E che cosa c'entra Giorgio Mazzoletti con la tua vita?»

«C'entra molto. O meglio, c'entrava. Siamo stati insieme tre anni. È finita due anni fa, ma dentro di me non si è mai conclusa del tutto.»

Vasco non parla più. Sento il rumore di un oggetto che si sposta a intervalli regolari, sembra un bicchiere fatto scivolare su un tavolo, o qualcosa del genere. «Perché non me l'hai detto?»

«Non lo so. Ho cercato di stare lontana da te, ma poi tra noi è successo tutto così in fretta e...»

«E perché cercavi di stare lontana da me? Credi che sapere di Giorgio mi avrebbe fermato? Saperlo subito sarebbe stato spiacevole, ma non certo un ostacolo. I curriculum contano se devi assumere qualcuno, non se te ne innamori.»

«Mi spiace Vasco. In realtà cercavo di starti lontana non perché volessi proteggere te, ma perché volevo proteggere me. C'erano molte cose irrisolte dentro di me e temevo che incrociare di nuovo la mia vita con la sua potesse farmi del male. E in qualche modo è andata così.»

«Perché sei andata da lui quella sera? Avevate ripreso a vedervi?»

«No.»

«E allora cosa ci facevi da Giorgio? Cosa ti ha spinto a lasciare tuo figlio a casa? Perché tu Orlando non l'avresti mai lasciato da solo per un capriccio, io lo so.»

«Avevo scoperto una cosa. Una cosa che in qualche modo riguardava anche me e lui, la nostra relazione...»

«Ma se hai detto che era finita due anni fa.»

«Lo so, ma, ma...»

«Tu sei andata a chiedergli il conto per qualcosa che non ti riguardava più?»

«Più o meno, sì. Ero arrabbiata e non ragionavo. La rabbia non mi ha permesso di essere me stessa fino in fondo neanche con te. Ho creduto, ma non ce l'ho fatta.»

«Viola, io ora voglio sapere una cosa. Tutto quello che hai fatto, Twitter, i comizi, i consigli... l'hai fatto per aiutare me o per aiutare me a distruggere lui?»

«Non lo so.»

«Non lo sai? Allora te lo chiedo in un altro modo. Ami me o odi Giorgio Mazzoletti?» Non riesco a dire nulla. Certe verità fanno male a chi le dice, tanto quanto a chi le ascolta. «D'accordo. Il tuo silenzio mi basta. Ma sappi una cosa, Viola: io lo so quello che c'è tra di noi. E non è figlio della rabbia. È figlio nostro, del sentimento che ci ha travolti quel giorno in cui ho tolto l'acca dal cartello sul tuo camerino e tu sei rimasta a ridere con me. Eravamo già noi due in mezzo al resto. Hai negato una verità a me e hai commesso uno sbaglio, ma adesso ne stai negando una a te stessa, e stai commettendo un omicidio. Pensaci. Buon Natale, Viola.» E attacca.

Come se avesse finito le parole o la voglia di lottare. Neanche io ho più voglia di lottare. Mi manca Orlando. Ora ho solo voglia di smontare questo presepe inutile, di spegnere le lucine e di stare da sola, al buio, aspettando che la notte di Natale passi presto, come una brutta febbre.

Il campanello di casa interrompe il mio sonno leggero, arrivato solo alle prime luci dell'alba, dopo una notte in cui il pensiero di Orlando e le parole di Vasco non mi hanno dato tregua. Ho dormito sul divano, vestita, con dei calzettoni antiscivolo che sarebbero indecenti anche per pulire le fughe nere nella doccia e non mi avvicino all'acqua da almeno ventiquattro ore. Diciamo che in una scala dell'impresentabilità che va da uno a cento, sono centodieci e lode con encomio, dignità di stampa e bacio accademico. Tra l'altro, sono le nove del mattino e non ho la più pallida idea di chi possa aver voglia di farmi visita a quest'ora nel giorno di Natale. Forse qualche giornalista. Ieri Amir mi ha detto che sono andati perfino da lui a chiedergli se gli fosse capitato di vedere altre volte Orlando scorrazzare da solo per le scale o per il cortile e lui gli ha risposto che lo aveva notato fare un paio di volte del funambolismo sulla grondaia, poi li aveva cacciati via. Arranco fino alla porta tenendomi addosso il plaid che mi sono messa pietosamente addosso durante la notte e cerco di intuire l'identità dello scocciatore dallo spioncino. È il vicino di casa ostile. Colui che per primo ha soccorso Orlando quando è caduto dalle scale. Col suo volto inquietante, le rughe profonde e i capelli bianchissimi, deformato dalla lente dello spioncino, il signor Mandelli sembra un personaggio di Tim Burton. Non so se aprire o chiamare un esorcista, ma mi faccio coraggio. Sto sopportando supplizi di ogni genere, figuriamoci se mi formalizzerò per l'ennesimo sermone di un semisconosciuto. «Buongiorno, mi scusi l'abbigliamento ma mi sono appena svegliata...»

Il vicino ha un quotidiano in mano e una stella di Natale, folta e bellissima, sottobraccio. Me la porge con la grazia di un rinoceronte: «Buon Natale! Mi fa entrare un attimo?».

Se mi avesse piazzato in mano una mina a frammentazione, sarei rimasta meno sorpresa. O forse è effettivamente una mina a frammentazione mascherata da stella di Natale, è uno di quegli escamotage natalizi tipici dei delinquenti ingegnosi, come il pandoro con la bustina di coca travestita da zucchero a velo. La poso con una certa prudenza sul tavolo mentre il vicino si guarda intorno con quell'espressione severa che mi fa abbassare lo sguardo ogni volta che lo incrocio nell'androne. Forse ha notato che non ho il secchio per l'umido e ha realizzato che l'ultima multa presa dal palazzo per errori nella differenziata è colpa mia. Ma sono pronta a spiegargli che dopo la multa, ora scendo sempre giù con la busta dell'immondizia aperta e tiro fuori gli scarti uno a uno decidendo dove vanno, spesso col vetro sotto l'ascella, per poi risalire in casa e puzzare come un peschereccio. O forse ha notato il groviglio di fili dietro il televisore, in effetti dovrei decidermi a fare un po' di ordine. Tra l'altro, lì in mezzo, ci sono un sacco di fili che partono dalla tv, dal dvd, dalla Wii, dal decoder e non sono attaccati a nulla. È un fenomeno che non ho mai capito, questo. Chi attacca alle tv fili che non finiscono da nessuna parte? È un segno? Un indizio? È una metafora dell'umano connesso all'universo? «Senta signor Mandelli, io la volevo ringraziare per quello che ha fatto per Orlando, avrei dovuto farmi viva io ma non è un momento facile e come saprà adesso...»

«Mi chiamo Ottavio.» Me lo specifica bruscamente, come se il suo cognome non gli piacesse. Ora sta puntando un vaso di fiori, quello con l'ultimo mazzo di fresie bianche che mi ha regalato Vasco. Lo osservo con discrezione. È leggermente stempiato e indossa dei pantaloni di velluto abbinati a una cintura con una fibbia troppo grande, che gli arriva appena sotto l'ombelico, ma al di là dei suoi modi burberi e del fatto che sarà vicino agli ottanta, ha un aspetto decisamente gradevole. Penso alla frase di Orlando l'ultima volta che lo abbiamo incrociato sulle scale. «Mamma, quel signore mi sembra il vecchietto di *Up*!» Chissà cosa dirà Orlando quando gli racconterò che è stato salvato dal vecchietto di *Up*, come il beccaccino dai mille colori. Improvvisamente, mentre lo osservo analizzare i miei fiori con piglio scientifico, mi ricordo che secondo le leggende condominiali che aleggiano sulla sua nebulosa figura, il signor Mandelli sarebbe un ex fioraio. «Sono belle le fresie. Peccato che si regalino poco. Le spremono per il loro profumo, ma la loro bellezza è ingiustamente trascurata» mi dice annusando i fiori con aria malinconica. Ah però. Allora c'è un abbozzo di anima, sotto quella camicia a quadretti verdi.

«A me ne regalano perfino troppe...» gli rispondo con un sorriso triste.

«Be', chi gliele regala vede la bellezza dove gli altri vedono una boccetta di profumo, ne tenga conto.»

«Lo farò... Signor Ottavio, vuole accomodarsi? Le faccio un caffè?»

«No, vengo al punto. Sono qui perché ho qualcosa da dirle.» Oh mio Dio, non ricordo dove ho parcheggiato la macchina, ma questa volta devo averla fatta grossa. «Su questo giornale ho letto un'intervista in cui si parla di lei.»

«Non mi stupisce. Chi è questa volta? Il mio carrozziere dice che non ho ancora finito di pagargli le gomme da neve?»

«No.»

«Hanno visto mio figlio su un altare durante un rito satanico mentre io sgozzavo un capretto con la limetta per le unghie?»

«No, è un'intervista a Giorgio Mazzoletti.»

Non so quanto il signor Mandelli sia pratico di comunicazione non verbale, ma la mia smorfia sul volto e la ciocca di capelli che comincio ad annodare nervosamente sull'indice, dovrebbero tradire il violento turbamento che mi provoca quel nome. «Ah, e che dice?» domando mentre il vicino sfoglia il giornale in cerca della pagina incriminata.

«Ecco, legga questo passaggio. Il giornalista gli chiede cosa ne pensi del caso mediatico di questi giorni, Viola Agen, e se crede che le donne oggi non abbiano più voglia di fare le madri, che siano troppo egoriferite e lui risponde così, legga.»

Non capisco perché il mio vicino ci tenga così tanto a farmi sapere cosa pensi Giorgio di me, ma mentre afferro il giornale ho le mani che mi tremano. Forse il signor Ottavio è qui per cercare di confortarmi. Probabilmente siamo le uniche due persone del palazzo che trascorreranno la giornata di Natale da sole e lui lo sa. Nessuno l'ha mai visto con una donna, un nipote, un amico, qui sono tutti convinti che sia un misantropo, me compresa. Forse è vedovo o magari semplicemente allergico a qualsiasi interazione col prossimo ma romanticamente devoto alla sua relazione con la tromba delle scale. Forse ora che tutti mi odiano, mi vede come un essere affine e vuole farmi sapere che in questi giorni difficili il candidato sindaco ha speso qualche parola di solidarietà per me. Scorro rapidamente le righe di un'intervista apparentemente inutile sui suoi ricordi legati al Natale nella città di Milano e sull'inattesa rimonta del suo avversario politico, e arrivo alla risposta che mi riguarda. La devo rileggere una seconda volta per credere a quello che c'è scritto: «Non conosco personalmente la signorina Agen se non per averla intravista in tv all'interno di discussioni, diciamo, naïf, che non incontrano i miei gusti di spettatore, ma il suo caso è piuttosto emblematico dei conflitti che vivono le donne oggi. Hanno giustamente preteso la parità, hanno voluto i nostri ritmi e le nostre opportunità, ma le più rampanti si sono fatte fagocitare dall'ambizione e dalla smania di assomigliare agli uomini peggiori e si sono dimenticate che il lavoro più bello e più importante resta quello di madre e di genitore. Io non ho figli ma spero di averne presto. E sono certo che non li dimenticherò in casa come la signorina in questione, a cui comunque va il mio augurio cristiano perché il figlio si rimetta presto». Bastardo ipocrita figlio di puttana che non sei altro. Affonda il coltello quando sono già morta per terra. Contribuisce ad azzerare la mia dignità, così se mi dovessi decidere a spifferare a qualcuno quello che so di lui, la mia credibilità sarebbe pari a zero. Ha dimenticato quando mi rimproverava di passare troppo tempo con mio figlio, di non smollarlo a sufficienza alle babysitter per fargli da geisha nel salottino della sua bella casa quando la sera finiva tardi al lavoro. Ma soprattutto, vorrei capire come pensa di farlo il genitore, visto che ha definito «aberrante» l'idea delle adozioni per le coppie gay. E anche se fosse, non ce lo vedo Lucas Conti a preparare pappette di mais e tapioca mentre Giorgio pulisce il sedere al neonato.

Il signor Mandelli ripiega con cura il giornale. Io ho la furia omicida di una tigre digiuna da mesi. «Vede, queste dichiarazioni mi hanno lasciato un po' interdetto, perché c'è qualcosa che non torna.»

«No guardi, invece torna tutto. Ho lasciato mio figlio solo a casa, sono il mostro del momento, non è una novità» dico continuando a tormentarmi la ciocca di capelli.

«No, non intendo dire che non tornano le accuse, intendo dire che non torna il fatto che sostenga di non conoscerla.»

L'affermazione del signor Ottavio e la sicurezza con cui la sostiene mi lasciano basita. «Non capisco... in che senso?»

«Nel senso che vede, io ho un problema: non mi fido della gente. Facevo il fioraio. Ho mandato per quarant'anni fiori ad amanti e mogli di assessori e segretarie di ministri e amichetti e amichette di vescovi, camionisti e imprenditori e so come funziona il mondo, per cui anche ora che sono in pensione continuo a fare quello che facevo prima: noto tutto, ma alla fine mi faccio i fatti miei. È per questo che mi sono guardato bene dal raccontare chi fosse entrato e uscito da casa sua la sera dell'incidente di Orlando.»

Non capisco dove voglia arrivare. «Anche perché non c'era molto da raccontare. Quella sera è entrata e uscita Francesca, la babysitter, e poi sono arrivata io per riuscire poco dopo» replico.

«Non direi. Io non ho visto lei uscire, ma ho visto un uomo entrare in casa sua intorno alle otto e mezzo. Stavo salendo a casa, mi trovavo sulla rampa di scale che porta al secondo piano. Facevo avanti e indietro da un po' per portare della roba in garage. Ho sentito il rumore delle chiavi nella serratura, hanno fatto almeno tre scatti, e mi sono affacciato pensando che fosse lei. Invece era un uomo. E quell'uomo era Giorgio Mazzoletti. Strano che lui dica di non conoscerla.»

Sono impietrita. Paralizzata. Non riesco a spiccicare parola, perché quello che mi sta raccontando il vicino mi ha acceso in testa una decina di lampadine contemporaneamente. Giorgio in effetti ha un mazzo di chiavi di casa mia. Quando ci siamo lasciati si è dimenticato di ridarmele e io di richiedergliele, e quando ci siamo ricordati, probabilmente nessuno dei due ha avuto voglia di ricercare l'altro. Lui quella sera voleva venire da me per riavere il cellulare di Lucas. Aveva insistito parecchio al telefono. Diceva anche di essere disposto a darmi dei soldi, lo schifoso.

«Senta, io non gliel'avrei detto perché presumevo che sapesse di questa visita, ma quando ho letto che ha dichiarato alla polizia di essere certa di aver chiuso la porta a chiave e che non si spiega come possa non averlo fatto, ho pensato che magari non sapesse che qualcuno si era introdotto in casa sua.»

«No, infatti non lo sapevo» dico con un filo di voce.

«Ecco, e allora non sa neanche che Giorgio Mazzoletti è uscito dopo un minuto e la porta l'ha solo chiusa, ma non ha dato alcuna mandata. Lo so perché sono rimasto lì per capire cosa ci facesse il candidato sindaco di Milano nel mio palazzo e l'ho visto andare via di corsa. Dieci minuti dopo, quando sono risalito dal garage, ho trovato Orlando per terra. Poi magari invece lei sa tutto e lo sta coprendo per ragioni che non conosco, ma io il dubbio che lei invece non sapesse niente non me lo volevo tenere.»

È tutto chiaro. Mentre io andavo da lui per tirargli il telefono addosso, Giorgio è venuto a cercarmi. Gli avevo detto di essere in casa, probabilmente ha supposto che non gli avrei aperto neanche il portone e si è portato le chiavi dietro, per entrare subito e non dare nell'occhio. Ha suonato e vedendo che non gli aprivo, avrà verificato che davvero non fossi a casa. Forse ha svegliato Orlando facendo rumore. Forse l'ha visto che dormiva. Forse Orlando mi ha chiamata. O forse Orlando s'è svegliato quando Giorgio ha sbattuto la porta, questo non lo saprò mai. Fatto sta che Giorgio non l'ha chiusa girando la chiave come avevo fatto io. E mio figlio è uscito spaventato, per poi cadere dalle scale. Giorgio lo sa come sono andate le cose, non può non sapere. Per questa storia della porta lasciata aperta mi stanno massacrando. Dicono che le mie dichiarazioni alla polizia sono bugie patetiche, che spero di farla franca, che se almeno avessi chiuso quella porta a chiave mio figlio avrebbe pianto anziché cadere dalle scale e i vicini l'avrebbero sentito, sarebbero venuti a bussare, mi avrebbero chiamata. In realtà c'è anche il partito di quelli che invece dicono che se la porta fosse stata chiusa e fosse scoppiato un incendio, Orlando sarebbe rimasto imprigionato in casa come un topo, ma qui entriamo nel regno del processo alle intenzioni e i processi alle intenzioni interessano poco quando si può processare un intento idiota messo in atto.

«Signor Mandelli, cioè, Ottavio, mi scusi, io non posso darle molte spiegazioni, ma la ringrazio. Per me ricostruire come sono andate le cose l'altra sera è molto importante. Da un punto di vista legale, resta il fatto che ho lasciato mio figlio da solo, incustodito, per cui non cambia molto, ma...»

«Ma un uomo degno di chiamarsi tale si dovrebbe assumere le sue responsabilità, anche se è in corsa per diventare il sindaco di questa città. Almeno con lei. O forse queste sono cose che si facevano ai miei tempi e non sono più di moda.»

«Sa, credo che lui non sia all'altezza della verità, di nessuna verità nella sua vita. Almeno di quelle che intralcerebbero la sua ascesa politica. Ma la meschinità di Giorgio Mazzoletti è un problema che non mi riguarderà mai più. Non doveva riguardarmi neanche questa volta. Se me lo fossi ricordato, ora Orlando sarebbe qui a scartare i regali.»

«Spero racconterà come sono andate le cose a chi di dovere, signorina Viola. Io potrei testimoniare.»

«Oh no, non credo che lo farò. Sono stanca. Solleverei un ulteriore scandalo, dovrei spiegare come mai Giorgio Mazzoletti avesse le chiavi di casa mia, cosa ci lega, poi ci sarebbe la sua versione contro la mia e comunque nessuno mi ridarebbe Orlando in questo momento. Io ho sbagliato e voglio assumermi le mie responsabilità, fino in fondo. Per la gente ora sono un mostro, non basterebbe un'incipriata a regalarmi una faccia nuova.»

«Capisco. Mi toglierei la soddisfazione di raccontare io alla polizia o alla sua cara amica Giusy Speranza come sono andate le cose, ma sono una persona riservata, mi farò i fatti miei. La sua discrezione le fa onore.»

«Non è discrezione. Credo sia arrivato il momento in cui il disgusto ha la meglio sul mio desiderio di vendetta.»

«Be', non so quanto possa consolarla, ma sappia che per Giorgio Mazzoletti provo un profondo disgusto anch'io. E ora mi scusi ma la devo lasciare. È Natale, vado in ospedale da mia moglie.»

Allora non è solo al mondo come leggenda condominiale narra. «Ha una moglie? Non sapevo, non l'ho mai vista... è da tanto in ospedale?»

«Da ventitré anni.» Capisco subito di aver aperto una parentesi dolorosa. Balbetto un «Mi scusi» imbarazzato, ma il signor Ottavio sembra aver voglia di regalarmi uno spiraglio della sua vita. Si ferma sulla porta. «Faceva l'insegnante, insegnava musica. Ha avuto un incidente d'auto al ritorno da scuola. Coma profondo. Fin da subito Leonilde non è stata più viva del suo mazzo di fresie nel vaso.»

«Deve essere stato terribile.»

«Di più. Una luce che si spegne di botto è terribile. Ma una luce tremolante nell'attesa che si spenga è molto peggio. Mia moglie amava la vita, ma non avrebbe accettato di spegnersi così. Lo dica a Mazzoletti se lo rivede, lui e i suoi bei sermoni sulla vita che è sempre sacra e gli slogan della serie "Preservarla a ogni costo è un valore primario!". Gli dica che io darò il mio voto a Martini e che il testamento biologico, che lui teme tanto, è un atto di civiltà e di coraggio. Ma Giorgio Mazzoletti non ha il coraggio delle sue azioni neppure ora che è in vita, figuriamoci se pensa di assumersele quando starà per affacciarsi all'inferno.»

«Mi dispiace Ottavio, io non sapevo... Nel palazzo tutti pensano che lei non abbia una famiglia e...»

«E le chiedo di fare in modo che continuino a pensarla così.»

«Certamente. Abbiamo i nostri due segreti da custodire. Grazie Ottavio. E buon Natale.»

Sto per chiudere la porta, quando il mio vicino mi fa un ultimo cenno con la mano, come se avesse dimenticato qualcosa. «Ah, signorina Viola. Un'ultima cosa. Io l'ho osservata molto da quando sono venuto a vivere qui. Credo che lei sia una pessima inquilina, ma una buona madre. Arrivederci.» E il signor Ottavio se ne va, dopo avermi consegnato un pezzo della sua vita e l'ultimo tassello della mia. Ora so quando il ricordo di qualcuno smette di fare male. Quando senti che nello spazio tra la vita con lui e quella senza di lui non c'è più una curva, ma un precipizio. Se ti vuoi salvare, devi guardare avanti.

Apro il computer, e scrivo.

Mercoledì 25 dicembre 2013, h 11,43
Da: viola.agen@yahoo.com
A: gmazzoletti@libero.it

Ciao Giorgio,

ti devo delle scuse. Per la sceneggiata, le minacce, il sarcasmo e tutto il resto. Credevo che mi dovessi una verità e invece sbagliavo. L'ho capito quasi subito, quella sera maledetta, che stavo sbagliando. Forse proprio quando ho deciso di lasciare il telefono di Lucas nella tua cassetta della posta, ma purtroppo per me era troppo tardi. Mio figlio, in quell'istante, era già sulle scale e se non avessi avuto un po' di fortuna residua da qualche parte, forse oggi sarei al suo funerale. E ora veniamo alla verità che mi dovevi. Io credevo di aver capito molte cose di te. Di aver conosciuto i tuoi difetti peggiori, il tuo egoismo, il tuo opportunismo, la tua brama di potere, la tua capacità di coltivare l'arte della convenienza e quell'impareggiabile lucidità nel centrare il bersaglio senza badare a chi sta nel mezzo. Peccato tu sia capace di sparare il colpo solo infrattato in qualche cespuglio come il più schifoso e pusillanime dei cec-

chini. Ed è questo che ignoravo di te: la tua codardia. So che sei entrato a casa mia la sera dell'incidente e so che sei stato tu, non io come ho finito per credere perfino io stessa, a non chiudere a chiave la porta. Saperlo da te non mi avrebbe regalato alcuna assoluzione, ma forse l'avrebbe regalata al male che mi hai fatto. Forse avrebbe restituito dignità al dolore, a te stesso, al noi che eravamo. E invece hai scelto ancora una volta di nascondere la tua parte scomoda. Di dipingere me come una iena affamata di gloria e di continuare la tua scalata con il curriculum intonso e la coscienza marcia. Stai tranquillo, non dirò niente. Di Lucas, della porta che hai lasciato aperta, di noi. Della tua vita non mi importa più nulla. Volevo solo che sapessi che non l'hai passata liscia, ma è qualcosa che riguarda le coscienze, non i pubblici tribunali. Il mio disprezzo per te è un cerchio chiuso e pacifico. Non mi sentirai né leggerai mai più. Solo una cosa mi auguro. E non per me, ma per questa città. Che tu non vinca le elezioni. Milano merita un uomo onesto. E coraggioso. Tutto quello che non sei tu.
Addio.

Avrei voluto aggiungere «E che invece è Vasco Martini», ma ora pensare a Vasco è solo altro dolore.

19
Capodanno sul rogo

«Senti amica, adesso se non ti decidi a mettere piede fuori di casa vengo lì e ti tiro fuori col forcipe.»

«Ilaria, lascia pure il forcipe a casa, non è un parto difficile, è un parto impossibile. Non ho nessuna voglia di sottopormi al fuoco incrociato di battutine e sguardi arcigni, non posso più neanche uscire sul terrazzo perché c'è la signora Ester di fianco che annaffia i cactus da una settimana nel tentativo di riuscire a incrociarmi. Tra un po' mi sentirò in dovere di parlarle, pur di salvare dall'affogamento quelle povere piante.»

Il Gruppo Testuggine cerca invano da giorni di farmi uscire per svagarmi un po', ma io ho allestito un campo di accoglienza nella zona divano con generi di prima necessità – bignami di psicologia da bar, cellulare quasi sempre spento e cracker sbriciolati – e non ho alcuna intenzione di affrontare la crudeltà del mondo. Non lo avevo mai realizzato prima di questi giorni senza Orlando, ma una cosa da cui ti salvano i figli in caso di scoramenti vari è l'abbrutimento domestico. Puoi avere tutti i lutti e i dispiaceri che vuoi, ma quando c'è un bambino da accudire, quando lo devi portare a scuola o a una festa, sei costretto a reagire. Il bivacco mesto sul divano, l'ascetismo spinto, l'abbandono di ogni preoccupazione estetica e igienica, non te lo puoi permettere. E infatti, nonostante ci sia stato Giorgio nel mezzo, erano quasi nove anni che non mi riducevo così.

«Scusa eh, ma se invece di stare qui al telefono, usciamo a bere un caffè, qual è il problema?» continua Ilaria imperterrita.

«Il problema è che mentre quel caffè lo aspettiamo arriva una signora a dirmi che sono una scriteriata, quando il caffè ci arriva si intromette suo marito aggiungendo che sono un'irresponsabile, quando versiamo lo zucchero entra nel bar un gruppetto di ragazzi che se la ride indicandomi, quando giriamo lo zucchero il cameriere mi rammenta che a sua madre non sarebbe mai successo, quando iniziamo a berlo ci scattano due foto per documentare il mio abbrutimento e infine, ti dirò, in quel caffè probabilmente il barista c'ha pure sputato dentro.»

«Come sei catastrofica. E poi ci sono io a difenderti.»

«Questo mi preoccupa ulteriormente, Ilaria. Tu riusciresti a provocare una rissa verbale anche a una cerimonia del tè, figuriamoci in un bar che pullula di giudici e inquisitori.»

«Senti, sono abituata alla specie umana più devastante del pianeta, ovvero le clienti di un centro estetico, per cui credimi, posso resistere senza mandare affanculo qualcuno anche per più di otto minuti.»

«Perché, sfanculi le clienti?»

«Continuamente.»

«E perché?»

«Bah, perché escono dal mio centro fresche di smalto e infilano la mano nella borsa rovistando mezz'ora in cerca delle chiavi che però si sono incastrate alle cuffie dell'iPad che però si sono arrotolate attorno al caricabatterie dell'iPhone e poi vengono da me dicendo che lo smalto s'è scheggiato subito. Oppure passano tre mesi sotto il sole equatoriale spalmandosi il bergamotto fermentato anche nelle pieghe delle orecchie e poi vengono da me lamentandosi perché i miei trattamenti antirughe non funzionano. Oppure mangiano chili di sushi dicendo che è dietetico e quando vengono da me a protestare perché anche coi massaggi la culotte de cheval resta lì, gli spiego che se continuano a mangiare riso, io a massaggiare le loro culotte ci posso tirar fuori un supplì, non un fisico asciutto. Ti basta?»

«Mi basta. Comunque non esco lo stesso.»

«Ma come non esci lo stesso? Dai, oggi dalla Speranza ti hanno perfino difesa...»

«Dalla Speranza? Ma sei sicura?»

«Giuro, l'ho visto con i miei occhi.»

«E chi mi ha difesa?»

«Una tizia.»

«Una psicologa dell'infanzia?»

«No. Una spogliarellista del Sexy Spritz.»

«Ah be', allora mi avrà fatto guadagnare parecchi consensi...»

«In effetti quando ha detto che lei il figlio per non perderlo d'occhio lo lega al palo della lap dance, ha suscitato qualche polemica, ma almeno sul tuo caso si comincia a imbastire un po' di contraddittorio, no?»

«Certo, come no. Un bel contraddittorio: chi dice che andrei messa in galera e chi dice che andrei sterilizzata. Il bello della democrazia, insomma.»

«Ho capito, ma ora vedrai che arriverà qualcun altro a difenderti, quantomeno per il gusto di andare controcorrente, no? Non funziona così in televisione? Me lo dicevi sempre tu: "In tv non conta quello che pensi, ma pensare il contrario di chiunque ti sia seduto di fronte". Me la sono venduta almeno dieci volte con le clienti mentre facevo le cerette e ha avuto sempre un notevole riscontro.»

«Sì Ilaria, ma nessuno ha voglia di difendere una madre degenere. Un conto è voler essere impopolari, un conto è voler essere lapidati. E poi probabilmente non mi difenderei neppure io.»

«Io invece dico di sì. Anzi. Forse sarebbe il caso che tu ti difendessi dalla marea di minchiate che dicono sul tuo conto. Oggi raccontavano che tre anni fa hai lasciato solo a casa per una settimana il tuo labrador e che l'hanno dovuto tirar fuori i vigili del fuoco.»

«Non ho mai avuto un cane. E l'unico vigile del fuoco che è entrato in casa mia aveva ventinove anni e una tartaruga indimenticabile, ma è accaduto qualche anno fa ed è stato lui ad abbandonarmi all'autogrill.»

«Appunto, vedi che dovresti difenderti? Vabbe', comunque senti, a proposito di difesa... Oggi nel centro estetico è venuta da me una tizia con la scusa di fare la cheratina. Ha cominciato a fare delle domande su di te, alla fine è venuto fuori che era una giornalista di quel programma, come si chiama, *Gioie e dolori*. Ha saputo da una cliente che siamo amiche e voleva che raccontassi qualcosa di Orlando...»

«E tu hai detto qualcosa?»

«Sì, di non rompere i coglioni con una piastra rovente in mano.»

«Perfetto. Una reazione sobria e composta.»

«Ascolta Viola, se non vuoi uscire oggi non insisto, ma domani è Capodanno, siamo rimaste tutte qui a Milano per stare con te. Non dico di andare a ballare e di fare trenini cantando Brigitte Bardot, ma almeno di bere una cosa tutte insieme da qualche parte.»

«Va bene, porta una scacciacani, ti avverto.»

«La scacciacani non ce l'ho, ma nel centro ho la pistola per i buchi nelle orecchie nuova di zecca, giuro che se si avvicina qualcuno a romperti le palle lo mando a casa con più piercing di Dennis Rodman.»

«Bene. Allora sceglicte un locale con delle sedie leggere e con i vetri infrangibili, possibilmente non su strada perché le foto della rissa le vorrei in bassa qualità e i paparazzi riescono a immortalare anche la calza smagliata.»

«Ok, ti passo a prendere domani alle dieci.»

«No Ilaria, grazie, ma credo di averne passate abbastanza in quest'ultima settimana, la tua guida sarebbe il colpo di grazia. Ci vediamo direttamente lì, ok?»

«Ok, a domani. E mi raccomando: ti voglio vedere fighissima. Ricordati, nei periodi di abbattimento vale un unico detto: "Se non li puoi stupire con l'autorevolezza, stupiscili con l'autoreggente".»

«Mi mancavano le tue massime. Ciao Ilaria, a domani.»

L'anno scorso, a Capodanno, io e Orlando abbiamo brindato con una Fanta Lemon. Eravamo a casa a Milano con i miei genitori e alcuni amici e ci aveva raggiunti Fabio che era quasi mezzanotte, esordendo sulla porta con un poco rassicurante: «Ho portato dei botti!». I botti erano su per giù l'arsenale di Hamas, tant'è che dopo dieci minuti buoni di terra-aria lanciati dal mio terrazzo, il fratello israeliano del terrazzo di fronte aveva risposto con una spietata controffensiva a colpi di raudi e bombe carta. Bollettino di guerra: sordità totale del pinscher di un mio amico, un'aloe della signora Ester i cui miseri resti furono ritrovati sull'Arco della Pace il mese dopo da un restauratore e una nota di richiamo dell'amministratore di condominio appesa in bacheca con la firma di tutti i condomini. Il bilancio fu pesante, ma Orlando aveva abbandonato per una volta la sua naturale prudenza e si era divertito tanto. «Mi sembra la battaglia di *Godzilla vs*

Mechagodzilla!» aveva continuato a dire con gli occhi felici, illuminati dai fuochi.

Non riesco a togliermi quegli occhi dalla testa mentre mi dirigo a piedi verso piazza Vetra, per raggiungere le mie amiche nell'enoteca in cui festeggeremo l'arrivo del nuovo anno. Loro sono già lì da un po', io sono come al solito in ritardo, ma solo perché per recuperare un aspetto decente dopo una settimana senza neppure guardarmi allo specchio o uscire sul terrazzo a prendere un po' d'aria, ho impiegato tre ore e tre etti di copriocchiaie. E non avevo nessuna voglia di uscire, non mi va di farmi vedere in giro, non ho nulla da festeggiare. Cosa dovrei festeggiare? Gli otto giorni di gesso di Orlando?

Arrivata a pochi metri dall'enoteca, realizzo che la serata sarà anche più difficile del previsto: la piazza è affollatissima di allegre comitive in attesa della mezzanotte e davanti alle quattro vetrine del locale è assiepato almeno un centinaio di persone in stato euforico. Mi infilo il cappello, abbasso lo sguardo fingendo di seguire le molliche di pane che mi indicano il cammino e mi faccio coraggio. Non vi girate non vi girate non vi girate. In effetti, nessuno si gira. Fuori. Dentro, appena sollevo lo sguardo in cerca del mio tavolo, si girano di scatto una cinquantina di teste.

Ci sono quattro secondi esatti di immobilità e silenzio tombale e poi un improvviso cicaleccio, i cui contenuti sono facilmente immaginabili. Sono già pentita di essere uscita e sto seriamente meditando di girare i tacchi e tornarmene a casa, quando il proprietario del locale mi si avvicina con sguardo affabile. Evidentemente non ha la più pallida idea di chi io sia. Del resto, c'è un sacco di gente a cui della tv non frega nulla, e altrettanta della tv che ogni tanto se lo dimentica. «Sta cercando un tavolo? Sotto o al piano di sopra?» «Sì, buonasera. Non lo so. Dovrebbe essere prenotato a nome Ilaria.» «Mmm, vediamo. No.» «Ilaria Boggero?» «No.» «Anna?» «No.» «Ivana? Castelnuovo? Pistis? Viola? Agen?» «No. Però c'è un tavolo con tre ragazze al piano di sopra. È prenotato con un nome strano, aspetti... Gruppo Testuggine?» Ilaria è veramente un'impareggiabile cretina. «Sì, è quello.» «Ah, allora mi segua. Ma siete biologhe marine o qualcosa del genere?» «Oh no!» Ma per quel che mi riguarda è un'idea, in effetti dovrò trovarmi un lavoro e un lavoro che mi nasconda la testa sott'acqua potrebbe essere una soluzione.

Il tavolo per fortuna è abbastanza defilato, anche se visibile da metà sala, e parte della metà sala da cui non si vede si è già alzata in piedi per guardare l'anticristo in abitino rosso appena approdato al tavolo Gruppo Testuggine. Le mie amiche si alzano in piedi fingendo di non notare gli occhi torvi intorno a noi. Mi abbracciano a turno, in una specie di catena di montaggio affettuosa e solidale.

«Mortacci, fortuna che "ho una faccia che fa schifo e due occhiaie oscene", sei bellissima!» esordisce Ilaria nel tentativo di convincermi che sia così.

«Davvero amica, se non sapessi cosa stai passando, direi che sei uscita adesso dalla spa!» continua Ivana.

«In effetti sei meravigliosa, il rosso poi ti sta benissimo!» insiste Anna.

«Sentite ragazze, apprezzo lo sforzo, ma vi prego, non trattatemi come se fossi una malata terminale. Parliamo di tutto, ma trattatemi normalmente.»

«Ok. In effetti hai due occhiaie di merda, ma ti vogliamo bene lo stesso» mi rassicura Ilaria.

Guardo di sfuggita la bottiglia sul tavolo, è già semivuota, per cui deduco che le mie amiche siano già piuttosto arzille. Ivana mi porge un calice vuoto. «Abbiamo ordinato il Sol, ci ricordavamo che lo avevi chiesto al relais...»

Riguardo la bottiglia. Ecco perché quell'etichetta mi era parsa familiare. Il Sol, il vino che mi consigliò Vasco. «È un vino sensuale, come te» mi aveva detto al telefono. E io mi ero interessata per la prima volta a un vino, io che la fissazione per il vino la detesto almeno quanto quella per le unghie e per il jogging. «Grazie, che bel pensiero» dico sollevando il calice.

«Sì, ma il pensiero ce lo siamo bevuto tutto, chiediamo un'altra bottiglia!» esclama Ilaria che mi sembra la più avvinazzata delle tre. E Ilaria avvinazzata, nella scala europea pericolo valanghe, è grado cinque. Il massimo.

«Anna, come mai Andrea non c'è? Da quando non si festeggia il Capodanno col fidanzato?» le chiedo più per evitare di parlare di me che perché mi interessi particolarmente la sorte del suo noioso omeopata.

«Lui aveva voglia di andare a sciare e a me la montagna fa orrore, tutto qui. E poi avevo voglia di vedere te...»

«Grazie, ma ho già fatto abbastanza casini, ci manca solo che adesso crei un problema all'unico elemento accoppiato del Gruppo Testuggine.»

«Quindi tu non sei più accoppiata?» mi domanda Ivana, che deve aver perso almeno tre chili dall'ultima volta che l'ho vista.

Dovrebbero brevettare la dieta post-traumi sentimentali, funziona a meraviglia. «No, direi di no. È durata un paio di settimane, un record...» dico cercando di non guardare la ragazza al tavolo accanto che mi fissa e ride con le amiche da quando sono arrivata.

Anna infila la bottiglia ormai vuota nel cestello e mi guarda con aria severa. «E perché tu e Vasco vi siete lasciati?»

«Perché gli ho detto tutto.»

«Tutto cosa?»

«Che stavo con Giorgio, che quella sera ero andata da lui, allora Vasco mi ha chiesto se amassi lui o odiassi Giorgio e io non ho saputo cosa rispondere...»

Anna è sul piede di guerra, lo intuisco da come esclude Ivana e Ilaria dal discorso, che infatti tacciono in attesa del cazziatone finale. «Quindi non ti ha lasciato lui perché ha scoperto che gli hai mentito, l'hai lasciato tu perché non sai se lo ami, ho capito bene?»

«L'ho lasciato io perché non so più niente. So solo che non voglio danneggiarlo a due settimane dalle elezioni. Se in questo momento il suo nome fosse associato al mio, e oltretutto per ragioni sentimentali, perderebbe un sacco di consensi.»

«Scusa, quindi lui non solo ha digerito la bugia su Giorgio, ma s'è anche sentito dire da te cosa è meglio per lui, per poi essere liquidato con un arrivederci e grazie?»

«Se la vuoi mettere così, sì, ma non l'ho liquidato, l'ho protetto, l'ho...»

«Sfanculato!» interviene Ilaria, efficace come sempre.

Mentre Anna chiede a Ilaria di lasciarla parlare e Ilaria le risponde con degli sgangherati borbottii che lasciano intuire uno stato alcolico sempre meno rassicurante, la ragazza del tavolo accanto alza il calice ed esclama ad alta voce: «A quelle che c'hanno pure la faccia di festeggiare!». Le sue amiche ridono e brindano sbattendo i bicchieri l'uno contro l'altro.

Ilaria, che dà le spalle al gruppetto, si volta a guardarle. «Chi è la scema che ha fatto il brindisi?» ci chiede continuando a scrutarle.

«Quella mora con gli occhi a palla e il vestito bianco» la informa Ivana, che evidentemente trascura il fattore pericolo valanghe grado cinque.

Anna riporta la discussione su Vasco, anche se speravo che l'arrivo della seconda bottiglia di Sol la distraesse un po'.

«Viola, non voglio processarti perché direi che di processi ne stai subendo fin troppi, ma io credo che tu abbia fatto una grossa scemenza. Da tutto quello che ci hai raccontato di quest'uomo, è chiaro che Vasco non è solo indiscutibilmente innamorato di te, ma è anche un uomo altruista e centrato, molto centrato. Un qualsiasi uomo egocentrico e capriccioso ti avrebbe detto che il problema eravate tu e Giorgio, il vostro passato, le tue bugie, il tuo continuare a pensare a cosa facesse e chi frequentasse, mentre Vasco voleva solo sapere se lo amavi o no, nonostante tutto.»

«Non gli ho detto chi frequenta Giorgio, comunque» preciso io.

Ilaria si alza in piedi di scatto. «Cooooome? Non ti sei tolta lo sfizio di dirgli che il suo avversario politico, quello che piuttosto che legalizzare i matrimoni gay legalizzerebbe le rapine in posta, è più gay di George Michael nel video di *Outside*?»

Perfetto. Ilaria è ubriaca marcia e manca ancora un'ora alla mezzanotte. E si è nuovamente riempita il bicchiere. «Ilaria, potresti evitare di far sapere a tutta Milano quello che ho raccontato a voi, solo a voi, e che non deve essere condiviso neanche con vostra madre?»

Ilaria si risiede ondeggiando sui tacchi. «Ah sì, scusa scusa, ma non so come hai resistito. È che questa faccenda è veramente troppo grossa ah ah ah. Ha lasciato te per mettersi con quella specie di esibizionista gay più depilato della capoccia di Bruce Willis ah ah ah!»

«Ilaria, smettila per favore!»

«Be', però Viola, scusami, ma da milanese mi sento presa in giro pure io. Uno può decidere di frequentare chi gli pare, anche se Lucas Conti è imperdonabile, ma non può avere una seconda vita che è l'opposto di quella che va predicando...» protesta Ivana, che invece stasera beve poco, si messaggia molto non so bene con chi, ma ho il sospetto che abbia ripreso con Tommaso ed è avvilita quasi quanto me.

«E tu quelli con la doppia vita li conosci bene...!» la interrompe Ilaria.

«Sì ma ho smesso, spiritosa. Sarai contenta adesso, visto che hai gufato fin dal primo giorno!» Ivana e Ilaria cominciano a battibeccare come di norma.

Anna pare essersi un po' ammorbidita. «Il fatto che tu non gli abbia detto di Giorgio e Lucas è positivo, vuol dire che sei meno vendicativa di come ti ricordavo...»

«Anna, non me ne frega più niente di Giorgio e di vendicarmi. A me importa solo riavere Orlando. Riguardo ai miei ex e ai loro peccati, a tutti, da Giorgio al mio primo fidanzato del liceo, ho concesso un condono tombale.»

«Brava. Questo è l'atteggiamento giusto. Riparti da zero, Viola. Se non è Vasco che vuoi, se davvero non lo amavi ma volevi solo dare fastidio a Giorgio, allora hai fatto bene a chiudere.»

Ivana si intromette con fare nervoso. «Secondo me invece non ha fatto bene neanche per niente. Io ho sentito Vasco in questi giorni e ho visto Viola nelle settimane in cui è stata con lui. Non ho mai sentito un uomo con quella tenacia e non ho mai visto una donna con gli occhi così felici.»

Sto per replicare qualcosa di poco convinto, quando la tizia del tavolo di fianco alza di nuovo il calice e, con un tono di voce perfino più alto di prima, esclama: «Alle madri modello che stasera festeggiano qui con noi! Evvivaaaa!». Vorrei sprofondare. Se non fossi tanto consapevole di essere indifendibile, ora andrei da quella tizia e le tapperei la bocca col cestello del vino, ma me lo merito. È che la cattiveria umana è qualcosa a cui non ero abituata e in questi giorni l'ho attraversata a piedi, scalza. Il problema è che invece Ilaria mi ritiene difendibilissima, per cui posa il bicchiere sul tavolo, si gira lentamente e mette a fuoco la tizia vestito bianco/occhi a palla. Che a sua volta mette a fuoco Ilaria. L'atmosfera è quella del duello imminente. Manca solo il fieno che rotola sul pavimento sospinto dal vento. Afferro il braccio di Ilaria accompagnando il gesto con un timido: «Lascia stare!», ma ho già capito che sulla testa di vestito bianco/occhi a palla c'è già una taglia da un milione di dollari. «Scusa, ma tu stasera hai deciso di iniziare l'anno nuovo o di iniziare un ciclo di fisioterapia dopo la cinquina che ti arriva se continui a fare battute del cazzo?»

Dio santo, è peggio di come pensassi. Anna e Ivana si alzano in piedi, io decido di sprofondare nella sedia. Qualsiasi cosa dica o faccia in questo momento, qualcuno riferirà, fotograferà, stravolgerà e io non posso permettermelo. «Dai Ilaria, lasciala perdere...» prova a convincerla Ivana con scarso successo.

La tizia guarda Ilaria con un'espressione di sfida che non promette bene e, tra le risatine sceme delle amiche, dice ad alta voce: «E questa poveraccia che vuole? Una a momenti ammazza il figlio, l'altra minaccia, oh, siamo sedute di fianco alla banda della Magliana e non ce ne eravamo accorte!». E giù a ridere.

Sto per chiedere alla tizia se vuole donare i suoi organi o no, quando una ragazza seduta al tavolo con lei, che fino a quel momento era rimasta stranamente in disparte, interrompe l'ilarità generale. «Michela, stai esagerando. Io ho un figlio. Prova a farlo anche tu un figlio, poi vedi se sei così infallibile come credi...»

Vestito bianco/occhi a palla la guarda piccata. «Oh Caterì, adesso non fare quella che chi non ha figli non può capire eh, per favore... Questa ha lasciato il figlio solo a casa per andare a comprare le luci per l'alberello...»

Ilaria riparte alla carica e punta Occhi a palla per l'affondo finale: «Ma "questa" a chi? La mia amica si chiama Viola, sei pregata di chiamarla col suo nome e già che ci siamo, te lo dico da estetista, datti una controllatina perché c'hai gli occhi che ti sporgono e le tette che ti rientrano, dovrebbe succedere il contrario».

Va bene, ora escono fuori le baionette e domani i giornali titoleranno «Capodanno di sangue in piazza Vetra». Prendo il cappotto dalla sedia, mi alzo da tavola e sto per annunciare che la mia serata finisce qui, ma intuisco che qualcosa di molto interessante sta accadendo dietro di me. O sono entrati i caschi blu a tentare una negoziazione tra tavoli o è apparso lo spirito di Michael Jackson, perché non vola più una mosca e tutti fissano qualcosa alle mie spalle. Mi giro. E vedo il vichingo gentile a due passi da me, con un minuscolo mazzolino di fresie bianche in mano. Vasco è qui e sta commettendo il gesto più sconsiderato della sua vita, ma a questo punto non c'è nulla che io possa fare. E lui lo sa. Dal «porco cazzo» pronunciato da Ilaria appena scorge la sagoma di Vasco, deduco che non ci sia la sua complicità. Guardo Ivana. Alza le sopracciglia, come a dire: «Non ho potuto far altro» e, a quel punto, mi abbandono a quello che accadrà.

«Buon anno, Viola.»

«Buon anno, Vasco.»

Prendo le fresie con un gesto furtivo.

«Piacere ragazze. Vasco. Voi siete il famoso Gruppo Testuggine?»

Il candidato sindaco Vasco Martini mi ha appena regalato un mazzo di fiori davanti a duecento persone e ora si sta informando sull'identità del Gruppo Testuggine, il cui leader ideologico sta rispondendo in stato di ebrezza. «Esatto! Il nome l'ho scelto io. Figo eh? Ci si potrebbe chiamare un partito, che dici?»

Vasco sorride, comprendendo lo stato pietoso in cui versa Ilaria. «Magari una lista, Lista Testuggine suona bene. È battagliero» le risponde con la sua solita affabilità. Le persone non hanno smesso di fissarci da quando è entrato nel ristorante.

Vasco se ne accorge. Prende in mano la situazione. «Buonasera, lo so che è un po' strano vedermi entrare in una sala con dei fiori anziché con un microfono o con un piano regolatore, ma anche i candidati sindaci regalano fiori, oltre a decidere in quali aiuole piantarli! Buon anno a tutti!»

Parte un timido applauso, qualche fischio, molte risate, qualche «Vai Martini!» gridato da gente alticcia, ma perlomeno la sala finge di continuare la sua serata come se niente fosse, anche se distinguo chiaramente i bagliori dei flash dei primi cellulari.

«Vasco, sei impazzito o cosa?» gli chiedo a voce bassa mentre ce ne restiamo lì impalati in attesa del cameriere che ha prontamente detto: «Le porto una sedia dottor Martini!».

«Sono innamorato di te.»

«Sì, e stai combinando un casino.»

«Lo so. Era preventivato. Ho preventivato tutto nell'ultimo mese di campagna, di che colore vestirmi – quasi sempre camicia bianca perché il bianco è trasversale, non appartiene a nessuna fazione – quante volte sorridere, ricordare il nome di chi mi intervista, guardare sempre negli occhi le persone a cui stringo la mano anche solo un secondo, cambiare tono di voce ogni tanto, poche pause, mai le mani in tasca, mai le braccia conserte, gesti energici e mille altre cose che non ti elenco. Se sono qui è perché le conseguenze sono ampiamente preventivate, come il resto.»

«Hai preventivato di suicidarti?»

«Con cura, sì. Ho anche un complice, la tua amica Ivana. Almeno non potrò dire che il mio suicidio politico sia avvenuto a mia insaputa, come quello di altri nomi noti. Io sapevo tutto.»

«Vasco, non puoi stare qui, per favore, non buttare via quello che hai fatto di buono in questa campagna, stai per vincere, questa è una cosa senza senso...»

«Hai ragione, non ha senso che stia qui. Vieni via con me, ora.»

«Dottor Martini, ecco la sedia, prego.»

Vasco sposta la sedia e la allontana dal tavolo. «Dai Viola, tanto ormai ci hanno visti, andiamo via, per favore.»

«Se esci con me da qui sei fregato.»

«E va bene. Amen. Dicono che dietro a un grande uomo ci sia sempre una grande donna, questa volta diranno che dietro a un uomo troppo alto c'è una pessima donna.»

«Senza mescolarti con me e con i miei casini puoi vincere!»

«E invece, pensa, voglio perdere queste elezioni con te. Ci tengo. Mi spiace solo se avevi in progetto di essere la first lady meneghina. Sarai la second lady, è una nuova figura nella politica italiana, riempi un vuoto.»

«Ci stiamo rendendo ridicoli.»

«Lo so. È il rischio che corrono i sentimentali. Rendersi ridicoli. Andiamo, Viola.» Non si arrenderà, non si è mai arreso.

«Ragazze, scusatemi ma...»

«Andate perché altri due minuti qui e siete trend topic su Twitter!» mi interrompe Ilaria che è passata alla fase down e ora è semisdraiata sulla sedia.

Salutiamo le mie amiche, Vasco mi prende la mano, io provo a divincolarmi con scarso successo e usciamo dal locale tra gli sguardi esterrefatti della gente che è quasi mezzanotte. Stiamo attraversando la piazza mano nella mano tra flash di telefonini e probabilmente i primi paparazzi appostati dietro a qualche palo della luce. E io ho perfino un mazzo di fiori, come una novella sposa. «Vasco, ti massacreranno!»

«Lo so!»

«Potevi finire serenamente la campagna e...»

Vasco si ferma nel bel mezzo della piazza. Ora mi fissa con lo sguardo più deciso in cui sia mai incappata. «Io non voglio la serenità. La serenità è una roba da ospizio. Ce l'avevo la serenità prima di conoscerti. Voglio una felicità che faccia fracasso.»

«E Giorgio? Non ti pesa sapere del nostro passato?»

«Io sono stato con una portavoce della Lega e non ti ho detto niente.»

«Ma se tu avessi saputo prima di Giorgio non ti saresti innamorato di me!»

«Se io avessi saputo prima che nel '94 avevi votato Berlusconi non mi sarei innamorato di te.» Ci mettiamo a ridere come se essere lì ormai fosse la cosa più normale del mondo. E dobbiamo fare un effetto così straniante insieme che, nonostante tutti ci guardino, lo fanno senza avvicinarsi, come se fossimo qualcosa di indecifrabile o sconosciuto, come un oggetto caduto dallo spazio. «Viola, sai cosa succedeva qui in piazza Vetra nel 1600?» Cominciano a esplodere i primi botti, quelli che anticipano di poco la mezzanotte.

«No, non lo so. Si faceva il mercato?»

«Ci bruciavano le streghe. Bastava che una donna preparasse un decotto per il mal di pancia o che desse gli avanzi a un gatto nero, che finiva abbrustolita proprio in questa piazza, con la folla plaudente.»

«Ho paura che se non mi porti via di qui, qualcuno andrà a prendere la legna.»

Vasco si impettisce, sorridendo: «A seguito di regolare processo presso il tribunale presieduto da sua eccellenza Giusy

Speranza, la Santa Inquisizione milanese condanna al rogo la strega Viola Agen per i suoi imperdonabili errori come madre e come donna! A sorpresa, sceglie di ardere insieme a lei anche il candidato sindaco Vasco Martini che, caduto vittima di un legamento d'amore operato dalla suddetta strega, ha tutti i sintomi del più temuto dei malefici: l'amore. E per tutti i sintomi si intendono desiderio cronico e rincoglionimento irreversibile. Si arda la legna!».

«Tu sei completamente folle. E io che credevo che i piemontesi fossero persone pacate e ragionevoli...»

«Sbagliavi. Noi astigiani siamo caparbi e ruspanti. Il palio lo corriamo a pelo, senza sella, facciamo spumante, mica champagne. Siamo dei rivoluzionari. Gente d'azione. Siamo stati perfino una Repubblica per tre giorni, la Repubblica astese. Tu non hai capito con chi hai a che fare.»

«Invece l'ho capito, sei tu che non avevi capito che avevi a che fare con un'abruzzese. Testarda. Mi dispiace solo che per tutto questo pagherai un prezzo molto alto, quello per cui hai lottato tanto...»

«Viola, io sono innamorato della politica, ma sono innamorato anche di te. Soprattutto di te. E ho capito che, arrivato a questo punto, la vera sfida è amarti, non vincere le elezioni.»

«Avresti potuto aspettare. Dopo le elezioni avremmo potuto far passare del tempo, rivederci più in là, quando magari la gente avrebbe trovato una nuova strega da ardere...»

«Certo. Ma ricordi il significato che abbiamo dato alle fresie? "L'amore che non può aspettare." Viola, amare non è fare le cose con comodo. L'amore è scelta. Se non sai scegliere, puoi pure darti all'ippica, perché l'amore non è roba per te.»

«È vero, nessuno sa più scegliere. Uomini che fanno i playboy fino a cinquant'anni, donne che fanno figli a ridosso della menopausa, un tripudio di single per eccesso di occasioni. Hanno tutti paura di perdersi qualcosa.»

«È così. Ma scegliere è perdere qualcosa per conquistare una terra tua. Non scegliere è illudersi di non perdere niente per vivere in una terra di mezzo.» Ho amato un uomo che mi ha chiesto di stare nell'ombra per avere la sua chance e ora ho un uomo che mi chiede di stare al sole per perdere la sua chance. La vita è davvero imprevedibile. Osservo Vasco e forse, per la prima volta, capisco l'amore. «Guarda le fresie che ti ho regalato.»

«Sono bellissime, sì.»

«Non noti niente?»

«Sono bianche e... i bracciali! I gambi sono legati con i bracciali di Lanzarote...»

«Te l'avevo detto che me li sarei tolti quando sarei stato capace di rinunciare a qualcosa per amore. Pensavo di dover continuare ad andare in giro a settant'anni con due braccialetti da piacione ibizenco e invece ce l'ho fatta.»

«Ti amo, Vasco.» Il vichingo gentile avvicina la sua bocca alla mia. «Diranno che stai con una donnaccia, non ci daranno tregua.»

Mi accarezza i capelli. Accoglie la mia nuca nella sua mano grande. «Viola, che ci importa del mondo.»

E mentre la piazza si illumina ed esplode in un fracasso infernale di rumori e gente che si abbraccia, io e Vasco ci baciamo senza più paure e senza più domande.

«No, no, aspetta un attimo. Tu stai scherzando, vero?» Vasco si tira su dal letto con uno sguardo allucinato.

«Per niente.»

«Dai Viola, è stata una serata impegnativa da un punto di vista emotivo e nell'ultima ora anche da un punto di vista fisico, non puoi prenderti gioco di me in questo stato.»

«Ma io non sto scherzando. Giorgio ha una storia con Lucas Conti!»

«Col seriale delle babbione? Con quello che ha il pied-à-terre direttamente in ospizio?»

«Lui.»

«Viola tu devi smetterla di avercela con Giorgio, ora stai esagerando.»

«E dovresti vedere che foto gli manda!»

«Perché? Che foto gli manda?»

«Dunque, io ne ho vista una in cui lui tien...»

«No no no, non lo voglio sapere. Ci sono cose che un eterosessuale convinto non vuole e non deve sapere.»

«Va bene, ometterò i particolari, ma è tutto incredibilmente vero.»

«Ma scusa Viola, non voglio essere indiscreto anche perché mi fa male solo il pensiero, ma quando stavate insieme lui... cioè... con te...»

«A dire la verità con me è sempre stat...»

«No no no, credo di non voler sapere neanche questo. Ci sono cose che noi fidanzati non dovremmo sapere, ti prego, lascia stare.»

«D'accordo. Comunque se tu sei incredulo, immagina io.»

«L'incredulità l'accetto, ma dimmi che il resto è passato.»

«Certo che è passato Vasco. Non provo più nulla per lui. Io non conoscevo l'amore. Pensavo fosse quello. Pensavo che stare male in fondo mi tenesse viva. Ora non ho più rabbia, più nulla in sospeso. Mi spiace aver dimenticato per un attimo quanto ti amavo. Perché io ti ho amato da subito, avevi ragione tu, e se per me fosse contato solo questo, non avrei fatto del male anche a Orlando.»

«Ti aiuterò io con Orlando, farò qualsiasi cosa per darti una mano a riaverlo con te. Anzi, con noi. Ma ti prego. Niente più fantasmi né convitati di pietra. Anch'io non avrei dovuto mettere in piedi la commedia con Mia. Ora lei passerà per cornuta e non se lo meritava. Le bugie fanno sempre morti e feriti, anche quando sembra di giocare a freccette.»

«Mai più convitati di pietra. Dispiace anche a me per Mia. Lei è una stupenda convitata. E credimi, per me parlare bene di un'ex del mio fidanzato è un evento inspiegabile, tipo cerchi nel grano.»

«Scusami se non riuscirò a essere altrettanto generoso col tuo ex...»

«No, lo capisco. A proposito, Vasco. So che far uscire questa storia significherebbe annientarlo politicamente, ma io ho deciso di non far sapere nulla. Lo squallore e la crudeltà sono i suoi sport, non i miei.»

«Mi stai offendendo, Viola. Pensi che io potrei mai essere così vile da distruggere un avversario politico per i suoi gusti sessuali? Certo, sono incoerenti con tutto quello che fa e che predica, se è possibile la sua ipocrisia mi fa ancora più orrore di prima e la città di Milano non merita un uomo del genere, ma non sarò io a dire che il re è nudo.»

«Quello potrebbe dimostrarlo Lucas Conti con l'ampia documentazione fotografica di cui dispone!»

«No dai, non ci voglio pensare...»

«Va bene, parliamo d'altro.»

«Ok, solo un'ultima cosa: ma quando Mazzoletti dice che è per la famiglia tradizionale intende direi lui e Lucas Conti con un tradizionale corsetto da burlesque?» Ridiamo, ci baciamo come forsennati. Si sentono ancora dei fuochi d'artificio in lontananza.

«Mi aspetti lì?» gli chiedo già in piedi, accanto alla scrivania.

«Cosa fai? Mica controllerai Twitter, vero?»

«No. Se mi presti il computer vorrei scrivere una cosa a

Orlando. Voglio fargli gli auguri. Per il nuovo anno, e per gli anni che lo attendono. Mando una mail a Estela, ieri mi ha spedito una foto di Orlando sulla spiaggia a Varazze. Credo gliela leggerà.»

«Certo. Usalo pure. La password è Mia.» Mi giro. Lo fulmino. «Ok ok, domani la cambio.»

Mercoledì 1° gennaio 2014, h 02,55
Da: viola.agen@yahoo.com
A: estelasampaio@yahoo.com.br

Cosa augurarti, piccolo mio. Intanto che tu possa mantenere questa tua grazia, innata. Una grazia d'animo e di cuore che è cosa rara e ti impedisce anche solo di strappare un giocattolo o di dire certe cose stonate, che solo i bambini, con la loro purezza feroce, sanno dire. Ti auguro, piccolo mio, di mantenere quel piglio sicuro che hai quando chiedi che ti si parli come agli adulti. Ci sono cose che vanno pretese, per risparmiarsi le attese e il livore covato. E se le chiederai con quella faccia e il mento un po' su da fidanzatino che aspetta il primo bacio, il mondo non saprà dirti di no. Mi piacerebbe che mantenessi quel pudore delicato, con cui chiedi di chiudere la porta o di non raccontare dei tuoi primi amori alle mie amiche. O con cui abbassi lo sguardo se c'è la scosciata di turno in tv. Mi piaci perfino quando tiri fuori l'animo bacchettone e mi dici: «Mamma copriti», perché la volgarità è una bestia orrenda e dovrai difenderti dalle sue zampate. Vorrei, Orlando, che riuscissi a conservare questa tua attitudine meravigliosa all'ascolto. All'attenzione per gli altri. L'empatia è il regalo più bello che la vita t'abbia fatto. Ti auguro, Orlando, di continuare a ricevere regali e fortune sentendoti amato, non viziato. Non ti ho neppure dovuto educare alla conquista, all'attesa, perché hai sempre chiesto senza arroganza e conservi lo stupore nel ricevere anche se hai più di quello che sarebbe morale possedere. C'è poi la faccenda della bellezza. Che è una gran fortuna, piccolo mio. Sei bello e dovrai ricordarti sempre che la tua faccia non è un merito, ma un regalo. Non accomodartici, sulla bellezza, perché se la si usa come trono è un regalo pieno di insidie. Usala come fosse un cavallo. Cavalcala, leggero e con fierezza, ma rispettala e siile grato, sempre, perché olierà tanti ingranaggi. Conserva, piccolo mio, il tuo amore per gli slanci. Per le dichiarazioni d'amore improvvise, per gli abbracci, i ti amo, i quanto ti voglio bene, i sei bellissima, i vieni qui da me. Avvolgile, le persone che ami. Non ti risparmiare, mai, che tutto ciò che non si dice, prima o poi, cerca voce. E se non gliela dai al momento giusto, poi avrà quella dei rimorsi, della ruggine, dell'irrisolto. Non c'è scampo. Vivi, Orlando. Buttati. Sii vittima di qualche passione e carnefice di qualche conformismo. Cerca di fare il lavoro che ti piace. Non quello che ti farà guadagnare di più, ma quello che non smetterai di fare anche quando starai facendo altro. E non perché non riuscirai a smettere di lavorare ma perché sarà la tua passione, e la ritroverai in tutto. Nelle cose, nelle persone, nei luoghi. Studia. E non per collezionare qualche A. Ma per difenderti, per non permettere a nessuno di raggirarti. Perché è bello sapere. Fare collegamenti. Avere letture diverse. Sii curioso, leggi, informati, continua a fare domande come le fai oggi, chiediti il perché di tutto e ricordati che le riposte non si trovano, si cercano. Ti auguro, piccolo mio, di conservare qualcosa dei tuoi eroi preferiti. Di saltellare sui problemi con la leggerezza di Super Mario, di avere l'ironia di Iron Man, perché l'invincibilità non diventi spocchia. E poi naturalmente ti servirà anche la scorza di Godzilla, in certi giorni, e il buffo cinismo dei Griffin, altre volte, ma non dimenticare di sfoderare il candore di Sponge-

Bob, di tanto in tanto. Ah già. Poi c'è questa tua passione per i cattivi. Come Dart Fener. O per gli arrabbiati, come Godzilla. Questa tua teoria che sono più divertenti. Un po' è vero, ma scoprirai, crescendo, che c'è più coraggio nella scelta di essere persone buone e i tuoi eroi, spero, avranno magari vestiti grigi ma idee cangianti. Coraggiose. Non ti auguro altro, Orlando. Ti basterà questo, perché arrivi anche il resto. E io, da mamma, ti faccio solo una raccomandazione. No, non è la maglia di lana. È quella, come dice Eliot, di non misurare la vita con cucchiaini da caffè. E infine, piccolo mio, grazie. Perché è difficile crescere un bambino da sola, ma nessuno ha mai chiesto a te se è difficile crescere con una mamma sola. Una mamma che ti porta al cinema come un fidanzato, ti chiede comprensione come fossi un papà, ti costringe al tour dei negozi come un'amica. Una mamma poco ordinaria. Una mamma che a volte può commettere anche grandi sciocchezze. Del resto, quando mi chiedono come ho fatto a farti venir su così, io lo so che ho pochi meriti. Lo so che sei speciale di tuo.

Buon anno Orlando. Mi manchi tanto.

La mamma

20

#ipropositidiMartini

Il giorno dopo.

Titoli dei quotidiani vicini al partito di Vasco Martini:
Vasco Martini sorprende anche in amore.
Vasco Martini innamorato a piazza Vetra.
Il quasi sindaco ama Viola Agen.
Vasco Martini e quei baci coraggiosi.
Vasco Martini non si nasconde: Capodanno d'amore con la Agen.

Titoli dei quotidiani vicini al partito di Giorgio Mazzoletti:
Viola Agen si beve il Martini.
Martini fa lo show di Capodanno.
Martini e la donna dello scandalo.
Un Martini ridicolo.
L'aspirante sindaco fa il bimbominkia.
Buffone!

Titoli dei siti di gossip:
Vasco Martini e Viola Agen: la prima coppia del 2014.
Altro che Brangelina. Milano ha i suoi Violartini!
Vasco e la sua Viola: baci bollenti sotto i fuochi di Capodanno.

Vasco Martini: in amore ha già vinto!
Viola Agen sorride con Martini: e il figlio dov'è?
Viola Agen vince il ballottaggio con Mia Celani.

Hashtag su Twitter:
#sbroccacomemartini
#martiniinfojato
#nomartininoparty
#martinimejodimoccia
#martiniinlove
e infine il trend topic da quarantotto ore #ipropositidiMartini che produce ininterrottamente tweet quali: «Porterò le gondole sui Navigli!», «Caramelliamo il Duomo!», «Sui lampioni meno piccioni e più lucchetti!», «Lavorate di meno e limonate di più!» e così via.

Titolo di «Famiglia Cristiana»:
Martini e la donna del peccato.

Titolo del «Vernacoliere»:
Finalmente Martini cambia posizione! In allegato il nuovo Kamasutra illustrato con Viola Agen e Vasco Martini.

Inutile specificare ulteriormente che la notizia ha fatto solo un po' meno scalpore dell'affaire Clinton/Lewinsky. Tanto per rendere l'idea, il 2 gennaio «Il Corriere» ha pubblicato a tutta pagina una foto del bacio tra me e Vasco in piazza Vetra e dedicato un trafiletto di cinque righe alla notizia che il cane di Berlusconi ha il cimurro. Segno inequivocabile del fatto che la nostra popolarità ormai oscura anche le questioni che stanno più a cuore al Paese. Giusy Speranza è arrivata a offrirmi la co-conduzione delle *Amiche del tè* (ma solo il sabato pomeriggio e a settimane alterne) se vado ospite da lei «per un'intervista bella bella bella in cui, non ti preoccupare, non parleremo solo di Vasco e di Orlando ma anche del resto della tua vita». Come no, anche del mio 52/60 al liceo, della Guerra dei cent'anni e della mia predilezione per il grigio antracite. Vasco è stato crocifisso da Mia, dai genitori, dalla stampa, dall'ufficio stampa, dal suo staff, dal partito e da un migliaio di cittadini per strada. Gli hanno chiesto di commentare la nostra relazione praticamente tutti, da «Cavalli e segugi» al «New York Times», ma lui si è rifiutato di dare spiegazioni. Non l'ho mai visto affranto o preoccupato, neppure quando uno dei suoi più grandi e autorevoli sostenitori di sempre, il senatore Marcello Sarta, ha detto di lui: «Ormai Vasco Martini ce lo siamo giocati: è tre metri sopra il cielo e migliaia di chilometri dall'ipotesi di diventare sindaco». Neppure quando i sondaggi hanno registrato una preoccupante perdita di consensi in tutte le fasce anagrafiche e sociali della provincia. Neppure quando il più feroce dei direttori di quotidiani, nonché noto integralista cattolico con idee ignobilmente medievali, ha scritto che «Vasco Martini si è trovato una compagna degna di lui e delle sue idee disgreganti e pericolose in fatto di famiglia e valori cristiani. Una donna che non ha esitato a danneggiare l'ascesa di uno dei giovani più promettenti del panorama politico italiano, pur di ricostruirsi un'immagine». L'unico momento in cui ho visto Vasco vacillare è stato quando Rosita De Mannis, firma di punta del «Patto», ha scritto che «come Berlusconi Vasco Martini s'è giocato la sua credibilità per la debolezza della carne». Quando ha letto il commento, è rimasto qualche minuto in silenzio, poi mi ha chiesto se la sera gli avrei ballato il bunga bunga sul tavolo da cucina e si è fatto una risata. Quella stessa sera però, dopo cena, è andato al computer e ha scritto di suo pugno due righe su Twitter: «Io amo questa donna tanto quanto la politica in cui credo. E potete massacrarle entrambe, ma non abbandonerò nessuna delle due».

Dopo la notte di Capodanno, non me ne sono più andata da casa sua. Lui non mi ha chiesto di restare e io non ho mai detto: «Resto». Non ce n'è stato bisogno, perché, molto semplicemente, nessuno dei due ha più avuto voglia di tornare a casa senza sapere di trovarci l'altro. E sebbene ci siano paparazzi anche sul tetto e uscire non abbia più i connotati romantici dei nostri primi incontri segreti a Chinatown a causa delle continue incursioni di curiosi e giornalisti, io e Vasco viviamo alla luce del sole. Di me si continua a dire di tutto. Ovviamente, ora oltre all'argomento «madre degenere» si sono aggiunti «spietata opportunista» e «abile manipolatrice», ma per fortuna il fatto di accompagnarmi a un vichingo di dimensioni imponenti mi risparmia commenti crudeli al bar o per strada. Il mondo ha una naturale soggezione per i politici alti. Forse è il motivo per cui quelli bassi ringhiano così tanto per prendersi quello che vogliono. Fabio ha preso la notizia con la sua proverbiale delicatezza. Mi ha investita al telefono. «Adesso ho capito da chi eri andata la sera che Orlando è caduto dalle scale.»

«No Fabio, hai capito male. Quella sera non ero andata da Vasco. Mi hai chiamata per questo?»

«Ti ho chiamata perché sei ridicola e sarebbe ora che la smettessi di far parlare di te per casini e storielle da adolescente rincoglionita, hai un figlio!»

«Ho un figlio che ora sta con te. Per fortuna ha chi gli garantisce stabilità e rigore morale, no?»

«Sì, infatti, ma la televisione la vede e passa davanti alle edicole...»

«E quindi? Sua mamma è innamorata, anzi, vorrei spiegarglielo io, se tu me lo facessi vedere senza aspettare che qualcuno si pronunci dall'alto sui miei diritti di madre.»

«Lo vedrai quando diranno che lo puoi vedere.»

«Cosa ti rode ancora, Fabio? Mi hai portato via Orlando, cosa c'è ancora che ti dà fastidio? Vedermi felice su un giornale? Stai tranquillo, non sono felice, se è questo che ti preoccupa. Sono innamorata, ma non sarò felice finché non avrò di nuovo Orlando con me. E io al contrario tuo non ho mai fatto decidere a nessuno quando e quanto lo potessi vedere, sei sempre stato libero di presentarti quando ti pareva...»

«Ricominci con la storiella del genitore migliore? E chissà come mai ora Orlando è qui che gioca in giardino e non a casa tua...»

«Come sarebbe a dire che è lì che gioca in giardino? Non è andato a scuola oggi?»

«No... cioè... è successo che, cioè, Estela dopo le feste è tornata in Brasile e quindi stamatt...»

«Quindi ora che non c'è lei a portarlo la mattina a scuola, tu la sveglia alle sette la senti un giorno sì e uno no. Fabio, la scuola è obbligatoria, non è la lezione di calcio. Orlando deve stare con me, tu non ce la fai, ti conosco... Fatti passare questo livore nei miei confronti, pure Albano e Romina hanno fatto pace a un certo punto, ragiona!»

Tutututututu.

Il mio avvocato dice che a fine mese Orlando sarà ascoltato nuovamente da psicologi e assistenti sociali e ci sarà una decisione definitiva sull'affidamento. Fino ad allora la mia vita è sospesa. Non potrà mai esserci una felicità compiuta senza il piccolo quacchero che mi gira per casa facendo il verso di Godzilla.

Giorgio in compenso non ha mai commentato la notizia, ma immagino che dopo averla appresa sia ricorso a una buona dose di sedativi. Nonostante le mie rassicurazioni sul fatto che non avrei detto nulla di lui e Lucas, presumo non si sia sentito altrettanto sicuro del fatto che, per suo vantaggio personale, non l'avrebbe fatto neanche Vasco. Del resto, una delle caratteristiche principali delle persone disoneste è che non hanno alcuna capacità di riconoscere le persone perbene. Giorgio, al posto di Vasco, non avrebbe esitato a sputtanarlo, questo è certo. Ora, però, credo che Giorgio Mazzoletti abbia ripreso a dormire tranquillamente (a patto che Lucas Conti non russi, è chiaro). È finalmente certo che nessuno intralcerà la sua corsa. Le elezioni amministrative si sono svolte tranquillamente e senza nessuna fuga di notizie sul suo conto, quindi sa che la storia con Lucas è qualcosa che né io né Vasco racconteremo a Dagospia. Non penso che ci stimi di più per questo. Conoscendolo, si sarà solo preoccupato di far preparare un dossier su Vasco in cui si dimostri che giochi ai cavalli e vada a trans, da tirar fuori in caso si renda necessaria una controffensiva. I risultati delle votazioni, io e Vasco li abbiamo aspettati la sera a casa. Io ho scongelato qualcosa (perché la vita mi piega, ma i fornelli no), lui è stato un po' al telefono con i suoi collaboratori, l'ho visto parlare animatamente e fare la faccia di quello che sta per andare al patibolo, poi, in tarda serata, le due cifre definitive sono apparse a tutto schermo su Sky tg24: Vasco Martini 31 per cento, Giorgio Mazzoletti 49 per cento. In soli quindici giorni Vasco ha perso quasi dieci punti. E in pratica, anche le elezioni. Temevo di essere l'ago della bilancia, ora è chiaro che sono un container di sei tonnellate finito su una bilancia pesapersone. «Pensavo di non arrivare neanche al ballottaggio. Stasera si festeggia!» è il suo commento, prima di abbracciarmi. «Mi sento in colpa. Schifosamente in colpa» gli dico io mentre lo accarezzo. «Fai bene, perché la carne dentro era ancora surgelata» scherza Vasco. E allora capisco che io quest'uomo lo amo veramente ma veramente tanto, perché dopo che è uscito per andare a commentare i risultati in conferenza stampa, per la prima volta nella vita mi sfiora un pensiero sovversivo: devo imparare a cucinare.

Guardo in tv la faccia sorridente e composta di Vasco e quella soddisfatta e boriosa di Giorgio. «È un risultato che conferma l'ottimo lavoro svolto in questa campagna e la fiducia dei cittadini, che ringrazio uno a uno. Cambieremo questa città insieme, combattendo il riformismo sconsiderato della sinistra e il suo universo valoriale!» è il discorsetto banale e ipocrita del mio ex fidanzato. Sono stata tre anni con un uomo che usa l'espressione «universo valoriale». Avevo un microchip sottopelle e un alieno tossicodipendente che impartiva ordini, non c'è altra spiegazione.

Vasco ha un tono di voce sicuro, nonostante la batosta sia di quelle che lasciano il segno. Ha uno sguardo diretto e fiero. In compenso, i suoi collaboratori sullo sfondo sembrano reduci da un bombardamento aereo. Devo ricordarmi di dire a Vasco che suggerisca al suo staff di lavorare un po' sulla capacità di dissimulazione in caso di sconfitta. «Mi spiace che molti cittadini si siano lasciati condizionare da vicende personali che mi riguardano e abbiano dimenticato tutto ciò che di buono è stato fatto, ma io sono qui, in piedi, per affrontare questo ballottaggio con grinta ed entusiasmo. E a chi non ha condiviso le mie scelte recenti, dico che il modo in cui un cittadino si muove nella sua sfera personale non dovrebbe influenzare l'opinione pubblica, ma inevitabilmente lo fa, perché tradisce un'indole, un'attitudine. Ecco, io nella mia vita privata ho scelto di scegliere. Questa è la mia attitudine. E come diceva il poeta Filippo Pananti: "Saper governare è saper scegliere".»

Quando Vasco torna a casa gli dico che si è difeso magnificamente. Facciamo l'amore. E mentre sono ancora tra le sue braccia dopo che ci siamo amati, nella penombra della sua camera, Vasco mi sposta i capelli sulla guancia sudata e guardandomi dritto negli occhi mi dice: «Adesso è arrivato il momento che ti difenda anche tu. Perdiamo insieme, ma con onore».

21
Perdere insieme

A sorpresa, Giorgio Mazzoletti ha deciso di accettare il faccia a faccia televisivo con Vasco Martini. Evidentemente, si sente così forte da desiderare non più solo di vincere, ma anche di umiliare l'avversario. Il fatto poi che il faccia a faccia rispetti il modello americano, ovvero che nessuno dei due candidati possa porre domande all'avversario, lo fa ritenere al sicuro da qualsiasi colpo basso o quesito imprevisto. Ma la faccenda altrettanto incredibile è che qualche ora prima di quello tra Giorgio e Vasco ci sarà un altro atteso faccia a faccia televisivo: quello tra me e Giusy Speranza. Solo che il modello non sarà americano ma italiano, quindi, in teoria, sarebbero previsti colpi bassi, domande non preventivate, ospiti non concordati, filmati montati ad arte e risse verbali. Accettare l'invito di Giusy Speranza è l'ultima cosa che avrei voluto fare nella vita. Potevo decidere di andare a parlare di me e di quello che è successo quella famosa sera ovunque desiderassi. Si sono offerti di ospitarmi tutti i programmi del Paese, ma per me andare a difendermi dove per due anni ho fustigato chiunque ha un valore simbolico. È spogliarmi del mio vecchio ruolo, riappropriarmi delle mie reali opinioni e smettere di sostenere quelle che fanno show. Insomma, chiudere un cerchio per sempre.

Non so ancora cosa farò in futuro, ma di sicuro questa è l'ultima volta che andrò in tv. Ho deciso di difendermi perché Vasco me l'ha chiesto. Perché «ci siamo mostrati per quello che siamo, imperfetti e in balia dei sentimenti, tanto vale raccontarci fino in fondo». E allora ho capito che io non dovevo andare a difendermi. Dovevo andare a spiegarmi. Dovevo andare in tv non più a smascherare le debolezze altrui, ma a raccontare le mie. Non l'avevo mai fatto, e forse avevo contribuito a creare il cortocircuito tra quello che si aspettavano le persone, soprattutto le donne, da me, e quello che sono veramente. Dovevo andare in tv, somigliando a quella che vive fuori dalla tv. Quando ho chiamato la Speranza dopo un mese circa di suoi inutili tentativi di parlarmi, mi ha risposto come se nulla fosse accaduto e soprattutto come se non avesse confezionato almeno una ventina di puntate dedicate al mio certosino sputtanamento. «Caraaaaaaa. Come stai Viola? Che piacere sentirtiiiii! Guarda, ti è successa una cosa veramente brutta brutta bruttaaaaa, ma la gente ora vuole ascoltare anche la tua verità, vieni a raccontare da me in esclusiva cosa è successo! Perché non porti anche Orlando che il pubblico è tanto tanto tanto curioso di conoscerlo? Ti preparo un parterre di ospiti tutti a tuo favore così tu ti senti più tranquilla. Vasco Martini potrebbe farti un videomessaggio se ne ha voglia, magari se lo convinci tu... So che ti hanno offerto un cachet ma possiamo aumentarlo un po' se vuoi, ti faccio preparare un nuovo contratto cos...»

«Voglio solo una sedia e cinque minuti per spiegarmi, senza ospiti e senza domande né tue né del pubblico. Non voglio servizi, non voglio sorprese e non voglio soldi. Il mio avvocato Isabella Forlita ha preparato un contratto per la mia partecipazione in cui sono specificate queste precise condizioni. Sarete tu e la rete a doverlo firmare, non io. Se non vi sta bene, vado da qualcun altro.»

Quando arrivo in camerino, trovo come al solito il mio nome scritto a penna sulla porta. Il pensiero veloce che tutto, tra me e Vasco, sia iniziato lì e con la scusa di un chihuahua fulminato e un'acca di troppo mi fa sorridere. Per un attimo mi sembra di rivederlo, appoggiato al muro con il caffè in mano e la faccia di quello che non aspettava, ma mi stava aspettando. Mi sembra di rivedere la mia vita di prima e poi quella che è oggi, dopo i capovolgimenti e il vento forte, e mi rendo conto che di quella che arrivava affannata in questi camerini, trascinandosi borse e ritardi su tutto, non è rimasto quasi nulla. Ho sempre creduto che le persone non cambino e invece sbagliavo. È una scemenza. O meglio, è vero solo per certe persone, le persone che non sanno evolversi, che sono blocchi di marmo immobili. E che non si interrogano, non si mettono in discussione, non sono permeabili alle domande e che alla prima macchia d'umidità sul soffitto non cercano la causa, ma cambiano casa. Oggi so che avere a che fare con persone così può essere una grande opportunità. Di stare da cani, certo, di commettere grosse idiozie, ma anche di spostare l'attenzione su se stessi. Perché quando capisci che il marmo morirà marmo, smetterai di chiedergli d'essere altro. Comincerai a voler essere tu, altro. A non voler essere più una che elemosina, una arrabbiata, una sbilanciata, una che si avvita su se stessa, più immobile della persona che vorresti smuovere. E a quel punto, le persone intelligenti, emotivamente intelligenti, cambiano eccome. Si evolvono. Cambiano così tanto che non si riconoscono e non le riconosci più, certe volte. Smettono di chiedere e di arrabbiarsi. Assolvono l'altro e lo lasciano andare. O se lo tengono, con quella compassione triste che si prova per le cose che invecchiano ferme, scrostate dal sole e dalla pioggia. Le persone che non cambiano ti cambiano. E solo quando accade può entrare una persona come Vasco nella tua vita. Una persona che accetta gli inciampi e le cadute, prima che tu comprenda appieno questa lezione. Chiudo la porta del camerino, chiamo Vasco per dirgli che lo amo e mi butto nell'arena coi leoni.

Quando parte la sigla delle *Amiche del tè* penso che è l'ultima volta che la ascolterò, e il mondo mi sembra un po' più bello.

«Benvenuti a una puntata delle *Amiche del tè* veramente incredibile amici da casa! La Speranza oggi è davvero tanto tanto tanto orgogliosa di annunciarvi che una persona ha finalmente accettato di parlare con noi, e solo con noi, del suo caso che tanto tanto tanto sta facendo discutere il Paese. Il caso di Viola Agen che oggi è in esclusiva nazionale qui alle *Amiche del tèèèèèèèèèè*!»

«Se nel Paese la crisi avanzaaa, chi ti conforta è Giusy Speranzaaaaa...»

Ho sentito applausi più vivaci al funerale di Priebke. In definitiva, ora che ci penso ho avuto la stessa parabola di molti dittatori e di tanti generali: idolatrati dalle folle per anni e poi impiccati da un giorno all'altro. «Viola cara, è un po' che non ti vediamo in tv e devo dire che nonostante l'incubo che hai vissuto hai un aspetto in-can-te-vo-le. Merito forse del nuovo amore con cui ti vediamo ormai su tutti i giornali...» Resto in silenzio mentre la Speranza piega in dentro la bocca a salvadanaio come suo solito quando tenta l'imboscata. Solo che la sua mimica facciale non guida più le mie azioni. Resto in silenzio e attendo solo che mi dia lo spazio che le ho chiesto. «Bene, intanto Viola, la Speranza ti ringrazia per aver scelto me e solo me per parlare del tuo caso, sono davvero fiera di sapere che ci hai preferiti alla concorrenza, del resto questa è casa tua da tanto tempo e qui puoi fare quello che vuoi, per cui ti lascio la telecamera perché so che vuoi dire qualcosa al nostro pubblico che oggi ci segue numerosissimo! Facciamo un applauso bello bello bello a Viola Agen!»

Applaudono un cameraman, la mia truccatrice di sempre e una vecchietta che deve aver superato i cento da una decina d'anni e forse crede che io sia Vivien Leigh. Sono stata tante volte in tv e non avevo mai provato alcuna emozione. Oggi riesco a fatica a deglutire. «Buonasera. Venire in tv era l'ultima cosa che avrei desiderato fare. Detesto la spettacolarizzazione del dolore e non ho mai raccontato nulla della mia vita in televisione. Se oggi sono qui, non è per difendermi. È per raccontare. E non quello che è successo, ma quello che può succedere a una madre che cresce un figlio senza qualcuno che le stia accanto, cercando di essere all'altezza di questo compito spaventosamente bello che è spiegare il mondo al proprio figlio tenendolo in braccio e poi insegnargli a camminare perché se lo vada a scoprire da solo. Ci sono momenti in cui tutto funziona, e pensare che da sole ce la si può fare regala un senso di onnipotenza. Dici: "Che fatica!" alla fine di una giornata in cui hai dovuto incastrare il calcio con il catechismo con la banca con il lavoro con il cinema con la scuola con il parrucchiere e sai che per quanto tu sia esausta e sfiancata, tutto questo fa di te una madre. È solo che nessuna di noi è soltanto una madre. Ognuna di noi continua a essere altro. Magari una moglie, magari una fidanzata, magari una donna che ama lavorare, magari una donna che deve lavorare, magari una donna profondamente sola. Certe volte molte di queste cose insieme. Sono una madre che porta il proprio figlio al pronto soccorso se la febbre non scende, sono la donna che esce a cena con un uomo sperando che sia quello giusto, sono quella che va in tv e ha sempre lavorato per guadagnarsi da vivere, sono la ragazza che va a fare un weekend con le amiche, sono la quarantenne che ride al pensiero di quelle che chiamava rughe a trent'anni, sono la signora che porta il figlio a fare i vaccini, sono la signorina che bacia l'uomo che ama per strada. Potevo amputare qualcosa di me e correre meno, in questi anni, ma non sarei stata onesta. I figli meritano dei genitori che provino in tutti i modi a renderli felici, ma anche a rendere felici se stessi. Forse felice non lo sono stata sempre, ma ci ho provato. E questo mio figlio lo sa. Mi ha vista tante volte annaspare, ma sa che è perché in fondo mi sono tuffata. Sa che la mamma non smette mai di essere la mamma anche quando recita ruoli diversi, e che alle volte la recita fa un po' schifo, ma si prova a fare uno spettacolo meraviglioso il giorno dopo. È un equilibrio sottile, in cui essere mamma è il Sole e gli altri ruoli sono pianeti che gli girano intorno. Poi succede che un giorno, invece, qualcosa non va. E che per cinquantatré infiniti minuti in otto anni della vita con tuo figlio, un altro ruolo prenda il sopravvento. E si sbaglia. Ci si ricorda di non essere invincibili. Succede. Succede a tutte noi. Succede a ogni genitore. Si è sciocchi o distratti o imperdonabili come me per qualche infinito attimo nella vita dei nostri figli. Fortunatamente, la maggior parte delle volte si prende solo un grande spavento. Si dice: "Oh mio Dio, fortuna che me ne sono accorto. Fortuna che sono arrivato in tempo. Fortuna che c'era lui lì. Fortuna che quella ringhiera era alta. Fortuna che il cane ha abbaiato. Fortuna che aveva ingoiato un pezzo piccolo". Ecco. Io ho sbagliato. E ho avuto sfortuna. Orlando molta più di me. Ed è questo che mi tormenta. Che lui avesse fiducia nella mia imperfezione e che io l'abbia tradita. È per questa ragione che io non mi sono perdonata. Però ho imparato. Tanto. E non chiedo neanche a voi di perdonarmi. Ma di perdonarvi, se vi sentite profondamente imperfette, zoppicanti, fragili come me. Grazie.»

Le luci di studio si alzano. Qualcuno applaude, timidamente. Poi si unisce qualcun altro. E qualcun altro ancora. Mi sforzo di non piangere, perché non voglio immolare le mie lacrime allo share della Speranza. Ma so che ho detto quello che avevo dentro da molto tempo. Forse da molto prima dell'incidente a Orlando.

«Ma Violaaaaaa, ci hai commossi tutti tutti tutti! Perfino la Speranza, che purtroppo non ha avuto la fortuna di avere un figlio, ha compreso il senso delle tue belle parole!!! Ora spero che avrai voglia di tornare magari nella prossima puntata per un bel confronto con i nos...»

«No, non tornerò. Non metterò mai più piede in tv. Giusy, ne approfitto per dirti che per quanto mi abbia fatto sempre orrore lavorare qui e per quanto con la mia presenza creda di aver contribuito a involgarire e abbrutire una buona fetta di questo Paese, io ti ringrazio, perché ho capito che certi no rendono liberi. E voglio anche dirti che ti ho disprezzata per molto tempo. Ma in fondo tu sei una donna onesta. Sei quello che fai. Somigli al tuo lavoro e non ti sei mai venduta per quello che non sei. Sei sempre stata più limpida e coerente di quanto non lo sia stata io. Grazie.»

Negli occhi della Speranza vedo l'abisso. Vedo un odio antidiluviano misto a sorpresa mista a urgente necessità di un lanciafiamme. E prima che arrivi un assistente di studio a portarglielo, sgattaiolo fuori dallo studio, mi sfilo il microfono correndo, afferro la borsa, guardo un'ultima volta la porta del camerino e scappo via. Libera. E onestamente disoccupata.

Mentre sono in macchina e sto tornando a casa dove mi attende il Gruppo Testuggine in gran spolvero per assistere con me al faccia a faccia tra Vasco e Giorgio, ricevo qualcosa come quaranta telefonate e duecento messaggi. Rispondo solo a mia madre.

«Viola, non te l'ho mai detto, ma una volta tu avevi cinque anni e, non so perché, ma mi era presa la fregola di ridipingere il bagno di rosa come piaceva a me e mi sono messa a pitturare, tuo padre era al lavoro. A un certo punto mi ha telefonato tua zia e mi sono sdraiata sul divano a parlare, non ho pensato più a te che giocavi in bagno. Quando mi sono alzata poco dopo tu avevi riempito il tuo bicchierino di Barbie con l'acqua ragia e la stavi per bere. Ho tirato un urlo che mi hanno sentito fino a Pescara. Sono stata fortunata. Anzi. Siamo state fortunate.»

«Grazie mamma, ma come ho detto, non mi perdono neppure se mi racconti che mi hai lasciata in mezzo agli orsi marsicani e mi sei venuta a riprendere il giorno dopo.»

«Stasera ho capito perché ho un nipote così meraviglioso. Sai, è strano, ma alle volte le qualità dei nostri figli le vediamo con più chiarezza quando sono riflesse nei loro figli. Nei nostri amati nipoti. Orlando ha il tuo stesso senso dell'onestà e della giustizia. Sono dovuta arrivare a settant'anni per vederlo con chiarezza. Ti voglio bene, Viola.»

«Anche io, mamma. Grazie. Ma ora torniamo a insultarci un po' altrimenti mi sento un'eroina di *Tempesta d'amore*.»

Quando arrivo sotto casa, sento il volume di Sky tg24 che rimbomba dentro al cortile. Credo che in questo momento tutta la città di Milano e una buona parte del Paese siano in attesa di vedere Giorgio e Vasco che si sfidano a duello. Sembra una di quelle serate d'estate in cui tutti guardano la finale del mondiale. Credo che non ci siano mai stati due candidati sindaci così profondamente diversi per età, cultura, linguaggio, idee, storia politica e personale e aspetto fisico. Uno ha trentotto anni, l'altro cinquanta. Uno è laureato in filosofia, l'altro in economia. Uno è stato nei sindacati, l'altro nel Rotary. Uno arriva dalla politica, l'altro dall'imprenditoria. Uno è diventato ricco grazie allo sport, l'altro grazie al cemento. Uno è ultracattolico, l'altro non crede neanche più al basket. Uno è brizzolato, muscoloso e olivastro, l'altro è biondo-rossiccio, magro e altissimo. Forse l'unica cosa in comune tra Giorgio e Vasco sono io. Ma anche da quel punto di vista, Giorgio ha cambiato gusti sessuali, quindi non vale più.

Vasco oggi era visibilmente emozionato. Non lo avevo ancora visto alle prese con l'insicurezza. È sempre stato così fermo e determinato che la sua distrazione, i suoi gesti confusi e certe sue assenze momentanee mi hanno fatto tenerezza. Anche i vichinghi gentili hanno la loro vulnerabilità. E in questo caso, credo che la questione non sia solo politica. «Se penso a quello che ti ha fatto, il conduttore dovrà fermarmi perché continuo a picchiarlo, non perché ho superato i due minuti di tempo per rispondere» mi ha detto prima di uscire. E poi era stupito per il rigore che richiede la preparazione al faccia a faccia all'americana. Riunioni, consigli, raccomandazioni del suo staff e una puntigliosa negoziazione su alcuni particolari apparentemente irrisori.

«Viola, ma ti rendi conto, io e Giorgio dobbiamo addirittura fornire la nostra proposta di temperatura da mantenere nello studio durante il dibattito!»

«Giorgio tende a sudare e quando suda si innervosisce, infilati del ghiaccio sotto le ascelle e chiedi quarantacinque gradi!» gli ho suggerito io.

«Ma poi, scusa, dovrò mostrare ai membri della commissione la carta e la penna con cui eventualmente prenderò appunti durante il faccia a faccia? Ma che è? Hanno paura che porti la penna di 007 e cominci a mitragliare Mazzoletti con una Mont Blanc?»

«Non so, magari hanno paura che ti porti la penna del Novotel Linate ed è poco telegenica...»

«E poi spiegami questa: i candidati non potranno porre domande dirette all'avversario, ma potranno effettuare domande retoriche.»

«Be', quindi se vuoi dire: "Non vi sembra, forse, Mazzoletti un grandissimo stronzo?", puoi dirlo. Ottimo!»

Insomma, Vasco oggi sembrava un bambino. E questo, se è possibile, questa sua infantile inquietudine, me l'ha fatto amare ancora di più. Poi si è messo la camicia bianca che gli avevo lavato e stirato il giorno prima (prima non avevo il tempo di lavare il grembiule a Orlando, ora potrei aprire una tintoria) e mi ha detto: «Com'era? Per un samurai ci sono due alternative: o fare ritorno con la testa sanguinante del nemico nelle proprie mani, o fare ritorno senza la propria».

«Non ti facevo uno da citazioni di samurai.»

«No, infatti, era per gasarmi. E comunque figurati se vorrei la testa di Mazzoletti sul comodino.»

«Ilaria, scusa, sei davanti alla tv, ti puoi spostare? Vorrei vedere il mio fidanzato, grazie!»

«Sì dai Ilaria, la finisci di alzarti e sederti in continuazione? Per favore!» la implora anche Anna.

«Scusate se sono agitata, ma non vivevo una sfida con questa partecipazione dai tempi di Jolie vs Aniston!»

«A proposito della Aniston» interviene Ivana. «Viola, scusa, ma Giorgio ha fatto qualcosa ai capelli? A me sembra di vedere meno brizzolato e più uno strano colorino uniforme...»

«Sì, infatti, prima era sale e pepe, ora è curry» sancisce Ilaria.

«Forse più cumino. Ragazze, il mio ex ha cinquant'anni, è un vanesio e sfida un uomo che ha dodici anni meno di lui... Evidentemente stanotte gli sarà venuta una botta di insicurezza e avrà bussato alla serranda di Jean Louis David.»

«Buffone.»

«Ridicolo.»

«Patetico.»

È strano vedere l'uno accanto all'altro il mio passato e il mio presente e avere anche solo visivamente un'idea così precisa e nitida di quanto la mia vita sia cambiata.

«Benvenuti al confronto di Sky tg24 tra i candidati sindaci della città di Milano. Sono con noi Giorgio Mazzoletti, di Centrodestra e Libertà, nato a Monza il 6 ottobre 1963. È single, ma coltiva il sogno di una famiglia numerosa. Credente praticante, ama il golf e colleziona libri antichi...»

«Eh? Colleziona cosa? No, ragazze scusate, ma a meno che Giorgio non abbia scoperto un amore tardivo per i libri antichi o moderni che siano, io in casa sua ricordo solo una collezione di bicchieri di birra alla spina...» faccio notare basita.

«E pure se non sei aggiornata, al massimo ora può avere una collezione di abiti di scena dei Village People...»

«Ilaria, sei pregata di non infierire, grazie!»

Il conduttore passa a presentare Vasco. «Vasco Martini, di Nuovi Riformisti, è nato il 18 luglio del 1975 a Mombaruzzo. Ha giocato a basket in America ma poi si è innamorato della politica italiana. E ora anche della sua nuova fidanzata, Viola, che tradisce ogni tanto con i suoi inseparabili libri di filosofia.»

«Ma Vasco è emozionato?» mi domanda Anna osservando il suo primo piano.

«Un po'. Sa di aver perso e ci tiene a uscirne con onore.»

«E poi Giorgio per lui non è uno sfidante qualunque, direi» replica Anna.

«Comunque amica, fattelo dire, Vasco non è il classico figo, ma trasuda virilità da ogni singolo poro» interviene Ilaria.

Annuisco. «E infatti è l'uomo più virile che abbia mai conosciuto. È dominante riuscendo a essere galantuomo e generoso, una rarità.»

«Buonasera, grazie per aver accettato l'invito di Sky. Il candidato che convincerà di più stasera e ovviamente anche nei prossimi giorni fino a quando si ritornerà a votare, diventerà il nuovo sindaco di Milano. Vi ricordo le regole: stesse domande, stessi tempi di risposta, appello finale. Partiamo con la prima domanda. Martini/Mazzoletti, questo è l'ordine iniziale che abbiamo estratto.»

«Ilaria, se non ti siedi giuro che ti chiudo in bagno!»

«Scusa scusa!»

«Martini, cominciamo con un tema importante. I diritti di bambini e stranieri. Un bambino che nasce a Milano da una coppia di nomadi o di cinesi è un bambino milanese? Ci sono troppi immigrati?»

Vasco si sfiora il collo con una mano poi attacca: «Ora potrei farvi un pistolotto sull'importanza della legalità, di sconfiggere la clandestinità e sulle espulsioni immediate per gli stranieri che commettono reati, ma sarebbe solo un modo per far leva sull'emotività e, perdonatemi, anche sul pregiudizio. Queste sono cose che vogliamo tutti. Le voglio io per primo. Ma io voglio ricordare che Milano è anche il portiere egiziano che ti accoglie col sorriso, la tata filippina che va a prendere i nostri figli a scuola, la badante rumena che assiste nostra madre, i tanti ristoratori cinesi e giapponesi da cui andiamo a mangiare l'amato sushi, il compagno di banco africano di nostro figlio. Milano è una città in cui vivono tanti cittadini stranieri che sono delle risorse, cittadini integrati, talvolta anche più integrati di tanti cittadini non milanesi ma italiani che vengono qui cercando ancora la Milano da bere e finiscono per bivaccare o arrangiarsi con l'unico desiderio di gravitare attorno a mondi patinati come la moda, che invece richiedono professionisti seri e lavoro duro».

«Amica, ti dispiace se quando lo vedo me lo limono cinque minuti?»

«Ilaria, smettila!»

«No perché...»

«*Shhhhhhh*, Ilaria zitta!» la rimprovera Ivana che segue il dibattito concentratissima, infilando la mano nel cesto delle patatine senza mai staccare gli occhi dalla tv.

«E ora invitiamo a rispondere alla stessa domanda Giorgio Mazzoletti.»

«Probabilmente la metà delle badanti di Milano è straniera, ma anche la metà esatta dei carcerati italiani e milanesi è straniera. Ci sono zone di Milano che sembrano diventate vicoli malfamati di Marrakech o di Tirana. In via Padova, viale Zara, a Quarto Oggiaro, Certosa, Loreto ormai non sappiamo in chi si potranno imbattere i nostri figli la sera tornando a casa... E siamo stanchi di pagare le tasse per accogliere, curare, mantenere in carcere e poi rimpatriare i clandestini! Basta ipocrisia e buonismo sugli stranieri!»

«Fermatelo prima che proponga di assoldare cecchini serbi da piazzare sulle spiagge a Lampedusa!» dico io con una smorfia schifata.

«Ma soprattutto, lui che dice: "Basta ipocrisia...". Perché non fa un coming out in diretta e la smette di raccontare balle?» commenta Anna.

«E sarebbe anche interessante che facesse un coming out sulla sua colf ungherese a cui dava sette euro l'ora e nessun contributo, ma mille cazziatoni. O che raccontasse in che stato vivevano gli operai rumeni che tiravano su le case per la sua società... Questo è il suo contributo per l'integrazione degli stranieri, ipocrita che non è altro...»

«Amica, se tu decidessi di preparare un dossier su Mazzoletti lo dovrebbero vendere in fascicoli con i quotidiani» mi dice Ivana passandomi una patatina.

«E ora parliamo di matrimoni gay e diritti delle coppie omosessuali. Martini, Mazzoletti, quali sono le vostre idee di famiglia e, secondo voi, si arriveranno mai a celebrare matrimoni gay a Palazzo Reale?»

«Ilaria, sieditiiiii!»

«Eh no, scusate ma qui se Ricky Martin comincia a dire bestialità sui gay io prendo a testate il televisore!»

«No, per favore, che altrimenti Vasco perde uno dei suoi dieci voti...» dice Ivana sorridendo.

«Prego Martini, tocca a lei.»

«Non ho un'idea di famiglia, perché le idee sono un archetipo, se mi permettete di scomodare un termine filosofico. Per dirvi la mia "non idea" di famiglia, ricorrerò all'etimologia greca della parola idea, che è *idein*, vedere. Per me la famiglia non è un'idea astratta. È quello che vedo. E io vedo famiglie composte da un uomo e una donna, da un uomo, una donna e un bambino, ma anche famiglie composte da un uomo e un altro uomo, una donna e un'altra donna, famiglie numerose e perfino famiglie composte da un solo individuo. Sono famiglie anche i single, i vedovi, i divorziati. Conosco una donna e un bambino che sono una famiglia meravigliosa. La famiglia non è quella dei cataloghi delle navi da crociera. È quella che si ritrova a casa la sera, anche se per qualcuno non è telegenica.»

«Voi avete capito perché lo amo vero?» dico mentre mi scende una lacrima cretina sulla guancia.

«Lo amo anch'io.»

«Anch'io.»

«Anch'io.»

«Giorgio Mazzoletti, è il suo turno, prego.»

«Ilaria, sieditiiiiiiii!»

«Scusate!»

«Su questo sono categorico. Io e il mio avversario abbiamo un universo valoriale molto differente.»

«Ancora con questo "universo valoriale"?» commento io già irritata sulla fiducia.

«*Shhhhhhhh*!»

Giorgio va avanti con la sua aria spocchiosa. «I matrimoni devono essere tra persone in grado di procreare...»

«Quindi le coppie sterili le mandiamo in Siberia?» interviene Ivana.

«Sì, e riapriamo i lager per le donne in menopausa...» aggiunge Anna visibilmente coinvolta dalla questione.

«I bambini devono crescere con un modello maschile e uno femminile...»

«Certo, e Lucas Conti è il modello femminile immagino.»

«Ilaria, *shhhhhhh*!»

«Va detto a chiare lettere: l'omosessualità non è una cosa naturale...»

«Perché il color cumino che ti sei fatto in testa è naturale?»

«Ilaria, *shhhhhhh*!»

«E poi è evidente che da genitori omosessuali sarà più facile che crescano figli omosessuali, poiché verranno trasmessi valori distorti...»

«Certo, come no Mazzoletti. E allora com'è che tuo padre è etero e gli è uscito uno che tiene la tessera del partito accanto a quella di Sephora?»

«Ilaria, *shhhhhhhhhhh*!»

«E poi legalizzare i matrimoni gay vorrà dire aprire la strada a stili di vita di qualunque tipo, sarà tutto concesso. Bisogna mandare messaggi chiari!»

«Sì tipo mms, in cui ci si trastulla il pisello pensando a Lucas Conti!» Quest'ultima l'ho detta io, m'è sgorgata dal cuore. Credo che se lo spettatore medio osservasse con attenzione l'espressione di Vasco mentre Giorgio fa la sua filippica sui peccatori omosessuali, capirebbe ogni cosa. Ammiro la classe di Vasco, la sua correttezza, la sua onestà. Non so quanti politici accetterebbero sermoni del genere conoscendo i retroscena.

Giorgio finisce il suo discorso: «Sia chiaro, a me non interessa con chi va a letto una persona, purché non pretenda di sposarsi a Palazzo Reale con la mia benedizione».

Vasco sbotta all'improvviso. «Scusi Mazzoletti, la smettiamo di dire: "Non mi interessa con chi vanno a letto?" parlando di omosessuali? Guardi che gli omosessuali non sono bestie dedite all'accoppiamento. Dica: "Non mi interessa con chi scelgono di stare o chi scelgono di amare", graz...»

Il conduttore lo interrompe bruscamente: «Martini, la invito a rispettare le regole del dibattito. Non è consentito interrompere lo sfidante!».

«Chiedo scusa.»

«Grandeeeee! Immensooooo! Dagli anche un destro!»

«Ilaria, siediti!»

«Passiamo a un'altra domanda. Il tema del trasporto pubblico è molto sentito a Milano. Come vi spostate voi per la città? Martini, cominci lei.»

«Mi sposto con tutti i mezzi. La macchina, il tram, la metropolitana, a volte tiro fuori dal garage il mio vecchio scooter. E anche la bicicletta, certo, ma non solo quando ci sono i fotografi per sponsorizzare la mia vocazione ecologista.»

«Prego, Mazzoletti.»

«Io uso quasi esclusivamente la bicicletta, sono molto sensibile al tema ecologia e voglio contribuire a rendere migliore l'aria in questa città perché i nostri bambini respirino ossigeno, non lo scarico delle nostre automobili!»

Sono letteralmente allibita. «Amiche, voi vi ricordate vero quando gli dicevo di andare a fare qualche giro in bici fuori porta e lui mi rispondeva che sulle biciclette ci salgono i gay, i bambini, i morti di fame e i radical chic? E che ha due suv in garage?»

«Mi auguro che pedalando finisca in una cunetta mentre manda un emoticon a Lucas Conti!» è l'augurio moderato di Ilaria.

«Cosa amate di Milano? Mazzoletti, adesso inizi lei.»

«Il Plastic!»

«*Shhhhhhh* Ilaria!»

«Amo la vitalità, la laboriosità dei milanesi. Il grande fermento culturale che si respira. I musei, le mostre, i vernissage, le settimane dedicate alla moda, all'arredamento, al design, che tradiscono la vocazione europea di questa città.»

«La vocazione europea... Il massimo dell'Europa che conosce sono i campi da golf in Costa Azzurra, ma per favore!» commento infastidita dall'apoteosi di ipocrisia a cui sto assistendo.

«Io di Milano amo il liberty che sbuca dove non te lo aspetti, quelle giornate invernali di cielo scuro in cui i palazzi cambiano colore, sdraiarmi sull'erba di parco Sempione, i cortili poetici di certi palazzi sui Navigli e quelli maestosi di certi palazzi in centro, Brera e le insegne antiche di alcuni negozi, l'eleganza delle donne, il sogno negli occhi delle modelle quando le incroci col loro book sottobraccio, ma anche la solitudine di qualche uomo incravattato al supermercato la sera. Amo la riservatezza dei milanesi, quella che qualcuno scambia per indifferenza. Amo il nuovo e l'antico, i giardini segreti di Villa Belgiojoso e i grattacieli illuminati di notte, la chiesa di San Bernardino alle Ossa e il Museo del Novecento. Amo le strade, la gente che corre per andare a lavorare e quella che passeggia piano, per scoprire la bellezza di questa città che ai distratti sfugge.»

«Senti Viola, tu lo sai che, se per qualche motivo lo lasci, questo ti costerà l'espulsione dal Gruppo Testuggine, vero?» mi avverte Ivana senza scherzare troppo.

«Se lo faccio, potete anche smettere di rispondermi al telefono.»

«Vi restano trenta secondi a testa per un appello finale. Prego. Mazzoletti.»

«Il mio appello è di votare. Di aiutarmi a costruire una città migliore, perché insieme possiamo farcela. Il mio impegno sarà quello di svolgere con passione e rigore il mio ruolo, stando sempre attendo alle esigenze dei cittad...»

«Mamma mia che palle. Ma come facevi a rimanere sveglia quando parlava questo, Viola?» mi domanda Anna a ragion veduta.

«Fossi stata sveglia, mi sarei accorta prima della persona con cui avevo a che fare...» le rispondo masticando nervosamente una patatina.

«Martini, tocca a lei!»

Vasco guarda la telecamera con gli stessi occhi cristallini con cui dice di amarmi. «Davanti alla casa di José Saramago, nella cittadina bianca di Tías, a Lanzarote, c'è una scultura. E una scritta, sulla sua base, che dice: "*Lanzarote no es mi tierra, pero es tierra mía*". Io non sono di Milano, come Saramago non era di Lanzarote, ma ci sono posti che ti appartengono, anche se sei nato altrove. E Milano no es mi tierra, però è la mia terra!»

Ilaria si alza dal divano in una specie di ola sgangherata ed esclama rivolta verso di me: «Vasco *no es* mio fidanzato ma fidanzato tuo, mondo bastardo!». Poi inciampa sul piatto di patatine che Ivana aveva lasciato sul tappeto e travolge l'albero di Natale che non ho ancora smontato. Ma non è solo Ilaria a essere entusiasta.

Il giorno dopo, i giornali elogiano il sentimento e il fervore di Vasco. Lo definiscono un politico coraggioso e fuori dagli schemi. E non solo. In ben due programmi televisivi del Paese, qualcuno sottolinea il mio coraggio per le parole pronunciate da Giusy Speranza. È la prima volta che succede, da quando è accaduto l'incidente. Ma per me e Vasco ormai è tardi. Mancano solo tre giorni al ballottaggio e le nostre rispettive lettere scarlatte sono solo un po' scucite sul bordo. I sondaggi non si spostano di una virgola. Giorgio non ha sbagliato nulla, noi abbiamo sbagliato molto.

«Ma tu dici che appena viene eletto, ci fa arrivare un decreto di espulsione dalla città di Milano?» scherza Vasco. Lui aspetta che si chiuda il sipario senza mai smettere di sdrammatizzare, credo soprattutto per non farmi sentire in colpa. E sentiamo che è veramente finita, la notte prima della vigilia delle elezioni. Io e Vasco ci addormentiamo abbracciati, sapendo che col silenzio elettorale del giorno dopo potremo finalmente cominciare a goderci quello della nostra casa. E in fondo, dopo la mareggiata, anche quello della sconfitta.

La mattina il campanello di casa di Vasco suona che ha albeggiato da poco. L'insistenza con cui qualcuno sta schiacciando il dito sul campanello e il risveglio brusco ci fanno letteralmente saltare dal letto. Penso: è successo qualcosa a Orlando. Mentre mi vesto in fretta, sento Vasco chiedere chi è. Sento una voce maschile e la porta che si apre. Poi silenzio, e la porta che si richiude. Ancora silenzio. Entro in salotto e vedo Vasco, in piedi, accanto al suo più fidato collaboratore, con «Il Corriere» in mano. Non l'ha neanche aperto, sta fissando immobile la prima pagina. «Che succede?» Mi guardano. Poi Vasco gira il giornale così che io possa leggere la prima pagina. Sorride. «È successo questo.» Il titolo, a caratteri cubitali, mi lascia senza parole: «Le telefonate hot di Mazzoletti». Poi leggo «di Valerio Palmisani» detto anche Rughe verticali e rimango senza parole per la seconda volta.

E insomma, le cose sono andate così. Il padre di Giorgio, Giorgio stesso e alcuni soci della sua società di costruzioni, nonché alcuni noti politici lombardi, erano intercettati da circa un anno per l'indagine su corruzione e appalti truccati. Da tempo si mormorava che il padre di Giorgio vantasse amicizie poco raccomandabili con vari esponenti della 'ndrangheta lombarda e che alcuni di loro gli avessero garantito corsie preferenziali e permessi facili per la costruzione di interi quartieri in varie aree di Milano. Il giornalista Valerio Palmisani, venuto in possesso delle intercettazioni, aveva scoperto un altro segretissimo filone delle indagini, del tutto estraneo a quella principale: il candidato sindaco Giorgio Mazzoletti non era coinvolto nei loschi affari della società di famiglia, ma veniva ricattato dal giovane e famoso modello/opinionista tv Lucas Conti con cui intratteneva una relazione da un po'.

In pratica, venne fuori che Giorgio, agli appalti truccati, preferiva i toy boy truccatissimi e che il toy boy truccatissimo, negli ultimi tempi, minacciava di vendere le loro foto ai giornali se lui non avesse pagato. «Il Corriere» pubblicò le intercettazioni tra Giorgio e Lucas senza filtri e senza umana pietà. Venne fuori che Giorgio, nell'intimità, si faceva chiamare «Pisellino d'oro». In un'intercettazione, Giorgio faceva a Lucas la seguente richiesta: «Questa sera aspettami a casa travestito da domatore da circo e frustami come una tigre del Bengala». Dopo cinque minuti dall'uscita del quotidiano, la rete già pullulava di fotomontaggi della faccia di Giorgio montata sul corpo di tigri di vari colori e dimensioni, compresa quella di *Vita di Pi*. In un'altra intercettazione, Lucas gli diceva che aveva bisogno di una macchina nuova e Giorgio gli rispondeva: «Dopo quello che mi hai fatto stanotte, ti regalo anche un elicottero». Poi emerse che tra Lucas e Giorgio c'era uno scambio di foto compulsivo, alcune delle quali furono impietosamente schiaffate su tutti i siti e i giornali del Paese e non solo del Paese, perché lo scandalo attraversò più di un oceano. Una in particolare costò a Giorgio il più clamoroso e feroce pubblico ludibrio a cui si fosse mai assistito: un selfie di Giorgio seduto sulla sedia del suo ufficio con la camicia aperta, i pantaloni sbottonati e un suo mistico ritratto mentre prendeva la comunione dal cardinal Solenghi, nel portafoto sullo sfondo. Lucas Conti diede vita a un'asta accesissima per vendere la sua intervista al miglior offerente, e con grande sconforto della Speranza se la aggiudicò Mimmo Sartori, il quale la sera stessa dello scoop dedicò tre ore e quarantacinque minuti al caso, mandando in onda un finto audio delle intercettazioni in cui Giorgio aveva la voce del doppiatore di Rupert Everett e Lucas Conti quella della doppiatrice di Sasha Grey. Lucas Conti raccontò di essere stato adescato su facebook da Mazzoletti, dopo che lo aveva visto in una puntata delle *Amiche del tè* intitolata «La guerra dei lati B». Disse che si frequentavano di nascosto in appartamenti di amici e alberghi con spa molto isolati, sempre avendo l'accortezza di prendere camere separate. Disse, soprattutto, che Giorgio gli aveva promesso di sposarlo tra qualche anno a Montpellier e che lui aveva cominciato a ricattarlo quando aveva capito che erano solo parole. Insomma, non volendo, Giorgio aveva fornito al mondo la prova regina che le relazioni tra gay sono uguali a quelle tra etero: c'è sempre uno dei due che si fa fregare. Solo che questa volta c'era stato un lieve capovolgimento.

22

Los Hervideros

L'oceano davanti agli scogli neri e puntuti di Los Hervideros è un'infinita distesa d'acqua placida.

«Te lo volevo far vedere con le onde cattive che sollevano spruzzi fino al cielo...» mi dice Vasco mentre ci affacciamo dalla terrazza naturale che guarda il blu dell'Atlantico.

«È bello anche così, ora capisco perché Saramago non se n'è andato più.»

Vasco mi bacia delicatamente sulla bocca mentre seguiamo il percorso tra le rocce per tornare alla macchina. Una coppia di turisti tedeschi ci chiede se possiamo scattargli una foto. Sorridiamo, assaporando la piccola gioia di essere due come tanti, su un'isola assolata e piena di vento.

«Orlando, aspettaci, non correre! Se cadi sugli scogli ti fai male!»

«Mamma, quello laggiù mi pare il vulcano Mihara dove Godzilla viene intrappolato dai giapponesi!» È già caduto due volte e ha le ginocchia tutte sbucciate, ma è talmente incantato dal paesaggio primitivo che neppure ci ha fatto caso.

«Si chiama Timanfaya Orlando!» gli grida Vasco mentre il minuto esploratore sparisce dietro a uno scoglio.

Orlando l'ho riavuto con me quasi subito. Non solo il mio ex marito si è dimostrato palesemente incapace di badare a lui e la scuola ha segnalato agli assistenti che Orlando era assente un giorno sì e uno no, ma lo stesso Fabio si è reso conto che fare da genitore a un bambino di otto anni è parecchio più impegnativo che farlo a un calciatore di sedici. E poi voleva raggiungere Estela in Brasile. Quando gli ho chiesto se fosse innamorato, mi ha risposto con un grugnito che voleva dire sì. Credo che Estela sia una brava ragazza. Orlando è stato ascoltato a lungo dagli psicologi. Gli hanno chiesto se volesse stare con la mamma o con il papà. Dal resoconto scritto della psicologa ho scoperto che Orlando ha fatto un lungo discorso: «A me piace stare con tutti e due. Quando sto con la mamma mi piace stare più con la mamma e quando sto col papà mi piace stare col papà».

«Ma se proprio dovessi scegliere, con chi vorresti vivere?»

«Non lo so. È come *King Kong vs Godzilla*. Godzilla è un mostro giapponese e King Kong è un mostro americano. Dicono che ci sono due finali diversi, uno che fa vincere Godzilla e uno che fa vincere King Kong, così sono tutti felici. Allora io non lo so se voglio stare con mamma o papà. Però con la mamma ci inventiamo a cambiare i finali dei film quando non ci piacciono. Con la mamma mi sembra che certe volte cambiamo un po' il mondo.»

Quando ho letto quello che aveva detto Orlando ho pianto per due giorni di fila. E ho capito che Fabio forse non è un padre, ma è il padre e che lo è nel cuore di Orlando ed è questo che conta. Che c'è una sensibilità in Orlando che forse si è nutrita anche delle assenze di Fabio e che la vita, a volte, decide di farti dei doni che sgorgano dalle mancanze. Nel frattempo gli sceneggiatori dei *Griffin* hanno fatto resuscitare Brian con un bieco escamotage per evitare di trovarsi le molotov di bambini delusi sotto casa e Petra, dopo il rientro a scuola di Orlando, gli ha disegnato un cuore sul diario. La sindrome della crocerossina colpisce anche le bambine di otto anni, noi donne siamo senza speranza. Io non sono più tornata in tv, come promesso. Mi sono rimessa a fare la ghostwriter. Scrivo i discorsi di Vasco e pianifico con lui la comunicazione. Nessuno lo sa, e io sono felice così. Ho scoperto che non è poi tanto male scrivere senza metterci la faccia, se la faccia è quella della persona che ami. Ho pagato tutte le multe con Vasco che continuava a dire: «Non ci posso credere» e dopo la mia confessione dalla Speranza le donne hanno ricominciato, piano piano, a volermi bene. In molte hanno raccontato le loro storie di distrazioni, di fallibilità e di paura di perdersi qualche pezzo. È stato come aprire un tappo e sentire che c'erano storie di fatica e di finte invincibilità che volevano solo essere raccontate. Poi c'è Valerio-rughe-verticali. Dopo la diffusione delle intercettazioni, la 'ndrangheta lombarda si è irritata parecchio e Valerio ha ricevuto le prime serie minacce della sua vita. Mi ha mandato un sms pochi giorni fa, c'era scritto: «Hai visto che mi hanno dato la scorta come a Bellomo?». Seguiva emoticon con la faccina che fa la V di vittoria con le dita.

Guardiamo l'oceano un'ultima volta, prima di salire in macchina. «Quanto ti amo, Viola» mi dice Vasco come realizzando all'improvviso che è andato tutto come diceva lui.

«Quanto? Quantifica. La politica è fatta di numeri. Voglio dei numeri» gli rispondo abbracciandolo.

«Dammi almeno una scala.»

«Ok, in una scala che va da un bicchiere d'acqua all'oceano.»

«Se è così non c'è un quanto. Io sono un pesce che nuota nel tuo mare, non vedo la fine.»

Orlando apre lo sportello della macchina. «Mamma! Andiamo? C'è troppo vento!» I capelli sono tornati lunghi, gli vanno sugli occhi, che stropiccia con un'aria buffa. Ridiamo.

«Ma secondo te perché abbiamo faticato tanto per arrivare fin qui, se l'amore è una cosa così semplice?» chiedo a Vasco senza smettere di guardare Orlando che litiga col vento.

«Perché l'amore è semplice, è amare che certe volte è complicato.»

«L'ho complicato io.»

«Tu complichi anche la ricetta della pasta al burro, Viola.»

«A proposito. Oggi niente pasta, niente *patatas bravas*, niente paella, niente carboidrati, ti avverto.»

«In effetti per essere al terzo mese hai già una pancia di dimensioni preoccupanti. In qualità di sindaco di Milano dovrò farti pagare la tassa sull'ombra, lo sai?»

«Spiritoso. È colpa della tua stazza, partorirò un neonato alto quanto l'ostetrica.»

«Mi farai assistere al parto?»

«Ma tu sei pazzo. Non ci penso neanche lontanamente. In questi tempi dissoluti da basso impero, ringrazia di aver assistito al concepimento!» Sentiamo Orlando ridere di gusto. «E tu cosa ridi?» gli domando stupita.

«Mi ha fatto ridere quello che hai detto, mamma!»

«E tu che ne sai cosa vuol dire quello che ho detto? Anzi, senti un po', impiccione, non ci hai ancora detto se alla fine tu e Petra siete fidanzati o no.»

Orlando si sposta i capelli dagli occhi, mi guarda, fa un sorrisino furbo. «Mamma, scusa, ma adesso devo mandare una mail!» ed entra in macchina.

«Ma tu ti rendi conto del carattere che ha?»

«Ha avuto una maestra sublime. Dovrò insegnargli un po' di diplomazia.»

«Tu ne hai anche troppa. Non so come tu possa aver accettato di dare una mano a Giorgio a organizzare la manifestazione a Milano e come lui abbia avuto la faccia di chiedertelo.»

«Viola, a lui è convenuto salire sul carro del vincitore, e io salgo su quello del gay pride. Si chiamano larghe intese. In Italia sono di moda da qualche lustro. E ora vieni qui e fatti baciarc.»

Allora il vichingo gentile mi bacia e poi mi alza la maglietta e mi bacia la pancia e mi ribacia e sale in macchina dicendo a Orlando: «Io amo la tua mamma, riferisci a Godzilla!».

E mentre guardo le distese di lava dura dal finestrino e il sole che brucia sopra il cono di un vulcano spento penso che l'amore è questo. Che la felicità è qui. Che Vasco c'è quando mi sorride accanto, ma che è al mio fianco anche nell'assenza. Che la felicità è questo. È sapere che con Vasco non mi sentirò mai monca quando non c'è, ma con un braccio in più quando è con me. È un bambino che sorride sul sedile posteriore di una macchina e uno che aspetta solo che il mondo gli si spalanchi davanti. Ed è davvero così. Una cosa semplice, l'amore. Il resto – ossessioni, ansie, struggimenti – è roba che ha a che fare con l'affanno. E l'amore felice non s'affanna. L'amore felice respira lentamente, a pieni polmoni. Avrei dovuto capirlo, quando mi credevo felice col fiato corto.

Ringraziamenti

Scrivere è uno sporco lavoro, ma per fortuna ci si rotola nel fango in compagnia, per cui vorrei ringraziare un po' di persone.

Mia madre e mio padre, perché non mi hanno mai detto «Sorridi», ma «Studia».

I miei fratelli Fabio e Brando, perché sono maschi e, mentre loro si picchiavano, io leggevo.

Ringrazio i colleghi di «Libero», soprattutto Alessandra Menzani e poi Franco Bechis, Massimo De' Manzoni, Francesco Borgonovo, Pietro Senaldi, Fabrizio Biasin e Maurizio Belpietro, perché lavorare con loro è facile e bello.

Grazie agli amici, perché la faccia crolla, loro no: Giusy Speranzino, Valerio Canevaro, Alessandro Boero, Isabella Corlaita, Silvia Desideri, Ivan Mazzoletti, Fabio De Vivo, Angelo Mandelli e Stefano, Sergio Bertolini e naturalmente i meravigliosi Petra Loreggian & Andrea Mazzantini.

Grazie all'inossidabile Gruppo Testuggine Anna Cavallarin/Ivana Germani/Ilaria Selvaggini, che esiste, anche se è composto da elementi più lucidi e molto diversi da come li ho raccontati. Grazie in particolare a Ivana, perché è più di un'amica. È complice e sorella...

Grazie agli amici di facebook e Twitter, soprattutto le donne, per i loro motivanti e incauti «Perché non scrivi un libro?».

A Barbara Castorina, perché con i suoi «Scrivi!» ha rasentato lo stalking.

A Rossella e Luca per la commovente fiducia accordata in un sushi brasiliano.

A Paolo, perché lui sa.

Ad Andrea Scanzi per un prezioso consiglio.

A Giorgio Boggero per il suo «sei barocca» e a Massimo Ghedini per l'affetto gioioso.

Alla Toho film per Godzilla e a Seth MacFarlane, perché c'è.

A Milano, che non è la mia città ma è la «città mia».

Al controllore del traffico aereo di Madrid César Cabo, per aver ispirato (senza saperlo) il personaggio di Vasco. E anche molti miei torbidi pensieri.

A Guido e al profumo del pepe.

L'editore ringrazia Cargo Milano per l'ospitalità
per la realizzazione della foto dell'autrice in copertina.

Indice